만렙

만렙은 찰만(滿)과 레벨(Level)의 합성어로, 게임 등에서 지원하는 최대 레벨을 의미한다.
만렙 수학은 “내 수준에 맞는 유형서로 나의 수학 실력을 최대치까지 끌어올려 보자” 라는 의미로 사용되었으며,
두 수준의 유형서 PM, AM으로 구분된다.

세상이 변해도 배움의 즐거움은 변함없도록

시대는 빠르게 변해도
배움의 즐거움은
변함없어야 하기에

어제의 비상은
남다른 교재부터
결이 다른 콘텐츠
전에 없던 교육 플랫폼까지

변함없는 혁신으로
교육 문화 환경의 새로운 전형을
실현해왔습니다.

비상은 오늘, 다시 한번
새로운 교육 문화 환경을 실현하기 위한
또 하나의 혁신을 시작합니다.

오늘의 내가 어제의 나를 초월하고
오늘의 교육이 어제의 교육을 초월하여
배움의 즐거움을 지속하는 혁신,

바로, 메타인지학습을.

상상을 실현하는 교육 문화 기업 비상

메타인지학습

초월을 뜻하는 meta와 생각을 뜻하는 인지가 결합된 메타인지는 자신이 알고 모르는 것을 스스로 구분하고 학습계획을 세우도록 하는 궁극의 학습 능력입니다. 비상의 메타인지학습은 메타인지를 키워주어 공부를 100% 내 것으로 만들도록 합니다.

고등 수학(상)

만렙 PM의 특징

시험 빈출 핵심 유형 최다 수록

✔ 너무 쉬워서 시험에 안 나오는 문제는 NO
✔ 너무 어려워서 시험에 안 나오는 문제도 NO

기초 문제는 필요 없고 시험에 출제되는 상 수준의 문제까지 풀고 싶은 학생에게 최적화된 구성으로, 실속 있게 내 실력을 레벨업할 수 있다.

유형별로 모든 난이도의 문제를 한 번에 배열

✔ 1단계, 2단계, 3단계, …마다 같은 개념의 문제가 반복되는 구성이 지루하다.
✔ 유형별 문제를 한 번에 마스터하기 어렵다.

유형별로 시험에 출제되는 모든 문제를 한 번에 학습하기를 원하는 학생에게 최적화된 구성으로, 유형을 빠르게 마스터할 수 있다.

하	중	상
A개념	A개념	A개념
B개념	B개념	B개념
C개념	C개념	C개념

»

A개념	B개념	C개념
하	하	하
중	중	중
상	상	상

Structure

구성

핵심 유형

핵심 유형 정리와 대표 문제만을 모아서 구성하여 핵심 및 대표 문제를 한눈에 파악하기 쉽다.

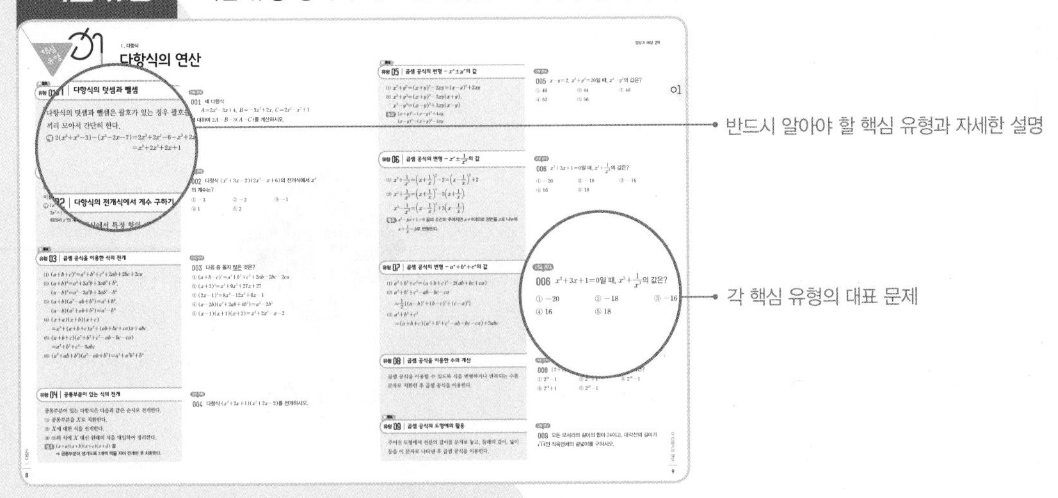

핵심 유형 완성하기

대표 문제를 다시 한 번 풀어보고 다양한 난이도의 문제를 유형별로 풀어볼 수 있다.

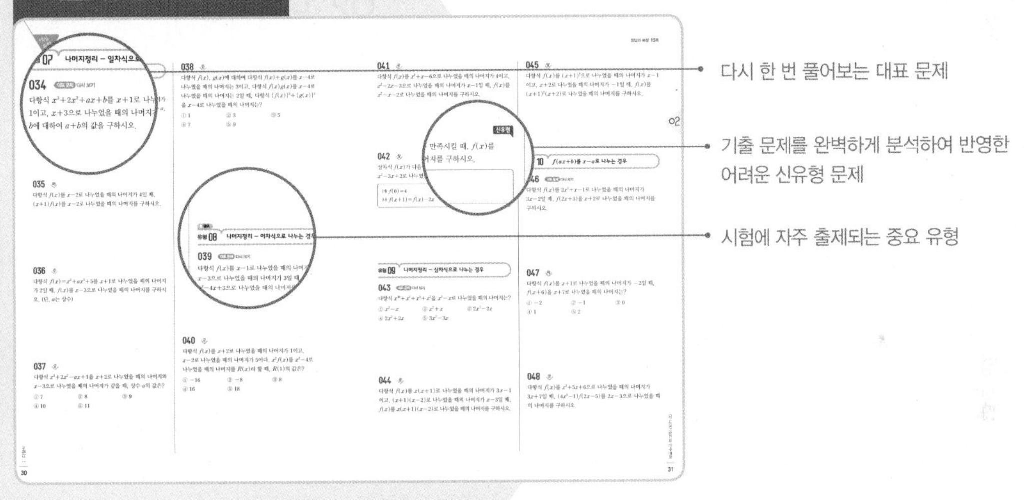

핵심 유형 최종 점검하기

출제율 높은 핵심 문제로 자신의 실력을 테스트할 수 있다.

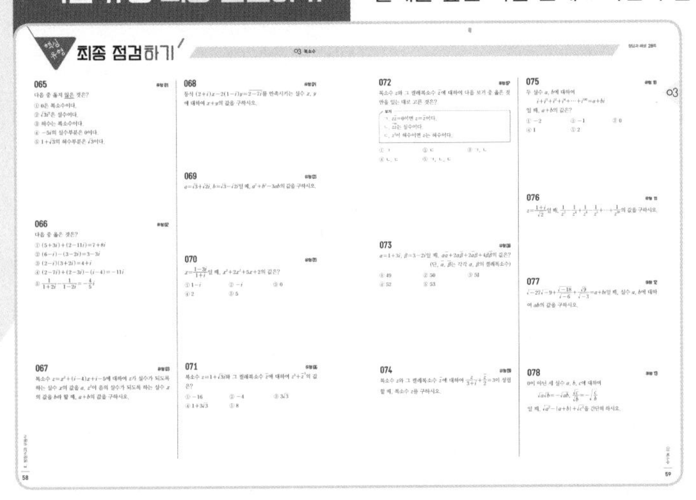

만렙 PM의 차례

Contents

다항식

방정식과 부등식

도형의 방정식

수학(하)

※ 만렙 PM 수학(하)는 별도 판매됩니다.

다항식의 연산

유형 01 다항식의 덧셈과 뺄셈

유형 02 다항식의 전개식에서 계수 구하기

유형 03 곱셈 공식을 이용한 식의 전개

유형 04 공통부분이 있는 식의 전개

유형 05 곱셈 공식의 변형 – $x^n \pm y^n$의 값

유형 06 곱셈 공식의 변형 – $x^n \pm \frac{1}{x^n}$의 값

유형 07 곱셈 공식의 변형 – $a^n+b^n+c^n$의 값

유형 08 곱셈 공식을 이용한 수의 계산

유형 09 곱셈 공식의 도형에의 활용

유형 10 다항식의 나눗셈 – 몫과 나머지

유형 11 다항식의 나눗셈 – $A=BQ+R$ 꼴의 이용

유형 12 몫과 나머지의 변형

유형 13 조립제법

Ⅰ. 다항식

다항식의 연산

★중요

유형 01 | 다항식의 덧셈과 뺄셈

다항식의 덧셈과 뺄셈은 괄호가 있는 경우 괄호를 푼 후 동류항끼리 모아서 간단히 한다.

예 $2(x^3+x^2-3)-(x^3-2x-7)=2x^3+2x^2-6-x^3+2x+7$
$=x^3+2x^2+2x+1$

대표 문제

001 세 다항식
$A=2x^3-3x+4$, $B=-3x^2+2x$, $C=2x^3-x^2+1$
에 대하여 $2A-B-3(A-C)$를 계산하시오.

유형 02 | 다항식의 전개식에서 계수 구하기

다항식의 전개식에서 특정 항의 계수를 구할 때는 분배법칙을 이용하여 필요한 항이 나오도록 선택하여 곱한다.

예 $(x^3+2x^2-x+1)(3x-1)$의 전개식에서 x^2항은
$2x^2\times(-1)+(-x)\times3x=-5x^2$
따라서 x^2의 계수는 -5이다.

대표 문제

002 다항식 $(x^2+3x-2)(2x^2-x+6)$의 전개식에서 x^2의 계수는?

① -3 ② -2 ③ -1
④ 1 ⑤ 2

★중요

유형 03 | 곱셈 공식을 이용한 식의 전개

(1) $(a+b+c)^2=a^2+b^2+c^2+2ab+2bc+2ca$
(2) $(a+b)^3=a^3+3a^2b+3ab^2+b^3$,
$(a-b)^3=a^3-3a^2b+3ab^2-b^3$
(3) $(a+b)(a^2-ab+b^2)=a^3+b^3$,
$(a-b)(a^2+ab+b^2)=a^3-b^3$
(4) $(x+a)(x+b)(x+c)$
$=x^3+(a+b+c)x^2+(ab+bc+ca)x+abc$
(5) $(a+b+c)(a^2+b^2+c^2-ab-bc-ca)$
$=a^3+b^3+c^3-3abc$
(6) $(a^2+ab+b^2)(a^2-ab+b^2)=a^4+a^2b^2+b^4$

대표 문제

003 다음 중 옳지 않은 것은?

① $(a+b-c)^2=a^2+b^2+c^2+2ab-2bc-2ca$
② $(x+3)^3=x^3+9x^2+27x+27$
③ $(2x-1)^3=8x^3-12x^2+6x-1$
④ $(a-2b)(a^2+2ab+4b^2)=a^3-2b^3$
⑤ $(x-1)(x+1)(x+2)=x^3+2x^2-x-2$

유형 04 | 공통부분이 있는 식의 전개

공통부분이 있는 다항식은 다음과 같은 순서로 전개한다.
(1) 공통부분을 X로 치환한다.
(2) X에 대한 식을 전개한다.
(3) (2)의 식에 X 대신 원래의 식을 대입하여 정리한다.

참고 $(x+a)(x+b)(x+c)(x+d)$ 꼴
➡ 공통부분이 생기도록 2개씩 짝을 지어 전개한 후 치환한다.

대표 문제

004 다항식 $(x^2+2x+1)(x^2+2x-2)$를 전개하시오.

★ 중요

유형 05 | 곱셈 공식의 변형 – $x^n \pm y^n$의 값

(1) $x^2+y^2=(x+y)^2-2xy=(x-y)^2+2xy$

(2) $x^3+y^3=(x+y)^3-3xy(x+y)$,
$x^3-y^3=(x-y)^3+3xy(x-y)$

참고 $(x+y)^2=(x-y)^2+4xy$,
$(x-y)^2=(x+y)^2-4xy$

대표 문제

005 $x-y=2$, $x^2+y^2=20$일 때, x^3-y^3의 값은?

① 40 ② 44 ③ 48
④ 52 ⑤ 56

유형 06 | 곱셈 공식의 변형 – $x^n \pm \frac{1}{x^n}$의 값

(1) $x^2+\frac{1}{x^2}=\left(x+\frac{1}{x}\right)^2-2=\left(x-\frac{1}{x}\right)^2+2$

(2) $x^3+\frac{1}{x^3}=\left(x+\frac{1}{x}\right)^3-3\left(x+\frac{1}{x}\right)$,
$x^3-\frac{1}{x^3}=\left(x-\frac{1}{x}\right)^3+3\left(x-\frac{1}{x}\right)$

참고 $x^2-px+1=0$ 꼴의 조건이 주어지면 $x\neq0$이므로 양변을 x로 나누어 $x+\frac{1}{x}=p$로 변형한다.

대표 문제

006 $x^2+3x+1=0$일 때, $x^3+\frac{1}{x^3}$의 값은?

① -20 ② -18 ③ -16
④ 16 ⑤ 18

유형 07 | 곱셈 공식의 변형 – $a^n+b^n+c^n$의 값

(1) $a^2+b^2+c^2=(a+b+c)^2-2(ab+bc+ca)$

(2) $a^2+b^2+c^2-ab-bc-ca$
$=\frac{1}{2}\{(a-b)^2+(b-c)^2+(c-a)^2\}$

(3) $a^3+b^3+c^3$
$=(a+b+c)(a^2+b^2+c^2-ab-bc-ca)+3abc$

대표 문제

007 $a+b+c=2$, $a^2+b^2+c^2=14$, $abc=-6$일 때, $\frac{1}{a}+\frac{1}{b}+\frac{1}{c}$의 값을 구하시오.

유형 08 | 곱셈 공식을 이용한 수의 계산

곱셈 공식을 이용할 수 있도록 식을 변형하거나 반복되는 수를 문자로 치환한 후 곱셈 공식을 이용한다.

대표 문제

008 $(2+1)(2^2+1)(2^4+1)(2^8+1)$을 계산하면?

① $2^{10}-1$ ② $2^{10}+1$ ③ $2^{16}-1$
④ $2^{16}+1$ ⑤ $2^{32}-1$

★ 중요

유형 09 | 곱셈 공식의 도형에의 활용

주어진 도형에서 선분의 길이를 문자로 놓고, 둘레의 길이, 넓이 등을 이 문자로 나타낸 후 곱셈 공식을 이용한다.

대표 문제

009 모든 모서리의 길이의 합이 24이고, 대각선의 길이가 $\sqrt{14}$인 직육면체의 겉넓이를 구하시오.

정답과 해설 2쪽

★ 중요

유형 10 | 다항식의 나눗셈 – 몫과 나머지

다항식의 나눗셈은 각 다항식을 내림차순으로 정리한 후 자연수의 나눗셈과 같은 방법으로 한다.

대표 문제

010 다항식 $2x^3-3x^2+2x-15$를 x^2+2x+3으로 나누었을 때의 몫과 나머지를 차례대로 나열한 것은?

① $-2x-7$, 10　② $-2x+7$, $6x+10$
③ $2x-7$, $6x+10$　④ $2x-7$, $10x+6$
⑤ $2x+7$, $10x+10$

유형 11 | 다항식의 나눗셈 – $A=BQ+R$ 꼴의 이용

다항식 A를 다항식 $B\,(B\neq0)$로 나누었을 때의 몫을 Q, 나머지를 R라 하면

$A=BQ+R$ (단, (R의 차수)<(B의 차수))

대표 문제

011 다항식 x^3-2x^2+5x-3을 다항식 A로 나누었을 때의 몫이 $x^2+2x+13$이고 나머지가 49일 때, 다항식 A를 구하시오.

유형 12 | 몫과 나머지의 변형

다항식 $f(x)$를 일차식 $x+\frac{b}{a}\,(a\neq0)$로 나누었을 때의 몫을 $Q(x)$, 나머지를 R라 하면

$$f(x)=\left(x+\frac{b}{a}\right)Q(x)+R$$
$$=(ax+b)\times\frac{1}{a}Q(x)+R$$

➡ 다항식 $f(x)$를 일차식 $ax+b$로 나누었을 때의 몫은 $\frac{1}{a}Q(x)$, 나머지는 R이다.

대표 문제

012 다항식 $f(x)$를 $x-\frac{3}{2}$으로 나누었을 때의 몫을 $Q(x)$, 나머지를 R라 할 때, $f(x)$를 $2x-3$으로 나누었을 때의 몫과 나머지를 차례대로 나열한 것은?

① $\frac{1}{2}Q(x)$, R　② $\frac{1}{2}Q(x)$, $2R$　③ $Q(x)$, R
④ $2Q(x)$, R　⑤ $2Q(x)$, $2R$

유형 13 | 조립제법

다항식을 일차식으로 나누었을 때의 몫과 나머지를 구할 때는 조립제법을 이용하면 편리하다.

참고 조립제법에서 각 항의 계수를 나열할 때, 계수가 0인 것도 반드시 나타내야 한다.

예 다항식 x^3-x-5를 $x-2$로 나누었을 때의 몫과 나머지는

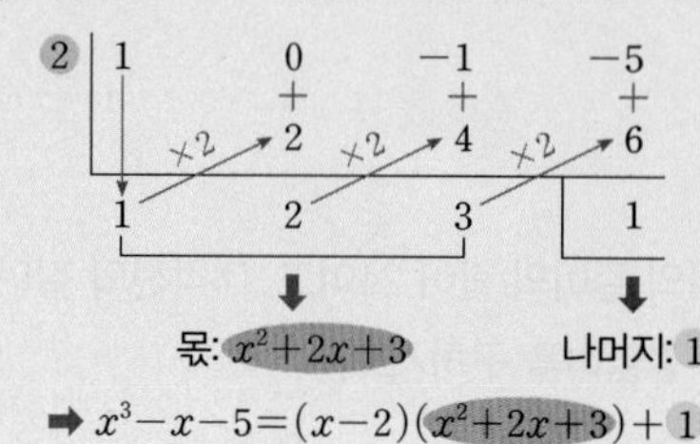

➡ $x^3-x-5=(x-2)(x^2+2x+3)+1$

대표 문제

013 다항식 x^3+3x^2-1을 $x+2$로 나누었을 때의 몫과 나머지를 다음과 같이 조립제법을 이용하여 구하려고 한다. 이때 a, b, c, d, e의 값을 구하시오.

a	1	b	c	-1
		-2	-2	d
	1	e	-2	3

정답과 해설 3쪽

★ 중요

유형 01 다항식의 덧셈과 뺄셈

014 대표 문제 다시 보기

세 다항식

$A=2x^3-x^2-x+6$, $B=x^3-2x$, $C=3x^3-x^2$

에 대하여 $3(A-B)+2(B+C)$를 계산하면?

① $-11x^3-10x^2-3x-18$
② $-7x^3-5x^2+x+6$
③ $7x^3+10x^2+3x-6$
④ $11x^3-5x^2-x+18$
⑤ $11x^3+5x^2+3x-6$

015 중

두 다항식

$A=4x^2-3xy+y^2$, $B=-x^2+xy-2y^2$

에 대하여 $2X-A=3(X-2B)$를 만족시키는 다항식 X를 구하시오.

016 중

두 다항식 P, Q에 대하여

$\langle P, Q\rangle=2P-Q+3$

이라 할 때, $\langle x+2y-1, 3x-4y+1\rangle$을 계산하면?

① $-x+3y$ ② $-x+8y$ ③ $-x+8y+1$
④ $5x-2y$ ⑤ $5x-2y+3$

017 중

두 다항식 A, B에 대하여

$A+2B=x^3+6x^2-5x+3$,
$A-B=4x^3-9x^2+4x-3$

일 때, $A+B$를 계산하시오.

018 상 신유형

다음 표에서 가로, 세로, 대각선에 놓인 세 다항식의 합이 모두 $15x^2+6$이 되도록 빈칸을 채울 때, A에 알맞은 다항식을 구하시오.

$2x^2-3x+5$		$6x^2-x+3$
	$3x^2-4x+6$	A

유형 02 다항식의 전개식에서 계수 구하기

019 대표 문제 다시 보기

다항식 $(x^3+4x-1)(2x^2-x+3)$의 전개식에서 x^3의 계수를 구하시오.

020 하

다항식 $(x-2y-3)(4x+5y-6)$의 전개식에서 xy의 계수는?

① -3 ② -2 ③ -1
④ 1 ⑤ 2

021 중

다항식 $(2x^2+x-3)(x^2-5x+k)$의 전개식에서 x^2의 계수가 -6일 때, 상수 k의 값은?

① -2 ② -1 ③ 1
④ 2 ⑤ 3

022 중

두 다항식

$A=(x-1)(x^3-3x^2+1)$,
$B=(2x^2-x+1)(x^3-x-2)$

에 대하여 다항식 $A-2B$의 x^3의 계수를 구하시오.

023 상

다항식 $(1-x+x^2-x^3+x^4-\cdots+x^{50})^2$의 전개식에서 x^4의 계수를 a, x^5의 계수를 b라 할 때, $a+b$의 값을 구하시오.

024 상

다항식 $(x+1)(x+2)(x+3)(x+4)(x+5)$의 전개식에서 x^4의 계수는?

① 9 ② 11 ③ 13
④ 15 ⑤ 17

★ 중요

유형 03 곱셈 공식을 이용한 식의 전개

025 대표 문제 다시 보기

다음 중 옳은 것은?

① $(a-b-1)^2=a^2+b^2+2ab+2a-2b+1$
② $(a+2b)^3=a^3+12a^2b+6ab^2+8b^3$
③ $(x+1)(x^2-x+1)=x^3-1$
④ $(x-y)(x+y)(x^2+y^2)(x^4+y^4)=x^8+y^8$
⑤ $(x+1)(x+2)(x+3)=x^3+6x^2+11x+6$

026 하

다항식 $(x^2+2x+4)(x^2-2x+4)$를 전개하시오.

027 중

다항식 $(2x-3)^3$을 전개한 식이 $8x^3+ax^2+bx+c$일 때, 상수 a, b, c에 대하여 $a+b+c$의 값은?

① -9 ② -4 ③ -2
④ 0 ⑤ 3

028 중

다항식 $(x-y+z)(x^2+y^2+z^2+xy+yz-zx)$를 전개하시오.

029 중

세 실수 a, b, c에 대하여

$$a^2+b^2+4c^2=41,\ ab-2bc-2ca=-16$$

일 때, $(a+b-2c)^2$의 값은?

① 5　② 6　③ 7
④ 8　⑤ 9

030 중

다항식 $(x+3)(x-3)(x^2+3x+9)(x^2-3x+9)$를 전개하면?

① x^4+81　② x^6-729
③ x^6+729　④ x^6-27x^3+729
⑤ x^6+27x^3+729

031 상

$x+y+z=2$, $xy+yz+zx=-1$, $xyz=-2$일 때, $(x+y)(y+z)(z+x)$의 값은?

① -1　② 0　③ 1
④ 2　⑤ 3

유형 04 공통부분이 있는 식의 전개

032 대표 문제 다시 보기

다항식 $(x^2+x-3)(x^2-4x-3)$을 전개한 식이 $x^4+ax^3+bx^2+cx+9$일 때, 상수 a, b, c에 대하여 $a+b+c$의 값을 구하시오.

033 하

다항식 $(x+y+z)(x+y-z)$를 전개하면?

① $x^2-2xy-y^2-z^2$　② $x^2-2xy+y^2-z^2$
③ $x^2-2xy+y^2+z^2$　④ $x^2+2xy+y^2-z^2$
⑤ $x^2+2xy+y^2+z^2$

034 중

다항식 $(x-1)(x+1)(x+3)(x+5)$를 전개하시오.

035 중

다항식 $(x^2+x+1)(x^2-x+1)(x^4-3x^2+1)$을 전개하면 $ax^8+bx^6+cx^4+dx^2+1$일 때, 상수 a, b, c, d에 대하여 $abcd$의 값은?

① -4　② -3　③ -2
④ 3　⑤ 4

★중요

유형 05 곱셈 공식의 변형 – $x^n \pm y^n$의 값

036 대표 문제 다시 보기

$x+y=1$, $x^2+y^2=5$일 때, x^3+y^3의 값을 구하시오.

037 하

$x+y=4$, $xy=-2$일 때, $\frac{y}{x}+\frac{x}{y}$의 값은?

① -10 ② -5 ③ -1
④ 5 ⑤ 10

038 중

$x-y=-3$, $x^3-y^3=-9$일 때, x^2-xy+y^2의 값은?

① -5 ② -1 ③ 3
④ 7 ⑤ 11

039 중

$a+b=3$, $a^2+b^2=11$일 때, a^3-b^3의 값을 구하시오.
(단, $a>b$)

040 중

$x=1+\sqrt{2}$, $y=1-\sqrt{2}$일 때, $\frac{x^2}{y}+\frac{y^2}{x}$의 값을 구하시오.

041 중

$x-y=2$, $\frac{1}{x}-\frac{1}{y}=-2$일 때, x^4+y^4의 값은?

① 28 ② 30 ③ 32
④ 34 ⑤ 36

042 상

$x+y=1$, $x^3+y^3=7$일 때, x^5+y^5의 값을 구하시오.

유형 06 곱셈 공식의 변형 – $x^n \pm \frac{1}{x^n}$의 값

043 대표 문제 다시 보기

$x^2-x-1=0$일 때, $x^3-\frac{1}{x^3}$의 값은?

① -4 ② -2 ③ 2
④ 4 ⑤ 6

044 하

$x-\frac{1}{x}=3$일 때, $x^2+\frac{1}{x^2}$의 값을 구하시오.

045 중

$x^2+\frac{1}{x^2}=7$일 때, $x^3+\frac{1}{x^3}$의 값은? (단, $x>0$)

① 14 ② 18 ③ 22
④ 26 ⑤ 30

046 중

$x^2-4x+1=0$일 때, $x^3-2x^2-10-\frac{2}{x^2}+\frac{1}{x^3}$의 값을 구하시오.

047 상

$x^2-\frac{1}{x^2}=-2\sqrt{3}$일 때, $\frac{x^6+x^4+x^2+1}{x^3}$의 값은? (단, $x>0$)

① $\sqrt{6}$ ② $2\sqrt{6}$ ③ $3\sqrt{6}$
④ $4\sqrt{6}$ ⑤ $5\sqrt{6}$

유형 07 곱셈 공식의 변형 − $a^n+b^n+c^n$의 값

048 대표 문제 다시 보기

$a+b+c=4$, $ab+bc+ca=5$, $abc=2$일 때, $\frac{a}{bc}+\frac{b}{ca}+\frac{c}{ab}$의 값을 구하시오.

049 중

$a+b+c=-1$, $a^2+b^2+c^2=21$, $abc=-8$일 때, $a^3+b^3+c^3$의 값은?

① -55 ② -31 ③ 24
④ 31 ⑤ 55

050 중

$x+y+z=2$, $x^2+y^2+z^2=6$, $x^3+y^3+z^3=8$일 때, $x^2y^2+y^2z^2+z^2x^2$의 값을 구하시오.

051 상

$a-b=5$, $b-c=-2$일 때, $a^2+b^2+c^2-ab-bc-ca$의 값은?

① 17 ② 19 ③ 21
④ 23 ⑤ 25

유형 08 곱셈 공식을 이용한 수의 계산

052 대표 문제 다시 보기

$(3+2)(3^2+2^2)(3^4+2^4)$을 계산하면?

① 3^4-2^4 ② 3^6-2^6 ③ 3^6+2^6
④ 3^8-2^8 ⑤ 3^8+2^8

053 중

$\frac{2018^2}{2017(2018^2+2019)+1}$을 계산하면?

① $\frac{1}{2019}$ ② $\frac{1}{2018}$ ③ $\frac{1}{2017}$
④ 2018 ⑤ 2019

054 중

99^3+101^3의 각 자리의 숫자의 합을 구하시오.

055 상

$\frac{3\times5\times17\times257+1}{32}$을 계산하면?

① 2^9 ② 2^{10} ③ 2^{11}
④ 2^{12} ⑤ 2^{13}

중요

유형 09 곱셈 공식의 도형에의 활용

056 대표 문제 다시 보기

모든 모서리의 길이의 합이 48이고, 겉넓이가 94인 직육면체의 대각선의 길이를 구하시오.

057 중

오른쪽 그림과 같이 반지름의 길이가 3인 원에 둘레의 길이가 16인 직사각형이 내접할 때, 이 직사각형의 넓이는?

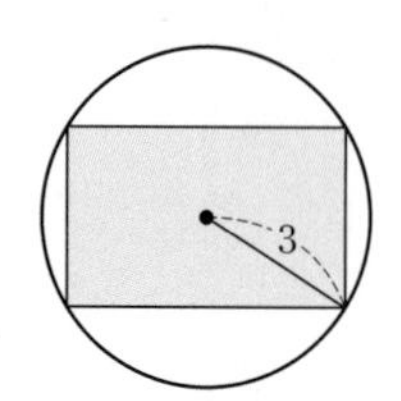

① 12 ② 14
③ 16 ④ 18
⑤ 20

058 중

다음 그림과 같은 두 정육면체의 한 모서리의 길이의 합이 9이고, 두 정육면체의 부피의 합이 243일 때, 두 정육면체의 겉넓이의 합을 구하시오.

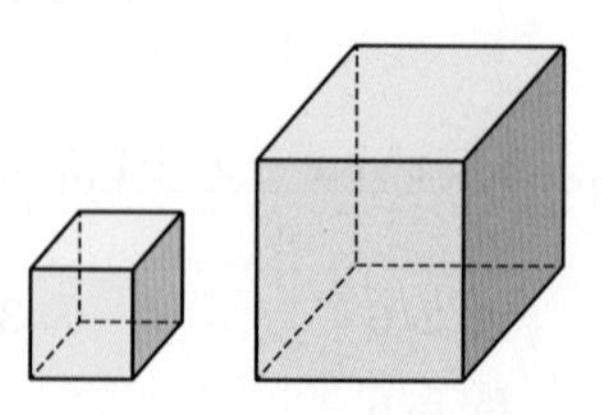

★ 중요

유형 10 다항식의 나눗셈 – 몫과 나머지

059 대표 문제 다시 보기

다항식 $3x^3-2x^2+10$을 x^2-x+5로 나누었을 때의 몫이 $ax+b$이고 나머지가 $cx+d$일 때, 상수 a, b, c, d에 대하여 $ad+bc$의 값을 구하시오.

060 하

다음은 다항식 $4x^3-3x+2$를 $2x-1$로 나누는 과정이다. 이때 상수 a, b, c, d에 대하여 $a+b+c+d$의 값을 구하시오.

$$
\begin{array}{r}
ax^2+x-1 \\
2x-1\,\overline{)\,4x^3 \qquad -3x+2} \\
4x^3-2x^2 \qquad\quad \\
\hline
bx^2-3x \quad \\
2x^2-\ \ x \quad \\
\hline
-2x+c \\
-2x+1 \\
\hline
d
\end{array}
$$

061 중

다항식 $x^4-x^3+6x^2+2x+11$을 x^2+1로 나누었을 때의 몫을 $Q(x)$, 나머지를 $R(x)$라 할 때, $Q(1)-R(-1)$의 값을 구하시오.

062 중

다항식 x^3-4x^2+ax-5가 x^2+x+b로 나누어떨어질 때, 상수 a, b에 대하여 $a+b$의 값을 구하시오.

유형 11 다항식의 나눗셈 – $A=BQ+R$ 꼴의 이용

063 대표 문제 다시 보기

다항식 $2x^3+3x^2-x+2$를 다항식 A로 나누었을 때의 몫이 $2x+1$이고 나머지가 3일 때, 다항식 A는?

① x^2-x-2 ② x^2-x-1 ③ x^2+x-2
④ x^2+x-1 ⑤ x^2+x+1

064 중

다항식 $f(x)$를 $x+2$로 나누었을 때의 몫이 $3x-5$이고 나머지가 3일 때, $f(x)$를 $x-2$로 나누었을 때의 몫과 나머지를 구하시오.

065 상 신유형

$x=\dfrac{1+\sqrt{3}}{2}$일 때, $2x^4-8x^3+11x^2-5x+3$의 값은?

① $5-\sqrt{3}$ ② $7-2\sqrt{3}$ ③ $5+\sqrt{3}$
④ $7+2\sqrt{3}$ ⑤ $9+3\sqrt{3}$

유형 12 몫과 나머지의 변형

066 대표 문제 다시 보기

다항식 $f(x)$를 $x+\frac{1}{2}$로 나누었을 때의 몫을 $Q(x)$, 나머지를 R라 할 때, $f(x)$를 $2x+1$로 나누었을 때의 몫과 나머지를 차례대로 나열한 것은?

① $\frac{1}{2}Q(x)$, R ② $\frac{1}{2}Q(x)$, $2R$ ③ $Q(x)$, R
④ $2Q(x)$, R ⑤ $2Q(x)$, $2R$

067 중

다항식 $f(x)$를 $3x-2$로 나누었을 때의 몫을 $Q(x)$, 나머지를 R라 할 때, $xf(x)$를 $x-\frac{2}{3}$로 나누었을 때의 몫과 나머지를 차례대로 나열한 것은?

① $\frac{1}{3}xQ(x)$, R ② $\frac{1}{3}xQ(x)+R$, $\frac{2}{3}R$
③ $xQ(x)+R$, $\frac{2}{3}R$ ④ $3xQ(x)$, R
⑤ $3xQ(x)+R$, $\frac{2}{3}R$

유형 13 조립제법

068 대표 문제 다시 보기

다항식 x^3+2x-3을 $x+1$로 나누었을 때의 몫과 나머지를 오른쪽과 같이 조립제법을 이용하여 구하려고 한다. 이때 a, b, c, d, e에 대하여 $a+b+c+d+e$의 값을 구하시오.

$$\begin{array}{c|cccc} a & 1 & b & 2 & -3 \\ & & -1 & c & -3 \\ \hline & 1 & -1 & d & \boxed{e} \end{array}$$

069 중

다항식 x^3-3x^2-6x+9를 $x+2$로 나누었을 때의 몫을 $Q(x)$라 할 때, $Q(x)$를 $x-1$로 나누었을 때의 몫을 조립제법을 이용하여 구하시오.

070 중

오른쪽과 같은 조립제법을 이용하여 다항식 $f(x)$를 $2x-1$로 나누었을 때의 몫과 나머지를 구하시오.

$$\begin{array}{c|cccc} \frac{1}{2} & 2 & -3 & 7 & 2 \\ & & 1 & -1 & 3 \\ \hline & 2 & -2 & 6 & \boxed{5} \end{array}$$

071 상

다항식 $3x^3+ax^2+bx+3$을 $3x-2$로 나누었을 때의 몫을 $Q(x)$, 나머지를 R라 할 때, 다음과 같은 조립제법을 이용하여 $aQ(b)+R$의 값을 구하시오. (단, a, b는 상수)

$$\begin{array}{c|cccc} \frac{2}{3} & 6 & 2a & 2b & 6 \\ & & 4 & 8 & -4 \\ \hline & 6 & \square & \square & \boxed{2} \end{array}$$

072

유형 01

두 다항식

$A=x^2-2xy+3y^2$, $B=3x^2+xy-y^2$

에 대하여 $2X-A=3A-2B$를 만족시키는 다항식 X를 구하시오.

073

유형 01

세 다항식 A, B, C에 대하여

$A+B=2x^3-x^2+4x+6$,

$B+C=x^3-2x$,

$C+A=3x^3-x^2$

일 때, $A+B+C$를 계산하면?

① $-6x^3+2x^2-4x-6$

② $-3x^3+x^2+2x-3$

③ $3x^3-x^2+x+3$

④ $6x^3-2x^2+2x+6$

⑤ $6x^3+4x^2-2x+6$

074

유형 02

다항식 $(x^2-2x+1)(2x^3-x+3)$의 전개식에서 x^3의 계수를 a, x^2의 계수를 b라 할 때, $a+b$의 값은?

① 5 ② 6 ③ 7

④ 8 ⑤ 9

075

유형 03

$(x+y)(x^2-xy+y^2)+(x-2y)(x^2+2xy+4y^2)$을 전개하면?

① x^3-3y^3 ② x^3+3y^3 ③ $2x^3-7y^3$

④ $2x^3+7y^3$ ⑤ $2x^3+9y^3$

076

유형 03

$\frac{1}{a}+\frac{1}{b}-\frac{1}{c}=0$, $a^2+b^2+c^2=9$일 때, $(a+b-c)^2$의 값은?

① 6 ② 7 ③ 8

④ 9 ⑤ 10

077

유형 04

다항식 $(x+y+z)(x-y-z)$를 전개하면?

① $x^2-y^2+z^2$ ② $x^2-y^2-z^2-2xy$

③ $x^2-y^2-z^2-2yz$ ④ $x^2-y^2+z^2-2zx$

⑤ $x^2-y^2+z^2-2xyz$

078

유형 04

다항식 $(x-4y)(x-2y)(x-y)(x+y)$를 전개하면?

① $x^4-15x^3y+7x^2y^2-6xy^3-8y^4$
② $x^4-15x^3y+9x^2y^2+6xy^3-8y^4$
③ $x^4-6x^3y-11x^2y^2+6xy^3-8y^4$
④ $x^4-6x^3y+7x^2y^2+6xy^3-8y^4$
⑤ $x^4+6x^3y-11x^2y^2-6xy^3-8y^4$

079

유형 05

$x+y=-2$, $x^2+y^2=6$일 때, x^3+y^3-2xy의 값은?

① -12 ② -8 ③ -4
④ 2 ⑤ 6

080

유형 05

$x+y=4$, $xy=-2$일 때, $(x-1)^3+(y-1)^3$의 값은?

① 36 ② 37 ③ 38
④ 39 ⑤ 40

081

유형 06

$x^2-3x-1=0$일 때, $\frac{x^4+1}{x^2}-\frac{x^6-1}{x^3}$의 값은?

① -36 ② -25 ③ -11
④ 11 ⑤ 25

082

유형 07

$a+b+c=2$, $a^2+b^2+c^2=12$, $a^3+b^3+c^3=8$일 때, abc의 값은?

① -12 ② -8 ③ -6
④ 8 ⑤ 12

083

유형 08

$99\times(100^2+101)=10^n-1$에서 자연수 n의 값은?

① 4 ② 5 ③ 6
④ 7 ⑤ 8

084
유형 09

오른쪽 그림과 같이 반지름의 길이가 10인 사분원 OAB의 내부에 둘레의 길이가 28인 직사각형 OCDE가 내접할 때, 직사각형 OCDE의 넓이를 구하시오.

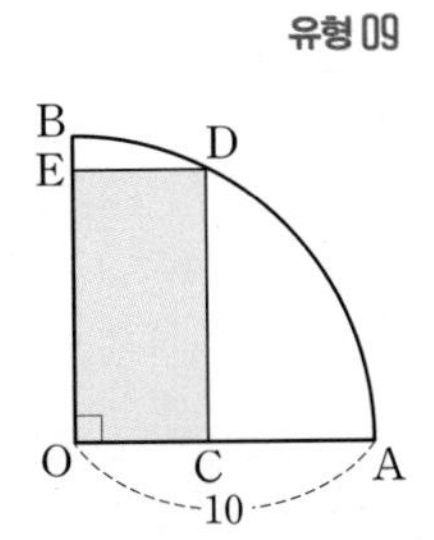

085
유형 09

오른쪽 그림과 같은 직육면체의 겉넓이가 136이고, 삼각형 BGD의 세 변의 길이의 제곱의 합이 120일 때, 이 직육면체의 모든 모서리의 길이의 합을 구하시오.

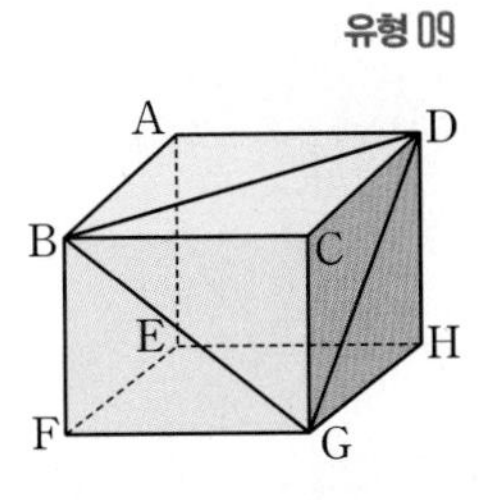

086
유형 10

다항식 $2x^3-x^2-4x+5$를 x^2+x-1로 나누었을 때의 몫을 $Q(x)$, 나머지를 $R(x)$라 할 때, $Q(3)+R(2)$의 값은?

① 1 ② 3 ③ 5
④ 7 ⑤ 9

087
유형 11

다항식 $f(x)$를 $x-2$로 나누었을 때의 몫이 x^2-3이고 나머지가 -1이다. $f(x)$를 x^2-1로 나누었을 때의 나머지가 $ax+3$일 때, 상수 a의 값은?

① -2 ② -1 ③ 1
④ 2 ⑤ 3

088
유형 12

다항식 $f(x)$를 $3x+9$로 나누었을 때의 몫을 $Q(x)$, 나머지를 R라 할 때, $f(x)$를 $x+3$으로 나누었을 때의 몫과 나머지를 구하시오.

089
유형 13

다항식 x^3-3x+a를 $x-1$로 나누었을 때의 몫과 나머지를 아래와 같이 조립제법을 이용하여 구하려고 한다. 다음 중 옳지 않은 것은?

b	1	c	-3	a
		d	1	-2
	1	1	e	-1

① $a=-1$ ② $b=1$ ③ $c=0$
④ $d=1$ ⑤ $e=-2$

나머지정리와 인수분해

유형 01 항등식에서 미정계수 구하기 – 계수비교법

유형 02 항등식에서 미정계수 구하기 – 수치대입법

유형 03 조건을 만족시키는 항등식

유형 04 항등식에서 계수의 합

유형 05 다항식의 나눗셈과 항등식

유형 06 조립제법과 항등식

유형 07 나머지정리 – 일차식으로 나누는 경우

유형 08 나머지정리 – 이차식으로 나누는 경우

유형 09 나머지정리 – 삼차식으로 나누는 경우

유형 10 $f(ax+b)$를 $x-a$로 나누는 경우

유형 11 몫 $Q(x)$를 $x-a$로 나누는 경우

유형 12 나머지정리를 이용한 수의 나눗셈

유형 13 인수정리 – 일차식으로 나누는 경우

유형 14 인수정리 – 이차식으로 나누는 경우

유형 15 인수분해 공식

유형 16 공통부분이 있는 식의 인수분해

유형 17 x^4+ax^2+b 꼴의 인수분해

유형 18 문자가 여러 개인 식의 인수분해

유형 19 인수정리를 이용한 인수분해

유형 20 계수가 대칭인 사차식의 인수분해

유형 21 삼각형의 모양 판단하기

유형 22 인수분해를 이용한 식의 값 구하기

유형 23 인수분해를 이용한 수의 계산

나머지정리와 인수분해

중요

유형 01 | 항등식에서 미정계수 구하기 – 계수비교법

항등식의 양변을 각각 정리한 다음 동류항의 계수를 비교한다.

➡ $ax^2+bx+c=a'x^2+b'x+c'$이 x에 대한 항등식이면

$a=a'$, $b=b'$, $c=c'$

참고 계수비교법은 식이 간단하여 전개하기 쉬운 경우에 이용한다.

대표 문제

001 등식 $(x^2-3x+a)(x+3)=x^3+bx-18$이 x에 대한 항등식일 때, 상수 a, b에 대하여 $a+b$의 값은?

① -21 ② -14 ③ 7
④ 14 ⑤ 21

중요

유형 02 | 항등식에서 미정계수 구하기 – 수치대입법

항등식의 문자에 적당한 수를 대입하여 계수를 정한다.

참고 수치대입법은 적당한 수를 대입하면 식이 간단해지는 경우에 이용한다.

대표 문제

002 모든 실수 x에 대하여 등식

$x^2+ax+2=bx(x-1)+c(x-1)(x+2)$

가 성립할 때, 상수 a, b, c에 대하여 $a+b+c$의 값을 구하시오.

유형 03 | 조건을 만족시키는 항등식

조건을 만족시키는 값 또는 식을 주어진 방정식에 대입한 후 항등식의 성질을 이용한다.

대표 문제

003 $x-y=-1$을 만족시키는 모든 실수 x, y에 대하여

$x^2-2x=ay^2+by+c$

가 성립할 때, 상수 a, b, c에 대하여 abc의 값을 구하시오.

유형 04 | 항등식에서 계수의 합

등식 $(x+a)^n=a_0+a_1x+a_2x^2+\cdots+a_nx^n$에서 양변에 적당한 수를 대입한 식끼리 더하거나 빼서 계수의 합을 구한다.

(1) $x=0$을 대입 ➡ $a^n=a_0$

(2) $x=1$을 대입 ➡ $(1+a)^n=a_0+a_1+a_2+\cdots+a_n$

(3) $x=-1$을 대입

➡ $(-1+a)^n=a_0-a_1+a_2-\cdots-a_{n-1}+a_n$ (n은 짝수)

대표 문제

004 등식 $(x+1)^{10}=a_0+a_1x+a_2x^2+\cdots+a_{10}x^{10}$이 x에 대한 항등식일 때, $a_0+a_2+a_4+\cdots+a_{10}$의 값은?

(단, a_0, a_1, $\cdots$, a_{10}은 상수)

① -1024 ② -512 ③ 512
④ 1024 ⑤ 2048

유형 05 | 다항식의 나눗셈과 항등식

다항식 $A(x)$를 다항식 $B(x)$ $(B(x)\neq0)$로 나누었을 때의 몫을 $Q(x)$, 나머지를 $R(x)$라 하면

$A(x)=B(x)Q(x)+R(x)$

이때 이 등식은 x에 대한 항등식이다.

대표 문제

005 다항식 x^3+ax^2+b를 x^2-x+2로 나누었을 때의 나머지가 $-6x+4$일 때, 상수 a, b에 대하여 ab의 값을 구하시오.

유형 06 | 조립제법과 항등식

조립제법을 연속으로 이용하면 내림차순으로 정리한 식에서 미정계수를 쉽게 구할 수 있다.

예 $x^3+3x-14=a(x-1)^3+b(x-1)^2+c(x-1)+d$

$$\begin{array}{r|rrrr} 1 & 1 & 0 & 3 & -14 \\ & & 1 & 1 & 4 \\ \hline 1 & 1 & 1 & 4 & -10 \leftarrow d \\ & & 1 & 2 & \\ \hline 1 & 1 & 2 & 6 \leftarrow c & \\ & & 1 & & \\ \hline & 1 & 3 \leftarrow b & & \end{array}$$

$\uparrow$ a

$\therefore a=1,\ b=3,\ c=6,\ d=-10$

대표 문제

006 등식

$$x^3+x^2-x+4=a(x-2)^3+b(x-2)^2+c(x-2)+d$$

가 x에 대한 항등식일 때, 상수 a, b, c, d에 대하여 $a+b-c+d$의 값은?

① 3 ② 4 ③ 5
④ 6 ⑤ 7

★ 중요

유형 07 | 나머지정리 – 일차식으로 나누는 경우

다항식 $f(x)$를
(1) 일차식 $x-\alpha$로 나누었을 때의 나머지는 $f(\alpha)$이다.
(2) 일차식 $ax-b$로 나누었을 때의 나머지는 $f\left(\frac{b}{a}\right)$이다.

대표 문제

007 다항식 x^3+ax^2+bx-5를 $x-1$로 나누었을 때의 나머지가 20이고, $x+2$로 나누었을 때의 나머지가 -1일 때, 상수 a, b에 대하여 ab의 값은?

① 2 ② 4 ③ 6
④ 8 ⑤ 10

★ 중요

유형 08 | 나머지정리 – 이차식으로 나누는 경우

다항식 $f(x)$를 이차식으로 나누었을 때는 나머지를 $ax+b$(a, b는 상수)로 놓고 나눗셈에 대한 항등식을 세운 후 나머지정리를 이용한다.

대표 문제

008 다항식 $f(x)$를 $x+2$로 나누었을 때의 나머지가 4이고, $x-3$으로 나누었을 때의 나머지가 -1일 때, $f(x)$를 x^2-x-6으로 나누었을 때의 나머지를 구하시오.

유형 09 | 나머지정리 – 삼차식으로 나누는 경우

다항식 $f(x)$를 삼차식으로 나누었을 때는 나머지를 ax^2+bx+c(a, b, c는 상수)로 놓고 나눗셈에 대한 항등식을 세운 후 나머지정리를 이용한다.

대표 문제

009 다항식 $x^{15}+x^{10}+x^5-1$을 x^3-x로 나누었을 때의 나머지를 $R(x)$라 할 때, $R(5)$의 값을 구하시오.

유형 10 | $f(ax+b)$를 $x-\alpha$로 나누는 경우

다항식 $f(ax+b)$를 $x-\alpha$로 나누었을 때의 나머지는 $f(a\alpha+b)$이다.

대표 문제

010 다항식 $f(x)$를 $(x+2)(x-1)$로 나누었을 때의 나머지가 $x+3$일 때, $f(3x-5)$를 $x-2$로 나누었을 때의 나머지를 구하시오.

유형 11 | 몫 $Q(x)$를 $x-\alpha$로 나누는 경우

다항식 $f(x)$를 $x-p$로 나누었을 때의 몫을 $Q(x)$라 하면 나머지는 $f(p)$이므로

$$f(x)=(x-p)Q(x)+f(p)$$

이때 $Q(x)$를 $x-\alpha$로 나누었을 때의 나머지는 $Q(\alpha)$이므로 이 식의 양변에 $x=\alpha$를 대입하여 구한다.

대표 문제

011 다항식 $x^{21}-3x^{16}+6$을 $x-1$로 나누었을 때의 몫을 $Q(x)$라 할 때, $Q(x)$를 $x+1$로 나누었을 때의 나머지를 구하시오.

유형 12 | 나머지정리를 이용한 수의 나눗셈

두 자연수 A, B에 대하여 A를 B로 나누었을 때의 나머지를 구할 때는 A를 x에 대한 다항식으로, B를 x에 대한 일차식으로 나타낸 후 나머지정리를 이용한다.

➡ 20^5을 21로 나누었을 때의 나머지는 $x=20$이라 하면 $21=x+1$이므로 x^5을 $x+1$로 나누었을 때의 나머지를 이용하여 구한다.

대표 문제

012 19^{100}을 20으로 나누었을 때의 나머지는?

① 1 ② 3 ③ 5 ④ 7 ⑤ 9

★ 중요

유형 13 | 인수정리 – 일차식으로 나누는 경우

다항식 $f(x)$가 $x-\alpha$로 나누어떨어지면

(1) $f(\alpha)=0$

(2) $f(x)$는 $x-\alpha$를 인수로 갖는다.

대표 문제

013 다항식 ax^3-5x^2+bx+2가 $x-1$, $x-2$로 각각 나누어떨어질 때, 상수 a, b에 대하여 ab의 값을 구하시오.

유형 14 | 인수정리 – 이차식으로 나누는 경우

다항식 $f(x)$가 $(x-\alpha)(x-\beta)$로 나누어떨어지면

(1) $f(\alpha)=0$, $f(\beta)=0$

(2) $f(x)$는 $x-\alpha$, $x-\beta$를 인수로 갖는다.

대표 문제

014 다항식 $2x^3-5x^2+ax+b$가 x^2-x-6으로 나누어떨어질 때, 상수 a, b에 대하여 $a+b$의 값은?

① -18 ② -9 ③ 0 ④ 9 ⑤ 18

★중요

유형 01 항등식에서 미정계수 구하기 – 계수비교법

015 대표 문제 다시 보기

등식 $x^3-2x^2+ax-32=(x+b)(x^2+cx-16)$이 x에 대한 항등식일 때, 상수 a, b, c에 대하여 $\frac{a}{bc}$의 값을 구하시오.

016 중

임의의 실수 k에 대하여 등식

$$(k+2)x+(k-3)y-3k+4=0$$

이 성립할 때, 상수 x, y에 대하여 xy의 값을 구하시오.

017 중

등식 $a(x+y)+b(x-2y)+c=4x+y+2$가 x, y의 값에 관계없이 항상 성립할 때, 상수 a, b, c에 대하여 abc의 값을 구하시오.

018 상

x의 값에 관계없이 $\frac{6x+3a}{x+2}$의 값이 항상 일정할 때, 상수 a의 값은? (단, $x\neq-2$)

① 3 ② 4 ③ 5 ④ 6 ⑤ 7

★중요

유형 02 항등식에서 미정계수 구하기 – 수치대입법

019 대표 문제 다시 보기

임의의 실수 x에 대하여 등식

$$ax(x+1)+b(x+1)(x-2)+cx(x-2)=2x^2+x-4$$

가 성립할 때, 상수 a, b, c에 대하여 $a+b+c$의 값은?

① -2 ② -1 ③ 0 ④ 1 ⑤ 2

020 중

등식 $3x^3-8x^2+11x-6=3(x-1)^3+a(x+1)^2+b$가 x에 대한 항등식일 때, 상수 a, b에 대하여 ab의 값을 구하시오.

021 중

다항식 $f(x)$가 x의 값에 관계없이 등식

$$(x+1)(x^2-2)f(x)=x^4+ax^2+b$$

를 만족시킬 때, 상수 a, b에 대하여 ab의 값은?

① -6 ② -4 ③ -2 ④ 2 ⑤ 4

유형 03 조건을 만족시키는 항등식

022 대표 문제 다시 보기

$x+y=2$를 만족시키는 모든 실수 x, y에 대하여

$$ax^2+bxy+cy^2=4$$

가 성립할 때, 상수 a, b, c에 대하여 $a+b+c$의 값은?

① -4　② -2　③ 2　④ 4　⑤ 8

023 중

x에 대한 이차방정식

$$x^2-(k+1)x+(k-3)a-b+1=0$$

이 k의 값에 관계없이 항상 1을 근으로 가질 때, 상수 a, b에 대하여 a^2+b^2의 값은?

① 5　② 10　③ 13　④ 17　⑤ 20

유형 04 항등식에서 계수의 합

024 대표 문제 다시 보기

모든 실수 x에 대하여 등식

$$(x^2-x-1)^7=a_0+a_1x+a_2x^2+\cdots+a_{14}x^{14}$$

이 성립할 때, $a_1+a_3+a_5+\cdots+a_{13}$의 값을 구하시오.

(단, a_0, a_1, $\cdots$, a_{14}는 상수)

025 중

등식 $(x-1)^5=a_0+a_1x+a_2x^2+\cdots+a_5x^5$이 x에 대한 항등식일 때, $a_1+a_2+a_3+a_4+a_5$의 값은?

(단, a_0, a_1, $\cdots$, a_5는 상수)

① -2　② -1　③ 0　④ 1　⑤ 2

026 중

모든 실수 x에 대하여 등식

$$x^{20}+1=a_{20}(x-2)^{20}+a_{19}(x-2)^{19}+\cdots+a_1(x-2)+a_0$$

이 성립할 때, $a_{20}+a_{18}+\cdots+a_2+a_0$의 값은?

(단, a_0, a_1, $\cdots$, a_{20}은 상수)

① $\dfrac{3(3^{19}+1)}{2}$　② $2(3^{19}+1)$　③ $\dfrac{5(3^{19}+1)}{2}$　④ $\dfrac{3(3^{20}+1)}{2}$　⑤ $2(3^{20}+1)$

027 상

$(3x-5)^5(x^3-4x^2+3x-1)^6$을 전개하였을 때, 상수항을 포함한 모든 계수의 합은?

① -64　② -32　③ -16　④ 32　⑤ 64

유형 05 다항식의 나눗셈과 항등식

028 대표 문제 다시 보기

다항식 x^3+ax^2+b를 x^2-x+3으로 나누었을 때의 나머지가 2일 때, 상수 a, b에 대하여 $a+b$의 값은?

① 9 ② 10 ③ 11
④ 12 ⑤ 13

029 중

다항식 $x^4+2x^3+4x^2+4$를 x^2+ax+b로 나누었을 때의 몫이 x^2+1이고 나머지가 $-2x+1$일 때, 상수 a, b에 대하여 $a-b$의 값은?

① -2 ② -1 ③ 0
④ 1 ⑤ 2

030 중

다항식 x^3+ax^2+bx+6이 x^2-4x+2로 나누어떨어질 때, 상수 a, b에 대하여 ab의 값은?

① -10 ② -5 ③ 0
④ 5 ⑤ 10

유형 06 조립제법과 항등식

031 대표 문제 다시 보기

등식

$$x^3+3x^2-2x+1=(x-1)^3+a(x-1)^2+b(x-1)+c$$

가 x에 대한 항등식일 때, 상수 a, b, c에 대하여 $a-b+c$의 값은?

① 0 ② 1 ③ 2
④ 3 ⑤ 4

032 중

등식

$$x^2+px+q$$
$$=a(x+1)^2+b(x+1)+c$$

가 x에 대한 항등식일 때, 상수 a, b, c, p, q의 값을 오른쪽과 같이 조립제법을 이용하여 구하려고 한다. 이때 $abcpq$의 값을 구하시오.

-1	1	p	q
		-1	-2
-1	1	2	-1
		-1	
	1	1	

033 상

다항식 $f(x)=x^3+8x^2+21x+21$에 대하여

$$f(x)=(x+2)^3+a(x+2)^2+b(x+2)+c$$

로 나타낼 때, $f(98)$의 각 자리의 숫자의 합은?

(단, a, b, c는 상수)

① 3 ② 5 ③ 7
④ 9 ⑤ 11

★ 중요

유형 07 나머지정리 - 일차식으로 나누는 경우

034 대표 문제 다시 보기

다항식 x^3+2x^2+ax+b를 $x+1$로 나누었을 때의 나머지가 1이고, $x+3$으로 나누었을 때의 나머지가 -3일 때, 상수 a, b에 대하여 $a+b$의 값을 구하시오.

035 하

다항식 $f(x)$를 $x-2$로 나누었을 때의 나머지가 4일 때, $(x+1)f(x)$를 $x-2$로 나누었을 때의 나머지를 구하시오.

036 중

다항식 $f(x)=x^3+ax^2+5$를 $x+1$로 나누었을 때의 나머지가 2일 때, $f(x)$를 $x-3$으로 나누었을 때의 나머지를 구하시오. (단, a는 상수)

037 중

다항식 x^3+2x^2-ax+1을 $x+2$로 나누었을 때의 나머지와 $x-3$으로 나누었을 때의 나머지가 같을 때, 상수 a의 값은?

① 7 ② 8 ③ 9
④ 10 ⑤ 11

038 중

다항식 $f(x)$, $g(x)$에 대하여 다항식 $f(x)+g(x)$를 $x-4$로 나누었을 때의 나머지는 3이고, 다항식 $f(x)g(x)$를 $x-4$로 나누었을 때의 나머지는 2일 때, 다항식 $\{f(x)\}^3+\{g(x)\}^3$을 $x-4$로 나누었을 때의 나머지는?

① 1 ② 3 ③ 5
④ 7 ⑤ 9

★ 중요

유형 08 나머지정리 - 이차식으로 나누는 경우

039 대표 문제 다시 보기

다항식 $f(x)$를 $x-1$로 나누었을 때의 나머지가 -1이고, $x-3$으로 나누었을 때의 나머지가 3일 때, $f(x)$를 x^2-4x+3으로 나누었을 때의 나머지를 구하시오.

040 중

다항식 $f(x)$를 $x+2$로 나누었을 때의 나머지가 1이고, $x-2$로 나누었을 때의 나머지가 5이다. $x^2f(x)$를 x^2-4로 나누었을 때의 나머지를 $R(x)$라 할 때, $R(1)$의 값은?

① -16 ② -8 ③ 8
④ 16 ⑤ 18

041 중

다항식 $f(x)$를 x^2+x-6으로 나누었을 때의 나머지가 4이고, x^2-2x-3으로 나누었을 때의 나머지가 $x-1$일 때, $f(x)$를 x^2-x-2로 나누었을 때의 나머지를 구하시오.

042 상

신유형

삼차식 $f(x)$가 다음 조건을 모두 만족시킬 때, $f(x)$를 x^2-3x+2로 나누었을 때의 나머지를 구하시오.

> (가) $f(0)=4$
> (나) $f(x+1)=f(x)-2x$

유형 09 나머지정리 – 삼차식으로 나누는 경우

043 대표 문제 다시 보기

다항식 $x^{10}+x^7+x^5+x^2$을 x^3-x로 나누었을 때의 나머지는?

① x^2-x ② x^2+x ③ $2x^2-2x$
④ $2x^2+2x$ ⑤ $3x^2-3x$

044 중

다항식 $f(x)$를 $x(x+1)$로 나누었을 때의 나머지가 $3x-1$이고, $(x+1)(x-2)$로 나누었을 때의 나머지가 $x-3$일 때, $f(x)$를 $x(x+1)(x-2)$로 나누었을 때의 나머지를 구하시오.

045 상

다항식 $f(x)$를 $(x+1)^2$으로 나누었을 때의 나머지가 $x-1$이고, $x+2$로 나누었을 때의 나머지가 -1일 때, $f(x)$를 $(x+1)^2(x+2)$로 나누었을 때의 나머지를 구하시오.

유형 10 $f(ax+b)$를 $x-a$로 나누는 경우

046 대표 문제 다시 보기

다항식 $f(x)$를 $2x^2+x-1$로 나누었을 때의 나머지가 $3x-2$일 때, $f(2x+3)$을 $x+2$로 나누었을 때의 나머지를 구하시오.

047 하

다항식 $f(x)$를 $x+1$로 나누었을 때의 나머지가 -2일 때, $f(x+6)$을 $x+7$로 나누었을 때의 나머지는?

① -2 ② -1 ③ 0
④ 1 ⑤ 2

048 중

다항식 $f(x)$를 x^2+5x+6으로 나누었을 때의 나머지가 $3x+7$일 때, $(4x^2-1)f(2x-5)$를 $2x-3$으로 나누었을 때의 나머지를 구하시오.

유형 11 몫 $Q(x)$를 $x-a$로 나누는 경우

049 대표 문제 다시 보기

다항식 $x^{100}-x^{60}+x-5$를 $x+1$로 나누었을 때의 몫을 $Q(x)$라 할 때, $Q(x)$를 $x-1$로 나누었을 때의 나머지를 구하시오.

050 중

다항식 $f(x)$를 $x+3$으로 나누었을 때의 몫이 $Q(x)$, 나머지가 2이고, $f(x)$를 $x-2$로 나누었을 때의 나머지가 -3이다. 이때 $Q(x)$를 $x-2$로 나누었을 때의 나머지는?

① -2 ② -1 ③ 0
④ 1 ⑤ 2

051 중

다항식 $f(x)$를 $x-1$로 나누었을 때의 몫이 $Q(x)$, 나머지가 3이고, $Q(x)$를 $x+2$로 나누었을 때의 나머지가 5이다. 이때 $f(x)$를 $x+2$로 나누었을 때의 나머지를 구하시오.

052 상

다항식 $f(x)$를 x^2-2x+4로 나누었을 때의 몫이 $Q(x)$, 나머지가 $3x+2$이고, $Q(x)$를 $x+2$로 나누었을 때의 나머지가 1이다. $f(x)$를 x^3+8로 나누었을 때의 나머지를 $R(x)$라 할 때, $R(-1)$의 값을 구하시오.

유형 12 나머지정리를 이용한 수의 나눗셈

053 대표 문제 다시 보기

9^{50}을 8로 나누었을 때의 나머지는?

① 1 ② 3 ③ 5
④ 6 ⑤ 7

054 중

2×3^{50}을 4로 나누었을 때의 나머지를 구하시오.

055 상

2^{2023}을 31로 나누었을 때의 나머지는?

① 4 ② 5 ③ 6
④ 7 ⑤ 8

★ 중요

유형 13 인수정리 – 일차식으로 나누는 경우

056 대표 문제 다시 보기

다항식 $x^3+ax^2+bx-15$가 $x+1$, $x-3$으로 각각 나누어떨어질 때, 상수 a, b에 대하여 $a+b$의 값을 구하시오.

057 하

다항식 $2x^4-3x^3+kx^2-x+7$이 $x-1$을 인수로 가질 때, 상수 k의 값은?

① -13 ② -10 ③ -5
④ 10 ⑤ 13

058 중

다항식 $f(x)=2x^3+ax^2-3x+1$에 대하여 $f(x+1)$이 $x+2$로 나누어떨어질 때, 상수 a의 값을 구하시오.

059 상

x^3의 계수가 1인 삼차식 $f(x)$에 대하여 $f(-1)=-1$, $f(1)=1$, $f(2)=2$일 때, $f(x)$를 $x-3$으로 나누었을 때의 나머지는?

① 5 ② 8 ③ 11
④ 14 ⑤ 17

유형 14 인수정리 – 이차식으로 나누는 경우

060 대표 문제 다시 보기

다항식 x^3+x^2+ax+b가 x^2-x-2로 나누어떨어질 때, 상수 a, b에 대하여 ab의 값은?

① -16 ② -8 ③ 4
④ 8 ⑤ 16

061 중

다항식 $f(x)=2x^3-11x^2+ax+b$가 x^2-5x+6으로 나누어떨어질 때, $f(x)$를 $x-1$로 나누었을 때의 나머지는? (단, a, b는 상수)

① 0 ② 2 ③ 4
④ 6 ⑤ 8

062 상

다항식 $f(x)-3$이 x^2-1로 나누어떨어질 때, $f(x+2)$를 x^2+4x+3으로 나누었을 때의 나머지를 구하시오.

핵심 유형 02

I. 다항식

나머지정리와 인수분해

★ 중요

유형 15 | 인수분해 공식

(1) $a^2+b^2+c^2+2ab+2bc+2ca=(a+b+c)^2$

(2) $a^3+3a^2b+3ab^2+b^3=(a+b)^3$,

$a^3-3a^2b+3ab^2-b^3=(a-b)^3$

(3) $a^3+b^3=(a+b)(a^2-ab+b^2)$,

$a^3-b^3=(a-b)(a^2+ab+b^2)$

(4) $a^4+a^2b^2+b^4=(a^2+ab+b^2)(a^2-ab+b^2)$

(5) $a^3+b^3+c^3-3abc$

$=(a+b+c)(a^2+b^2+c^2-ab-bc-ca)$

$=\frac{1}{2}(a+b+c)\{(a-b)^2+(b-c)^2+(c-a)^2\}$

대표 문제

063 다음 중 옳지 않은 것은?

① $a^3-3a^2+3a-1=(a-1)^3$

② $x^3+6x^2y+12xy^2+8y^3=(x+2y)^3$

③ $a^2+b^2+c^2+2ab-2bc-2ca=(a-b-c)^2$

④ $a^3-8=(a-2)(a^2+2a+4)$

⑤ $x^4+x^2+1=(x^2+x+1)(x^2-x+1)$

★ 중요

유형 16 | 공통부분이 있는 식의 인수분해

공통부분이 있으면 공통부분을 한 문자로 치환하여 전개한 후 인수분해한다.

참고 $(x+a)(x+b)(x+c)(x+d)+k$ 꼴

➡ 공통부분이 생기도록 2개씩 짝을 지어 전개한 후 치환한다.

대표 문제

064 다음 중 다항식 $(x-1)(x-2)(x+3)(x+4)+6$의 인수인 것은?

① $x-5$ ② $x-2$ ③ $x+3$
④ x^2+2x-5 ⑤ x^2+2x+6

유형 17 | x^4+ax^2+b 꼴의 인수분해

$x^2=X$로 치환하여 X^2+aX+b가

(1) 인수분해되면

➡ 인수분해한 후 X에 x^2을 대입하여 정리한다.

(2) 인수분해되지 않으면

➡ x^4+ax^2+b에서 ax^2을 적당히 조절하여 A^2-B^2 꼴로 변형한 후 인수분해한다.

대표 문제

065 다항식 x^4-10x^2+9를 인수분해하면 $(x+a)(x+b)(x+c)(x+d)$일 때, 상수 a, b, c, d에 대하여 $a^2+b^2+c^2+d^2$의 값은?

① 12 ② 14 ③ 16
④ 18 ⑤ 20

유형 18 | 문자가 여러 개인 식의 인수분해

차수가 가장 낮은 문자에 대하여 내림차순으로 정리한 다음 인수분해한다. 이때 모든 문자의 차수가 같으면 어느 한 문자에 대하여 내림차순으로 정리한다.

대표 문제

066 다항식 $x^2-xy-2y^2+2x+5y-3$을 인수분해하면?

① $(x-y-1)(x-2y+3)$
② $(x-y-1)(x-y+3)$
③ $(x+y-1)(x-2y+3)$
④ $(x+y+1)(x-2y-3)$
⑤ $(x+y+1)(x+2y-3)$

★ 중요

유형 19 | 인수정리를 이용한 인수분해

$f(x)$가 삼차 이상의 다항식이면 다음과 같은 순서로 인수분해한다.

(1) $f(\alpha)=0$을 만족시키는 α의 값을 찾는다.

➡ $\alpha=\pm\dfrac{(f(x)\text{의 상수항의 약수})}{(f(x)\text{의 최고차항의 계수의 약수})}$

(2) 조립제법을 이용하여 $f(x)$를 $x-\alpha$로 나누었을 때의 몫 $Q(x)$를 구한다.

(3) $f(x)=(x-\alpha)Q(x)$로 인수분해한다.

(4) $Q(x)$가 더 이상 인수분해되지 않을 때까지 인수분해한다.

대표 문제

067 다항식 x^3+2x^2-x-2를 인수분해하면 $(x+a)(x+b)(x+c)$일 때, 상수 a, b, c에 대하여 $a+b-c$의 값은? (단, $a<b<c$)

① -8　② -6　③ -4
④ -2　⑤ -1

유형 20 | 계수가 대칭인 사차식의 인수분해

$ax^4+bx^3+cx^2+bx+a$ 꼴의 사차식은 각 항을 x^2으로 묶은 후 $x^2+\dfrac{1}{x^2}=\left(x+\dfrac{1}{x}\right)^2-2$임을 이용하여 $x+\dfrac{1}{x}$에 대한 식을 인수분해한다.

대표 문제

068 다항식 $x^4+2x^3-x^2+2x+1$을 인수분해하면?

① $(x^2+3x-1)(x^2-x-1)$
② $(x^2+3x-1)(x^2-x+1)$
③ $(x^2+3x+1)(x^2-x-1)$
④ $(x^2+3x+1)(x^2-x+1)$
⑤ $(x^2+3x+1)(x^2+x+1)$

정답과 해설 16쪽

유형 21 | 삼각형의 모양 판단하기

인수분해를 이용하여 삼각형의 세 변의 길이 사이의 관계를 알아낸 후 다음을 이용한다.

➡ 삼각형의 세 변의 길이가 a, b, c일 때

(1) $a=b=c$이면 정삼각형

(2) $a=b$ 또는 $b=c$ 또는 $c=a$이면 이등변삼각형

(3) $a^2=b^2+c^2$이면 빗변의 길이가 a인 직각삼각형

대표 문제

069 삼각형의 세 변의 길이 a, b, c에 대하여

$$a^2b+ab^2+b^2c-bc^2-c^2a-ca^2=0$$

이 성립할 때, 이 삼각형은 어떤 삼각형인가?

① 정삼각형

② $a=b$인 이등변삼각형

③ $b=c$인 이등변삼각형

④ 빗변의 길이가 a인 직각삼각형

⑤ 빗변의 길이가 b인 직각삼각형

유형 22 | 인수분해를 이용한 식의 값 구하기

곱셈 공식과 인수분해 공식을 이용하여 식을 변형한 후 주어진 조건을 대입한다.

대표 문제

070 $x-y=2$, $xy=1$일 때, $x^4+x^2y^2+y^4$의 값은?

① 31 ② 32 ③ 33 ④ 34 ⑤ 35

유형 23 | 인수분해를 이용한 수의 계산

복잡한 수의 계산은 적당한 수를 문자로 치환한 후 인수분해 공식을 이용하여 계산할 수 있다.

대표 문제

071 $\dfrac{2030^3-1}{2030\times2031+1}$의 값은?

① 2029 ② 2030 ③ 2031 ④ 2032 ⑤ 2033

★ 중요

유형 15 인수분해 공식

072 대표 문제 다시 보기

다음 중 옳지 않은 것은?

① $x^3-64y^3=(x-4y)(x^2+4xy+16y^2)$
② $a^3+9a^2+27a+27=(a+3)^3$
③ $x^8-1=(x-1)(x+1)(x^2+1)(x^4+1)$
④ $a^2+b^2+4c^2-2ab-4bc+4ca=(a+b-2c)^2$
⑤ $x^3+y^3-3xy+1=(x+y+1)(x^2+y^2-xy-x-y+1)$

073 하

다항식 $x^2-x+xy-y$를 인수분해하면?

① $(x-y)(x+1)$ ② $(x-y)(y-1)$
③ $(x+y)(x+1)$ ④ $(x+y)(y+1)$
⑤ $(x+y)(x-1)$

074 중

다항식 $9a^2-4b^2-6a+1$을 인수분해하시오.

075 중

다음 중 다항식 x^6-64의 인수인 것은?

① $x-8$ ② x^2-4 ③ x^3+4
④ x^2+x+2 ⑤ x^2-2x+2

076 중

다항식 $x^4-9x^3y+27x^2y^2-27xy^3$을 인수분해하시오.

077 중

다항식 $(x-y)(x^4+y^4)+x^3y^2-x^2y^3$을 인수분해하시오.

078 중

다음 중 다항식 $x^3-8y^3-7xy(x-2y)$의 인수가 아닌 것은?

① $x-4y$ ② $x-2y$ ③ $x+y$
④ $x^2-5xy+4y^2$ ⑤ $x^2-3xy+2y^2$

★ 중요

유형 16 공통부분이 있는 식의 인수분해

079 대표 문제 다시 보기

다음 중 다항식 $(x+1)(x+2)^2(x+3)-6$의 인수인 것은?

① $x-6$ ② $x+2$ ③ $x+4$
④ x^2+4x-6 ⑤ x^2+4x+1

080 하

다항식 $(a+b+1)(a+b-4)+6$을 인수분해하시오.

081 중

다항식 $(x^2-2x)^2-2x^2+4x-3$을 인수분해하면 $(x+a)^2(x+b)(x+c)$일 때, 상수 a, b, c에 대하여 $a+bc$의 값은?

① -4 ② -2 ③ 0
④ 2 ⑤ 4

082 중

다항식 $(x-3)(x-2)(x+1)(x+2)+k$가 x에 대한 이차식의 완전제곱식으로 인수분해될 때, 상수 k의 값은?

① 3 ② 4 ③ 5
④ 6 ⑤ 7

083 상

다항식 $(x^2-4x+3)(x^2+6x+8)+21$을 인수분해하면 $(x^2+ax+b)(x^2+ax+c)$일 때, 상수 a, b, c에 대하여 $a+b+c$의 값을 구하시오.

유형 17 x^4+ax^2+b 꼴의 인수분해

084 대표 문제 다시 보기

다항식 x^4-13x^2+36을 인수분해하면 $(x-a)(x-b)(x-c)(x-d)$일 때, 상수 a, b, c, d에 대하여 $ab-cd$의 값은? (단, $a<b<c<d$)

① -1 ② 0 ③ 1
④ 2 ⑤ 3

085 중

다음 중 다항식 $x^4-2x^2y^2-8y^4$의 인수가 아닌 것은?

① $x-2y$ ② $x+2y$ ③ x^2-2y^2
④ x^2+2y^2 ⑤ x^2-4y^2

086 중

다항식 x^4+x^2+25를 인수분해하면 $(x^2+ax+b)(x^2-3x+c)$일 때, 상수 a, b, c에 대하여 $a+b-c$의 값은?

① -5 ② -3 ③ -1
④ 1 ⑤ 3

087 중

다항식 x^4+64를 인수분해하면 $(x^2+4x+8)Q(x)$일 때, $Q(2)$의 값은?

① 2 ② 4 ③ 5
④ 6 ⑤ 8

유형 18 문자가 여러 개인 식의 인수분해

088 대표 문제 다시 보기

다항식 $x^2+3xy+2y^2-x-3y-2$를 인수분해하면 $(x+ay-2)(x+by+c)$일 때, 상수 a, b, c에 대하여 $a+b+c$의 값은?

① 2 ② 3 ③ 4
④ 5 ⑤ 6

089 하

다음 중 다항식 $a^2-abc+ab-b^2c$의 인수인 것은?

① $a-b$ ② $b-c$ ③ $c-a$
④ $a-bc$ ⑤ $ab-c$

090 중

다항식 $x^2+xy-2y^2+ax+7y-3$이 x, y에 대한 두 일차식의 곱으로 인수분해될 때, 상수 a의 값은?

① -3 ② -2 ③ -1
④ 1 ⑤ 2

091 중

다항식 $ab(a-b)-bc(b+c)+ca(a+c)$를 인수분해하면?

① $(a-b)(b-c)(c-a)$
② $(a-b)(b-c)(c+a)$
③ $(a-b)(b+c)(c-a)$
④ $(a-b)(b+c)(c+a)$
⑤ $(a+b)(b+c)(c-a)$

092 중

다음 보기 중 다항식 $a^2(b-c)-b^2(c+a)-c^2(a-b)+2abc$의 인수인 것만을 있는 대로 고르시오.

보기

ㄱ. $a+b$	ㄴ. $a-b$
ㄷ. $b-c$	ㄹ. $c-a$

★중요

유형 19 인수정리를 이용한 인수분해

093 대표 문제 다시 보기

다항식 x^3+2x^2-5x-6을 인수분해하면 $(x+a)(x+b)(x+c)$일 때, 상수 a, b, c에 대하여 $a^2+b^2+c^2$의 값을 구하시오.

094 중

다항식 $f(x)=x^3+ax-6$이 $x+1$로 나누어떨어질 때, $f(x)$를 인수분해하시오. (단, a는 상수)

095 중

다음 중 다항식 $x^4-2x^3-2x^2+3x+2$의 인수가 아닌 것은?

① $x-2$　② $x+1$　③ x^2-x-2
④ x^2-x-1　⑤ x^2+x-2

096 중

다항식 $x^3-(a+1)x^2-a(2a-1)x+2a^2$이 x의 계수가 1인 세 일차식의 곱으로 인수분해될 때, 세 일차식의 상수항의 합이 -3이다. 이때 상수 a의 값을 구하시오.

097 중

다항식 $x^4+3x^3+ax^2+bx+2$가 $(x-1)(x+2)Q(x)$로 인수분해될 때, $Q(-2)$의 값은? (단, a, b는 상수)

① -2　② -1　③ 0
④ 1　⑤ 2

098 상 신유형

부피가 $(x^3+8x^2+13x+6)\pi$인 원기둥의 밑면의 반지름의 길이와 높이가 각각 x의 계수가 1인 일차식이다. 이 원기둥의 겉넓이는 $2\pi(x+a)(bx+7)$일 때, 상수 a, b에 대하여 $a+b$의 값을 구하시오. (단, $x>0$)

유형 20 계수가 대칭인 사차식의 인수분해

099 대표 문제 다시 보기

다항식 $x^4-5x^3+6x^2-5x+1$을 인수분해하면 $(x^2-x+a)(x^2+bx+c)$일 때, 상수 a, b, c에 대하여 $a+b+c$의 값은?

① -3　② -2　③ -1　④ 0　⑤ 1

100 중

다음 중 다항식 $x^4-4x^3+5x^2-4x+1$의 인수인 것은?

① $x-1$　② $x+1$　③ x^2-x-1　④ x^2-3x+1　⑤ x^2+3x+1

유형 21 삼각형의 모양 판단하기

101 대표 문제 다시 보기

삼각형의 세 변의 길이 a, b, c에 대하여

$$b^2+c^2+ab-2bc-ac=0$$

이 성립할 때, 이 삼각형은 어떤 삼각형인가?

① 정삼각형
② $a=b$인 이등변삼각형
③ $b=c$인 이등변삼각형
④ 빗변의 길이가 a인 직각삼각형
⑤ 빗변의 길이가 c인 직각삼각형

102 중

삼각형의 세 변의 길이 a, b, c에 대하여

$$a^3+b^3+c^3-3abc=0$$

이 성립할 때, 이 삼각형은 어떤 삼각형인지 말하시오.

103 중

삼각형의 세 변의 길이 a, b, c에 대하여

$$a^3-ab^2+ac^2+a^2c-b^2c+c^3=0$$

이 성립할 때, 이 삼각형은 어떤 삼각형인가?

① 정삼각형
② $a=b$인 이등변삼각형
③ $a=c$인 이등변삼각형
④ 빗변의 길이가 a인 직각삼각형
⑤ 빗변의 길이가 b인 직각삼각형

유형 22 인수분해를 이용한 식의 값 구하기

104 대표 문제 다시 보기

$a+b=2$, $ab=-2$일 때, $a^4+a^2b^2+b^4$의 값은?

① 40 ② 48 ③ 60
④ 64 ⑤ 68

105 중

$a+b+c=0$일 때, $\dfrac{a^3+b^3+c^3}{abc}$의 값은? (단, $abc\neq0$)

① -3 ② -1 ③ 1
④ 3 ⑤ 6

106 중

$a-b=2-\sqrt{3}$, $c-a=2+\sqrt{3}$일 때,
$ab^2-a^2b+bc^2-b^2c-ac^2+a^2c$의 값은?

① -8 ② -4 ③ 4
④ 8 ⑤ 12

유형 23 인수분해를 이용한 수의 계산

107 대표 문제 다시 보기

$\dfrac{1999^3+1}{1999^2-1999+1}$의 값을 구하시오.

108 중

$\dfrac{386^3+14^3}{386\times372+14^2}$의 값은?

① 112 ② 184 ③ 288
④ 400 ⑤ 484

109 중

$\sqrt{18\times19\times20\times21+1}$의 값은?

① 379 ② 380 ③ 381
④ 382 ⑤ 383

110 중

$f(x)=x^3+5x^2+3x-9$일 때, $f(97)$의 값은?

① 940000 ② 950000 ③ 960000
④ 970000 ⑤ 980000

111 유형 01

등식 $(k+2)x+(2k-3)y+5k-4=0$이 k의 값에 관계없이 항상 성립할 때, 상수 x, y에 대하여 xy의 값은?

① -4　② -2　③ 2
④ 4　⑤ 8

112 유형 02

임의의 실수 x에 대하여 등식

$$4x^2-x-3$$
$$=a(x-1)(x+2)+b(x-1)(x-3)+c(x+2)(x-3)$$

이 성립할 때, 상수 a, b, c에 대하여 $a+b+c$의 값을 구하시오.

113 유형 03

x에 대한 이차방정식

$$ax^2-b(k+2)x+a(k-1)=4$$

가 k의 값에 관계없이 항상 1을 근으로 가질 때, 상수 a, b에 대하여 ab의 값을 구하시오.

114 유형 04

등식 $(x^2-2x-1)^6=a_0+a_1x+a_2x^2+\cdots+a_{12}x^{12}$이 x에 대한 항등식일 때, $a_0+a_2+a_4+\cdots+a_{12}$의 값을 구하시오.

(단, a_0, a_1, $\cdots$, a_{12}는 상수)

115 유형 05

다항식 x^3+ax^2+bx+1을 x^2+x-2로 나누었을 때의 나머지가 $2x+3$일 때, 상수 a, b에 대하여 $a-b$의 값은?

① -1　② 0　③ 1
④ 2　⑤ 3

116 유형 07

다항식 x^3-3x^2+ax+b를 $x-1$로 나누었을 때의 나머지가 3이고, $x-3$으로 나누었을 때의 나머지가 -1일 때, 상수 a, b에 대하여 $b-a$의 값을 구하시오.

117 유형 08

삼차식 $f(x)$에 대하여

$$f(-1)=3,\ f(x+2)-f(x)=2x^2+6x$$

가 성립할 때, $f(x)$를 x^2-4x+3으로 나누었을 때의 나머지를 구하시오.

118 유형 09

다항식 $f(x)$를 x, $x-1$, $x+2$로 나누었을 때의 나머지가 각각 1, 3, 3이다. $f(x)$를 x^3+x^2-2x로 나누었을 때의 나머지를 $R(x)$라 할 때, $R(2)$의 값을 구하시오.

119

유형 10

다항식 $f(x)$에 대하여 $f(x)-5x$가 x^2-2x-3으로 나누어떨어질 때, $f(3x+2)$를 $3x-1$로 나누었을 때의 나머지를 구하시오.

120

유형 11

다항식 $x^3+ax^2-11x+7$을 $x-1$로 나누었을 때의 몫이 $Q(x)$, 나머지가 -1일 때, $Q(x)$를 $x-2$로 나누었을 때의 나머지는? (단, a는 상수)

① -2 ② -1 ③ 0
④ 1 ⑤ 2

121

유형 12

46^{15}을 47로 나누었을 때의 나머지는?

① 42 ② 43 ③ 44
④ 45 ⑤ 46

122

유형 13

다항식 x^3-2x^2+ax+b가 $x-1$, $x+2$를 인수로 가질 때, 다항식 x^2+ax+b를 $x+1$로 나누었을 때의 나머지를 구하시오. (단, a, b는 상수)

123

유형 14

다항식 $f(x)=2x^3-3x^2+ax+b$에 대하여 $f(x+2)$가 x^2+2x-3으로 나누어떨어질 때, 상수 a, b에 대하여 ab의 값을 구하시오.

124

유형 15

다음 중 옳지 않은 것은?

① $x^3+3x^2+3x+1=(x+1)^3$
② $a^3+64b^3=(a+4b)(a^2-4ab+16b^2)$
③ $a^2+4b^2+c^2-4ab+4bc-2ca=(a-2b-c)^2$
④ $x^6-y^6=(x^2+y^2)(x^2-xy+y^2)(x^2+xy+y^2)$
⑤ $81x^4+9x^2+1=(9x^2+3x+1)(9x^2-3x+1)$

125

유형 15

다음 중 다항식 $a^3+1-a(a+1)$의 인수가 아닌 것은?

① $a-1$ ② $a+1$ ③ a^2-1
④ a^2+2a+1 ⑤ a^2-2a+1

126

유형 16

다항식 $(x^2+5x-1)(x^2+5x-5)+3$이 x^2의 계수가 1인 두 이차식의 곱으로 인수분해될 때, 두 이차식의 합을 구하시오.

127
유형 17

다항식 x^4-8x^2+16을 인수분해하면 $(x+a)^2(x+b)^2$일 때, 상수 a, b에 대하여 $a-b$의 값은? (단, $a>b$)

① 2　② 3　③ 4　④ 5　⑤ 6

128
유형 17

다음 중 다항식 $x^4+3x^2y^2+4y^4$의 인수인 것은?

① $x-2y$　② $x+2y$　③ $x^2-xy-2y^2$　④ $x^2-xy+2y^2$　⑤ $x^2+xy-2y^2$

129
유형 18

다항식 $x^2-y^2+z^2-2xz-x+y+z$를 인수분해하시오.

130
유형 19

다항식 x^3+2x^2+ax-4가 $(x-1)Q(x)$로 인수분해될 때, $Q(-1)$의 값을 구하시오. (단, a는 상수)

131
유형 20

다항식 $x^4-2x^3-5x^2+2x+1$을 인수분해하면 $(x^2+x+a)(x^2+bx+c)$일 때, 상수 a, b, c에 대하여 $a+b+c$의 값을 구하시오.

132
유형 21

삼각형의 세 변의 길이 a, b, c에 대하여

$$a^4+b^4-c^4+2a^2b^2=0$$

이 성립할 때, 이 삼각형은 어떤 삼각형인가?

① 정삼각형
② $a=b$인 이등변삼각형
③ $b=c$인 이등변삼각형
④ 빗변의 길이가 a인 직각삼각형
⑤ 빗변의 길이가 c인 직각삼각형

133
유형 22

$x=1+\sqrt{2}$, $y=1-\sqrt{2}$일 때, $x^3+x^2y+xy^2+y^3$의 값을 구하시오.

134
유형 23

$f(x)=x^4-5x^3+6x^2+4x-8$일 때, $f(2.1)$의 값은?

① 0.0021　② 0.0031　③ 0.0041　④ 0.0051　⑤ 0.0061

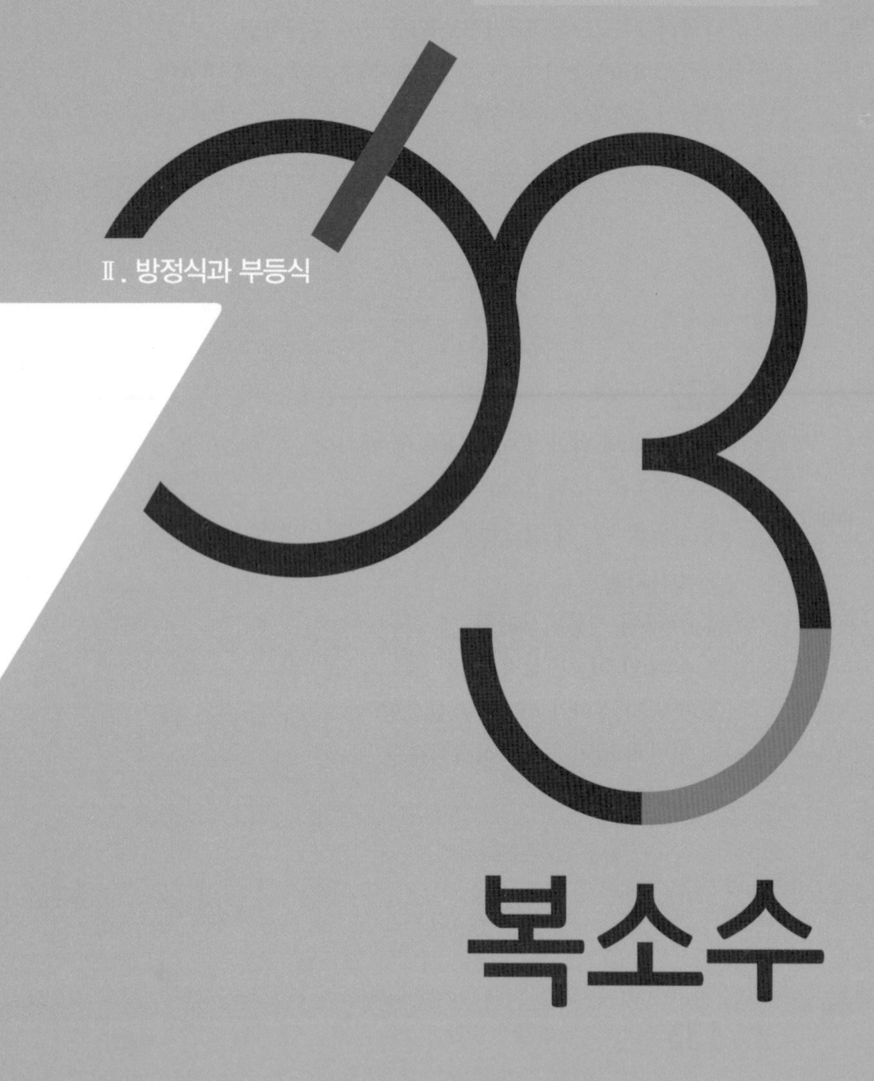

복소수

유형 01 복소수의 뜻과 분류

유형 02 복소수의 사칙연산

유형 03 복소수가 실수가 되는 조건

유형 04 복소수가 서로 같을 조건

유형 05 복소수가 주어질 때의 식의 값

유형 06 켤레복소수의 계산

유형 07 켤레복소수의 성질

유형 08 켤레복소수의 성질을 이용한 계산

유형 09 조건을 만족시키는 복소수 구하기

유형 10 허수단위 i의 거듭제곱

유형 11 복소수의 거듭제곱

유형 12 음수의 제곱근의 계산

유형 13 음수의 제곱근의 성질

복소수

유형 01 | 복소수의 뜻과 분류

(1) $i^2=-1\,(i=\sqrt{-1})$을 만족시키는 i를 허수단위라 한다.

(2) 임의의 실수 a, b에 대하여 $a+bi$ 꼴로 나타내어지는 수를 복소수라 하고, a를 실수부분, b를 허수부분이라 한다.

(3) 복소수는 다음과 같이 분류할 수 있다.

➡ 복소수 $a+bi$ (a, b는 실수) $\begin{cases} \text{실수 } a & (b=0) \\ \text{허수 } a+bi & (b\neq 0) \end{cases}$

대표 문제

001 다음 중 옳지 않은 것은?

① $i^2=-1$이다.

② $-5i$는 허수이다.

③ 실수는 복소수이다.

④ $\sqrt{3}$의 허수부분은 0이다.

⑤ $\sqrt{2}-i$의 실수부분은 $\sqrt{2}$, 허수부분은 1이다.

유형 02 | 복소수의 사칙연산

두 복소수 $a+bi$, $c+di$ (a, b, c, d는 실수)에 대하여

(1) $(a+bi)+(c+di)=(a+c)+(b+d)i$

(2) $(a+bi)-(c+di)=(a-c)+(b-d)i$

(3) $(a+bi)(c+di)=(ac-bd)+(ad+bc)i$

(4) $\dfrac{a+bi}{c+di}=\dfrac{(a+bi)(c-di)}{(c+di)(c-di)}=\dfrac{ac+bd}{c^2+d^2}+\dfrac{bc-ad}{c^2+d^2}i$

(단, $c+di\neq 0$)

대표 문제

002 $(3-i)(1+2i)-\dfrac{1-i}{1+i}$를 $a+bi$ (a, b는 실수) 꼴로 나타내시오.

★ 중요

유형 03 | 복소수가 실수가 되는 조건

복소수 $z=a+bi$ (a, b는 실수)에 대하여

(1) z는 실수 ➡ $b=0$

(2) z^2은 실수 ➡ $a=0$ 또는 $b=0$

(3) z^2은 음의 실수 ➡ $a=0$, $b\neq 0$

대표 문제

003 복소수 $z=x(1-2i)+3(i-4)$에 대하여 z^2이 음의 실수가 되도록 하는 실수 x의 값은?

① 4 ② 6 ③ 8 ④ 10 ⑤ 12

★ 중요

유형 04 | 복소수가 서로 같을 조건

두 복소수 $a+bi$, $c+di$ (a, b, c, d는 실수)에 대하여

(1) $a+bi=c+di$이면 $a=c$, $b=d$

(2) $a+bi=0$이면 $a=0$, $b=0$

대표 문제

004 등식 $x(5+i)-y(4+3i)=3+5i$를 만족시키는 실수 x, y에 대하여 $x+y$의 값을 구하시오.

유형 05 | 복소수가 주어질 때의 식의 값

(1) $x=a+bi$(a, b는 실수)가 주어질 때의 식의 값
➡ $x-a=bi$로 변형한 후 양변을 제곱하여 x에 대한 이차방정식을 만들고, 이를 주어진 식에 대입하여 구한다.

(2) $x=a+bi$, $y=a-bi$(a, b는 실수)가 주어질 때의 식의 값
➡ 주어진 식을 $x+y$, xy가 포함된 식으로 변형한 후 이 식에 $x+y$, xy의 값을 대입하여 구한다.

대표 문제

005 $x=2+\sqrt{6}i$일 때, x^2-4x+5의 값은?

① -5 ② -3 ③ -1
④ 1 ⑤ 3

유형 06 | 켤레복소수의 계산

복소수 $z=a+bi$(a, b는 실수)의 켤레복소수는 $\overline{z}=a-bi$임을 이용한다.

대표 문제

006 $z=1+i$일 때, $\dfrac{z+1}{z}+\dfrac{\overline{z}+1}{\overline{z}}$의 값을 구하시오.
(단, $\overline{z}$는 z의 켤레복소수)

★ 중요

유형 07 | 켤레복소수의 성질

복소수 z의 켤레복소수 $\overline{z}$에 대하여

(1) $z+\overline{z}=$(실수), $z\overline{z}=$(실수)

(2) $\overline{z}=z$ ➡ z는 실수

(3) $\overline{z}=-z$ ➡ z의 실수부분이 0

대표 문제

007 0이 아닌 복소수 z와 그 켤레복소수 $\overline{z}$에 대하여 다음 보기 중 옳은 것만을 있는 대로 고르시오.

보기

ㄱ. $z\overline{z}$는 실수이다.　　ㄴ. $\dfrac{1}{z}+\dfrac{1}{\overline{z}}$은 허수이다.

ㄷ. $z=-\overline{z}$이면 z는 순허수이다.

유형 08 | 켤레복소수의 성질을 이용한 계산

두 복소수 z_1, z_2와 그 켤레복소수 $\overline{z_1}$, $\overline{z_2}$에 대하여

(1) $\overline{(\overline{z_1})}=z_1$

(2) $\overline{z_1+z_2}=\overline{z_1}+\overline{z_2}$, $\overline{z_1-z_2}=\overline{z_1}-\overline{z_2}$

(3) $\overline{z_1z_2}=\overline{z_1}\times\overline{z_2}$, $\overline{\left(\dfrac{z_1}{z_2}\right)}=\dfrac{\overline{z_1}}{\overline{z_2}}$ (단, $z_2\neq0$)

대표 문제

008 $\alpha=2-5i$, $\beta=-1+2i$일 때, $\alpha\overline{\alpha}+\alpha\overline{\beta}+\overline{\alpha}\beta+\beta\overline{\beta}$의 값은? (단, $\overline{\alpha}$, $\overline{\beta}$는 각각 α, β의 켤레복소수)

① -10 ② -5 ③ 0
④ 5 ⑤ 10

★ 중요

유형 09 | 조건을 만족시키는 복소수 구하기

복소수 z를 포함한 등식이 주어질 때, $z=a+bi$(a, b는 실수)로 놓고 주어진 식에 대입하여 a, b의 값을 구한다.

대표 문제

009 복소수 z와 그 켤레복소수 $\overline{z}$에 대하여 $(2i-3)z+5i\overline{z}=6+18i$가 성립할 때, 복소수 z를 구하시오.

복소수

중요

유형 10 | 허수단위 i의 거듭제곱

허수단위 i에 대하여

$i,\ i^2=-1,\ i^3=-i,\ i^4=1,\ i^5=i,\ \cdots$

이므로 k가 음이 아닌 정수일 때,

$i^{4k+1}=i,\ i^{4k+2}=-1,$

$i^{4k+3}=-i,\ i^{4k+4}=1$

(예) $i^{20}=i^{4\times5}=1,\ i^{22}=i^{4\times5+2}=-1$

$i \xrightarrow{\times i} i^2=-1 \xrightarrow{\times i} i^3=-i \xrightarrow{\times i} i^4=1 \xrightarrow{\times i} i$

대표 문제

010 $1+i+i^2+i^3+i^4+\cdots+i^{200}$을 간단히 하면?

① -1 ② 0 ③ 1
④ $-i$ ⑤ i

유형 11 | 복소수의 거듭제곱

복소수 z에 대하여 z^n (n은 자연수)의 값을 구할 때는 다음을 이용하여 z를 간단히 한 후 허수단위 i의 거듭제곱을 이용한다.

(1) $(1+i)^2=2i,\ (1-i)^2=-2i$

(2) $\dfrac{1+i}{1-i}=i,\ \dfrac{1-i}{1+i}=-i$

대표 문제

011 $(1+i)^{120}-(1-i)^{120}$을 간단히 하면?

① -2 ② 0 ③ 2
④ $-2i$ ⑤ $2i$

중요

유형 12 | 음수의 제곱근의 계산

(1) 음수의 제곱근은 허수단위 i를 사용하여 나타낸다.

➡ $a>0$일 때, $\sqrt{-a}=\sqrt{a}i$

(2) 음수의 제곱근의 성질을 이용하여 계산한다.

➡ $a<0,\ b<0$이면 $\sqrt{a}\sqrt{b}=-\sqrt{ab}$

$a>0,\ b<0$이면 $\dfrac{\sqrt{a}}{\sqrt{b}}=-\sqrt{\dfrac{a}{b}}$

대표 문제

012 $\sqrt{-2}\sqrt{-8}+\sqrt{-6}\sqrt{2}+\dfrac{\sqrt{24}}{\sqrt{-2}}$를 계산하시오.

유형 13 | 음수의 제곱근의 성질

두 실수 $a,\ b$에 대하여

(1) $\sqrt{a}\sqrt{b}=-\sqrt{ab}$이면 $a<0,\ b<0$ 또는 $a=0$ 또는 $b=0$

(2) $\dfrac{\sqrt{a}}{\sqrt{b}}=-\sqrt{\dfrac{a}{b}}$이면 $a>0,\ b<0$ 또는 $a=0,\ b\neq0$

대표 문제

013 0이 아닌 두 실수 $a,\ b$에 대하여 $\sqrt{a}\sqrt{b}=-\sqrt{ab}$일 때, $\sqrt{(a+b)^2}-|a|$를 간단히 하시오.

정답과 해설 24쪽

유형 01 복소수의 뜻과 분류

014 대표 문제 다시 보기

다음 중 옳은 것은?

① 0은 복소수가 아니다.
② $b=0$이면 $a+bi$는 실수이다.
③ $2-3i$는 허수이다.
④ $\frac{2-5i}{3}$의 허수부분은 -5이다.
⑤ $\sqrt{3}i$의 실수부분은 0, 허수부분은 $\sqrt{3}i$이다.

015 하

$\frac{5i-1}{2}$의 실수부분을 a, $2-i$의 허수부분을 b라 할 때, $a+b$의 값은?

① -2 ② $-\frac{3}{2}$ ③ -1
④ $\frac{3}{2}$ ⑤ 2

016 하

다음 복소수 중 허수의 개수를 구하시오.

$8+\sqrt{-1}$, π, $-i$, $\sqrt{5}-9i$, $3i^2$

유형 02 복소수의 사칙연산

017 대표 문제 다시 보기

$(\sqrt{3}+i)(\sqrt{3}-i)-\frac{1-2i}{2+i}$를 $a+bi$(a, b는 실수) 꼴로 나타내시오.

018 하

다음 중 옳지 않은 것은?

① $(2+i)+(3-2i)=5-i$
② $(1-2i)-(2-3i)=-1+i$
③ $(3-2i)(1+4i)=11+10i$
④ $(5-i)^2=26-10i$
⑤ $\frac{1+3i}{1-i}=-1+2i$

019 중

임의의 두 복소수 a, b에 대하여 연산 ◎을

$a◎b=ab-a-b$

라 할 때, $(2+3i)◎(3+2i)$를 계산하면?

① $-5+8i$ ② $-5+12i$ ③ $-3+8i$
④ $7+8i$ ⑤ $7+12i$

020 중

두 복소수 $z_1=(1+i)^2$, $z_2=\frac{\sqrt{2}+2i}{\sqrt{2}-2i}$에 대하여 z_1z_2의 실수부분을 a, 허수부분을 b라 할 때, a^2+b^2의 값은?

① 3 ② $\frac{10}{3}$ ③ $\frac{11}{3}$
④ 4 ⑤ $\frac{13}{3}$

021 상 신유형

0이 아닌 두 실수 a, b에 대하여 $f(a, b)=\frac{a-bi}{a+bi}$라 할 때,

$$f(1, 3)+f(2, 6)+f(3, 9)+\cdots+f(40, 120)$$

의 값을 구하시오.

★ 중요

유형 03 복소수가 실수가 되는 조건

022 대표 문제 다시 보기

복소수 $z=2(3+5i)-x(4i-1)$에 대하여 z^2이 음의 실수가 되도록 하는 실수 x의 값은?

① -6 ② $-\frac{5}{2}$ ③ -1
④ $\frac{5}{2}$ ⑤ 6

023 하

복소수 $x(i-x)+1-2i$가 실수가 되도록 하는 실수 x의 값을 구하시오.

024 중

복소수 $(1+i)(1-i)a^2+(2i-3)a+1-2i$가 순허수가 되도록 하는 실수 a의 값은?

① -1 ② $-\frac{1}{2}$ ③ $\frac{1}{2}$
④ 1 ⑤ 2

025 중

복소수 $z=x(x+4+i)-5(1-i)$에 대하여 z^2이 실수가 되도록 하는 모든 실수 x의 값의 합은?

① -5 ② -4 ③ -3
④ -2 ⑤ -1

026 중

복소수 $z=(a+4i)(a-3i)+a^2(i-2)-11$에 대하여 z^2이 양의 실수가 되도록 하는 실수 a의 값을 구하시오.

★ 중요

유형 04 복소수가 서로 같을 조건

027 대표 문제 다시 보기

등식 $x(1+i)-2y(3-i)=1+9i$를 만족시키는 실수 x, y에 대하여 xy의 값을 구하시오.

028 하

등식 $(x-2)+(3x+y-5)i=0$을 만족시키는 실수 x, y에 대하여 $x-y$의 값은?

① -1 ② 0 ③ 1
④ 2 ⑤ 3

029 중

등식 $x(2-i)^2-y(3+i)=3y+(5-2x)i$를 만족시키는 실수 x, y에 대하여 $x+y$의 값을 구하시오.

030 중

등식 $\frac{x}{1+3i}+\frac{y}{1-3i}=\frac{6}{1-i}$을 만족시키는 실수 x, y에 대하여 $2x-y$의 값을 구하시오.

유형 05 복소수가 주어질 때의 식의 값

031 대표 문제 다시 보기

$x=3-4i$일 때, $x^2-6x+10$의 값은?

① -15 ② -10 ③ -5
④ 5 ⑤ 10

032 하

$a=2+2\sqrt{3}i$, $b=2-2\sqrt{3}i$일 때, $\frac{b}{a}+\frac{a}{b}$의 값을 구하시오.

033 중

$a=\frac{2}{1+i}$, $b=\frac{2}{1-i}$일 때, a^3+b^3-ab의 값을 구하시오.

034 중

$x=\frac{1}{2+i}$일 때, $5x^3-4x^2+6x-2$의 값은?

① -1 ② 0 ③ 1
④ $-i$ ⑤ i

유형 06 켤레복소수의 계산

035 대표 문제 다시 보기

$z=\frac{10}{3-i}$일 때, $z+\bar{z}+z\bar{z}$의 값을 구하시오.

(단, $\bar{z}$는 z의 켤레복소수)

036 중

$z=4+2i$일 때, $\frac{1-\bar{z}}{z}$의 실수부분을 구하시오.

(단, $\bar{z}$는 z의 켤레복소수)

037 중

$\alpha=2+i$, $\beta=3-4i$에 대하여 $(\bar{\alpha}-\beta)(\alpha-\bar{\beta})$의 값을 구하시오. (단, $\bar{\alpha}$, $\bar{\beta}$는 각각 α, β의 켤레복소수)

★ 중요

유형 07 켤레복소수의 성질

038 대표 문제 다시 보기

복소수 z와 그 켤레복소수 $\bar{z}$에 대하여 다음 보기 중 옳은 것만을 있는 대로 고르시오.

보기

ㄱ. $z+\bar{z}$는 실수이다.
ㄴ. $z\bar{z}=0$이면 $z=0$이다.
ㄷ. $z=\bar{z}$이면 z는 실수이다.
ㄹ. $z^2+\bar{z}^2=0$이면 $z=0$이다.

039 하

다음 중 $z=\bar{z}$를 만족시키는 복소수 z는?

(단, $\bar{z}$는 z의 켤레복소수)

① $1-i$ ② $-3+5i$ ③ $-5i$
④ $2i$ ⑤ $2-\sqrt{3}$

040 중

0이 아닌 복소수 z와 그 켤레복소수 $\bar{z}$에 대하여 다음 보기 중 항상 실수인 것만을 있는 대로 고른 것은?

보기

ㄱ. $z+\bar{z}$ ㄴ. $z-\bar{z}$ ㄷ. $z\bar{z}$
ㄹ. $\frac{\bar{z}}{z}$ ㅁ. $\frac{1}{z}+\frac{1}{\bar{z}}$

① ㄱ, ㄴ, ㄷ ② ㄱ, ㄷ, ㅁ
③ ㄱ, ㄹ, ㅁ ④ ㄴ, ㄷ, ㄹ
⑤ ㄴ, ㄹ, ㅁ

041 중

0이 아닌 복소수 $z=2(1+2i)x^2-7x+3-i$에 대하여 $z=-\bar{z}$가 성립할 때, 실수 x의 값을 구하시오.

(단, $\bar{z}$는 z의 켤레복소수)

유형 08 켤레복소수의 성질을 이용한 계산

042 대표 문제 다시 보기

$\alpha=4+i$, $\beta=7-3i$일 때, $\alpha\overline{\alpha}-\alpha\overline{\beta}-\overline{\alpha}\beta+\beta\overline{\beta}$의 값을 구하시오. (단, $\overline{\alpha}$, $\overline{\beta}$는 각각 α, β의 켤레복소수)

043 중

두 복소수 z_1, z_2에 대하여

$\overline{z_2}-\overline{z_1}=-1-4i$, $\overline{z_1}\times\overline{z_2}=5+i$

일 때, $(z_1-2)(z_2+2)$의 값을 구하시오.

(단, $\overline{z_1}$, $\overline{z_2}$는 각각 z_1, z_2의 켤레복소수)

044 중

두 복소수 α, β에 대하여 $\overline{\alpha}\beta=1$, $\overline{\beta}+\frac{1}{\beta}=2i$일 때, $\alpha+\frac{1}{\alpha}$의 값을 구하시오. (단, $\overline{\alpha}$, $\overline{\beta}$는 각각 α, β의 켤레복소수)

045 상

복소수 $\alpha=\frac{1+\sqrt{3}i}{2}$에 대하여 $z=\frac{\alpha+2}{\alpha-1}$일 때, $z\overline{z}$의 값은?

(단, $\overline{z}$는 z의 켤레복소수)

① 1 ② 3 ③ 5
④ 7 ⑤ 9

★중요

유형 09 조건을 만족시키는 복소수 구하기

046 대표 문제 다시 보기

복소수 z와 그 켤레복소수 $\overline{z}$에 대하여 $2z-(i+2)\overline{z}=9i-2$가 성립할 때, 복소수 z는?

① $-2+i$ ② $-1+2i$ ③ $1-2i$
④ $2-i$ ⑤ $2+i$

047 중

복소수 z와 그 켤레복소수 $\overline{z}$에 대하여

$z+\overline{z}=2$, $z\overline{z}=3$

일 때, 복소수 z를 모두 구하시오.

048 중

실수가 아닌 복소수 z와 그 켤레복소수 $\overline{z}$에 대하여 $z^2=\overline{z}$가 성립할 때, $(1-z)(1-\overline{z})$의 값을 구하시오.

049 상

실수가 아닌 복소수 z와 그 켤레복소수 $\overline{z}$에 대하여 $\overline{z}-\frac{1}{z}$이 실수일 때, $z\overline{z}$의 값은?

① -2 ② -1 ③ 1
④ 2 ⑤ 3

★ 중요

유형 10 허수단위 i의 거듭제곱

050 대표 문제 다시 보기

$1-i+i^2-i^3+i^4-\cdots+i^{120}$을 간단히 하면?

① -1 ② 0 ③ 1
④ $-i$ ⑤ i

051 중

$\frac{1}{i}+\frac{1}{i^2}+\frac{1}{i^3}+\frac{1}{i^4}+\cdots+\frac{1}{i^{100}}$을 간단히 하시오.

052 중

두 실수 a, b에 대하여

$$i+2i^2+3i^3+4i^4+\cdots+59i^{59}+60i^{60}=a+bi$$

일 때, $a-b$의 값을 구하시오.

053 상

$f(n)=i^n+(-i)^n$이라 할 때, $f(n)=2$를 만족시키는 50 이하의 자연수 n의 개수를 구하시오.

유형 11 복소수의 거듭제곱

054 대표 문제 다시 보기

$\left(\frac{1-i}{1+i}\right)^{50}+\left(\frac{1+i}{1-i}\right)^{50}$을 간단히 하시오.

055 중

$z=\frac{1-i}{\sqrt{2}}$일 때, $z^2+z^4+z^6+\cdots+z^{100}$의 값은?

① $-1-i$ ② $-1+i$ ③ $1-i$
④ $1+i$ ⑤ $2+i$

056 중

자연수 n에 대하여 $f(n)=\left(\frac{1+i}{1-i}\right)^n$일 때,
$f(1)+f(2)+f(3)+\cdots+f(25)$의 값을 구하시오.

057 상

자연수 n에 대하여 복소수 $z^n=\left(\frac{\sqrt{2}i}{1-i}\right)^n$일 때, 다음 보기 중 옳은 것만을 있는 대로 고르시오.

보기

ㄱ. $z^2=-i$ ㄴ. $z^6=z^2$ ㄷ. $z^{n+8}=z^n$

★ 중요

유형 12 음수의 제곱근의 계산

058 대표 문제 다시 보기

$\sqrt{-2}\sqrt{-6}-\frac{\sqrt{10}}{\sqrt{-2}}+\frac{\sqrt{-21}}{\sqrt{-7}}$을 계산하시오.

059 하

다음 중 옳지 않은 것은?

① $\sqrt{2}\sqrt{-5}=\sqrt{-10}$
② $\sqrt{-2}\sqrt{-5}=-\sqrt{10}$
③ $\frac{\sqrt{-2}}{\sqrt{5}}=\sqrt{-\frac{2}{5}}$
④ $\frac{\sqrt{-2}}{\sqrt{-5}}=\sqrt{\frac{2}{5}}$
⑤ $\frac{\sqrt{2}}{\sqrt{-5}}=\sqrt{-\frac{2}{5}}$

060 중

복소수 $z=\frac{3+\sqrt{-9}}{3-\sqrt{-9}}$에 대하여 $\bar{z}+\frac{1}{z}$의 값은?

(단, $\bar{z}$는 z의 켤레복소수)

① -1 ② 0 ③ 1
④ $-2i$ ⑤ $2i$

061 상

등식 $\left(\frac{8x}{1+\sqrt{-3}}+\frac{4y}{1-\sqrt{-3}}\right)^2=-3$을 만족시키는 실수 x, y의 값을 구하시오. (단, $x>y$)

유형 13 음수의 제곱근의 성질

062 대표 문제 다시 보기

0이 아닌 두 실수 a, b에 대하여 $\frac{\sqrt{a}}{\sqrt{b}}=-\sqrt{\frac{a}{b}}$일 때, $\sqrt{(a-b)^2}+|a|-3\sqrt{b^2}$을 간단히 하시오.

063 중

0이 아닌 두 실수 a, b에 대하여 $\sqrt{a}\sqrt{b}=-\sqrt{ab}$일 때, 다음 중 옳지 않은 것은?

① $\sqrt{-a}\sqrt{b}=\sqrt{-ab}$
② $\sqrt{ab^2}=-b\sqrt{a}$
③ $\frac{\sqrt{b}}{\sqrt{a}}=\sqrt{\frac{b}{a}}$
④ $\frac{\sqrt{-b}}{\sqrt{a}}=\sqrt{-\frac{b}{a}}$
⑤ $|a+b|=|a|+|b|$

064 상

0이 아닌 세 실수 a, b, c가 다음 조건을 모두 만족시킬 때, a, b, c의 대소 관계로 옳은 것은?

(가) $\frac{\sqrt{b}}{\sqrt{a}}=-\sqrt{\frac{b}{a}}$
(나) $(a+c)^2+(2a+3b)^2=0$

① $a<b<c$ ② $a<c<b$ ③ $b<a<c$
④ $b<c<a$ ⑤ $c<a<b$

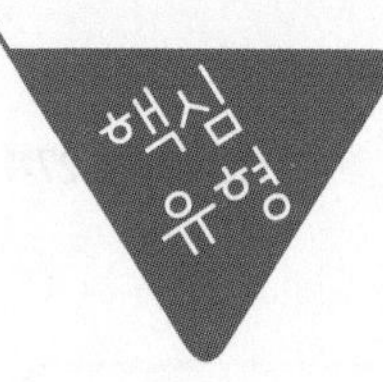

최종 점검하기

065
유형 01

다음 중 옳지 않은 것은?

① 0은 복소수이다.
② $\sqrt{3}i^2$은 실수이다.
③ 허수는 복소수이다.
④ $-5i$의 실수부분은 0이다.
⑤ $1+\sqrt{3}$의 허수부분은 $\sqrt{3}$이다.

066
유형 02

다음 중 옳은 것은?

① $(5+3i)+(2-11i)=7+8i$
② $(6-i)-(3-2i)=3-3i$
③ $(2-i)(3+2i)=4+i$
④ $(2-7i)+(2-3i)-(i-4)=-11i$
⑤ $\frac{1}{1+2i}-\frac{1}{1-2i}=-\frac{4}{5}i$

067
유형 03

복소수 $z=x^2+(i-4)x+i-5$에 대하여 z가 실수가 되도록 하는 실수 x의 값을 a, z^2이 음의 실수가 되도록 하는 실수 x의 값을 b라 할 때, $a+b$의 값을 구하시오.

068
유형 04

등식 $(2+i)x-2(1-i)y=\overline{2-7i}$를 만족시키는 실수 x, y에 대하여 $x+y$의 값을 구하시오.

069
유형 05

$a=\sqrt{3}+\sqrt{2}i$, $b=\sqrt{3}-\sqrt{2}i$일 때, a^2+b^2-3ab의 값을 구하시오.

070
유형 05

$x=\frac{1-3i}{1+i}$일 때, x^3+2x^2+5x+2의 값은?

① $1-i$ ② $-i$ ③ 0
④ 2 ⑤ 5

071
유형 06

복소수 $z=1+\sqrt{3}i$와 그 켤레복소수 $\overline{z}$에 대하여 $z^3+\overline{z}^3$의 값은?

① -16 ② -4 ③ $3\sqrt{3}$
④ $1+3\sqrt{3}$ ⑤ 8

072

유형 07

복소수 z와 그 켤레복소수 $\overline{z}$에 대하여 다음 보기 중 옳은 것만을 있는 대로 고른 것은?

보기

ㄱ. $z\overline{z}=0$이면 $z=\overline{z}$이다.

ㄴ. $\overline{\overline{z}}z$는 실수이다.

ㄷ. z^2이 허수이면 z는 허수이다.

① ㄱ　② ㄷ　③ ㄱ, ㄴ

④ ㄴ, ㄷ　⑤ ㄱ, ㄴ, ㄷ

073

유형 08

$\alpha=1+3i$, $\beta=3-2i$일 때, $\alpha\overline{\alpha}+2\alpha\overline{\beta}+2\overline{\alpha}\beta+4\beta\overline{\beta}$의 값은?

(단, $\overline{\alpha}$, $\overline{\beta}$는 각각 α, β의 켤레복소수)

① 49　② 50　③ 51

④ 52　⑤ 53

074

유형 09

복소수 z와 그 켤레복소수 $\overline{z}$에 대하여 $\dfrac{z}{3+i}+\dfrac{\overline{z}}{2}=3$이 성립할 때, 복소수 z를 구하시오.

075

유형 10

두 실수 a, b에 대하여

$$i+i^2+i^3+i^4+\cdots+i^{102}=a+bi$$

일 때, $a+b$의 값은?

① -2　② -1　③ 0

④ 1　⑤ 2

076

유형 11

$z=\dfrac{1+i}{\sqrt{2}}$일 때, $\dfrac{1}{z^2}-\dfrac{1}{z^4}+\dfrac{1}{z^6}-\dfrac{1}{z^8}+\cdots+\dfrac{1}{z^{30}}$의 값을 구하시오.

077

유형 12

$\sqrt{-27}\sqrt{-9}+\dfrac{\sqrt{-18}}{\sqrt{-6}}+\dfrac{\sqrt{9}}{\sqrt{-3}}=a+bi$일 때, 실수 a, b에 대하여 ab의 값을 구하시오.

078

유형 13

0이 아닌 세 실수 a, b, c에 대하여

$$\sqrt{a}\sqrt{b}=-\sqrt{ab},\ \frac{\sqrt{c}}{\sqrt{b}}=-\sqrt{\frac{c}{b}}$$

일 때, $\sqrt{a^2}-|a+b|+\sqrt{c^2}$을 간단히 하시오.

이차방정식

유형 01 이차방정식의 풀이

유형 02 한 근이 주어진 이차방정식

유형 03 절댓값 기호를 포함한 방정식

유형 04 이차방정식의 근의 판별

유형 05 계수가 문자인 이차방정식의 근의 판별

유형 06 이차방정식의 판별식과 삼각형의 모양

유형 07 이차식이 완전제곱식이 되는 조건

유형 08 근과 계수의 관계를 이용하여 식의 값 구하기 (1)

유형 09 근과 계수의 관계를 이용하여 식의 값 구하기 (2)

유형 10 두 근의 조건이 주어진 이차방정식

유형 11 두 근의 관계식이 주어진 이차방정식

유형 12 두 이차방정식이 주어질 때 미정계수 구하기

유형 13 두 수를 근으로 하는 이차방정식

유형 14 잘못 보고 푼 이차방정식

유형 15 이차방정식의 근을 이용한 이차식의 인수분해

유형 16 이차방정식 $f(x)=0$의 근을 알 때, $f(ax+b)=0$의 근 구하기

유형 17 이차방정식의 켤레근

이차방정식

★중요

유형 01 | 이차방정식의 풀이

인수분해 또는 근의 공식을 이용한다.

(1) x에 대한 이차방정식 $(ax-b)(cx-d)=0$의 근은

$$x=\frac{b}{a} \text{ 또는 } x=\frac{d}{c}$$

(2) 계수가 실수인 이차방정식 $ax^2+bx+c=0$의 근은

$$x=\frac{-b\pm\sqrt{b^2-4ac}}{2a}$$

참고 계수가 실수인 이차방정식 $ax^2+2b'x+c=0$의 근은

$$x=\frac{-b'\pm\sqrt{b'^2-ac}}{a}$$

대표 문제

001 이차방정식 $x^2+3x+5=0$의 해가 $x=\frac{a\pm\sqrt{b}i}{2}$일 때, 유리수 a, b에 대하여 $a+b$의 값은?

① 6　② 8　③ 10　④ 12　⑤ 14

★중요

유형 02 | 한 근이 주어진 이차방정식

주어진 한 근을 이차방정식에 대입하여 미정계수를 구한 후 이차방정식을 풀어 다른 한 근을 구한다.

대표 문제

002 이차방정식 $x^2+kx+6=0$의 한 근이 -2일 때, 다른 한 근을 구하시오. (단, k는 상수)

유형 03 | 절댓값 기호를 포함한 방정식

절댓값 기호를 포함한 방정식은

$$|x-a|=\begin{cases} x-a & (x\ge a) \\ -x+a & (x<a) \end{cases}$$

임을 이용하여 절댓값 기호 안의 식의 값이 0이 되는 x의 값을 기준으로 x의 값의 범위를 나누어서 푼다.

대표 문제

003 방정식 $x^2+|x+3|-9=0$의 모든 근의 곱은?

① -10　② -8　③ -6　④ -4　⑤ -2

★중요

유형 04 | 이차방정식의 근의 판별

계수가 실수인 이차방정식 $ax^2+bx+c=0$에서 $D=b^2-4ac$라 할 때

(1) $D>0$이면 서로 다른 두 실근을 갖는다.
(2) $D=0$이면 중근을 갖는다.
(D≥0이면 실근을 갖는다.)
(3) $D<0$이면 서로 다른 두 허근을 갖는다.

대표 문제

004 x에 대한 이차방정식 $x^2-2kx+k^2=-4x+5$가 서로 다른 두 허근을 가질 때, 실수 k의 값의 범위는?

① $k\le-4$　② $k<-\frac{3}{2}$　③ $k>-\frac{9}{4}$
④ $k>\frac{3}{2}$　⑤ $k>\frac{9}{4}$

유형 05 | 계수가 문자인 이차방정식의 근의 판별

계수가 실수인 이차방정식 $ax^2+bx+c=0$의 근은 판별식 $D=b^2-4ac$의 부호를 확인하여 판별한다.

대표 문제

005 실수 a, b, c에 대하여 $b-ac=2$일 때, 이차방정식 $ax^2+bx+c=0$의 근을 판별하시오.

유형 06 | 이차방정식의 판별식과 삼각형의 모양

판별식을 이용하여 주어진 이차방정식의 근을 판별한 후 다음을 이용하여 삼각형의 모양을 판단한다.

➡ 삼각형의 세 변의 길이가 a, b, $c\,(a\le b\le c)$일 때
(1) $a=b=c$이면 정삼각형
(2) $a=b$ 또는 $b=c$ 또는 $c=a$이면 이등변삼각형
(3) $a^2+b^2>c^2$이면 예각삼각형
(4) $a^2+b^2=c^2$이면 빗변의 길이가 c인 직각삼각형
(5) $a^2+b^2<c^2$이면 둔각삼각형

대표 문제

006 x에 대한 이차방정식 $x^2-2ax+b^2+c^2=0$이 중근을 가질 때, 실수 a, b, c를 세 변의 길이로 하는 삼각형은 어떤 삼각형인가?

① 정삼각형
② 예각삼각형
③ 둔각삼각형
④ $a=b$인 이등변삼각형
⑤ 빗변의 길이가 a인 직각삼각형

유형 07 | 이차식이 완전제곱식이 되는 조건

이차식 ax^2+bx+c가 완전제곱식이면 이차방정식 $ax^2+bx+c=0$은 중근을 갖는다.
➡ $b^2-4ac=0$

대표 문제

007 x에 대한 이차식 $x^2+(2k+1)x+k^2+2k-1$이 완전제곱식이 될 때, 실수 k의 값을 구하시오.

★ 중요

유형 01 이차방정식의 풀이

008 대표 문제 다시 보기

이차방정식 $x^2+4x+7=0$의 해가 $x=a\pm\sqrt{b}i$일 때, 유리수 a, b에 대하여 $a+b$의 값은?

① -2 ② -1 ③ 0
④ 1 ⑤ 2

009 하

이차방정식 $x(x+3)=3(x^2-1)-2x$의 해는?

① $x=-\frac{1}{2}$ 또는 $x=-3$
② $x=-\frac{1}{2}$ 또는 $x=3$
③ $x=-\frac{1}{3}$ 또는 $x=-1$
④ $x=-\frac{1}{3}$ 또는 $x=1$
⑤ $x=\frac{1}{2}$ 또는 $x=-3$

010 중

두 실수 a, b에 대하여 $a\circledcirc b=ab-a+b$라 하자.
$\{x\circledcirc(x+2)\}+\{(x-1)\circledcirc 2\}=7$을 만족시키는 x의 값을 α, β라 할 때, $|\alpha|+|\beta|$의 값을 구하시오.

011 중

이차방정식 $(\sqrt{2}-1)x^2-(2+\sqrt{2})x+3=0$의 유리수인 근을 구하시오.

★ 중요

유형 02 한 근이 주어진 이차방정식

012 대표 문제 다시 보기

이차방정식 $4x^2+8x+k=0$의 한 근이 $-\frac{1}{2}$일 때, 다른 한 근은? (단, k는 상수)

① $-\frac{3}{2}$ ② -1 ③ $\frac{1}{2}$
④ 1 ⑤ $\frac{3}{2}$

013 중

이차방정식 $x^2+(2k+1)x+k+3=0$의 두 근이 -1, α일 때, 상수 k에 대하여 $\frac{\alpha}{k}$의 값은?

① -2 ② -1 ③ 0
④ 1 ⑤ 2

014 중

두 이차방정식 $x^2+x-a=0$, $3x^2+bx+a=0$의 공통인 근이 1일 때, 상수 a, b에 대하여 ab의 값은?

① -15 ② -10 ③ -5
④ 5 ⑤ 10

015 중

이차방정식 $kx^2+(m+1)x-n(k-2)=0$이 실수 k의 값에 관계없이 항상 2를 근으로 가질 때, 이차방정식 $x^2+mx+n=0$을 푸시오. (단, m, n은 상수)

유형 03 절댓값 기호를 포함한 방정식

016 대표 문제 다시 보기

방정식 $x^2-|x+1|-1=0$의 모든 근의 합은?

① 1 ② 3 ③ 5
④ 7 ⑤ 9

017 중

방정식 $x^2-|x|-6=0$을 푸시오.

018 상

방정식 $x^2-8|x|+4\sqrt{x^2-2x+1}=0$의 유리수가 아닌 모든 근의 합이 $a+b\sqrt{2}$일 때, 유리수 a, b에 대하여 $a+b$의 값은?

① -4 ② -2 ③ 2
④ 4 ⑤ 6

★중요

유형 04 이차방정식의 근의 판별

019 대표 문제 다시 보기

x에 대한 이차방정식 $x^2+2kx+k^2=2x-9$가 서로 다른 두 실근을 가질 때, 실수 k의 값의 범위를 구하시오.

020 하

다음 보기의 이차방정식 중 허근을 갖는 것만을 있는 대로 고른 것은?

보기

ㄱ. $x^2+x+4=0$ ㄴ. $x^2+3x-2=0$
ㄷ. $x^2-4x+5=0$ ㄹ. $x^2+6x+9=0$

① ㄱ, ㄴ ② ㄱ, ㄷ ③ ㄴ, ㄷ
④ ㄴ, ㄹ ⑤ ㄱ, ㄷ, ㄹ

021 중

이차방정식 $x^2+4kx+3k=2kx-4$가 중근을 가질 때, 모든 실수 k의 값의 합은?

① 1　② 3　③ 5
④ 7　⑤ 9

022 중

x에 대한 이차방정식 $x^2+4x+k^2=2kx+8$이 실근을 가질 때, 실수 k의 최댓값은?

① 2　② 3　③ 4
④ 5　⑤ 6

023 중

이차방정식 $x^2-x-2k=0$은 실근을 갖고, 이차방정식 $x^2+(k+1)x+1=0$은 중근을 가질 때, 실수 k의 값을 구하시오.

024 중

x에 대한 이차방정식 $x^2+2(k-a)x+k^2-4k+b=0$이 실수 k의 값에 관계없이 항상 중근을 가질 때, 실수 a, b에 대하여 ab의 값을 구하시오.

유형 05 계수가 문자인 이차방정식의 근의 판별

025 대표 문제 다시 보기

실수 a, b, c에 대하여 $2a=bc+1$일 때, 이차방정식 $x^2+2ax+bc=0$의 근을 판별하면?

① 실근을 갖는다.
② 중근을 갖는다.
③ 서로 다른 두 실근을 갖는다.
④ 서로 다른 두 허근을 갖는다.
⑤ 판별할 수 없다.

026 하

$k<3$일 때, x에 대한 이차방정식 $x^2-2kx+k^2-k+3=0$의 근을 판별하시오.

027 중

이차방정식 $x^2+ax+b=0$이 서로 다른 두 실근을 가질 때, 이차방정식 $x^2+2(a+1)x+2(a+2b)=0$의 근을 판별하시오. (단, a, b는 실수)

유형 06 이차방정식의 판별식과 삼각형의 모양

028 대표 문제 다시 보기

x에 대한 이차방정식 $x^2+2cx+a^2-b^2=0$이 중근을 가질 때, 실수 a, b, c를 세 변의 길이로 하는 삼각형은 어떤 삼각형인지 말하시오.

029 중

x에 대한 이차방정식 $x^2+2(a+b)x+2ab+c^2=0$이 서로 다른 두 허근을 가질 때, 실수 a, b, c를 세 변의 길이로 하는 삼각형은 어떤 삼각형인가?

① 정삼각형
② 예각삼각형
③ 둔각삼각형
④ $a=c$인 이등변삼각형
⑤ 빗변의 길이가 c인 직각삼각형

030 중

이차방정식 $(a+c)x^2+2bx+a-c=0$이 서로 다른 두 실근을 가질 때, 실수 a, b, c를 세 변의 길이로 하는 삼각형은 어떤 삼각형인가? (단, $a \geq b \geq c$)

① 정삼각형
② 예각삼각형
③ 둔각삼각형
④ $a=b$인 이등변삼각형
⑤ 빗변의 길이가 b인 직각삼각형

유형 07 이차식이 완전제곱식이 되는 조건

031 대표 문제 다시 보기

x에 대한 이차식 $x^2-2kx+k^2-3k+1$이 완전제곱식이 될 때, 실수 k의 값은?

① $\frac{1}{3}$ ② $\frac{2}{3}$ ③ 1
④ $\frac{4}{3}$ ⑤ $\frac{5}{3}$

032 중

x에 대한 이차식 $x^2-2(a+2k)x+4k^2+k+b$가 실수 k의 값에 관계없이 항상 완전제곱식이 될 때, 실수 a, b에 대하여 $a+b$의 값은?

① $\frac{1}{16}$ ② $\frac{1}{8}$ ③ $\frac{3}{16}$
④ $\frac{1}{4}$ ⑤ $\frac{5}{16}$

033 상

이차식 $kx^2+(3k+1)x+a(k+1)$이 완전제곱식이 되도록 하는 실수 k의 값이 오직 한 개뿐일 때, 자연수 a의 값을 구하시오.

이차방정식

★ 중요

유형 08 | 근과 계수의 관계를 이용하여 식의 값 구하기 (1)

이차방정식 $ax^2+bx+c=0$의 두 근이 α, β일 때,

$\alpha+\beta=-\frac{b}{a}$, $\alpha\beta=\frac{c}{a}$임을 이용한다.

대표 문제

034 이차방정식 $x^2-4x+2=0$의 두 근을 α, β라 할 때, $\frac{\beta^2}{\alpha}+\frac{\alpha^2}{\beta}$의 값을 구하시오.

유형 09 | 근과 계수의 관계를 이용하여 식의 값 구하기 (2)

이차방정식 $ax^2+bx+c=0$의 두 근이 α, β일 때

(1) $\alpha+\beta=-\frac{b}{a}$, $\alpha\beta=\frac{c}{a}$

(2) $a\alpha^2+b\alpha+c=0$, $a\beta^2+b\beta+c=0$

임을 이용한다.

대표 문제

035 이차방정식 $x^2+3x-3=0$의 두 근을 α, β라 할 때, $(\alpha^2+2\alpha-3)(\beta^2+2\beta-3)$의 값을 구하시오.

★ 중요

유형 10 | 두 근의 조건이 주어진 이차방정식

이차방정식의 두 근의 조건이 주어지면 두 근을 다음과 같이 놓고 근과 계수의 관계를 이용한다.

(1) 두 근의 비가 $m : n$ ➡ $m\alpha$, $n\alpha$ $(\alpha\neq0)$

(2) 한 근이 다른 근의 k배 ➡ α, $k\alpha$ $(\alpha\neq0)$

(3) 두 근의 차가 k ➡ α, $\alpha+k$

(4) 두 근이 연속인 정수 ➡ α, $\alpha+1$

대표 문제

036 이차방정식 $x^2+4kx-2k+1=0$의 두 근의 비가 $1 : 3$일 때, 정수 k의 값은?

① -2 ② -1 ③ 0
④ 1 ⑤ 2

유형 11 | 두 근의 관계식이 주어진 이차방정식

이차방정식의 두 근 α, β의 관계식이 주어지면 이를 $\alpha+\beta$, $\alpha\beta$에 대한 식으로 변형한 후 근과 계수의 관계를 이용한다.

대표 문제

037 이차방정식 $x^2-2kx+4k-1=0$의 두 근 α, β에 대하여 $\alpha^2+\beta^2=34$일 때, 양수 k의 값은?

① 3 ② 4 ③ 5
④ 6 ⑤ 7

유형 12 | 두 이차방정식이 주어질 때 미정계수 구하기

두 이차방정식의 근이 모두 α, β에 대한 식이면 근과 계수의 관계를 각각 이용하여 α, β에 대한 식을 세운 후 연립하여 미정계수를 구한다.

대표 문제

038 이차방정식 $x^2-5x+a=0$의 두 근이 α, β이고, 이차방정식 $x^2+bx+30=0$의 두 근이 $\alpha+\beta$, $\alpha\beta$일 때, 상수 a, b에 대하여 $a-b$의 값을 구하시오.

★중요

유형 13 | 두 수를 근으로 하는 이차방정식

두 수 α, β를 근으로 하고 x^2의 계수가 1인 이차방정식은

$$x^2-(\alpha+\beta)x+\alpha\beta=0$$

대표 문제

039 이차방정식 $x^2+3x-2=0$의 두 근을 α, β라 할 때, $\alpha+2$, $\beta+2$를 두 근으로 하고 x^2의 계수가 1인 이차방정식을 구하시오.

유형 14 | 잘못 보고 푼 이차방정식

이차방정식 $ax^2+bx+c=0$에서 바르게 보고 푼 부분만 이용하여 원래의 이차방정식을 구한다.

(1) x의 계수 b를 잘못 보고 풀었을 때 ➡ 두 근의 곱은 $\frac{c}{a}$

(2) 상수항 c를 잘못 보고 풀었을 때 ➡ 두 근의 합은 $-\frac{b}{a}$

대표 문제

040 x^2의 계수가 1인 이차방정식을 푸는데 상윤이는 x의 계수를 잘못 보고 풀어서 두 근 -2, 4를 얻었고, 상효는 상수항을 잘못 보고 풀어서 두 근 $-2\pm2i$를 얻었다. 이때 원래의 이차방정식을 구하시오.

유형 15 | 이차방정식의 근을 이용한 이차식의 인수분해

이차방정식 $ax^2+bx+c=0$의 두 근 α, β를 구한 후 $ax^2+bx+c=a(x-\alpha)(x-\beta)$임을 이용한다.

참고 계수가 실수인 이차식은 복소수의 범위에서 항상 두 일차식의 곱으로 인수분해된다.

대표 문제

041 이차식 x^2-4x+5를 복소수의 범위에서 인수분해하면?

① $(x+1)(x-5)$　② $(x+i)(x-5i)$
③ $(x+2-i)(x+2+i)$　④ $(x-2-i)(x-2+i)$
⑤ $(x+1-i)(x+5-i)$

유형 16 | 이차방정식 $f(x)=0$의 근을 알 때, $f(ax+b)=0$의 근 구하기

이차방정식 $f(x)=0$의 두 근이 α, β이면 $f(\alpha)=0$, $f(\beta)=0$이므로 이차방정식 $f(ax+b)=0$의 두 근은

$ax+b=\alpha$ 또는 $ax+b=\beta$

$\therefore x=\frac{\alpha-b}{a}$ 또는 $x=\frac{\beta-b}{a}$

대표 문제

042 이차방정식 $f(x)=0$의 두 근의 합이 4일 때, 이차방정식 $f(2x-3)=0$의 두 근의 합을 구하시오.

★중요

유형 17 | 이차방정식의 켤레근

이차방정식 $ax^2+bx+c=0$에서

(1) a, b, c가 유리수일 때, 무리수 $p+q\sqrt{m}$이 근이면 $p-q\sqrt{m}$도 근이다. (단, p, q는 유리수, $q\neq0$, $\sqrt{m}$은 무리수)

(2) a, b, c가 실수일 때, 허수 $p+qi$가 근이면 $p-qi$도 근이다. (단, p, q는 실수, $q\neq0$, $i=\sqrt{-1}$)

대표 문제

043 이차방정식 $x^2+ax+b=0$의 한 근이 $2-i$일 때, 실수 a, b에 대하여 $a+b$의 값은?

① 1　② 3　③ 5
④ 7　⑤ 9

★중요

유형 08 근과 계수의 관계를 이용하여 식의 값 구하기 (1)

044 대표 문제 다시 보기

이차방정식 $x^2+2x+5=0$의 두 근을 α, β라 할 때, $\alpha^3+\beta^3$의 값을 구하시오.

045 중

이차방정식 $x^2-3x+1=0$의 두 근을 α, β라 할 때, $\sqrt{\alpha}+\sqrt{\beta}$의 값을 구하시오.

046 중

이차방정식 $2x^2-6x+3=0$의 두 근을 α, β라 할 때, $\alpha^2-\beta^2$의 값은? (단, $\alpha>\beta$)

① 3 ② $2\sqrt{3}$ ③ $3\sqrt{2}$
④ $3\sqrt{3}$ ⑤ 6

047 중

이차방정식 $x^2-4x-1=0$의 두 근을 α, β라 할 때, 다음 중 옳지 않은 것은?

① $\frac{1}{\alpha}+\frac{1}{\beta}=-4$ ② $(\alpha-1)(\beta-1)=-4$
③ $\alpha^2+\alpha\beta+\beta^2=17$ ④ $\frac{1+\alpha}{1-\alpha}+\frac{1+\beta}{1-\beta}=-1$
⑤ $\frac{\beta}{\alpha-3}+\frac{\alpha}{\beta-3}=\frac{3}{2}$

유형 09 근과 계수의 관계를 이용하여 식의 값 구하기 (2)

048 대표 문제 다시 보기

이차방정식 $x^2-3x+4=0$의 두 근을 α, β라 할 때, $(\alpha^2-\alpha+1)(\beta^2-\beta+1)$의 값은?

① 1 ② 3 ③ 5
④ 7 ⑤ 9

049 중

이차방정식 $x^2-2x-5=0$의 두 근을 α, β라 할 때, $2\alpha+\beta^2$의 값을 구하시오.

050 중

이차방정식 $x^2+2x+3=0$의 두 근을 α, β라 할 때, $\frac{\beta}{\alpha^2+\alpha+3}+\frac{\alpha}{\beta^2+\beta+3}$의 값은?

① $\frac{1}{3}$ ② $\frac{2}{3}$ ③ $\frac{4}{5}$
④ 1 ⑤ $\frac{6}{5}$

051 상

이차방정식 $x^2+2x-6=0$의 두 근을 α, β라 할 때, $\frac{1}{\alpha^3+3\alpha^2-3\alpha-6}+\frac{1}{\beta^3+3\beta^2-3\beta-6}$의 값을 구하시오.

★ 중요

유형 10 두 근의 조건이 주어진 이차방정식

052 대표 문제 다시 보기

이차방정식 $x^2-5kx-k+2=0$의 두 근의 비가 $2:3$일 때, 양수 k의 값을 구하시오.

053 중

이차방정식 $x^2-6kx+7k+1=0$의 한 근이 다른 근의 2배일 때, 양수 k의 값은?

① $\frac{1}{2}$ ② 1 ③ $\frac{3}{2}$
④ 2 ⑤ $\frac{5}{2}$

054 중

이차방정식 $x^2-(2k+1)x+3k=0$의 두 근이 연속인 정수일 때, 양수 k의 값은?

① 2 ② 3 ③ 4
④ 5 ⑤ 6

055 중

이차방정식 $x^2-(2k+5)x-k-5=0$의 두 근의 차가 3일 때, 이차방정식 $x^2+(k+1)x+2k=0$의 두 근의 합을 구하시오. (단, k는 상수)

056 상

x에 대한 이차방정식 $x^2+(m^2-2m-3)x-4m+2=0$의 두 실근의 절댓값이 같고 부호가 다를 때, 상수 m의 값을 구하시오.

유형 11 두 근의 관계식이 주어진 이차방정식

057 대표 문제 다시 보기

이차방정식 $x^2-3kx+k^2-3k=0$의 두 근 α, β에 대하여 $(\alpha-\beta)^2=9$일 때, 정수 k의 값을 구하시오.

058 중

이차방정식 $x^2+(k-1)x+k-3=0$의 두 근 α, β에 대하여 $\alpha^2-\alpha\beta+\beta^2=4$일 때, 모든 상수 k의 값의 곱은?

① -4 ② -2 ③ 2
④ 4 ⑤ 6

059 중

이차방정식 $x^2-ax+b=0$의 두 근 α, β에 대하여 $\alpha+\beta-2\alpha\beta-7=0$, $(\alpha+2)(\beta+2)=8$일 때, 상수 a, b에 대하여 $a+b$의 값은?

① -1 ② $-\frac{1}{2}$ ③ $\frac{1}{2}$
④ 1 ⑤ $\frac{3}{2}$

유형 12 두 이차방정식이 주어질 때 미정계수 구하기

060 대표 문제 다시 보기

이차방정식 $x^2+ax+b=0$의 두 근이 α, β이고, 이차방정식 $x^2+bx+a=0$의 두 근이 $\alpha-1$, $\beta-1$일 때, 상수 a, b에 대하여 a^2+b^2의 값을 구하시오.

061 하

이차방정식 $x^2-ax+b=0$의 두 근이 -1, 2일 때, 이차방정식 $2ax^2+(a+b)x+b=0$의 두 근의 곱은? (단, a, b는 상수)

① -2　② -1　③ 0　④ 1　⑤ 2

062 중

이차방정식 $x^2-x+a=0$의 두 근이 α, β이고, 이차방정식 $x^2+bx+4=0$의 두 근이 α^2, β^2일 때, 상수 a, b에 대하여 ab의 값을 구하시오. (단, $a<0$)

063 중

이차방정식 $x^2-ax+b=0$의 두 근이 α, β이고, 이차방정식 $2x^2+ax+a+b=0$의 두 근이 $\frac{1}{\alpha}$, $\frac{1}{\beta}$일 때, 상수 a, b에 대하여 $a-b$의 값을 구하시오. (단, $a\neq0$)

★ 중요

유형 13 두 수를 근으로 하는 이차방정식

064 대표 문제 다시 보기

이차방정식 $x^2-x+4=0$의 두 근을 α, β라 할 때, $\alpha-1$, $\beta-1$을 두 근으로 하고 x^2의 계수가 1인 이차방정식을 구하시오.

065 하

두 수 $2-i$, $2+i$를 근으로 하는 이차방정식이 $x^2+ax+b=0$일 때, 상수 a, b에 대하여 $a+b$의 값은?

① -1　② 0　③ 1　④ 2　⑤ 3

066 중

이차방정식 $x^2+5x+2=0$의 두 근을 α, β라 할 때, 다음 중 $\frac{1}{\alpha}$, $\frac{1}{\beta}$을 두 근으로 하는 이차방정식은?

① $x^2-5x-2=0$　② $x^2-5x+2=0$　③ $2x^2-x+5=0$　④ $2x^2+5x-1=0$　⑤ $2x^2+5x+1=0$

067 중

이차방정식 $x^2-3x-5=0$의 두 근이 α, β일 때, $1+\frac{1}{\alpha}$, $1+\frac{1}{\beta}$을 두 근으로 하고 x^2의 계수가 5인 이차방정식을 구하시오.

068 상

신유형

오른쪽 그림과 같이 선분 AB를 지름으로 하는 반원의 호 위의 점 C에서 선분 AB에 내린 수선의 발을 D라 하자. $\overline{AB}=8$, $\overline{CD}=3$일 때, 두 선분 AD, DB의 길이를 두 근으로 하고 x^2의 계수가 1인 이차방정식은?

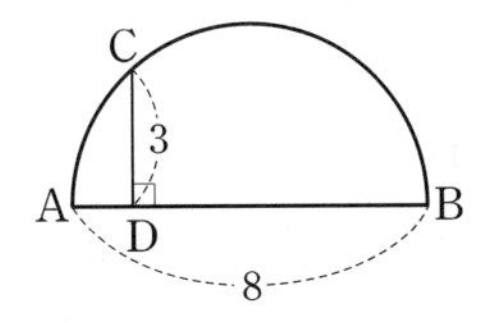

① $x^2-8x+3=0$　② $x^2-8x+9=0$
③ $x^2-3x-8=0$　④ $x^2+3x-8=0$
⑤ $x^2+8x-9=0$

유형 14 잘못 보고 푼 이차방정식

069 대표 문제 다시 보기

x^2의 계수가 1인 이차방정식을 푸는데 가민이는 x의 계수를 잘못 보고 풀어서 두 근 3, 4를 얻었고, 예지는 상수항을 잘못 보고 풀어서 두 근 $1\pm\sqrt{5}$를 얻었다. 이때 원래의 이차방정식은?

① $x^2-12x-12=0$　② $x^2-2x-2=0$
③ $x^2-2x+12=0$　④ $x^2+2x-2=0$
⑤ $x^2+12x+2=0$

070 중

이차방정식 $ax^2+bx+c=0$을 푸는데 준희는 b를 잘못 보아 두 근의 합 1과 곱 $-\frac{3}{2}$을 얻었고, 서진이는 c를 잘못 보아 두 근의 합 $-\frac{1}{2}$과 곱 2를 얻었다. 이때 이 이차방정식의 올바른 두 근 중 양수인 근을 구하시오.

071 상

이차방정식 $ax^2+bx+c=0$에서 근의 공식을 $x=\frac{b\pm\sqrt{b^2-ac}}{2a}$로 잘못 알고 풀어서 두 근 -1, 2를 얻었다. 이 이차방정식의 올바른 두 근을 α, β라 할 때, $\alpha^2+\beta^2$의 값을 구하시오.

유형 15 이차방정식의 근을 이용한 이차식의 인수분해

072 대표 문제 다시 보기

이차식 x^2+2x+5를 복소수의 범위에서 인수분해하면?

① $(x-1-\sqrt{2})(x-1+\sqrt{2})$
② $(x+1-\sqrt{2})(x+1+\sqrt{2})$
③ $(x-1-2i)(x-1+2i)$
④ $(x+1-2i)(x+1+2i)$
⑤ $(x+2-2i)(x+2+2i)$

073 하

다음 중 이차식 $4x^2-4x+3$의 인수인 것은?

① $2x-2\sqrt{2}i$　② $2x-1-\sqrt{2}i$
③ $2x-1+2i$　④ $2x-1+2\sqrt{2}i$
⑤ $2x+1-\sqrt{2}i$

유형 16 이차방정식 $f(x)=0$의 근을 알 때, $f(ax+b)=0$의 근 구하기

074 대표 문제 다시 보기

이차방정식 $f(x)=0$의 두 근을 α, β라 하면 $\alpha+\beta=-1$일 때, 이차방정식 $f(3x-5)=0$의 두 근의 합은?

① 1 ② 3 ③ 5
④ 7 ⑤ 9

075 중

이차방정식 $f(x)=0$의 두 근의 합과 곱이 각각 -1, 4일 때, 이차방정식 $f(2x+1)=0$의 두 근의 곱은?

① $\frac{1}{2}$ ② $\frac{3}{2}$ ③ $\frac{5}{2}$
④ $\frac{7}{2}$ ⑤ $\frac{9}{2}$

076 상

이차방정식 $f(3-4x)=0$의 두 근을 α, β라 하면 $\alpha+\beta=-\frac{1}{4}$, $\alpha\beta=-2$일 때, 이차방정식 $f(2x)=0$의 두 근의 곱은?

① -5 ② -4 ③ -3
④ -2 ⑤ -1

★중요

유형 17 이차방정식의 켤레근

077 대표 문제 다시 보기

이차방정식 $x^2+ax+b=0$의 한 근이 $-2+\sqrt{3}i$일 때, 실수 a, b에 대하여 $a+b$의 값은?

① 3 ② 5 ③ 7
④ 9 ⑤ 11

078 중

이차방정식 $x^2+2x+b=0$의 한 근이 $a-2i$일 때, 실수 a, b에 대하여 ab의 값은?

① -10 ② -5 ③ -1
④ 1 ⑤ 5

079 중

이차방정식 $x^2+ax+b=0$의 한 근이 $2-\sqrt{3}$일 때, 이차방정식 $x^2+2abx+a+b=0$의 두 근을 α, β라 하자. 이때 $(\alpha-\beta)^2$의 값은? (단, a, b는 유리수)

① 64 ② 67 ③ 70
④ 73 ⑤ 76

080
유형 01

이차방정식 $x^2+5x+8=0$의 해가 $x=\frac{a\pm\sqrt{b}i}{2}$일 때, 유리수 a, b에 대하여 $a+b$의 값은?

① -3　② -2　③ -1　④ 2　⑤ 3

081
유형 02

이차방정식 $x^2+3kx+2=0$의 한 근이 -1일 때, 다른 한 근은? (단, k는 상수)

① -2　② -1　③ 0　④ 1　⑤ 2

082
유형 03

방정식 $x^2-3|x-1|-1=0$의 모든 근의 합은?

① -3　② -2　③ -1　④ 0　⑤ 1

083
유형 04

이차방정식 $kx^2+2(k+2)x+k+3=0$이 서로 다른 두 허근을 갖도록 하는 정수 k의 최댓값은?

① -7　② -6　③ -5　④ -4　⑤ -3

084
유형 04

x에 대한 이차방정식 $x^2+2(k+a)x+k^2+6k-3b=0$이 실수 k의 값에 관계없이 항상 중근을 가질 때, 실수 a, b에 대하여 $a+b$의 값은?

① -4　② -3　③ -2　④ -1　⑤ 0

085
유형 05

두 이차방정식 $ax^2+bx+c=0$, $ax^2-2bx+c=0$의 근에 대한 다음 보기의 설명 중 옳은 것만을 있는 대로 고른 것은?
(단, a, b, c는 0이 아닌 실수)

보기

ㄱ. a와 c의 부호가 서로 다르면 이차방정식 $ax^2-2bx+c=0$은 서로 다른 두 실근을 갖는다.

ㄴ. $b=a+c$이면 이차방정식 $ax^2+bx+c=0$은 중근을 갖는다.

ㄷ. 이차방정식 $ax^2-2bx+c=0$이 허근을 가지면 이차방정식 $ax^2+bx+c=0$도 허근을 갖는다.

① ㄱ　② ㄴ　③ ㄱ, ㄷ　④ ㄴ, ㄷ　⑤ ㄱ, ㄴ, ㄷ

086
유형 06

x에 대한 이차방정식 $x^2+2ax+b^2+c^2=0$이 서로 다른 두 실근을 가질 때, 실수 a, b, c를 세 변의 길이로 하는 삼각형은 어떤 삼각형인가?

① 정삼각형
② 예각삼각형
③ 둔각삼각형
④ $b=c$인 이등변삼각형
⑤ 빗변의 길이가 a인 직각삼각형

087
유형 07

x에 대한 이차식 $x^2+2ax-b(a-2b)$가 완전제곱식이 될 때, 양수 a, b에 대하여 $\frac{b}{a}$의 값을 구하시오.

088
유형 08

이차방정식 $3x^2-6x+2=0$의 두 근을 α, β라 할 때, $\alpha^3+\beta^3-3\alpha\beta$의 값은?

① $\frac{1}{2}$ ② 1 ③ $\frac{3}{2}$
④ 2 ⑤ $\frac{5}{2}$

089
유형 09

이차방정식 $x^2+x+2=0$의 두 근을 α, β라 할 때, $\frac{1}{\alpha^2+2\alpha+2}+\frac{1}{\beta^2+2\beta+2}$의 값은?

① $-\frac{1}{2}$ ② $-\frac{1}{4}$ ③ $\frac{1}{8}$
④ $\frac{1}{4}$ ⑤ $\frac{1}{2}$

090
유형 10

이차방정식 $x^2+2(k-1)x-k+6=0$의 두 근의 차가 2일 때, 양수 k의 값은?

① 2 ② $\frac{5}{2}$ ③ 3
④ $\frac{7}{2}$ ⑤ 4

091
유형 11

이차방정식 $x^2-2(k+1)x+4k+3=0$의 두 근 α, β에 대하여 $\alpha^2+\alpha\beta+\beta^2=9$일 때, 모든 상수 k의 값의 합은?

① -4 ② -2 ③ -1
④ 2 ⑤ 4

092
유형 12

이차방정식 $x^2+ax+3=0$의 두 근이 α, β이고, 이차방정식 $x^2+2x+b=0$의 두 근이 $\alpha+1$, $\beta+1$일 때, 상수 a, b에 대하여 $a-b$의 값은?

① 0　② 1　③ 2　④ 4　⑤ 8

093
유형 13

이차방정식 $x^2-3x-1=0$의 두 근을 α, β라 할 때, 다음 중 $\dfrac{1}{\alpha+1}$, $\dfrac{1}{\beta+1}$을 두 근으로 하는 이차방정식은?

① $3x^2-5x-1=0$　② $3x^2-5x+1=0$　③ $3x^2-4x+1=0$　④ $3x^2+3x+4=0$　⑤ $3x^2+5x+2=0$

094
유형 14

이차방정식 $ax^2+bx+c=0$을 푸는데 민지는 c를 잘못 보고 풀어서 두 근 -1, 5를 얻었고, 선영이는 b를 잘못 보고 풀어서 두 근 $1\pm\sqrt{5}i$를 얻었다. 이때 이 이차방정식을 바르게 푸시오.

095
유형 15

이차식 $5x^2-4x+4$를 복소수의 범위에서 인수분해하면 $\dfrac{1}{5}(5x+a-4i)(5x-2+bi)$일 때, 실수 a, b에 대하여 $a+b$의 값은?

① -1　② 0　③ 1　④ 2　⑤ 3

096
유형 16

이차방정식 $f(2x+1)=0$의 두 근을 α, β라 하면 $\alpha+\beta=4$, $\alpha\beta=-5$일 때, 이차방정식 $f(x-2)=0$의 두 근의 곱은?

① 11　② 12　③ 13　④ 14　⑤ 15

097
유형 17

실수 a, b에 대하여 이차방정식 $x^2+ax+b=0$의 한 근이 $1+\sqrt{2}i$일 때, $\dfrac{1}{a}$, $\dfrac{1}{b}$을 두 근으로 하고 x^2의 계수가 6인 이차방정식을 구하시오.

이차방정식과 이차함수

유형 01 이차함수의 그래프와 x축의 교점

유형 02 이차함수의 그래프와 x축의 위치 관계

유형 03 이차함수의 그래프와 직선의 교점

유형 04 이차함수의 그래프와 직선의 위치 관계

유형 05 이차함수의 그래프에 접하는 직선의 방정식

유형 06 이차함수의 최대, 최소

유형 07 제한된 범위에서 이차함수의 최대, 최소

유형 08 공통부분이 있는 함수의 최대, 최소

유형 09 완전제곱식을 이용한 이차식의 최대, 최소

유형 10 조건을 만족시키는 이차식의 최대, 최소

유형 11 이차함수의 최대, 최소의 활용

이차방정식과 이차함수

유형 01 | 이차함수의 그래프와 x축의 교점

이차함수 $y=ax^2+bx+c$의 그래프와 x축의 교점의 x좌표는 이차방정식 $ax^2+bx+c=0$의 실근과 같다.

➡ 이차함수의 그래프와 x축의 교점의 x좌표가 α, β이면 이차방정식의 근과 계수의 관계에 의하여

$$\alpha+\beta=-\frac{b}{a},\ \alpha\beta=\frac{c}{a}$$

대표 문제

001 이차함수 $y=x^2-ax+b$의 그래프가 x축과 두 점 $(-3,\ 0)$, $(1,\ 0)$에서 만날 때, 상수 a, b에 대하여 $a+b$의 값은?

① -5　② -3　③ 1　④ 3　⑤ 5

★ 중요

유형 02 | 이차함수의 그래프와 x축의 위치 관계

이차함수 $y=ax^2+bx+c$의 그래프와 x축의 위치 관계는 이차방정식 $ax^2+bx+c=0$의 판별식 D의 부호에 따라 다음과 같이 결정된다.

(1) $D>0$이면 서로 다른 두 점에서 만난다.
(2) $D=0$이면 한 점에서 만난다(접한다).
(3) $D<0$이면 만나지 않는다.

대표 문제

002 이차함수 $y=x^2-2kx+k^2+3k-1$의 그래프가 x축과 만나지 않도록 하는 정수 k의 최솟값은?

① -2　② -1　③ 0　④ 1　⑤ 2

유형 03 | 이차함수의 그래프와 직선의 교점

이차함수 $y=ax^2+bx+c$의 그래프와 직선 $y=mx+n$의 교점의 x좌표는 이차방정식 $ax^2+bx+c=mx+n$, 즉 $ax^2+(b-m)x+c-n=0$의 실근과 같다.

➡ 이차함수의 그래프와 직선의 교점의 x좌표가 α, β이면 이차방정식의 근과 계수의 관계에 의하여

$$\alpha+\beta=-\frac{b-m}{a},\ \alpha\beta=\frac{c-n}{a}$$

대표 문제

003 이차함수 $y=x^2+ax-1$의 그래프와 직선 $y=2x+b$가 만나는 두 점의 x좌표가 -2, 4일 때, 상수 a, b에 대하여 ab의 값을 구하시오.

★ 중요

유형 04 | 이차함수의 그래프와 직선의 위치 관계

이차함수 $y=ax^2+bx+c$의 그래프와 직선 $y=mx+n$의 위치 관계는 이차방정식 $ax^2+(b-m)x+c-n=0$의 판별식 D의 부호에 따라 다음과 같이 결정된다.

(1) $D>0$이면 서로 다른 두 점에서 만난다.
(2) $D=0$이면 한 점에서 만난다(접한다).
(3) $D<0$이면 만나지 않는다.

대표 문제

004 이차함수 $y=x^2+4x+3k$의 그래프와 직선 $y=-x+k$가 서로 다른 두 점에서 만나도록 하는 자연수 k의 개수를 구하시오.

유형 05 | 이차함수의 그래프에 접하는 직선의 방정식

이차함수 $y=f(x)$의 그래프에 접하는 직선의 방정식은 주어진 조건을 이용하여 직선의 방정식을 $y=g(x)$로 놓은 후 이차방정식 $f(x)=g(x)$의 판별식 $D=0$임을 이용하여 구한다.

참고 (1) 기울기가 m인 직선 ➡ $y=mx+b$로 놓는다.
(2) 점 $(p,\ q)$를 지나는 직선 ➡ $y=a(x-p)+q$로 놓는다.

대표 문제

005 기울기가 2이고 이차함수 $y=x^2+3x-1$의 그래프에 접하는 직선의 y절편은?

① $-\frac{5}{4}$ ② -1 ③ $-\frac{1}{4}$
④ $\frac{1}{4}$ ⑤ 1

★중요

유형 06 | 이차함수의 최대, 최소

이차함수 $y=a(x-p)^2+q$의 최댓값과 최솟값은

(1) $a>0$일 때
➡ 최댓값은 없고, $x=p$에서 최솟값 q를 갖는다.

(2) $a<0$일 때
➡ $x=p$에서 최댓값 q를 갖고, 최솟값은 없다.

$a>0$

최솟값 q

$a<0$

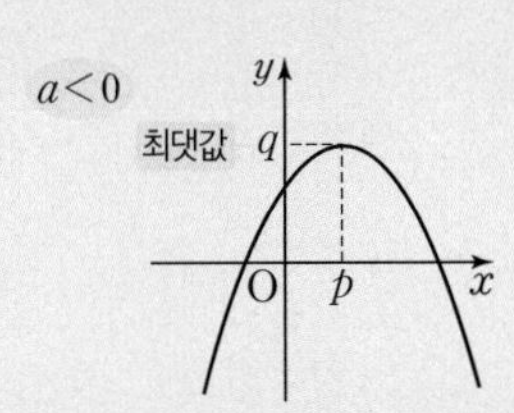

참고 이차함수가 $x=p$에서 최댓값 q 또는 최솟값 q를 가지면
➡ $y=a(x-p)^2+q$로 놓는다.

대표 문제

006 이차함수 $y=2x^2+8kx-3$의 최솟값이 -11일 때, 양수 k의 값은?

① 1 ② $\frac{3}{2}$ ③ $\frac{7}{4}$
④ 2 ⑤ $\frac{5}{2}$

★중요

유형 07 | 제한된 범위에서 이차함수의 최대, 최소

$\alpha\le x\le\beta$에서 이차함수 $f(x)=a(x-p)^2+q$의 최댓값과 최솟값은

(1) $\alpha\le p\le\beta$일 때
➡ $f(\alpha)$, $f(p)$, $f(\beta)$ 중 가장 큰 값이 최댓값, 가장 작은 값이 최솟값이다.

(2) $p<\alpha$ 또는 $p>\beta$일 때
➡ $f(\alpha)$, $f(\beta)$ 중 큰 값이 최댓값, 작은 값이 최솟값이다.

$a>0$

최댓값 $f(\beta)$, $f(\alpha)$, 최솟값 $f(p)$

$a>0$

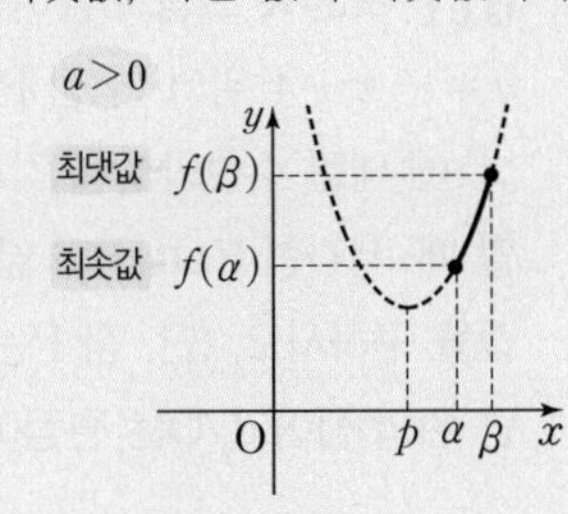

대표 문제

007 $0\le x\le 3$에서 이차함수 $f(x)=x^2-4x+k$의 최솟값이 -5일 때, $f(x)$의 최댓값은? (단, k는 상수)

① -2 ② -1 ③ 0
④ 1 ⑤ 2

유형 08 | 공통부분이 있는 함수의 최대, 최소

공통부분이 있는 함수의 최댓값과 최솟값은 다음과 같은 순서로 구한다.

(1) 공통부분을 t로 놓고 t의 값의 범위를 구한다.
(2) 주어진 함수를 $y=a(t-p)^2+q$ 꼴로 변형한다.
(3) (1)에서 구한 범위에서 $y=a(t-p)^2+q$의 최댓값과 최솟값을 구한다.

대표 문제

008 $0\le x\le 3$에서 함수 $y=-2(x^2-2x)^2+4(x^2-2x)-5$의 최댓값과 최솟값의 합은?

① -14　② -12　③ -10
④ -8　⑤ -6

유형 09 | 완전제곱식을 이용한 이차식의 최대, 최소

x, y가 실수일 때, $ax^2+by^2+cx+dy+e$의 최댓값과 최솟값은 $a(x+p)^2+b(y+q)^2+r$ 꼴로 변형한 후 $(\text{실수})^2\ge 0$임을 이용하여 구한다.

대표 문제

009 x, y가 실수일 때, $x^2+y^2-4x+6y+1$의 최솟값을 구하시오.

유형 10 | 조건을 만족시키는 이차식의 최대, 최소

조건을 만족시키는 이차식의 최댓값과 최솟값은 다음과 같은 순서로 구한다.

(1) 주어진 조건을 한 문자에 대하여 정리한다.
(2) (1)의 식을 이차식에 대입하여 한 문자에 대한 이차식으로 나타낸다.
(3) (2)의 식의 최댓값 또는 최솟값을 구한다.

대표 문제

010 $x+y=1$을 만족시키는 두 실수 x, y에 대하여 $4x^2+y^2$의 최솟값은?

① $-\frac{4}{5}$　② $-\frac{2}{5}$　③ $\frac{1}{5}$
④ $\frac{2}{5}$　⑤ $\frac{4}{5}$

유형 11 | 이차함수의 최대, 최소의 활용

이차함수의 최대, 최소의 활용 문제는 다음과 같은 순서로 푼다.

(1) 문제의 상황에 맞게 변수 x를 정하고, x에 대한 이차함수의 식을 세운다.
(2) 조건을 만족시키는 x의 값의 범위를 구한다.
(3) (2)에서 구한 범위에서 최댓값 또는 최솟값을 구한다.

주의 길이, 넓이, 시간, 금액 등에 해당하는 값은 양수이어야 한다.

대표 문제

011 오른쪽 그림과 같이 직선 $y=-x+4$ 위의 한 점 P에서 x축, y축에 내린 수선의 발을 각각 Q, R라 할 때, 사각형 ROQP의 넓이의 최댓값을 구하시오. (단, 점 P는 제1사분면 위의 점이고, O는 원점이다.)

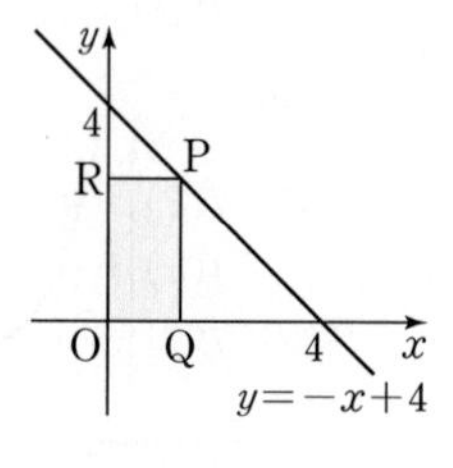

핵심유형 완성하기

정답과 해설 41쪽

유형 01 이차함수의 그래프와 x축의 교점

012 대표 문제 다시 보기

이차함수 $y=2x^2+ax+b$의 그래프가 x축과 두 점 $(-2, 0)$, $(3, 0)$에서 만날 때, 상수 a, b에 대하여 ab의 값은?

① 24 ② 36 ③ 48
④ 52 ⑤ 60

013 중

이차함수 $y=x^2-ax+a+5$의 그래프와 x축의 두 교점의 x좌표가 2, b일 때, 상수 a, b에 대하여 $a+b$의 값은?

① 4 ② 8 ③ 12
④ 16 ⑤ 20

014 중

이차함수 $y=f(x)$의 그래프가 오른쪽 그림과 같을 때, 이차방정식 $f(2x+1)=0$의 두 근의 합을 구하시오.

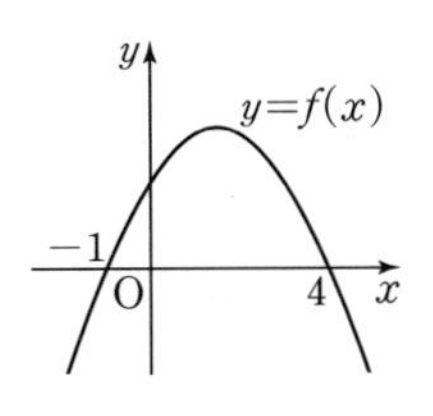

015 중

이차함수 $y=x^2-(k+1)x-2k$의 그래프가 x축과 만나는 두 점 사이의 거리가 5일 때, 양수 k의 값을 구하시오.

016 중

이차함수 $y=ax^2+bx+c$의 그래프가 두 점 $(0, -2)$, $(-1+\sqrt{3}, 0)$을 지날 때, 유리수 a, b, c에 대하여 $a+b+c$의 값을 구하시오.

★중요

유형 02 이차함수의 그래프와 x축의 위치 관계

017 대표 문제 다시 보기

이차함수 $y=x^2+2(k+1)x+k^2+k+4$의 그래프가 x축과 서로 다른 두 점에서 만나도록 하는 정수 k의 최솟값은?

① 0 ② 1 ③ 2
④ 3 ⑤ 4

018 중

이차함수 $y=x^2+kx+k$의 그래프가 x축과 접할 때, 양수 k의 값을 구하시오.

019 중

이차함수 $y=x^2-(2k+1)x+k^2+3k-1$의 그래프가 x축과 만나도록 하는 상수 k의 값의 범위를 구하시오.

020 중

이차함수 $y=x^2+4x-3k+5$의 그래프는 x축과 만나지 않고, 이차함수 $y=2x^2+2kx-k+4$의 그래프는 x축과 접할 때, 상수 k의 값은?

① -10 ② -8 ③ -4
④ 2 ⑤ 8

021 중

이차함수 $y=x^2+2(k-a)x+k^2-4k+b$의 그래프가 실수 k의 값에 관계없이 항상 x축에 접할 때, 상수 a, b에 대하여 ab의 값을 구하시오.

022 상

이차함수 $y=ax^2+bx+c$의 그래프가 x축과 만나지 않을 때, 이차함수 $y=bx^2+2(a+c)x+b$의 그래프와 x축의 교점의 개수를 구하시오. (단, a, b, c는 상수)

유형 03 이차함수의 그래프와 직선의 교점

023 대표 문제 다시 보기

이차함수 $y=x^2+3x+a$의 그래프와 직선 $y=bx-1$이 만나는 두 점의 x좌표가 -3, 1일 때, 상수 a, b에 대하여 $a+b$의 값을 구하시오.

024 중

이차함수 $y=-x^2+ax+3$의 그래프와 직선 $y=-2x+b$가 만나는 두 점 중 한 점의 x좌표가 $2+\sqrt{5}$일 때, 유리수 a, b에 대하여 ab의 값은?

① 2 ② 4 ③ 6
④ 8 ⑤ 10

025 중

이차함수 $y=x^2+ax-1$의 그래프와 직선 $y=2x-5$의 두 교점의 x좌표의 차가 3일 때, 모든 상수 a의 값의 합을 구하시오.

026 상 신유형

오른쪽 그림과 같이 이차함수 $y=-x^2+4$의 그래프가 직선 $y=kx$와 서로 다른 두 점 A, B에서 만날 때, $\overline{OA}:\overline{OB}=2:1$이 되도록 하는 양수 k의 값을 구하시오. (단, O는 원점)

★ 중요

유형 04 이차함수의 그래프와 직선의 위치 관계

027 대표 문제 다시 보기

이차함수 $y=-x^2+kx-k^2$의 그래프와 직선 $y=-kx+k-3$이 서로 다른 두 점에서 만나도록 하는 정수 k의 최댓값은?

① -1 ② 0 ③ 1
④ 2 ⑤ 3

028 중

이차함수 $y=x^2+2kx+k^2-1$의 그래프와 직선 $y=4x+3k$가 만나지 않도록 하는 상수 k의 값의 범위를 구하시오.

029 중

이차함수 $y=-x^2-(k-3)x+k+1$의 그래프와 직선 $y=k(x+k)$가 적어도 한 점에서 만나도록 하는 정수 k의 최댓값은?

① -2 ② -1 ③ 0
④ 1 ⑤ 2

030 중

두 이차함수 $y=x^2-3x+4$, $y=-2x^2+3x+a$의 그래프가 직선 $y=-x+b$에 동시에 접할 때, 상수 a, b에 대하여 ab의 값은?

① -3 ② -2 ③ -1
④ 2 ⑤ 3

031 상 신유형

함수 $f(x)=\begin{cases} x^2+x-12 & (x<-4 \text{ 또는 } x>3) \\ -x^2-x+12 & (-4\leq x\leq 3) \end{cases}$의 그래프와 직선 $y=x+k$가 서로 다른 네 점에서 만나도록 하는 정수 k의 개수는?

① 6 ② 7 ③ 8
④ 9 ⑤ 10

유형 05 이차함수의 그래프에 접하는 직선의 방정식

032 대표 문제 다시 보기

이차함수 $y=x^2-5x-3$의 그래프에 접하고 직선 $y=-x+7$에 평행한 직선의 y절편은?

① -9 ② -7 ③ -5
④ -3 ⑤ -1

033 중

점 $(-3,\ 1)$을 지나고 이차함수 $y=-x^2+2x+3$의 그래프에 접하는 두 직선의 기울기의 합은?

① 16 ② 17 ③ 18
④ 19 ⑤ 20

034 중

이차함수 $y=x^2$의 그래프에 접하고 기울기가 2인 직선이 이차함수 $y=-2x^2+kx+k-3$의 그래프에 접할 때, 양수 k의 값은?

① 2 ② 3 ③ 4
④ 5 ⑤ 6

035 상

신유형

오른쪽 그림과 같이 폭이 4 m, 높이가 4 m인 포물선 모양의 조형물이 지면과 만나는 두 지점을 각각 A, B라 하자. A 지점에 높이가 9 m인 조명이 지면과 수직으로 설치되어 있을 때, 이 조명의 불빛에 의하여 생기는 조형물의 그림자의 끝을 C라 하자. 이때 두 지점 A, C 사이의 거리를 구하시오.

(단, 조형물의 두께는 생각하지 않는다.)

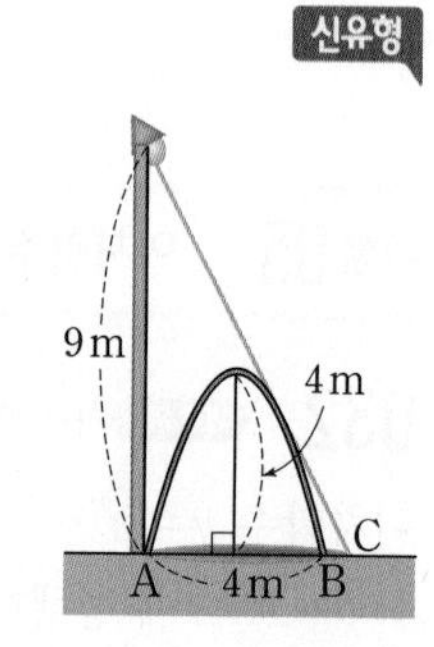

★ 중요

유형 06 이차함수의 최대, 최소

036 대표 문제 다시 보기

이차함수 $y=-x^2+2kx+k$의 최댓값이 6일 때, 양수 k의 값을 구하시오.

037 하

이차함수 $y=-2x^2+8x+5$의 최댓값은?

① 10 ② 11 ③ 12
④ 13 ⑤ 14

038 중

이차함수 $f(x)=ax^2+bx+c$가 $x=-1$에서 최솟값 -5를 갖고, $f(1)=7$일 때, 상수 $a,\ b,\ c$에 대하여 $a+b-c$의 값은?

① 3 ② 5 ③ 7
④ 9 ⑤ 11

039 중

이차함수 $y=2x^2+kx-k$의 최솟값을 $f(k)$라 할 때, $f(k)$의 최댓값을 구하시오. (단, k는 실수)

040 중

이차함수 $f(x)=-x^2+4x+k$가 모든 실수 x에 대하여 $f(x)\le 2$를 만족시킬 때, 상수 k의 최댓값은?

① -4　② -2　③ 0
④ 2　⑤ 4

041 중

x^2의 계수가 1인 이차함수 $f(x)$에 대하여 방정식 $f(x)+4x-3=0$의 두 근을 α, β라 하자. $\alpha+\beta=2$, $\alpha\beta=-4$일 때, 이차함수 $f(x)$의 최솟값은?

① -10　② -9　③ -8
④ -7　⑤ -6

042 상

신유형

오른쪽 그림과 같이 x^2의 계수가 -2인 이차함수 $y=f(x)$의 그래프와 직선 $y=g(x)$가 만나는 두 점의 x좌표는 3, 7이다.
$h(x)=f(x)-g(x)$라 할 때, 함수 $h(x)$는 $x=a$에서 최댓값 b를 갖는다. 이때 ab의 값을 구하시오.

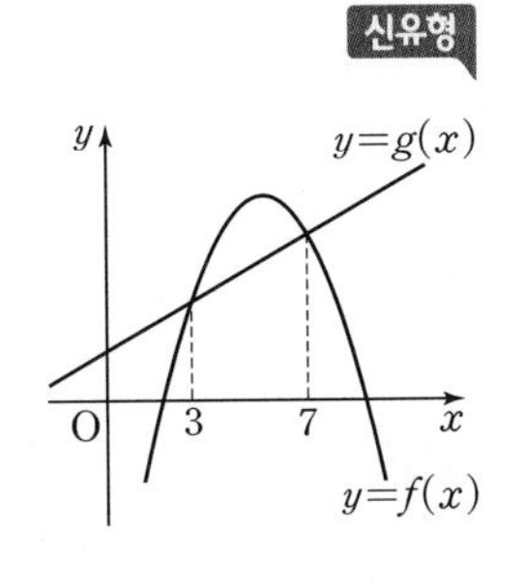

★중요

유형 07 제한된 범위에서 이차함수의 최대, 최소

043 대표 문제 다시 보기

$-1\le x\le 2$에서 이차함수 $f(x)=-3x^2+6x+k-1$의 최댓값이 4일 때, $f(x)$의 최솟값은? (단, k는 상수)

① -9　② -8　③ -7
④ -6　⑤ -5

044 하

$0\le x\le 2$에서 이차함수 $y=x^2+2x+3$의 최댓값과 최솟값의 합을 구하시오.

045 중

$-1\le x\le a$에서 이차함수 $y=-x^2+4x-1$의 최댓값이 2이고 최솟값이 b일 때, $a-b$의 값을 구하시오.

046 상

$0\le x\le 4$에서 이차함수 $y=x^2-2kx-4$의 최솟값이 -8일 때, 상수 k의 값은?

① -2　② -1　③ 0
④ 1　⑤ 2

047 상 신유형

이차함수 $y=f(x)$가 다음 조건을 모두 만족시킬 때, $f(1)$의 값을 구하시오.

> (가) 모든 실수 x에 대하여 $f(2-x)=f(2+x)$이다.
> (나) $0 \le x \le 5$에서 $f(x)$의 최댓값은 21이고 최솟값은 -6이다.
> (다) 함수 $y=f(x)$의 그래프와 직선 $y=-6x+3$은 접한다.

유형 08 공통부분이 있는 함수의 최대, 최소

048 대표 문제 다시 보기

$-3 \le x \le 0$에서 함수 $y=(x^2+4x)^2+2(x^2+4x+2)-3$의 최댓값과 최솟값의 합을 구하시오.

049 중

함수 $y=(x^2+2x+3)^2-2(x^2+2x+3)+5$의 최솟값은?

① 2 ② 3 ③ 4 ④ 5 ⑤ 6

050 중

함수 $y=(x^2+4x+1)^2+4(x^2+4x)+k$의 최솟값이 -3일 때, 상수 k의 값을 구하시오.

유형 09 완전제곱식을 이용한 이차식의 최대, 최소

051 대표 문제 다시 보기

x, y가 실수일 때, $-x^2-y^2+2x-8y+3$의 최댓값은?

① 1 ② 5 ③ 10 ④ 15 ⑤ 20

052 중

x, y, z가 실수일 때, $x^2+5y^2+z^2+4xy-4y+2z+9$의 최솟값을 구하시오.

유형 10 조건을 만족시키는 이차식의 최대, 최소

053 대표 문제 다시 보기

$x-y=3$을 만족시키는 두 실수 x, y에 대하여 x^2+y^2+2y의 최솟값을 구하시오.

054 중

$2x+y=8$을 만족시키는 두 실수 x, y에 대하여 $1 \le x \le 4$일 때, xy의 최댓값과 최솟값의 합은?

① 7 ② 8 ③ 9 ④ 10 ⑤ 11

055 중

직선 $y=x-3$ 위를 움직이는 점 (a, b)에 대하여 a^2+b^2의 최솟값을 구하시오.

056 중

$x+y^2=1$을 만족시키는 두 실수 x, y에 대하여 x^2+4y^2의 최솟값을 구하시오.

유형 11 이차함수의 최대, 최소의 활용

057 대표 문제 다시 보기

오른쪽 그림과 같이 직사각형 ABCD의 두 꼭짓점 A, B는 이차함수 $y=x^2-6x$의 그래프 위에 있고 두 꼭짓점 C, D는 x축 위에 있다. 이 직사각형 ABCD의 둘레의 길이의 최댓값을 구하시오.
(단, 점 A는 제4사분면 위의 점이다.)

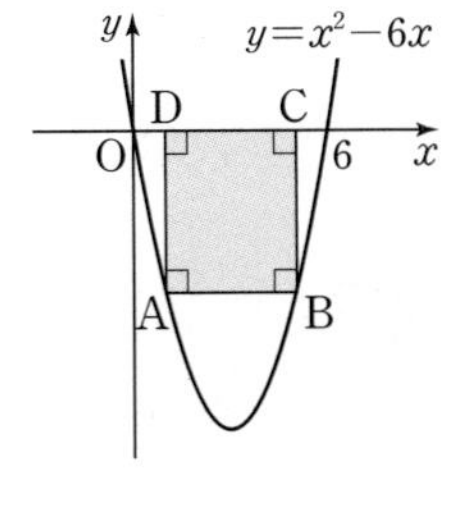

058 하

지면으로부터 1 m 높이에서 초속 20 m로 똑바로 위로 쏘아 올린 공의 t초 후의 지면으로부터의 높이를 h m라 하면

$h=-5t^2+20t+1$

인 관계가 성립한다고 한다. 이 공이 가장 높은 곳에 도달했을 때의 지면으로부터의 높이를 구하시오.

059 중

어느 핫도그 가게에서 핫도그 한 개의 가격이 1000원일 때, 하루에 200개씩 팔린다고 한다. 이 핫도그 한 개의 가격을 $100x$원 올릴 때마다 하루 판매량은 $10x$개씩 줄어든다고 할 때, 핫도그의 하루 판매액이 최대가 되도록 하는 핫도그 한 개의 가격은?

① 800원 ② 1200원 ③ 1500원
④ 1700원 ⑤ 2000원

060 중

길이가 16 m인 철망을 이용하여 오른쪽 그림과 같이 벽면을 한 변으로 하는 직사각형 모양의 꽃밭을 만들려고 한다. 이때 꽃밭의 넓이의 최댓값은?
(단, 철망의 두께는 생각하지 않는다.)

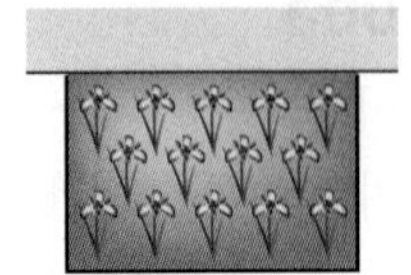

① 24 m^2 ② 26 m^2 ③ 28 m^2
④ 30 m^2 ⑤ 32 m^2

061 상

오른쪽 그림과 같이 한 변의 길이가 20인 정사각형 ABCD의 각 변 위를 움직이는 네 점 P, Q, R, S가 있다. 점 P, R는 각각 점 A, C를 출발하여 각각 점 B, D를 향해 매초 1의 속력으로 움직이고, 점 Q, S는 각각 점 C, A를 출발하여 각각 점 B, D를 향해 매초 2의 속력으로 움직인다. 네 점 P, Q, R, S가 10초 동안 움직인다고 할 때, 사각형 PQRS의 넓이의 최댓값을 구하시오.

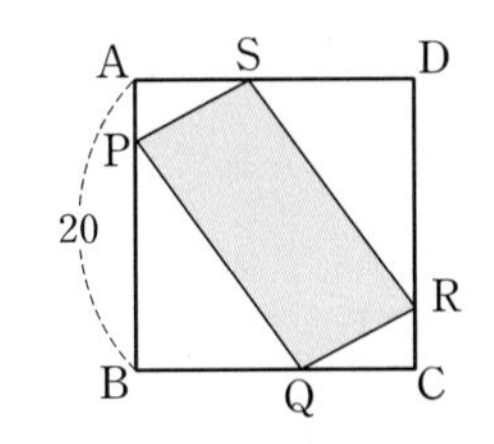

최종 점검하기

062

유형 01

이차함수 $y=-2x^2+ax+3$의 그래프가 x축과 두 점 $(1, 0)$, $(b, 0)$에서 만날 때, 상수 a, b에 대하여 ab의 값은?

① $-\frac{5}{2}$　② $-\frac{3}{2}$　③ $\frac{1}{2}$
④ $\frac{3}{2}$　⑤ $\frac{5}{2}$

063

유형 02

이차함수 $y=ax^2+bx+c$의 그래프가 오른쪽 그림과 같을 때, 다음 보기 중 옳은 것만을 있는 대로 고르시오.
(단, a, b, c는 상수)

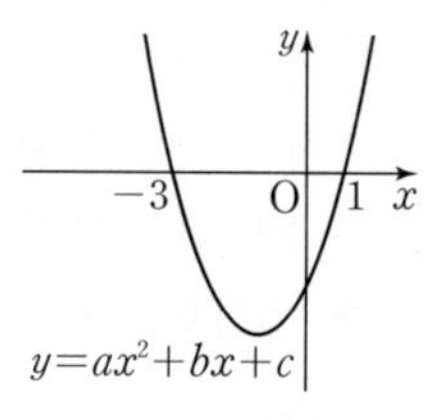

보기

ㄱ. $b^2-4ac>0$　ㄴ. $\frac{bc}{a^2}=6$
ㄷ. 이차함수 $y=bx^2+cx+a$의 그래프는 x축과 서로 다른 두 점에서 만난다.

064

유형 03

이차함수 $y=2x^2+(2k+1)x+k$의 그래프와 직선 $y=-x+k^2$의 두 교점의 x좌표를 각각 α, β라 하면 $\alpha+\beta=5$일 때, $\alpha\beta$의 값을 구하시오. (단, k는 상수)

065

유형 04

이차함수 $y=x^2-2kx+k+3$의 그래프와 직선 $y=2x-k^2$이 만나지 않도록 하는 자연수 k의 개수를 구하시오.

066

유형 04

이차함수 $y=x^2+2kx+a$의 그래프와 직선 $y=2bx-k^2+4k$가 실수 k의 값에 관계없이 항상 접할 때, 상수 a, b에 대하여 $a+b$의 값은?

① -4　② -2　③ 2
④ 4　⑤ 6

067

유형 05

두 이차함수 $y=x^2+ax+b$, $y=-x^2+4x-3$의 그래프가 점 $(1, 0)$에서 한 직선에 접할 때, 상수 a, b에 대하여 a^2+b^2의 값을 구하시오.

068

유형 06

두 이차함수 $y=-2x^2+4x-5$, $y=-x^2-6x+3k$의 최댓값이 서로 같을 때, 상수 k의 값을 구하시오.

069
유형 07

$0 \le x \le 4$에서 이차함수 $y=x^2-2x-1$의 최댓값을 M, 최솟값을 m이라 할 때, Mm의 값은?

① -14 ② -12 ③ -10
④ -8 ⑤ -6

070
유형 08

$-2 \le x \le 1$에서 함수 $y=\frac{1}{2}(x^2-4x)^2+x^2-4x+k$의 최솟값이 $\frac{5}{2}$일 때, 상수 k의 값은?

① -1 ② 1 ③ 3
④ 5 ⑤ 7

071
유형 09

두 실수 x, y에 대하여 $x^2+6y^2-4xy-8y+10$이 $x=p$, $y=q$에서 최솟값 m을 가질 때, $p+q+m$의 값은?

① 6 ② 7 ③ 8
④ 9 ⑤ 10

072
유형 10

음이 아닌 두 실수 x, y가 $x+y=4$를 만족시킬 때, $2x^2-y^2$의 최댓값을 M, 최솟값을 m이라 하자. 이때 $M+m$의 값은?

① 16 ② 24 ③ 32
④ 40 ⑤ 48

073
유형 11

밑면의 반지름의 길이가 2이고 높이가 8인 원뿔이 있다. 이 원뿔의 밑면의 넓이는 1초에 π씩 늘어나고 높이는 1초에 1씩 줄어들 때, 원뿔의 부피의 최댓값은?

① 10π ② 11π ③ 12π
④ 13π ⑤ 14π

074
유형 11

오른쪽 그림과 같은 직각삼각형 ABC의 빗변 AC 위의 한 점 D에서 $\overline{AB}$, $\overline{BC}$에 내린 수선의 발을 각각 E, F라 할 때, 직사각형 EBFD의 넓이의 최댓값을 구하시오.

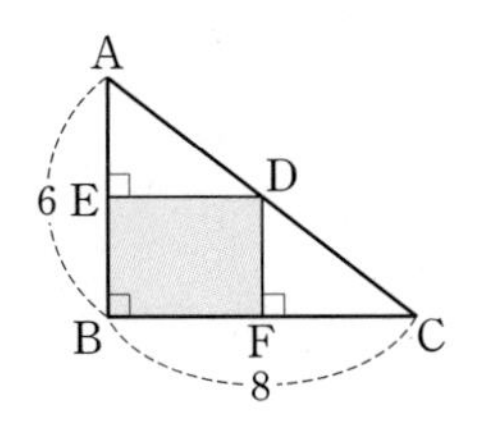

여러 가지 방정식

유형 01 삼차방정식과 사차방정식의 풀이

유형 02 공통부분이 있는 사차방정식의 풀이

유형 03 $x^4+ax^2+b=0$ 꼴의 방정식의 풀이

유형 04 $ax^4+bx^3+cx^2+bx+a=0$ 꼴의 방정식의 풀이

유형 05 근이 주어진 삼차·사차방정식

유형 06 근에 대한 조건이 주어진 삼차방정식

유형 07 삼차방정식의 근과 계수의 관계

유형 08 세 수를 근으로 하는 삼차방정식

유형 09 삼차방정식의 켤레근

유형 10 방정식 $x^3=1$, $x^3=-1$의 허근의 성질

유형 11 삼차방정식과 사차방정식의 활용

유형 12 일차방정식과 이차방정식으로 이루어진 연립이차방정식의 풀이

유형 13 두 이차방정식으로 이루어진 연립이차방정식의 풀이

유형 14 대칭형의 연립이차방정식의 풀이

유형 15 해에 대한 조건이 주어진 연립이차방정식

유형 16 연립이차방정식의 활용

유형 17 부정방정식

여러 가지 방정식

★ 중요

유형 01 | 삼차방정식과 사차방정식의 풀이

$f(x)=0$ 꼴의 삼차방정식과 사차방정식을 풀 때는 인수정리와 조립제법을 이용하여 $f(x)$를 인수분해한 후 $ABC=0$이면 $A=0$ 또는 $B=0$ 또는 $C=0$임을 이용한다.

대표 문제

001 삼차방정식 $x^3-4x^2+8=0$의 가장 큰 근을 α, 가장 작은 근을 β라 할 때, $\alpha-\beta$의 값은?

① $\sqrt{5}$ ② $2\sqrt{5}$ ③ $3\sqrt{5}$
④ $4\sqrt{5}$ ⑤ $5\sqrt{5}$

유형 02 | 공통부분이 있는 사차방정식의 풀이

방정식에 공통부분이 있으면 공통부분을 한 문자로 치환한 후 인수분해하여 푼다.
이때 공통부분이 바로 보이지 않으면 공통부분이 생기도록 식을 변형한다.

대표 문제

002 방정식 $(x^2+x-1)(x^2+x-7)+5=0$을 푸시오.

유형 03 | $x^4+ax^2+b=0$ 꼴의 방정식의 풀이

(1) x^2을 한 문자로 치환한 후 인수분해하여 푼다.
(2) (1)의 방법으로 정수 범위에서 인수분해되지 않으면 $A^2-B^2=0$ 꼴로 변형한 후 인수분해하여 푼다.

대표 문제

003 사차방정식 $x^4-13x^2+36=0$의 모든 양의 근의 곱은?

① 2 ② 3 ③ 4
④ 5 ⑤ 6

유형 04 | $ax^4+bx^3+cx^2+bx+a=0$ 꼴의 방정식의 풀이

계수가 대칭인 사차방정식은 다음과 같은 순서로 푼다.
(1) 양변을 x^2으로 나눈다.
(2) $x+\frac{1}{x}=t$로 치환한 후 t에 대한 이차방정식을 푼다.
(3) 주어진 사차방정식의 해를 구한다.

대표 문제

004 사차방정식 $x^4+4x^3-3x^2+4x+1=0$의 모든 실근의 합을 구하시오.

★ 중요

유형 05 | 근이 주어진 삼차 · 사차방정식

방정식 $f(x)=0$의 한 근이 α이면 $f(\alpha)=0$임을 이용하여 미정계수를 구한 후 방정식을 푼다.

대표 문제

005 삼차방정식 $x^3+kx^2+(k-2)x+2=0$의 한 근이 2일 때, 나머지 두 근의 합을 구하시오. (단, k는 상수)

유형 06 | 근에 대한 조건이 주어진 삼차방정식

주어진 삼차방정식을 $(x-\alpha)(ax^2+bx+c)=0$(α는 실수) 꼴로 변형한 후 이차방정식 $ax^2+bx+c=0$의 판별식을 D라 할 때, 삼차방정식이

(1) 실근만을 갖는다. ➡ $D\ge 0$

(2) 중근을 갖는다. ➡ $D=0$ 또는 $a\alpha^2+b\alpha+c=0$

(3) 한 개의 실근과 두 개의 허근을 갖는다. ➡ $D<0$

대표 문제

006 삼차방정식 $x^3+3x^2+(k+2)x+k=0$이 한 개의 실근과 두 개의 허근을 가질 때, 실수 k의 값의 범위는?

① $k<1$　② $k\le 1$　③ $k>1$

④ $k\ge 1$　⑤ $0<k<1$

★ 중요

유형 07 | 삼차방정식의 근과 계수의 관계

삼차방정식 $ax^3+bx^2+cx+d=0$의 세 근을 α, β, γ라 하면

$$\alpha+\beta+\gamma=-\frac{b}{a},\ \alpha\beta+\beta\gamma+\gamma\alpha=\frac{c}{a},\ \alpha\beta\gamma=-\frac{d}{a}$$

대표 문제

007 삼차방정식 $x^3-3x^2+2x-1=0$의 세 근을 α, β, γ라 할 때, $(1+\alpha)(1+\beta)(1+\gamma)$의 값은?

① 6　② 7　③ 8

④ 9　⑤ 10

유형 08 | 세 수를 근으로 하는 삼차방정식

세 수 α, β, γ를 근으로 하고 x^3의 계수가 1인 삼차방정식은

$$x^3-(\alpha+\beta+\gamma)x^2+(\alpha\beta+\beta\gamma+\gamma\alpha)x-\alpha\beta\gamma=0$$

대표 문제

008 삼차방정식 $x^3-4x^2-3x+2=0$의 세 근을 α, β, γ라 할 때, 2α, 2β, 2γ를 세 근으로 하고 x^3의 계수가 1인 삼차방정식을 구하시오.

여러 가지 방정식

정답과 해설 49쪽

★ 중요

유형 09 | 삼차방정식의 켤레근

삼차방정식 $ax^3+bx^2+cx+d=0$에서

(1) a, b, c, d가 유리수일 때, 무리수 $p+q\sqrt{m}$이 근이면 $p-q\sqrt{m}$도 근이다. (단, p, q는 유리수, $q\neq0$, $\sqrt{m}$은 무리수)

(2) a, b, c, d가 실수일 때, 허수 $p+qi$가 근이면 $p-qi$도 근이다. (단, p, q는 실수, $q\neq0$, $i=\sqrt{-1}$)

대표 문제

009 삼차방정식 $x^3+2x^2+ax+b=0$의 한 근이 $\sqrt{2}$일 때, 유리수 a, b에 대하여 ab의 값은?

① 2 ② 4 ③ 6 ④ 8 ⑤ 10

★ 중요

유형 10 | 방정식 $x^3=1$, $x^3=-1$의 허근의 성질

(1) 방정식 $x^3=1$의 한 허근을 ω라 하면 (단, $\overline{\omega}$는 ω의 켤레복소수)

① $\omega^3=1$, $\omega^2+\omega+1=0$

② $\omega+\overline{\omega}=-1$, $\omega\overline{\omega}=1$

③ $\omega^2=\overline{\omega}=\frac{1}{\omega}$

(2) 방정식 $x^3=-1$의 한 허근을 ω라 하면 (단, $\overline{\omega}$는 ω의 켤레복소수)

① $\omega^3=-1$, $\omega^2-\omega+1=0$

② $\omega+\overline{\omega}=1$, $\omega\overline{\omega}=1$

③ $\omega^2=-\overline{\omega}=-\frac{1}{\omega}$

대표 문제

010 방정식 $x^3=1$의 한 허근을 ω라 할 때, $\omega^{1010}+\frac{1}{\omega^{1010}}$의 값은?

① -2 ② -1 ③ 0 ④ 1 ⑤ 2

유형 11 | 삼차방정식과 사차방정식의 활용

삼차방정식과 사차방정식의 활용 문제는 다음과 같은 순서로 푼다.

(1) 구하는 것을 x로 놓고 방정식을 세운다.

(2) (1)에서 세운 방정식을 푼다.

(3) 구한 해가 문제의 조건에 맞는지 확인한다.

대표 문제

011 어떤 정육면체의 밑면의 가로의 길이와 세로의 길이를 각각 1 cm, 2 cm만큼 줄이고, 높이를 3 cm만큼 늘여서 만든 직육면체의 부피가 12 cm^3일 때, 처음 정육면체의 한 모서리의 길이를 구하시오.

핵심 유형 완성하기

정답과 해설 49쪽

★ 중요

유형 01 삼차방정식과 사차방정식의 풀이

012 대표 문제 다시 보기

사차방정식 $x^4-7x^3+16x^2-14x+4=0$의 가장 큰 근을 α, 가장 작은 근을 β라 할 때, $\alpha\beta$의 값을 구하시오.

013 중

삼차방정식 $x^3-2x^2-2x+1=0$의 세 근을 α, β, γ라 할 때, $\alpha-\beta-\gamma$의 값을 구하시오. (단, $\alpha<\beta<\gamma$)

014 중

사차방정식 $x^4+x^3-x^2-7x-6=0$의 모든 실근의 합은?

① 1 ② $\sqrt{2}$ ③ 2
④ $2\sqrt{2}$ ⑤ 4

015 중

삼차방정식 $x^3-3x^2+2x+6=0$의 두 허근을 α, β라 할 때, $\alpha^2+\beta^2$의 값은?

① 2 ② 4 ③ 6
④ 8 ⑤ 10

유형 02 공통부분이 있는 사차방정식의 풀이

016 대표 문제 다시 보기

방정식 $(x^2+2x)^2-3(x^2+2x)=0$의 가장 큰 근을 α, 가장 작은 근을 β라 할 때, $\alpha+\beta$의 값은?

① -4 ② -2 ③ 0
④ 2 ⑤ 4

017 중

방정식 $(x^2-2x)^2=2x^2-4x+8$의 모든 실근의 합은?

① -2 ② -1 ③ 0
④ 1 ⑤ 2

018 중

방정식 $(x-1)(x-2)(x+3)(x+4)-14=0$의 모든 근의 곱은?

① 1 ② 5 ③ 10
④ 15 ⑤ 20

유형 03 $x^4+ax^2+b=0$ 꼴의 방정식의 풀이

019 대표 문제 다시 보기

사차방정식 $x^4+3x^2-18=0$의 모든 실근의 곱은?

① -3 ② -1 ③ 1
④ 3 ⑤ 5

020 중

사차방정식 $x^4-10x^2+9=0$의 네 근을 α, β, γ, δ라 할 때, $\alpha\beta+\gamma\delta$의 값은? (단, $\alpha<\beta<\gamma<\delta$)

① 5 ② 6 ③ 7
④ 8 ⑤ 9

021 중

사차방정식 $x^4-3x^2+1=0$의 모든 양의 근의 합은?

① 1 ② 2 ③ $\sqrt{5}$
④ $1+\sqrt{5}$ ⑤ $2\sqrt{5}$

022 중

사차방정식 $x^4+2x^2+9=0$의 네 근을 α, β, γ, δ라 할 때, $\frac{1}{\alpha}+\frac{1}{\beta}+\frac{1}{\gamma}+\frac{1}{\delta}$의 값은?

① 0 ② 1 ③ 2
④ 3 ⑤ 4

유형 04 $ax^4+bx^3+cx^2+bx+a=0$ 꼴의 방정식의 풀이

023 대표 문제 다시 보기

사차방정식 $x^4+5x^3+6x^2+5x+1=0$의 모든 실근의 합은?

① -8 ② -4 ③ 0
④ 1 ⑤ 4

024 중

사차방정식 $x^4-3x^3-2x^2-3x+1=0$의 한 실근을 α라 할 때, $\alpha+\frac{1}{\alpha}$의 값은?

① 2 ② 4 ③ 6
④ 8 ⑤ 10

★ 중요

유형 05 근이 주어진 삼차 · 사차방정식

025 대표 문제 다시 보기

삼차방정식 $x^3+kx^2+3x+1=0$의 한 근이 1일 때, 나머지 두 근의 합은? (단, k는 상수)

① -4　② -1　③ 1
④ 4　⑤ 6

026 중

삼차방정식 $x^3+ax^2+(2a-b)x+6b=0$의 두 근이 -2, 3일 때, 나머지 한 근을 구하시오. (단, a, b는 상수)

027 중

사차방정식 $2x^4-ax^3+bx^2+3x+a+4=0$의 두 근이 -1, 2일 때, 나머지 두 근의 곱은? (단, a, b는 상수)

① $-\frac{3}{2}$　② -1　③ 0
④ 1　⑤ $\frac{3}{2}$

028 중

사차방정식 $x^4+ax^3+bx^2+3x+6=0$의 한 근이 $\sqrt{3}$일 때, 나머지 세 근 중 유리수인 두 근의 곱은? (단, a, b는 유리수)

① -4　② -2　③ 1
④ 2　⑤ 4

029 상

삼차방정식 $x^3+(k+2)x^2+(k^2-4)x-5=0$이 세 실근 1, α, β를 가질 때, 상수 k에 대하여 $k-\alpha-\beta$의 값은?

① -3　② -1　③ 3
④ 5　⑤ 7

유형 06 근에 대한 조건이 주어진 삼차방정식

030 대표 문제 다시 보기

삼차방정식 $x^3-x^2-(k+2)x+2k=0$이 한 개의 실근과 두 개의 허근을 가질 때, 실수 k의 값의 범위는?

① $k<-\frac{1}{4}$　② $k<\frac{1}{4}$　③ $k>-\frac{1}{4}$
④ $k>\frac{1}{4}$　⑤ $-\frac{1}{4}<k<\frac{1}{4}$

031 중

삼차방정식 $x^3-4x^2+(4-k)x+2k=0$의 근이 모두 실수가 되도록 하는 실수 k의 최솟값은?

① -3　② -2　③ -1　④ 0　⑤ 1

032 중

삼차방정식 $x^3+(k+1)x^2+2kx+k^2=0$이 중근을 가질 때, 모든 실수 k의 값의 합은?

① $\frac{1}{4}$　② $\frac{1}{2}$　③ $\frac{3}{4}$　④ 1　⑤ $\frac{5}{4}$

033 상

삼차방정식 $x^3-(k+1)x+k=0$의 서로 다른 실근이 한 개뿐일 때, 정수 k의 최댓값은?

① -2　② -1　③ 0　④ 1　⑤ 2

★중요

유형 07 삼차방정식의 근과 계수의 관계

034 대표 문제 다시 보기

삼차방정식 $x^3-7x^2+10x+6=0$의 세 근을 α, β, γ라 할 때, $(3-\alpha)(3-\beta)(3-\gamma)$의 값을 구하시오.

035 하

삼차방정식 $x^3+2x^2+3x+4=0$의 세 근을 α, β, γ라 할 때, $\alpha^2+\beta^2+\gamma^2$의 값은?

① -3　② -2　③ -1　④ 1　⑤ 2

036 중

삼차방정식 $x^3-3x^2+ax+8=0$의 세 근을 α, β, γ라 할 때, $\frac{1}{\alpha}+\frac{1}{\beta}+\frac{1}{\gamma}=\frac{3}{4}$이 성립한다. 이때 $\alpha^2\beta^2+\beta^2\gamma^2+\gamma^2\alpha^2$의 값을 구하시오. (단, a는 상수)

037 중

삼차방정식 $x^3-6x+3=0$의 세 근을 α, β, γ라 할 때, $\frac{\beta+\gamma}{\alpha^2}+\frac{\gamma+\alpha}{\beta^2}+\frac{\alpha+\beta}{\gamma^2}$의 값은?

① -4　② -2　③ 0　④ 2　⑤ 4

038 중

이차방정식 $x^2-2x+a=0$의 두 근이 모두 삼차방정식 $x^3-3x^2+bx+2=0$의 근일 때, 상수 a, b에 대하여 $a-b$의 값은?

① -4 ② -3 ③ -2
④ -1 ⑤ 0

039 중

삼차방정식 $x^3-6x^2+ax+b=0$의 근이 연속인 세 정수일 때, 상수 a, b에 대하여 $a+b$의 값은?

① 1 ② 3 ③ 5
④ 7 ⑤ 9

040 중

삼차방정식 $x^3-3x^2+ax+b=0$의 세 근의 비가 1 : 2 : 3일 때, 상수 a, b에 대하여 $a+b$의 값은?

① 2 ② 4 ③ 6
④ 8 ⑤ 10

유형 08 세 수를 근으로 하는 삼차방정식

041 대표 문제 다시 보기

삼차방정식 $x^3-x^2+2x-1=0$의 세 근을 α, β, γ라 할 때, $\alpha\beta$, $\beta\gamma$, $\gamma\alpha$를 세 근으로 하고 x^3의 계수가 1인 삼차방정식을 구하시오.

042 중

삼차방정식 $x^3-7x+3=0$의 세 근을 α, β, γ라 할 때, $\alpha+1$, $\beta+1$, $\gamma+1$을 세 근으로 하는 삼차방정식이 $ax^3+bx^2+cx+9=0$이다. 이때 상수 a, b, c에 대하여 $a+b+c$의 값은?

① -6 ② -4 ③ -2
④ 2 ⑤ 4

043 상

x에 대한 삼차식 $f(x)$에 대하여

$$f(1)=f(2)=f(3)=4,\ f(4)=10$$

일 때, 방정식 $f(x)=0$의 모든 근의 합은?

① -6 ② -4 ③ 2
④ 6 ⑤ 12

핵심유형 완성하기

★중요

유형 09 삼차방정식의 켤레근

044 대표 문제 다시 보기

삼차방정식 $x^3-(a+2)x^2+bx+4=0$의 한 근이 $1+\sqrt{2}$일 때, 유리수 a, b에 대하여 $a+b$의 값은?

① 5 ② 7 ③ 9
④ 11 ⑤ 13

045 하

삼차방정식 $x^3+ax^2+bx+10=0$의 한 근이 $1+2i$일 때, 이 방정식의 실근을 구하시오. (단, a, b는 실수)

046 중

삼차방정식 $x^3+ax^2+bx+c=0$의 두 근이 1, $3+\sqrt{3}$일 때, 유리수 a, b, c에 대하여 $\frac{ab}{c}$의 값은?

① 1 ② 7 ③ 14
④ 21 ⑤ 28

047 상

삼차식 $f(x)=x^3+ax^2+bx+c$가 다음 조건을 모두 만족시킬 때, 삼차방정식 $f(2x)=0$의 세 근의 곱을 구하시오.

(단, a, b, c는 실수)

> (가) $f(x)$는 $x-2$로 나누어떨어진다.
> (나) 삼차방정식 $f(x)=0$의 한 근이 $-4i$이다.

★중요

유형 10 방정식 $x^3=1$, $x^3=-1$의 허근의 성질

048 대표 문제 다시 보기

방정식 $x^3=-1$의 한 허근을 ω라 할 때, $\omega^{1000}+\frac{1}{\omega^{1000}}$의 값은?

① -2 ② -1 ③ 0
④ 1 ⑤ 2

049 중

방정식 $x^3-1=0$의 한 허근을 ω라 할 때,
$\left(\omega+\frac{1}{\omega}\right)^4+\left(\omega+\frac{1}{\omega}\right)^3+\left(\omega+\frac{1}{\omega}\right)^2+\omega+\frac{1}{\omega}$의 값은?

① 0 ② 1 ③ 2
④ 3 ⑤ 4

050 중

이차방정식 $x^2+x+1=0$의 한 허근을 ω라 할 때, $1+\omega+\omega^2+\omega^3+\cdots+\omega^{120}$의 값을 구하시오.

051 중

방정식 $x^3+1=0$의 한 허근을 ω라 할 때, $\frac{1}{\omega-1}+\frac{1}{\overline{\omega}-1}$의 값은? (단, $\overline{\omega}$는 ω의 켤레복소수)

① -2　② -1　③ 0
④ 1　⑤ 2

052 중

방정식 $x^3=1$의 한 허근을 ω라 할 때, 다음 보기 중 옳은 것만을 있는 대로 고른 것은? (단, $\overline{\omega}$는 ω의 켤레복소수)

보기
ㄱ. $\omega\overline{\omega}=1$
ㄴ. $\omega^2=\overline{\omega}$
ㄷ. $\frac{1}{\omega+1}+\frac{1}{\omega^2+1}+\frac{1}{\omega^3+1}=3$

① ㄱ　② ㄴ　③ ㄱ, ㄴ
④ ㄱ, ㄷ　⑤ ㄴ, ㄷ

053 상 신유형

이차방정식 $x^2+x+1=0$의 한 허근을 ω라 할 때, 자연수 n에 대하여 $f(n)=\frac{1+\omega+\omega^2+\cdots+\omega^n}{1+\omega^n}$이라 하자. 이때 $f(1)+f(2)+f(3)+\cdots+f(25)$의 값을 구하시오.

유형 11 삼차방정식과 사차방정식의 활용

054 대표 문제 다시 보기

어떤 정육면체의 가로의 길이를 1만큼 줄이고, 세로의 길이와 높이를 각각 2만큼씩 늘여서 만든 직육면체의 부피가 108일 때, 처음 정육면체의 부피는?

① 8　② 27　③ 64
④ 125　⑤ 216

055 중

모든 모서리의 길이의 합이 32 cm, 겉넓이가 34 cm^2, 부피가 10 cm^3인 직육면체의 가장 긴 모서리의 길이와 가장 짧은 모서리의 길이의 차는?

① 2 cm　② 3 cm　③ 4 cm
④ 5 cm　⑤ 6 cm

056 상

오른쪽 그림과 같이 원기둥에 반구가 붙어 있는 모양의 조각상이 있다. 이 조각상의 높이는 4이고 부피는 $\frac{40}{3}\pi$일 때, 밑면의 반지름의 길이를 구하시오.

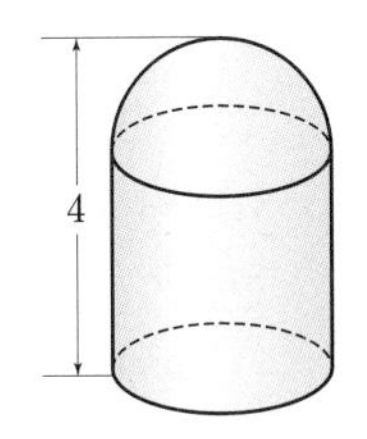

여러 가지 방정식

★ 중요

유형 12 일차방정식과 이차방정식으로 이루어진 연립이차방정식의 풀이

일차방정식과 이차방정식으로 이루어진 연립이차방정식은 다음과 같은 순서로 푼다.

(1) 일차방정식을 한 문자에 대하여 정리한다.

(2) 정리한 일차방정식을 이차방정식에 대입하여 푼다.

대표 문제

057 연립방정식 $\begin{cases} x-y=1 \\ x^2+y^2=25 \end{cases}$를 만족시키는 x, y에 대하여 xy의 값은?

① 10 ② 12 ③ 14
④ 16 ⑤ 18

★ 중요

유형 13 두 이차방정식으로 이루어진 연립이차방정식의 풀이

두 이차방정식으로 이루어진 연립이차방정식은 다음과 같은 순서로 푼다.

(1) 인수분해되는 이차방정식을 인수분해하여 두 일차방정식을 얻는다.

(2) 두 일차방정식을 각각 다른 이차방정식과 연립하여 푼다.

대표 문제

058 연립방정식 $\begin{cases} 2x^2-3xy+y^2=0 \\ 5x^2-y^2=9 \end{cases}$를 만족시키는 자연수 x, y에 대하여 $x+y$의 값은?

① 3 ② 5 ③ 7
④ 9 ⑤ 11

유형 14 대칭형의 연립이차방정식의 풀이

x, y를 서로 바꾸어도 식이 변하지 않는 연립방정식은 다음과 같은 순서로 푼다.

(1) $x+y=u$, $xy=v$로 놓고 u, v에 대한 연립방정식을 푼다.

(2) x, y가 t에 대한 이차방정식 $t^2-ut+v=0$의 두 근임을 이용하여 x, y의 값을 구한다.

대표 문제

059 연립방정식 $\begin{cases} x^2+y^2=10 \\ x+y-xy=1 \end{cases}$을 만족시키는 x, y에 대하여 $2x+y$의 최댓값은?

① 1 ② 3 ③ 5
④ 7 ⑤ 9

유형 15 | 해에 대한 조건이 주어진 연립이차방정식

일차방정식을 한 문자에 대하여 정리하고, 이를 이차방정식에 대입한 후 해의 조건을 만족시키도록 이차방정식의 판별식을 이용한다.

대표 문제

060 연립방정식 $\begin{cases} 2x-y=a \\ x^2+y^2=5 \end{cases}$가 오직 한 쌍의 해를 갖도록 하는 양수 a의 값은?

① 3 ② 4 ③ 5
④ 6 ⑤ 7

유형 16 | 연립이차방정식의 활용

연립이차방정식의 활용 문제는 다음과 같은 순서로 푼다.
(1) 구하는 것을 x, y로 놓고 연립이차방정식을 세운다.
(2) (1)에서 세운 연립이차방정식을 푼다.
(3) 구한 해가 문제의 조건에 맞는지 확인한다.

대표 문제

061 한 변의 길이가 10인 마름모의 두 대각선의 길이의 차가 4일 때, 이 마름모의 넓이는?

① 88 ② 92 ③ 96
④ 100 ⑤ 104

유형 17 | 부정방정식

(1) 실수 조건이 주어진 경우
[방법 1] $A^2+B^2=0$ 꼴로 변형한 후 $A=0$, $B=0$임을 이용한다.
[방법 2] 한 문자에 대하여 내림차순으로 정리한 후 이차방정식의 판별식 $D\geq0$임을 이용한다.
(2) 정수 조건이 주어진 경우
주어진 방정식을 (일차식)$\times$(일차식)$=$(정수) 꼴로 변형한 후 두 일차식이 모두 정수임을 이용한다.

대표 문제

062 방정식 $x^2+y^2-4x-2y+5=0$을 만족시키는 실수 x, y에 대하여 xy의 값은?

① -2 ② 2 ③ 4
④ 6 ⑤ 8

★ 중요

유형 12 일차방정식과 이차방정식으로 이루어진 연립이차방정식의 풀이

063 대표 문제 다시 보기

연립방정식 $\begin{cases} x-y=2 \\ x^2+4xy+y^2=10 \end{cases}$을 만족시키는 x, y에 대하여 $|x+y|$의 값을 구하시오.

064 중

연립방정식 $\begin{cases} 2x+y=1 \\ x^2+y^2=13 \end{cases}$의 정수인 해를 $x=\alpha$, $y=\beta$라 할 때, $\alpha+\beta$의 값을 구하시오.

065 중

연립방정식 $\begin{cases} x+2y=5 \\ 2x^2+y^2=19 \end{cases}$의 해를 $x=\alpha$, $y=\beta$라 할 때, $\alpha\beta$의 값을 구하시오. (단, $\alpha\beta>0$)

066 중

두 연립방정식 $\begin{cases} 2x+y=3 \\ ax^2-y^2=-1 \end{cases}$, $\begin{cases} x+y=b \\ x^2-y^2=-45 \end{cases}$의 공통인 해가 있을 때, 정수 a, b에 대하여 $a+b$의 값은?

① 11 ② 13 ③ 15
④ 17 ⑤ 19

067 상 신유형

실수 x, y에 대하여 $x★y=\begin{cases} x\ (x\geq y) \\ y\ (x<y) \end{cases}$라 정의하자. 연립방정식 $\begin{cases} 2x+3y-1=x★2y \\ x^2-y=x★2y \end{cases}$의 유리수인 해를 $x=\alpha$, $y=\beta$라 할 때, $\alpha+\beta$의 값을 구하시오.

★ 중요

유형 13 두 이차방정식으로 이루어진 연립이차방정식의 풀이

068 대표 문제 다시 보기

연립방정식 $\begin{cases} x^2+xy-2y^2=0 \\ x^2+y^2=20 \end{cases}$을 만족시키는 정수 x, y에 대하여 xy의 값은?

① -8 ② -6 ③ -4
④ -2 ⑤ 0

069 중

연립방정식 $\begin{cases} x^2-y^2=0 \\ x^2-xy+y^2=12 \end{cases}$를 푸시오.

070 중

연립방정식 $\begin{cases} x^2+3xy-10y^2=0 \\ x^2+2xy-y^2=28 \end{cases}$을 만족시키는 양수 x, y에 대하여 $x+y$의 값은?

① 2 ② 4 ③ 6
④ 8 ⑤ 10

유형 14 대칭형의 연립이차방정식의 풀이

071 대표 문제 다시 보기

연립방정식 $\begin{cases} xy+x+y=11 \\ x^2y+xy^2=30 \end{cases}$을 만족시키는 x, y에 대하여 $x+2y$의 최댓값은?

① 8 ② 9 ③ 10
④ 11 ⑤ 12

072 중

연립방정식 $\begin{cases} x^2+y^2=8 \\ xy=-4 \end{cases}$를 만족시키는 x, y의 순서쌍 (x, y)를 모두 구하시오.

유형 15 해에 대한 조건이 주어진 연립이차방정식

073 대표 문제 다시 보기

연립방정식 $\begin{cases} x+y=a \\ x^2-2xy=-3 \end{cases}$이 오직 한 쌍의 해를 갖도록 하는 양수 a의 값을 구하시오.

074 중

연립방정식 $\begin{cases} x-y=2a \\ 2x^2-xy=-a^2-a+1 \end{cases}$을 만족시키는 실수 x, y가 존재하지 않을 때, 정수 a의 최솟값은?

① -1 ② 0 ③ 1
④ 2 ⑤ 3

075 중

연립방정식 $\begin{cases} x+y=3 \\ xy+x+y=a \end{cases}$가 실근을 갖도록 하는 상수 a의 최댓값은?

① $\frac{9}{2}$ ② 5 ③ $\frac{21}{4}$
④ $\frac{11}{2}$ ⑤ 6

유형 16 연립이차방정식의 활용

076 대표 문제 다시 보기

대각선의 길이가 $3\sqrt{5}$인 직사각형 모양의 땅이 있다. 이 땅의 가로의 길이를 1만큼 줄이고, 세로의 길이를 1만큼 늘였더니 넓이가 2만큼 넓어졌다고 한다. 처음 땅의 넓이는?

① 12　② 14　③ 16　④ 18　⑤ 20

077 중

어떤 두 원의 둘레의 길이의 합은 12π이고 넓이의 합은 26π일 때, 두 원 중 큰 원의 반지름의 길이는?

① 3　② 4　③ 5　④ 6　⑤ 7

078 중

빗변의 길이가 10 cm인 직각삼각형이 있다. 이 직각삼각형의 넓이가 24 cm^{2}일 때, 빗변이 아닌 두 변의 길이의 합은?

① 12 cm　② 14 cm　③ 16 cm　④ 18 cm　⑤ 20 cm

유형 17 부정방정식

079 대표 문제 다시 보기

방정식 $x^2+y^2+2x+6y+10=0$을 만족시키는 실수 x, y에 대하여 $x+y$의 값은?

① -4　② -2　③ 2　④ 4　⑤ 6

080 중

방정식 $5x^2-4xy+y^2-2x+1=0$을 만족시키는 실수 x, y에 대하여 x^2+y^2의 값을 구하시오.

081 중

방정식 $xy-x-y-1=0$을 만족시키는 정수 x, y에 대하여 xy의 최댓값은?

① 3　② 4　③ 5　④ 6　⑤ 7

082 중

방정식 $x^2-xy+y+3=0$을 만족시키는 자연수 x, y에 대하여 순서쌍 (x, y)의 개수를 구하시오.

083 유형 01

삼차방정식 $x^3-x^2-4x+4=0$의 모든 양의 근의 합은?

① 3 ② 4 ③ 5
④ 6 ⑤ 7

084 유형 02

방정식 $(x^2+4x-21)(x^2+4x-5)+63=0$의 가장 큰 근을 구하시오.

085 유형 03

다음 중 사차방정식 $x^4-6x^2+1=0$의 근인 것은?

① $-1-\sqrt{2}$ ② $1+2\sqrt{2}$ ③ $-1+\sqrt{2}i$
④ $1-2i$ ⑤ $2+i$

086 유형 04

사차방정식 $x^4+5x^3-4x^2+5x+1=0$의 모든 실근의 합은?

① -9 ② -6 ③ -3
④ 0 ⑤ 3

087 유형 05

사차방정식 $x^4+ax^3-7x^2+x+b=0$의 네 근이 -1, 1, α, β일 때, $\frac{\alpha\beta}{ab}$의 값은? (단, a, b는 상수)

① -2 ② -1 ③ 0
④ 1 ⑤ 2

088 유형 06

삼차방정식 $x^3-2kx^2+(k^2+2)x-2k=0$이 중근을 가질 때, 양수 k의 값은?

① $\sqrt{2}$ ② 2 ③ $\sqrt{6}$
④ $2\sqrt{2}$ ⑤ $\sqrt{10}$

089 유형 07

삼차방정식 $x^3+2x^2-3x+1=0$의 세 근을 α, β, γ라 할 때, $(\alpha+\beta)(\beta+\gamma)(\gamma+\alpha)$의 값은?

① 4 ② 5 ③ 6
④ 7 ⑤ 8

090
유형 07

삼차방정식 $x^3-3x^2-10x+k=0$의 세 근은 모두 정수이고, 어떤 두 근의 비가 $1:2$일 때, 상수 k의 값을 구하시오.

091
유형 08

삼차방정식 $x^3-2x^2+3x-1=0$의 세 근을 α, β, γ라 할 때, $\frac{1}{\alpha}$, $\frac{1}{\beta}$, $\frac{1}{\gamma}$을 세 근으로 하고 x^3의 계수가 1인 삼차방정식은?

① $x^3-3x^2-2x-1=0$
② $x^3-3x^2+2x-1=0$
③ $x^3+2x^2-3x+1=0$
④ $x^3+3x^2-2x-1=0$
⑤ $x^3+3x^2+2x+1=0$

092
유형 09

삼차방정식 $x^3-3x^2+ax+b=0$의 두 근이 $-1+\sqrt{3}i$, c일 때, 실수 a, b, c에 대하여 $a+b+c$의 값은?

① -23 ② -21 ③ -19
④ -17 ⑤ -15

093
유형 10

방정식 $x^3-1=0$의 한 허근을 ω라 할 때, $\frac{\overline{\omega}^2}{1+\omega}+\frac{\omega^2}{1+\overline{\omega}}$의 값은? (단, $\overline{\omega}$는 ω의 켤레복소수)

① -2 ② -1 ③ 0
④ 1 ⑤ 2

094
유형 11

다음 그림과 같이 가로의 길이, 세로의 길이가 각각 20 cm, 10 cm인 직사각형 모양의 종이가 있다. 이 종이의 네 귀퉁이에서 한 변의 길이가 x cm인 정사각형을 잘라내고 점선을 따라 접어서 만든 상자의 부피가 96 cm^{3}일 때, 자연수 x의 값을 구하시오.

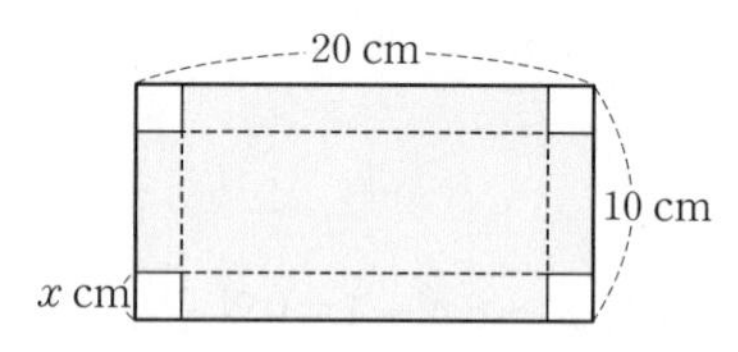

095
유형 12

연립방정식 $\begin{cases} 3x-y=10 \\ x^2-2y=12 \end{cases}$의 자연수인 해를 $x=\alpha$, $y=\beta$라 할 때, $\alpha+\beta$의 값은?

① 2 ② 4 ③ 6
④ 8 ⑤ 10

096
유형 13

연립방정식 $\begin{cases} 2x^2+xy-y^2=0 \\ x^2-2xy+2y^2=5 \end{cases}$를 만족시키는 음의 정수 x, y에 대하여 $x+y$의 값은?

① -6 ② -5 ③ -4
④ -3 ⑤ -2

097
유형 14

연립방정식 $\begin{cases} x^2+y^2+x+y=2 \\ x^2+xy+y^2=1 \end{cases}$을 만족시키는 x, y에 대하여 $x+2y$의 최댓값은?

① 0 ② 2 ③ 4
④ 6 ⑤ 8

098
유형 15

연립방정식 $\begin{cases} 2x+y=a \\ x^2+y^2=4 \end{cases}$가 오직 한 쌍의 해를 갖도록 하는 양수 a의 값은?

① $2\sqrt{3}$ ② $\sqrt{14}$ ③ 4
④ $3\sqrt{2}$ ⑤ $2\sqrt{5}$

099
유형 16

오른쪽 그림과 같이 지름의 길이가 13 cm인 원에 둘레의 길이가 34 cm인 직사각형이 내접할 때, 이 직사각형의 가로의 길이는? (단, 가로의 길이가 세로의 길이보다 길다.)

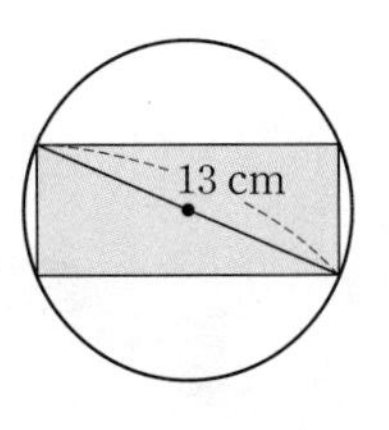

① 9 cm ② 10 cm ③ 11 cm
④ 12 cm ⑤ 13 cm

100
유형 17

방정식 $x^2-2xy+2y^2+2x+2=0$을 만족시키는 실수 x, y에 대하여 $x+y$의 값은?

① -3 ② -2 ③ -1
④ 0 ⑤ 1

101
유형 17

방정식 $x^2-xy-2x+2y-3=0$을 만족시키는 정수 x, y에 대하여 xy의 최댓값은?

① 12 ② 14 ③ 16
④ 18 ⑤ 20

Ⅱ. 방정식과 부등식

07 연립일차부등식

연립일차부등식

★ 중요

유형 01 | 연립일차부등식의 풀이

연립일차부등식은 다음과 같은 순서로 푼다.

(1) 각 일차부등식을 푼다.

(2) 각 부등식의 해를 수직선 위에 나타낸다.

(3) 공통부분을 찾아 연립부등식의 해를 구한다.

참고 세 실수 a, b, c에 대하여

(1) $a>b$이면 ➡ $a+c>b+c$, $a-c>b-c$

(2) $a>b$, $c>0$이면 ➡ $ac>bc$, $\frac{a}{c}>\frac{b}{c}$

(3) $a>b$, $c<0$이면 ➡ $ac<bc$, $\frac{a}{c}<\frac{b}{c}$

대표 문제

001 연립부등식 $\begin{cases} 3x+2\le x-1 \\ x+1>2(2x-1)+1 \end{cases}$ 의 해는?

① $x\le-\frac{3}{2}$ ② $x\ge-\frac{3}{2}$ ③ $x\ge-\frac{2}{3}$

④ $x<\frac{2}{3}$ ⑤ $x>\frac{3}{2}$

유형 02 | 해가 특수한 연립일차부등식

(1) 연립부등식의 해가 한 개인 경우

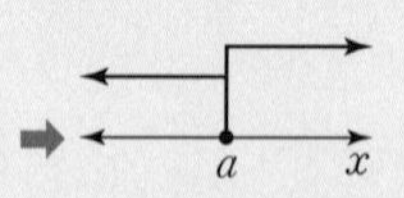

➡ 수직선에서 공통부분이 $x=a$뿐이다.

(2) 연립부등식의 해가 없는 경우

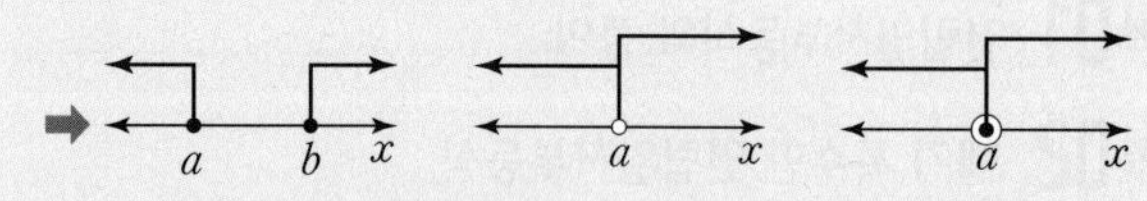

➡ 수직선에서 공통부분이 없다.

대표 문제

002 다음 연립부등식 중 해가 없는 것은?

① $\begin{cases} x\le3 \\ x\ge3 \end{cases}$ ② $\begin{cases} 15x\le5x+30 \\ x>0 \end{cases}$

③ $\begin{cases} 2(x-1)\le4 \\ x+1>4 \end{cases}$ ④ $\begin{cases} 2x+5>5x-7 \\ 6-2(x+2)\ge3x \end{cases}$

⑤ $\begin{cases} \frac{2x+5}{4}+\frac{x-3}{2}>-1 \\ 2x-2\le10-x \end{cases}$

★ 중요

유형 03 | $A<B<C$ 꼴의 부등식

$A<B<C$ 꼴의 부등식은 연립부등식 $\begin{cases} A<B \\ B<C \end{cases}$ 꼴로 고쳐서 푼다.

주의 부등식 $A<B<C$를 $\begin{cases} A<B \\ A<C \end{cases}$ 또는 $\begin{cases} A<C \\ B<C \end{cases}$ 꼴로 고쳐서 풀지 않도록 주의한다.

대표 문제

003 부등식 $2x-30<5x-3\le6(5-x)$를 만족시키는 정수 x의 개수를 구하시오.

★중요

유형 04 | 해가 주어진 연립일차부등식

각 일차부등식의 해를 구한 후 주어진 연립부등식의 해와 비교하여 미지수의 값을 구한다.

대표 문제

004 연립부등식 $\begin{cases} 2x+5\le3(x+1) \\ 4x\le2x+a+1 \end{cases}$의 해가 $b\le x\le4$일 때, 상수 a, b에 대하여 $a-b$의 값은?

① 3 ② 4 ③ 5
④ 6 ⑤ 7

유형 05 | 해를 갖거나 갖지 않는 연립일차부등식

각 일차부등식의 해를 구한 후 주어진 연립부등식의 해의 조건에 맞도록 수직선 위에 나타낸다.

(1) 해를 갖는 경우 ➡ 공통부분이 있다.
(2) 해를 갖지 않는 경우 ➡ 공통부분이 없다.

대표 문제

005 연립부등식 $\begin{cases} 3x-7\le5 \\ x-3\ge a \end{cases}$가 해를 갖지 않도록 하는 상수 a의 값의 범위를 구하시오.

유형 06 | 정수인 해의 조건이 주어진 연립일차부등식

연립부등식을 만족시키는 정수 x가 n개일 때
➡ 각 일차부등식의 해를 구한 후 해의 공통부분이 n개의 정수를 포함하도록 수직선 위에 나타낸다.

대표 문제

006 연립부등식 $\begin{cases} 1-x\ge-3 \\ 5x+a>2(x-2) \end{cases}$를 만족시키는 정수 x가 5개일 때, 상수 a의 값의 범위를 구하시오.

★중요

유형 07 | 연립일차부등식의 활용

문제의 조건에 맞도록 연립부등식을 세운 후 연립부등식을 풀어 문제의 답을 구한다.

참고 (1) 한 개에 a원인 물건 A와 한 개에 b원인 물건 B를 합하여 n개를 살 때
➡ 물건 A를 x개 산다면 물건 B는 $(n-x)$개를 사게 되므로 (총금액)$=ax+b(n-x)$ (원)

(2) 삼각형의 세 변의 길이가 주어질 때
➡ (가장 긴 변의 길이)$<$(나머지 두 변의 길이의 합)

(3) 농도가 a %인 소금물 A g이 있을 때
➡ (소금의 양)$=\frac{a}{100}A$ (g)

(4) 한 의자에 a명씩 앉으면 n개의 의자가 남을 때
➡ 의자의 개수를 x라 하면
$a\{x-(n+1)\}+1\le$(학생 수)$\le a\{x-(n+1)\}+a$

대표 문제

007 한 개에 700원인 과자와 한 개에 500원인 사탕을 합하여 20개를 사려고 한다. 과자를 사탕보다 많이 사고 총금액이 13000원 이하가 되도록 할 때, 과자를 최대 몇 개까지 살 수 있는지 구하시오.

★ 중요

유형 08 | 부등식 $|ax+b|<c$의 풀이

$|ax+b|<c\,(c>0)$ 꼴의 부등식은 다음을 이용하여 절댓값 기호를 없앤 후 해를 구한다.

(1) $|ax+b|<c \Rightarrow -c<ax+b<c$

(2) $|ax+b|>c \Rightarrow ax+b<-c$ 또는 $ax+b>c$

대표 문제

008 부등식 $|2x-3|<7$을 만족시키는 정수 x의 개수는?

① 3 ② 4 ③ 5 ④ 6 ⑤ 7

유형 09 | 부등식 $|ax+b|<cx+d$의 풀이

$|ax+b|<cx+d$ 꼴의 부등식은 절댓값 기호 안의 식의 값이 0이 되는 $x=-\dfrac{b}{a}$를 기준으로 하여

(i) $x<-\dfrac{b}{a}$ (ii) $x\ge-\dfrac{b}{a}$

일 때로 나누어 푼다.

대표 문제

009 부등식 $|2x-1|<x+4$를 만족시키는 정수 x의 최솟값은?

① -1 ② 0 ③ 1 ④ 2 ⑤ 3

★ 중요

유형 10 | 절댓값 기호가 두 개인 부등식의 풀이

$|x-a|+|x-b|<c\,(a<b,\ c>0)$ 꼴의 부등식은 절댓값 기호 안의 식의 값이 0이 되는 $x=a$, $x=b$를 기준으로 하여

(i) $x<a$ (ii) $a\le x<b$ (iii) $x\ge b$

일 때로 나누어 푼다.

대표 문제

010 부등식 $|x-2|+|x+2|<6$의 해가 $a<x<b$일 때, ab의 값은?

① -9 ② -4 ③ 2 ④ 4 ⑤ 9

★중요

유형 01 연립일차부등식의 풀이

011 대표 문제 다시 보기

연립부등식 $\begin{cases} 3(x-1)<2x+3 \\ 2+2(x-2)\le 3x+11 \end{cases}$의 해가 $a\le x<b$일 때, $b-a$의 값은?

① 11 ② 13 ③ 15
④ 17 ⑤ 19

012 하

다음 중 연립부등식 $\begin{cases} 4x-(3x-5)<2x \\ 5x+6\ge 7(x-2) \end{cases}$의 해를 수직선 위에 바르게 나타낸 것은?

①
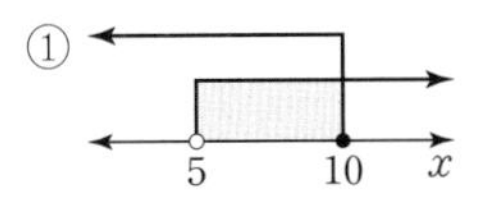

②

③
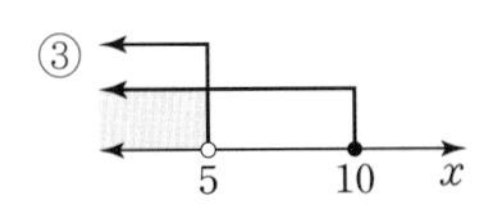

④

⑤
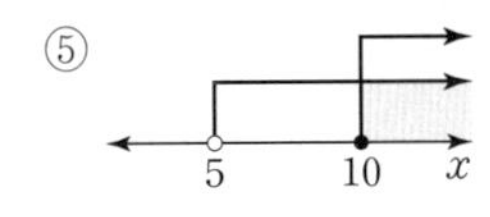

013 중

연립부등식 $\begin{cases} 1.5x+1<0.6x-0.8 \\ \dfrac{x+3}{4}\ge x+\dfrac{1-2x}{3} \end{cases}$를 만족시키는 정수 x의 최댓값을 구하시오.

유형 02 해가 특수한 연립일차부등식

014 대표 문제 다시 보기

다음 연립부등식 중 해가 없는 것은?

① $\begin{cases} x\ge -2 \\ 2x+1\le 3 \end{cases}$

② $\begin{cases} 1\le x-1 \\ 3x<5x-6 \end{cases}$

③ $\begin{cases} 3x-2\ge 2x-3 \\ 2x+5>3(x-1) \end{cases}$

④ $\begin{cases} \dfrac{x+1}{4}-1\ge \dfrac{x-2}{3} \\ 10x-20\ge x+10 \end{cases}$

⑤ $\begin{cases} 4x+10\le -2(x+1) \\ 0.5x-0.6\ge 0.4x-0.8 \end{cases}$

015 하

연립부등식 $\begin{cases} 0.2(x-1)\le 1 \\ 2x-12>x-4 \end{cases}$를 푸시오.

016 중

연립부등식 $\begin{cases} \dfrac{x+1}{4}-\dfrac{x+2}{5}\ge 0 \\ \dfrac{5-3x}{2}+x\ge 1 \end{cases}$의 해를 구하시오.

07

017 중

연립부등식 $\begin{cases} x>a \\ x<b \end{cases}$에 대하여 다음 보기 중 옳은 것만을 있는 대로 고르시오. (단, a, b는 상수)

보기
ㄱ. $a<b$이면 해는 $a<x<b$이다.
ㄴ. $a>b$이면 해는 $x<b$이다.
ㄷ. $a<b$이면 해는 모든 실수이다.
ㄹ. $a>b$이면 해는 없다.

★ 중요

유형 03 $A<B<C$ 꼴의 부등식

018 대표 문제 다시 보기

부등식 $2(x+1)<4x-2\le 3(x+2)+2$의 해를 구하시오.

019 중

부등식 $0.4x-0.6<-\frac{1}{2}x+0.3\le\frac{3}{10}x+1.9$의 해가 $a\le x<b$일 때, ab의 값은?

① -3 ② -2 ③ -1
④ 2 ⑤ 3

020 중

부등식 $\frac{1+2x}{3}<\frac{3x+5}{4}\le\frac{x+1}{2}$을 만족시키는 x의 최댓값을 구하시오.

★ 중요

유형 04 해가 주어진 연립일차부등식

021 대표 문제 다시 보기

연립부등식 $\begin{cases} 5x-a\le 4x \\ x+1<2x+2 \end{cases}$의 해가 $b<x\le 2$일 때, 상수 a, b에 대하여 ab의 값은?

① -2 ② -1 ③ 0
④ 1 ⑤ 2

022 중

연립부등식 $\begin{cases} 2x-1\le 5 \\ 3x+2a+2>5 \end{cases}$의 해를 수직선 위에 나타내면 오른쪽 그림과 같을 때, 상수 a의 값을 구하시오.

−1 3 x

023 중

연립부등식 $\begin{cases} 2x+b\ge x-1+a \\ 3x-a\le 5+b \end{cases}$의 해가 $x=-4$일 때, 상수 a, b에 대하여 $a-2b$의 값은?

① 3 ② 4 ③ 5
④ 6 ⑤ 7

024 중

부등식 $2x-a<x+a\le 3x-b$를 연립부등식 $\begin{cases} 2x-a<x+a \\ 2x-a\le 3x-b \end{cases}$로 잘못 고쳐서 풀었더니 해가 $-10\le x<2$이었다. 이때 원래의 부등식의 해를 구하시오.

(단, a, b는 상수)

025 상

부등식 $3x-a\le 2x<bx+2$의 해가 $-1<x\le 2$일 때, 상수 a, b에 대하여 $a+b$의 값은?

① -6 ② -3 ③ 1
④ 3 ⑤ 6

유형 05 해를 갖거나 갖지 않는 연립일차부등식

026 대표 문제 다시 보기

연립부등식 $\begin{cases} 3x-2a<-a \\ -2x+5<0 \end{cases}$이 해를 갖지 않도록 하는 상수 a의 값의 범위를 구하시오.

027 중

연립부등식 $\begin{cases} \dfrac{3-2x}{2}-a\le 0 \\ 3x-4>5x-10 \end{cases}$ 이 해를 갖도록 하는 정수 a의 최솟값은?

① -5 ② -4 ③ -3
④ -2 ⑤ -1

028 중

부등식 $2x+a-6\le 3x-4\le 12-x$가 해를 갖도록 하는 상수 a의 값의 범위를 구하시오.

유형 06 정수인 해의 조건이 주어진 연립일차부등식

029 대표 문제 다시 보기

연립부등식 $\begin{cases} 3(2x+5)\ge 14(x+1) \\ 2x-5>a-2 \end{cases}$를 만족시키는 정수 x가 1개뿐일 때, 상수 a의 값의 범위를 구하시오.

030 중

연립부등식 $\begin{cases} 3x+1<2(3-x) \\ x-a\le 2x-3 \end{cases}$을 만족시키는 정수 x가 -1과 0뿐일 때, 상수 a의 값의 범위는?

① $a\le 4$ ② $-5<a\le 4$
③ $4\le a<5$ ④ $a\le 4$ 또는 $a>5$
⑤ $a<-5$ 또는 $a\ge 4$

031 상

부등식 $2x-a<\dfrac{3-x}{3}<\dfrac{2x+1}{2}$을 만족시키는 정수 x가 3개일 때, 모든 정수 a의 값의 합은?

① 13 ② 15 ③ 17
④ 19 ⑤ 21

★중요

유형 07 연립일차부등식의 활용

032 대표 문제 다시 보기

1자루에 300원인 연필과 1자루에 500원인 색연필을 합하여 13자루를 사고, 총금액이 4100원 이상 5300원 이하가 되게 하려고 한다. 색연필을 x자루 살 수 있다고 할 때, x의 값의 범위를 구하시오.

033 중

길이가 36 cm인 끈의 양 끝을 각각 x cm만큼 자른 후 세 조각의 끈을 세 변으로 하는 삼각형을 만들려고 한다. 이때 삼각형을 만들 수 있는 x의 값의 범위를 구하시오.

034 중

오른쪽 표는 두 식품 A, B를 각각 100 g씩 섭취했을 때 얻을 수 있는 열량과 단백질의 양을 조사하여 나타낸 것이다. 두 식품 A, B를 합하여 300 g을 섭취하여 열량을 500 kcal 이상, 단백질을 50 g 이상 얻으려고 할 때, 식품 A의 최소 섭취량을 구하시오.

식품	열량 (kcal)	단백질 (g)
A	150	23
B	200	13

035 중

5 %의 소금물 200 g에 소금을 더 넣어 20 % 이상 24 % 이하의 소금물을 만들려고 한다. 더 넣어야 하는 소금의 양이 a g 이상 b g 이하라 할 때, $2a+b$의 값을 구하시오.

036 상

어느 반 학생들이 긴 의자에 나누어 앉으려고 한다. 한 의자에 3명씩 앉으면 학생이 15명 남고, 5명씩 앉으면 의자가 1개 남는다고 할 때, 의자의 최대 개수는?

① 10　② 11　③ 12
④ 13　⑤ 14

★중요

유형 08 부등식 $|ax+b|<c$의 풀이

037 대표 문제 다시 보기

부등식 $|3x+1|<8$을 만족시키는 정수 x의 개수는?

① 2　② 3　③ 4
④ 5　⑤ 6

038 중

부등식 $|2x+a|\geq 7$의 해가 $x\leq -5$ 또는 $x\geq b$일 때, 상수 a, b에 대하여 $a+b$의 값을 구하시오.

039 중

부등식 $1<|x-2|\leq 3$을 만족시키는 모든 정수 x의 값의 합은?

① 4　② 5　③ 6
④ 7　⑤ 8

040 상

부등식 $|ax-1|<b$의 해가 $-5<x<3$일 때, 상수 a, b에 대하여 $a+b$의 값을 구하시오. (단, $ab<0$)

유형 09 부등식 $|ax+b|<cx+d$의 풀이

041 대표 문제 다시 보기

부등식 $|x-1|<4x-1$을 만족시키는 정수 x의 최솟값은?

① 1 ② 2 ③ 3
④ 4 ⑤ 5

042 중

부등식 $2|x-2|+2x\geq7$의 해가 $x\geq a$일 때, a의 값은?

① $\frac{5}{4}$ ② 2 ③ $\frac{11}{4}$
④ 3 ⑤ $\frac{15}{4}$

043 중

부등식 $|4-x|\leq6-x$를 만족시키는 자연수 x의 개수는?

① 4 ② 5 ③ 6
④ 7 ⑤ 8

★중요

유형 10 절댓값 기호가 두 개인 부등식의 풀이

044 대표 문제 다시 보기

부등식 $|x+1|\geq2|x-1|$의 해가 $a\leq x\leq3$일 때, a의 값은?

① $\frac{1}{2}$ ② $\frac{1}{3}$ ③ $\frac{1}{4}$
④ $\frac{1}{5}$ ⑤ $\frac{1}{6}$

045 중

부등식 $|x-3|+2|x+1|\geq5$의 해는?

① $-\frac{4}{3}\leq x\leq0$ ② $-\frac{4}{3}\leq x\leq3$
③ $x\leq-\frac{4}{3}$ 또는 $x\geq0$ ④ $x\leq0$ 또는 $x\geq\frac{4}{3}$
⑤ $x\leq0$ 또는 $x\geq3$

046 중

부등식 $|x-2|+\sqrt{x^2-2x+1}<4$를 만족시키는 정수 x의 개수는?

① 1 ② 2 ③ 3
④ 4 ⑤ 5

최종 점검하기

047 유형 01

연립부등식 $\begin{cases} 3x-6\le 4-x \\ 3x+1>2x-3 \end{cases}$의 해가 $a<x\le b$일 때, $a+b$의 값은?

① $-\frac{3}{2}$ ② $-\frac{1}{2}$ ③ 0
④ $\frac{1}{2}$ ⑤ $\frac{3}{2}$

048 유형 01

연립부등식 $\begin{cases} 3(2x-1)\le 4x+1 \\ 1-0.2x\le x+2.2 \end{cases}$를 만족시키는 모든 정수 x의 값의 합은?

① -2 ② -1 ③ 1
④ 2 ⑤ 3

049 유형 02

연립부등식 $\begin{cases} 5x-2\ge 4x-8 \\ \frac{x-2}{3}\le \frac{x}{4}-\frac{7}{6} \end{cases}$의 해를 구하시오.

050 유형 03

부등식 $x+3<5x-1<4x-3$을 푸시오.

051 유형 03

부등식 $0.2x-1<0.4x+\frac{3}{5}<2+0.2x$를 만족시키는 정수 x의 개수는?

① 11 ② 12 ③ 13
④ 14 ⑤ 15

052 유형 04

연립부등식 $\begin{cases} -3x-7<2 \\ 4x+2(x-3)<a \end{cases}$의 해를 수직선 위에 나타내면 오른쪽 그림과 같을 때, 상수 a, b에 대하여 ab의 값을 구하시오.

053 유형 04

연립부등식 $\begin{cases} 3-5x\le x+a \\ 3x+1\ge 4x+3 \end{cases}$의 해가 $x=b$일 때, 상수 a, b에 대하여 $a+b$의 값은?

① 10 ② 11 ③ 12
④ 13 ⑤ 14

054 유형 05

연립부등식 $\begin{cases} x+2\le 2x-a \\ 3x-2\le 5-4x \end{cases}$가 해를 갖도록 하는 상수 a의 최댓값을 구하시오.

055
유형 05

연립부등식 $\begin{cases} 0.5x-2<0.1x-\frac{2}{5} \\ 3x+4\geq 2x+2a \end{cases}$가 해를 갖지 않도록 하는 상수 a의 값의 범위는?

① $a>2$ ② $a\geq 2$ ③ $a>3$
④ $a\geq 3$ ⑤ $a\geq 4$

056
유형 06

연립부등식 $\begin{cases} 3x-2<x+4 \\ 2x-1\geq x+a \end{cases}$를 만족시키는 정수 x가 3개일 때, 정수 a의 값을 구하시오.

057
유형 07

연속하는 세 홀수의 합이 93보다 크고 102보다 작다고 할 때, 세 홀수 중에서 가장 큰 수를 구하시오.

058
유형 07

여러 개의 상자에 사과를 나누어 담으려고 한다. 한 상자에 12개씩 담으면 사과가 5개 남고, 15개씩 담으면 상자가 2개 남는다고 할 때, 다음 중 상자의 개수가 될 수 없는 것은?

① 11 ② 12 ③ 13
④ 14 ⑤ 15

059
유형 08

부등식 $|x-a|\geq 2$의 해가 $x\leq b$ 또는 $x\geq 3$일 때, 상수 a, b에 대하여 ab의 값은?

① -3 ② -1 ③ 1
④ 3 ⑤ 5

060
유형 09

부등식 $|5-x|\leq 9-x$를 만족시키는 정수 x의 최댓값은?

① 5 ② 6 ③ 7
④ 8 ⑤ 9

061
유형 10

부등식 $|x|+|x+4|<5$의 해가 $a<x<b$일 때, $a+b$의 값은?

① -9 ② -5 ③ -4
④ 0 ⑤ 1

이차부등식

유형 01 그래프를 이용한 부등식의 풀이

유형 02 이차부등식의 풀이

유형 03 해가 주어진 이차부등식

유형 04 부등식 $f(x)<0$과 부등식 $f(ax+b)<0$ 사이의 관계

유형 05 정수인 해의 조건이 주어진 이차부등식

유형 06 이차부등식의 해가 한 개일 조건

유형 07 이차부등식이 해를 가질 조건

유형 08 이차부등식이 항상 성립할 조건

유형 09 이차부등식이 해를 갖지 않을 조건

유형 10 제한된 범위에서 이차부등식이 항상 성립할 조건

유형 11 만나는 두 그래프의 위치 관계와 이차부등식

유형 12 만나지 않는 두 그래프의 위치 관계와 이차부등식

유형 13 이차부등식의 활용

유형 14 연립이차부등식의 풀이

유형 15 해가 주어진 연립이차부등식

유형 16 정수인 해의 조건이 주어진 연립이차부등식

유형 17 연립이차부등식의 활용

유형 18 이차방정식의 근의 판별

유형 19 이차방정식의 근의 부호

유형 20 이차방정식의 근의 분리

이차부등식

유형 01 그래프를 이용한 부등식의 풀이

(1) 부등식 $f(x)>0$의 해

➡ $y=f(x)$의 그래프가 x축보다 위쪽에 있는 부분의 x의 값의 범위

(2) 부등식 $f(x)>g(x)$의 해

➡ $y=f(x)$의 그래프가 $y=g(x)$의 그래프보다 위쪽에 있는 부분의 x의 값의 범위

대표 문제

001 이차함수 $y=f(x)$의 그래프와 직선 $y=g(x)$가 오른쪽 그림과 같을 때, 부등식 $f(x)>g(x)$의 해를 구하시오.

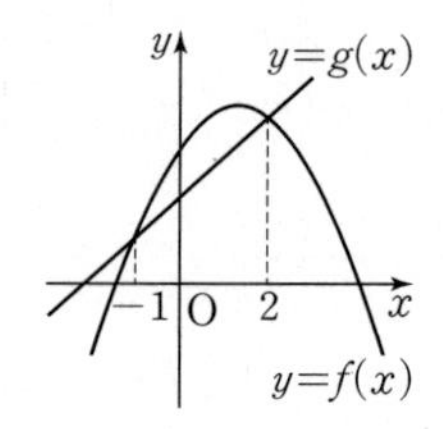

★ 중요

유형 02 이차부등식의 풀이

이차방정식 $f(x)=0$의 판별식을 D라 할 때, 이차부등식의 해는 다음과 같이 구한다.

(1) $D>0$이면 인수분해 또는 근의 공식을 이용한다.

(2) $D<0$ 또는 $D=0$이면 $f(x)=a(x-p)^2+q$ 꼴로 변형한다.

참고

	$D>0$	$D=0$	$D<0$
$y=f(x)$의 그래프	α β x	α x	x
$f(x)>0$	$x<\alpha$ 또는 $x>\beta$	$x\neq\alpha$인 모든 실수	모든 실수
$f(x)\geq0$	$x\leq\alpha$ 또는 $x\geq\beta$	모든 실수	모든 실수
$f(x)<0$	$\alpha<x<\beta$	없다.	없다.
$f(x)\leq0$	$\alpha\leq x\leq\beta$	$x=\alpha$	없다.

대표 문제

002 이차부등식 $x^2-3x-3\geq1$의 해가 $x\leq\alpha$ 또는 $x\geq\beta$일 때, $\alpha-\beta$의 값은?

① -5 ② -4 ③ -3
④ -2 ⑤ -1

★ 중요

유형 03 해가 주어진 이차부등식

(1) 해가 $\alpha<x<\beta$이고 x^2의 계수가 1인 이차부등식

➡ $(x-\alpha)(x-\beta)<0$

(2) 해가 $x<\alpha$ 또는 $x>\beta\ (\alpha<\beta)$이고 x^2의 계수가 1인 이차부등식

➡ $(x-\alpha)(x-\beta)>0$

대표 문제

003 이차부등식 $ax^2-2x+b>0$의 해가 $x<-2$ 또는 $x>4$일 때, 상수 a, b에 대하여 ab의 값은?

① -8 ② -6 ③ 2
④ 4 ⑤ 8

유형 04 부등식 $f(x)<0$과 부등식 $f(ax+b)<0$ 사이의 관계

이차부등식 $f(x)<0$의 해가 $\alpha<x<\beta$이면

$f(x)=p(x-\alpha)(x-\beta)\ (p>0)$에 대하여

$$f(ax+b)=p(ax+b-\alpha)(ax+b-\beta)$$

임을 이용하여 부등식 $f(ax+b)<0$의 해를 구할 수 있다.

대표 문제

004 이차부등식 $f(x)<0$의 해가 $1<x<3$일 때, 부등식 $f(2x+3)<0$의 해를 구하시오.

유형 05 | 정수인 해의 조건이 주어진 이차부등식

이차부등식을 만족시키는 정수 x가 n개일 때
➡ 주어진 이차부등식의 해를 구한 후 이 해가 n개의 정수를 포함하도록 수직선 위에 나타낸다.

대표 문제

005 이차부등식 $x^2-k^2\leq 0$을 만족시키는 정수 x가 7개일 때, 자연수 k의 값을 구하시오.

유형 06 | 이차부등식의 해가 한 개일 조건

이차방정식 $ax^2+bx+c=0$의 판별식을 D라 할 때
(1) $ax^2+bx+c\leq 0$의 해가 한 개이다. ➡ $a>0$, $D=0$
(2) $ax^2+bx+c\geq 0$의 해가 한 개이다. ➡ $a<0$, $D=0$

대표 문제

006 이차부등식 $2x^2+4x+a\leq 0$의 해가 오직 한 개일 때, 실수 a의 값을 구하시오.

유형 07 | 이차부등식이 해를 가질 조건

이차방정식 $ax^2+bx+c=0$의 판별식을 D라 할 때, 이차부등식 $ax^2+bx+c>0$이 해를 가지려면
(1) $a>0$이면 ➡ 이차부등식은 항상 해를 갖는다.
(2) $a<0$이면 ➡ $D>0$이어야 한다.

참고 이차부등식 $ax^2+bx+c<0$이 해를 가지려면 $a<0$이거나 $a>0$, $D>0$이어야 한다.

대표 문제

007 이차부등식 $ax^2-2ax-6>0$이 해를 갖도록 하는 실수 a의 값의 범위는?

① $-6<a<0$
② $-6<a<6$
③ $a>0$ 또는 $a<-6$
④ $a>0$ 또는 $-6<a<0$
⑤ $a<0$ 또는 $0<a<6$

★중요

유형 08 | 이차부등식이 항상 성립할 조건

이차방정식 $ax^2+bx+c=0$의 판별식을 D라 할 때, 모든 실수 x에 대하여
(1) $ax^2+bx+c>0$이 성립한다. ➡ $a>0$, $D<0$
(2) $ax^2+bx+c\geq 0$이 성립한다. ➡ $a>0$, $D\leq 0$
(3) $ax^2+bx+c<0$이 성립한다. ➡ $a<0$, $D<0$
(4) $ax^2+bx+c\leq 0$이 성립한다. ➡ $a<0$, $D\leq 0$

대표 문제

008 이차부등식 $ax^2+6x+a-8<0$이 모든 실수 x에 대하여 성립할 때, 정수 a의 최댓값은?

① -2
② -1
③ 8
④ 9
⑤ 10

유형 09 | 이차부등식이 해를 갖지 않을 조건

이차방정식 $ax^2+bx+c=0$의 판별식을 D라 할 때, 이차부등식 $ax^2+bx+c>0$이 해를 갖지 않으려면
➡ 이차부등식 $ax^2+bx+c\leq 0$의 해는 모든 실수이다.
➡ $a<0$, $D\leq 0$

대표 문제

009 이차부등식 $x^2-2(k+2)x-4(k+2)<0$이 해를 갖지 않도록 하는 실수 k의 값의 범위를 구하시오.

정답과 해설 69쪽

유형 10 | 제한된 범위에서 이차부등식이 항상 성립할 조건

(1) $\alpha \le x \le \beta$에서 $f(x)>0$이 항상 성립한다.
➡ $\alpha \le x \le \beta$에서 ($f(x)$의 최솟값)>0이다.

(2) $\alpha \le x \le \beta$에서 $f(x)<0$이 항상 성립한다.
➡ $\alpha \le x \le \beta$에서 ($f(x)$의 최댓값)<0이다.

대표 문제

010 $0 \le x \le 4$에서 이차부등식 $x^2-4x+a^2+a+2>0$이 항상 성립할 때, 실수 a의 값의 범위를 구하시오.

★ 중요

유형 11 | 만나는 두 그래프의 위치 관계와 이차부등식

이차함수 $y=f(x)$의 그래프가 직선 $y=g(x)$보다 위쪽에 있는 부분의 x의 값의 범위
➡ 이차부등식 $f(x)>g(x)$의 해

대표 문제

011 이차함수 $y=x^2-ax+7$의 그래프가 직선 $y=2x-2$보다 위쪽에 있는 부분의 x의 값의 범위가 $x<3$ 또는 $x>b$일 때, 상수 a, b에 대하여 $a+b$의 값은?

① 1　② 3　③ 5　④ 7　⑤ 9

유형 12 | 만나지 않는 두 그래프의 위치 관계와 이차부등식

이차함수 $y=f(x)$의 그래프가 직선 $y=g(x)$보다 항상 위쪽에 있다.
➡ 모든 실수 x에 대하여 이차부등식 $f(x)>g(x)$가 성립한다.
➡ 이차방정식 $f(x)=g(x)$의 판별식을 D라 할 때, $D<0$

대표 문제

012 이차함수 $y=2x^2+4x-1$의 그래프가 직선 $y=ax-3$보다 항상 위쪽에 있도록 하는 실수 a의 값의 범위를 구하시오.

유형 13 | 이차부등식의 활용

주어진 조건에 맞게 부등식을 세운 후 해를 구한다.
이때 미지수의 값의 범위에 주의한다.

대표 문제

013 둘레의 길이가 20인 직사각형의 넓이가 24 이상일 때, 이 직사각형의 가로의 길이의 최솟값은?

① 3　② 4　③ 5　④ 6　⑤ 7

유형 01 그래프를 이용한 부등식의 풀이

014 대표 문제 다시 보기

두 이차함수 $y=f(x)$, $y=g(x)$의 그래프가 오른쪽 그림과 같을 때, 부등식 $f(x)\geq g(x)$의 해를 구하시오.

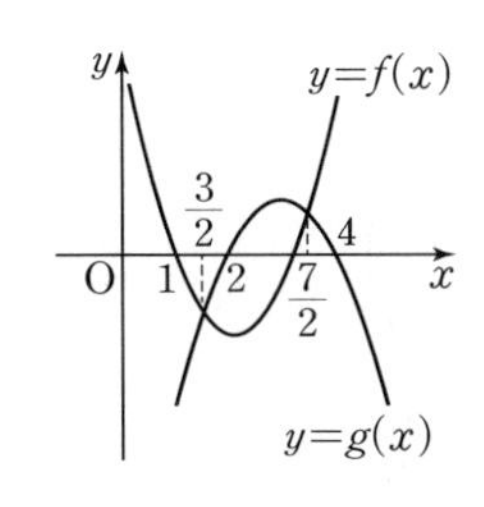

015 중

이차함수 $y=ax^2+bx+c$의 그래프와 직선 $y=mx+n$이 오른쪽 그림과 같을 때, x에 대한 이차부등식 $ax^2+(b-m)x+c-n<0$의 해는?

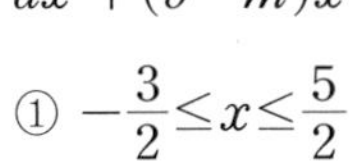

① $-\frac{3}{2}\leq x\leq\frac{5}{2}$

② $-\frac{3}{2}<x<\frac{5}{2}$

③ $-1\leq x\leq 3$

④ $x<-1$ 또는 $x>3$

⑤ $x<-\frac{3}{2}$ 또는 $x>\frac{5}{2}$

016 중

두 이차함수 $y=f(x)$, $y=g(x)$의 그래프가 오른쪽 그림과 같을 때, 부등식 $f(x)g(x)>0$의 해를 구하시오.

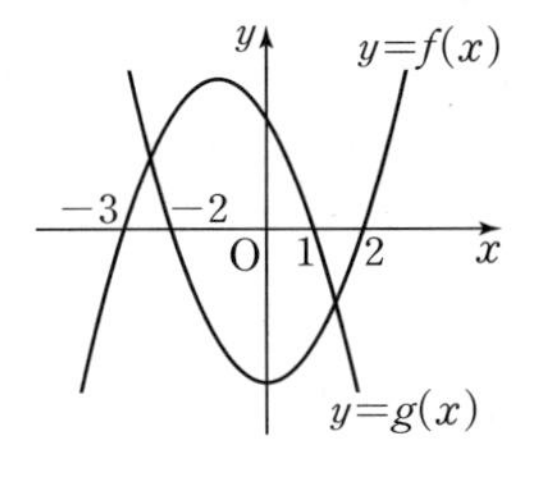

★ 중요

유형 02 이차부등식의 풀이

017 대표 문제 다시 보기

이차부등식 $x^2+3x-13>x+2$의 해가 $x<\alpha$ 또는 $x>\beta$일 때, $\alpha-\beta$의 값은?

① -8　② -5　③ -2　④ 1　⑤ 2

018 하

이차부등식 $x^2+2x-2\leq 1$을 만족시키는 모든 정수 x의 값의 합은?

① -9　② -7　③ -5　④ -3　⑤ -1

019 중

다음 이차부등식 중 해가 없는 것은?

① $-x^2+10x-25\geq 0$

② $-x^2+x+12<0$

③ $x^2-4x+2\leq 0$

④ $x^2-2x+3<0$

⑤ $2x^2-3x+2\geq 0$

020 중

부등식 $3(x^2+4)>2x^2-8x-4$의 해를 구하시오.

021 중

부등식 $x^2-5|x|-6<0$의 해가 $\alpha<x<\beta$일 때, $\alpha+2\beta$의 값은?

① 6　② 7　③ 8　④ 9　⑤ 10

022 중

부등식 $x^2-3x-4\le|x+1|$을 만족시키는 정수 x의 개수를 구하시오.

★중요

유형 03 해가 주어진 이차부등식

023 대표 문제 다시 보기

이차부등식 $ax^2+3x+b>0$의 해가 $-\frac{1}{2}<x<2$일 때, 상수 a, b에 대하여 ab의 값을 구하시오.

024 중

이차부등식 $x^2+6x+a<0$의 해가 $-8<x<b$일 때, 상수 a, b에 대하여 $a+b$의 값은?

① -14　② -12　③ -10　④ -8　⑤ -6

025 중

이차부등식 $x^2+ax+b\le0$의 해가 $x=1$일 때, 이차부등식 $ax^2+bx+1\ge0$을 만족시키는 정수 x의 개수를 구하시오.

(단, a, b는 상수)

026 중

이차부등식 $ax^2+bx+c<0$의 해가 $x<-3$ 또는 $x>4$일 때, 이차부등식 $cx^2+ax-b<0$의 해를 구하시오.

(단, a, b, c는 상수)

유형 04 부등식 $f(x)<0$과 부등식 $f(ax+b)<0$ 사이의 관계

027 대표 문제 다시 보기

이차부등식 $f(x)>0$의 해가 $-1<x<2$일 때, 부등식 $f(2x-1)\le0$의 해를 구하시오.

028 중

이차부등식 $f(x)\le0$의 해가 $-5\le x\le-3$일 때, 다음 중 부등식 $f(10-2x)>0$의 해가 아닌 것은?

① 5　② 6　③ 7　④ 8　⑤ 9

029 상

오른쪽 그림과 같은 이차함수 $y=f(x)$의 그래프에 대하여 부등식 $f\left(\frac{x+k}{2}\right)\geq 0$의 해가 $-3\leq x\leq 3$일 때, 실수 k의 값은?

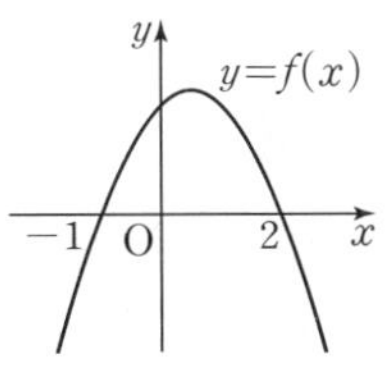

① -2 ② -1 ③ 1
④ 2 ⑤ 3

유형 05 정수인 해의 조건이 주어진 이차부등식

030 대표 문제 다시 보기

이차부등식 $x^2-k<0$을 만족시키는 정수 x가 5개일 때, 자연수 k의 최댓값을 M, 최솟값을 m이라 하자. 이때 $M+m$의 값은?

① 8 ② 10 ③ 12
④ 14 ⑤ 16

031 상

이차부등식 $x^2-(k+1)x+k\leq 0$을 만족시키는 정수 x가 6개일 때, 모든 정수 k의 값의 합은?

① 2 ② 3 ③ 4
④ 5 ⑤ 6

유형 06 이차부등식의 해가 한 개일 조건

032 대표 문제 다시 보기

이차부등식 $2x^2-(k+3)x+2k\leq 0$의 해가 오직 한 개일 때, 모든 실수 k의 값의 합은?

① -10 ② -8 ③ -1
④ 8 ⑤ 10

033 중

이차부등식 $(k+1)x^2+2(k+1)x-2\geq 0$의 해가 오직 한 개일 때, 실수 k의 값은?

① -3 ② $-\frac{7}{3}$ ③ -2
④ $-\frac{3}{2}$ ⑤ $-\frac{4}{3}$

034 상

이차부등식 $(2-a)x^2+2(a-2)x+3>0$을 만족시키지 않는 x의 값이 오직 한 개일 때, 실수 a의 값은?

① -2 ② -1 ③ 1
④ 2 ⑤ 3

유형 07 이차부등식이 해를 가질 조건

035 대표 문제 다시 보기

이차부등식 $ax^2+2ax-4>0$이 해를 갖도록 하는 실수 a의 값의 범위는?

① $-4<a<0$　② $a<4$
③ $a>0$ 또는 $a<-4$　④ $a>0$ 또는 $-4<a<0$
⑤ $a<0$ 또는 $0<a<4$

036 중

이차부등식 $3x^2-2x-a<0$이 해를 갖도록 하는 정수 a의 최솟값은?

① -4　② -2　③ 0
④ 2　⑤ 4

037 중

이차부등식 $ax^2+2(a-1)x+6(a-1)\le 0$이 해를 갖도록 하는 실수 a의 값의 범위는?

① $-1<a<1$　② $a<1$
③ $a<0$ 또는 $a\ge 1$　④ $a<0$ 또는 $0<a\le 1$
⑤ $a>0$ 또는 $-1<a\le 0$

★ 중요

유형 08 이차부등식이 항상 성립할 조건

038 대표 문제 다시 보기

이차부등식 $ax^2-4x+a-3\le 0$이 모든 실수 x에 대하여 성립할 때, 실수 a의 최댓값은?

① -2　② -1　③ 1
④ 2　⑤ 3

039 중

이차부등식 $x^2+2(a+2)x-a>0$이 모든 실수 x에 대하여 성립할 때, 실수 a의 값의 범위를 구하시오.

040 상

부등식 $(a-1)x^2+2(a-1)x+4a+2>0$이 x의 값에 관계없이 항상 성립할 때, 실수 a의 최솟값을 구하시오.

유형 09 이차부등식이 해를 갖지 않을 조건

041 대표 문제 다시 보기

이차부등식 $x^2-4(a+2)x-a-2<0$이 해를 갖지 않도록 하는 정수 a의 값은?

① -2　② -1　③ 0
④ 1　⑤ 2

042 중

이차부등식 $ax^2-2x>-ax+2$가 해를 갖지 않도록 하는 실수 a의 값은?

① -5 ② -4 ③ -3
④ -2 ⑤ -1

043 중

이차부등식 $ax^2+2(a+2)x+2a+1<0$이 해를 갖지 않도록 하는 실수 a의 값의 범위는?

① $-4\le a<1$ ② $a\le -1$
③ $a\le 4$ ④ $a\ge 4$
⑤ $a\le -4$ 또는 $a\ge 1$

유형 10 제한된 범위에서 이차부등식이 항상 성립할 조건

044 대표 문제 다시 보기

$1\le x\le 3$에서 이차부등식 $x^2-6x+5-2k\ge 0$이 항상 성립할 때, 상수 k의 값의 범위를 구하시오.

045 중

$-2\le x\le 2$에서 이차부등식 $2x^2+4x+a^2+3a-20<0$이 항상 성립할 때, 정수 a의 최댓값은?

① -3 ② -2 ③ -1
④ 0 ⑤ 1

★중요

유형 11 만나는 두 그래프의 위치 관계와 이차부등식

046 대표 문제 다시 보기

이차함수 $y=x^2+ax-3$의 그래프가 직선 $y=x-11$보다 위쪽에 있는 부분의 x의 값의 범위가 $x<2$ 또는 $x>b$일 때, 상수 a, b에 대하여 $b-a$의 값은?

① 8 ② 9 ③ 10
④ 11 ⑤ 12

047 하

이차함수 $y=x^2-x+4$의 그래프가 직선 $y=2x+14$보다 아래쪽에 있는 정수 x의 개수는?

① 5 ② 6 ③ 7
④ 8 ⑤ 9

048 중

이차함수 $y=x^2-ax-2$의 그래프가 직선 $y=b$보다 아래쪽에 있는 부분의 x의 값의 범위가 $1<x<4$일 때, 상수 a, b에 대하여 $a-b$의 값을 구하시오.

049 중

이차함수 $y=2x^2-3x-3$의 그래프가 이차함수 $y=x^2+ax+b$의 그래프보다 위쪽에 있는 부분의 x의 값의 범위가 $x<-1$ 또는 $x>2$일 때, 상수 a, b에 대하여 a^2+b^2의 값을 구하시오.

정답과 해설 74쪽

유형 12 만나지 않는 두 그래프의 위치 관계와 이차부등식

050 대표 문제 다시 보기

이차함수 $y=x^2+(k+2)x+2$의 그래프가 직선 $y=x+1$보다 항상 위쪽에 있도록 하는 실수 k의 값의 범위가 $a<k<b$일 때, $a+b$의 값은?

① -2 ② -1 ③ 1
④ 2 ⑤ 3

051 하

이차함수 $y=x^2+kx-k$의 그래프가 x축과 만나지 않도록 하는 실수 k의 값의 범위를 구하시오.

052 중

이차함수 $y=-x^2+(k+1)x-5$의 그래프가 직선 $y=x-1$보다 항상 아래쪽에 있도록 하는 정수 k의 개수를 구하시오.

053 상

함수 $y=ax^2-6x+6$의 그래프가 이차함수 $y=-3x^2+2ax-2$의 그래프보다 항상 위쪽에 있을 때, 실수 a의 최솟값은?

① -5 ② -3 ③ -2
④ 1 ⑤ 4

유형 13 이차부등식의 활용

054 대표 문제 다시 보기

둘레의 길이가 44인 직사각형의 넓이가 96 이상일 때, 이 직사각형의 가로의 길이의 최댓값과 최솟값의 차는?

① 4 ② 6 ③ 8
④ 10 ⑤ 12

055 중

지면으로부터 1 m의 높이에서 위로 똑바로 던져 올린 공의 t초 후의 지면으로부터의 높이를 h m라 할 때, $h=-5t^2+7t+1$의 관계가 성립한다고 한다. 이 공의 높이가 지면으로부터 3 m 이상이 되는 시각 t의 값의 범위를 구하시오.

056 상 신유형

어느 음원 판매 업체에서 음원의 한 달 사용료를 x %만큼 올리면 회원 수는 $0.5x$ %만큼 줄어든다고 한다. 이 음원 판매 업체의 한 달 수입이 8 % 이상 늘어나도록 할 때, x의 최댓값을 구하시오.

이차부등식

정답과 해설 75쪽

★ 중요

유형 14 | 연립이차부등식의 풀이

연립이차부등식은 다음과 같은 순서로 푼다.
(1) 연립이차부등식을 이루는 각 부등식의 해를 구한다.
(2) (1)에서 구한 해의 공통부분을 구한다.

대표 문제

057 연립부등식 $\begin{cases} 3x^2-8x-16<0 \\ x^2+x-6\le0 \end{cases}$의 해는?

① $-\frac{4}{3}\le x<2$ ② $-\frac{4}{3}<x\le2$
③ $-3\le x<-\frac{4}{3}$ ④ $-3\le x\le2$
⑤ $-3\le x<-\frac{4}{3}$ 또는 $-\frac{4}{3}<x<2$

유형 15 | 해가 주어진 연립이차부등식

각 부등식의 해를 구한 후 해의 공통부분이 주어진 해와 일치하도록 수직선 위에 나타내어 미지수의 값의 범위를 구한다.

대표 문제

058 연립부등식 $\begin{cases} x^2-4x>0 \\ x^2+(1-a)x-a<0 \end{cases}$의 해가 $-1<x<0$일 때, 정수 a의 개수를 구하시오.

유형 16 | 정수인 해의 조건이 주어진 연립이차부등식

연립이차부등식을 만족시키는 정수 x가 n개일 때
➡ 각 이차부등식의 해를 구한 후 해의 공통부분이 n개의 정수를 포함하도록 수직선 위에 나타낸다.

대표 문제

059 연립부등식 $\begin{cases} x^2-4x-5\le0 \\ x^2+(3-a)x-3a<0 \end{cases}$을 만족시키는 정수 x가 4개일 때, 상수 a의 값의 범위를 구하시오.

유형 17 | 연립이차부등식의 활용

주어진 조건에 맞게 연립부등식을 세운 후 해를 구한다.
이때 미지수의 값의 범위에 주의한다.

참고 삼각형의 세 변의 길이가 a, b, c $(a\le b\le c)$일 때
(1) $c^2<a^2+b^2$ ➡ 예각삼각형
(2) $c^2=a^2+b^2$ ➡ 빗변의 길이가 c인 직각삼각형
(3) $c^2>a^2+b^2$ ➡ 둔각삼각형

대표 문제

060 세 변의 길이가 $x-2$, x, $x+2$인 삼각형이 둔각삼각형이 되도록 하는 자연수 x의 개수는?

① 2 ② 3 ③ 4
④ 5 ⑤ 6

유형 18 | 이차방정식의 근의 판별

이차방정식 $ax^2+bx+c=0$의 판별식을 D라 할 때

(1) 서로 다른 두 실근을 갖는다. ➡ $D>0$

(2) 중근을 갖는다. ➡ $D=0$

(3) 서로 다른 두 허근을 갖는다. ➡ $D<0$

대표 문제

061 이차방정식 $x^2+(a-2)x-3a-2=0$이 허근을 갖도록 하는 정수 a의 개수는?

① 3　② 4　③ 5　④ 6　⑤ 7

유형 19 | 이차방정식의 근의 부호

이차방정식 $ax^2+bx+c=0$의 판별식을 D라 하고, 두 실근을 각각 α, β라 할 때

(1) 두 근이 모두 양수이다.

➡ $D\geq 0$, $\alpha+\beta>0$, $\alpha\beta>0$

(2) 두 근이 모두 음수이다.

➡ $D\geq 0$, $\alpha+\beta<0$, $\alpha\beta>0$

(3) 두 근의 부호가 서로 다르다.

➡ $\alpha\beta<0$

참고 (3)에서 $\alpha\beta<0$이면 $\frac{c}{a}<0$, 즉 $ac<0$이므로 항상 $D=b^2-4ac>0$이다.

대표 문제

062 이차방정식 $x^2-2kx+2k+3=0$의 두 근이 모두 양수일 때, 실수 k의 값의 범위는?

① $k\leq -1$　② $k>-\frac{3}{2}$　③ $k\geq 3$　④ $-\frac{3}{2}<k\leq 3$　⑤ $k\leq -1$ 또는 $k\geq\frac{3}{2}$

유형 20 | 이차방정식의 근의 분리

이차방정식 $ax^2+bx+c=0\,(a>0)$의 판별식을 D라 하고, $f(x)=ax^2+bx+c$라 하면 상수 p에 대하여

(1) 두 근이 모두 p보다 크다.

➡ $D\geq 0$, $f(p)>0$, $-\frac{b}{2a}>p$

└ 축이 직선 $x=p$의 오른쪽에 있다.

(2) 두 근이 모두 p보다 작다.

➡ $D\geq 0$, $f(p)>0$, $-\frac{b}{2a}<p$

└ 축이 직선 $x=p$의 왼쪽에 있다.

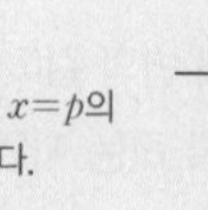

(3) 두 근 사이에 p가 있다.

➡ $f(p)<0$

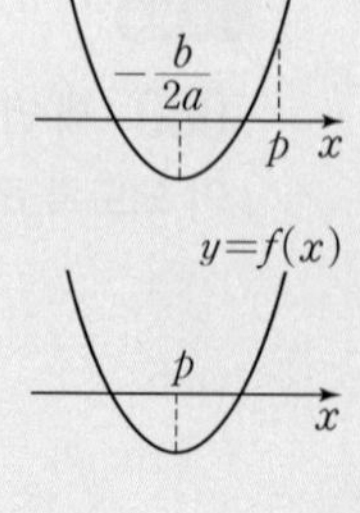

참고 (3)에서 $f(p)<0$이면 $y=f(x)$의 그래프는 x축과 서로 다른 두 점에서 만나므로 항상 $D>0$이다.

대표 문제

063 이차방정식 $x^2-2kx+9=0$의 두 근이 모두 2보다 작을 때, 실수 k의 최댓값은?

① -3　② -2　③ -1　④ 0　⑤ 1

완성하기

★ 중요

유형 14 연립이차부등식의 풀이

064 대표 문제 다시 보기

연립부등식 $\begin{cases} x^2+6x-7\leq 0 \\ x^2+3x-10>0 \end{cases}$의 해가 $\alpha\leq x<\beta$일 때, $\alpha-\beta$의 값은?

① -2 ② -1 ③ 0
④ 1 ⑤ 2

065 중

연립부등식 $\begin{cases} 3(x-2)\leq 5x-2 \\ 4x^2-7x-15<0 \end{cases}$을 만족시키는 정수 x의 개수는?

① 2 ② 3 ③ 4
④ 5 ⑤ 6

066 중

부등식 $5x\leq 2x^2+2<2x+6$의 해는?

① $x\leq\frac{1}{2}$ ② $x>-1$
③ $-1<x\leq\frac{1}{2}$ ④ $-1<x<2$
⑤ $x\leq\frac{1}{2}$ 또는 $x\geq 2$

067 중

연립부등식 $\begin{cases} 2x^2+3x-14<0 \\ x^2-2x<3 \end{cases}$의 해가 이차부등식 $x^2+ax+b<0$의 해와 같을 때, 상수 a, b에 대하여 $a+b$의 값은?

① -5 ② -3 ③ -1
④ 1 ⑤ 3

068 중

부등식 $|x^2+x-1|<5$의 해가 $\alpha<x<\beta$일 때, $\alpha\beta$의 값은?

① -6 ② -3 ③ -2
④ 6 ⑤ 12

069 중

연립부등식 $\begin{cases} x^2-2x-15<0 \\ x^2-3|x|-4<0 \end{cases}$을 만족시키는 모든 정수 x의 값의 합은?

① 3 ② 5 ③ 7
④ 9 ⑤ 11

유형 15 해가 주어진 연립이차부등식

070 대표 문제 다시 보기

연립부등식 $\begin{cases} x^2-4x+3\geq 0 \\ (x-4)(x-a)\leq 0 \end{cases}$의 해가 $3\leq x\leq 4$일 때, 상수 a의 최댓값은?

① 0　② 1　③ 2　④ 3　⑤ 4

071 중

연립부등식 $\begin{cases} x^2-x-a<0 \\ x^2-2x+b\geq 0 \end{cases}$의 해가 $-2<x\leq 0$ 또는 $2\leq x<3$이 되도록 하는 상수 a, b에 대하여 $a-b$의 값은?

① 4　② 5　③ 6　④ 7　⑤ 8

072 중

연립부등식 $\begin{cases} x^2-x-20\geq 0 \\ x^2-2(a+1)x+a^2+2a<0 \end{cases}$이 해를 갖지 않도록 하는 상수 a의 값의 범위를 구하시오.

073 상

$a<b<c$인 실수 a, b, c에 대하여 연립부등식 $\begin{cases} (x-a)(x-b)>0 \\ (x-b)(x-c)>0 \end{cases}$의 해가 $x<-3$ 또는 $x>4$일 때, 이차부등식 $x^2+ax-c<0$을 만족시키는 정수 x의 개수를 구하시오.

유형 16 정수인 해의 조건이 주어진 연립이차부등식

074 대표 문제 다시 보기

연립부등식 $\begin{cases} x^2-6x\leq 0 \\ x^2-(a+1)x+a\leq 0 \end{cases}$을 만족시키는 정수 x가 3개일 때, 상수 a의 값의 범위를 구하시오.

075 중

연립부등식 $\begin{cases} x^2-3x+2>0 \\ x^2-(a+2)x+2a<0 \end{cases}$을 만족시키는 정수 x의 값이 -1과 0뿐일 때, 상수 a의 값의 범위는?

① $-2\leq a<-1$　② $-2\leq a\leq -1$
③ $-2\leq a\leq 1$　④ $a\leq -2$ 또는 $a\geq 1$
⑤ $a\leq -1$ 또는 $a\geq 2$

076 중

연립부등식 $\begin{cases} x-a\leq 1 \\ x^2-2x\leq 3 \end{cases}$을 만족시키는 모든 정수 x의 값의 합이 2일 때, 정수 a의 값을 구하시오.

077 상

연립부등식 $\begin{cases} x^2-5x+6>0 \\ x^2-(a+4)x+4a<0 \end{cases}$을 만족시키는 정수 x가 오직 한 개뿐일 때, 상수 a의 최댓값은?

① 1　② 2　③ 3　④ 5　⑤ 6

유형 17 연립이차부등식의 활용

078 대표 문제 다시 보기

세 변의 길이가 $x-3$, x, $x+3$인 삼각형이 예각삼각형이 되도록 하는 자연수 x의 최솟값은?

① 9 ② 10 ③ 11
④ 12 ⑤ 13

079 중

오른쪽 그림과 같이 가로, 세로의 길이가 각각 30 m, 20 m인 직사각형 모양의 운동장의 둘레에 폭이 x m인 보행자 통로를 만들려고 한다. 보행자 통로의 넓이가 104 m^2 이상 216 m^2 이하가 되도록 하는 x의 값의 범위를 구하시오.

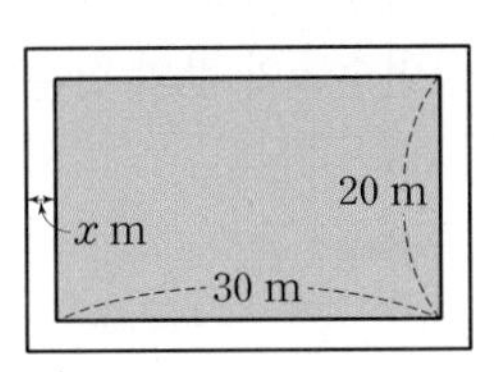

080 중

둘레의 길이가 20이고, 넓이가 21 이상 24 이하인 직사각형의 가로의 길이를 x라 할 때, x의 값의 범위를 구하시오.

유형 18 이차방정식의 근의 판별

081 대표 문제 다시 보기

x에 대한 이차방정식 $x^2+4ax+3a^2+25=0$이 실근을 갖도록 하는 실수 a의 값의 범위는?

① $a\geq-5$ ② $a\leq5$
③ $0\leq a\leq5$ ④ $a\leq-5$ 또는 $a\geq5$
⑤ $a\leq0$ 또는 $a\geq5$

082 중

이차방정식 $x^2+ax-a+3=0$은 서로 다른 두 실근을 갖고, 이차방정식 $x^2+(a+2)x+2a+1=0$은 허근을 갖도록 하는 정수 a의 값은?

① -3 ② -1 ③ 1
④ 3 ⑤ 5

083 중

다음 중 x에 대한 두 이차방정식 $x^2-ax+a=0$, $x^2-2x-a^2+5=0$ 중 적어도 하나는 실근을 갖도록 하는 정수 a의 값이 아닌 것은?

① -1 ② 0 ③ 1
④ 2 ⑤ 3

정답과 해설 78쪽

유형 19 이차방정식의 근의 부호

084 대표 문제 다시 보기

이차방정식 $x^2+2(k+1)x-k+5=0$의 두 근이 모두 음수일 때, 모든 자연수 k의 값의 합은?

① 6　② 7　③ 8　④ 9　⑤ 10

085 중

x에 대한 이차방정식 $x^2-k(k+1)x+k-1=0$의 두 근의 부호가 서로 다르고 음의 근의 절댓값이 양의 근보다 작을 때, 실수 k의 값의 범위를 구하시오.

유형 20 이차방정식의 근의 분리

086 대표 문제 다시 보기

이차방정식 $x^2-2kx+4=0$의 두 근이 모두 1보다 클 때, 실수 k의 최솟값은?

① $\frac{3}{2}$　② 2　③ $\frac{5}{2}$　④ 3　⑤ $\frac{7}{2}$

087 중

x에 대한 이차방정식 $x^2-5x+2k^2=0$의 두 근 사이에 1이 있도록 하는 실수 k의 값의 범위가 $\alpha<k<\beta$일 때, $\alpha\beta$의 값은?

① -2　② -1　③ 0　④ 1　⑤ 2

088 중

이차방정식 $ax^2+ax+2a-18=0$의 두 근 중에서 한 근만이 이차방정식 $x^2-3x+2=0$의 두 근 사이에 있도록 하는 모든 자연수 a의 값의 합은?

① 5　② 6　③ 7　④ 8　⑤ 9

089 상

이차방정식 $x^2-2kx+k+2=0$의 서로 다른 두 근이 모두 3보다 작은 양수일 때, 실수 k의 값의 범위는?

① $k<\frac{11}{5}$　② $k>-2$　③ $-2<k<\frac{11}{5}$　④ $2<k<\frac{11}{5}$　⑤ $k<-1$ 또는 $k>2$

최종 점검하기

정답과 해설 78쪽

090

유형 01

두 이차함수 $y=f(x)$, $y=g(x)$의 그래프가 오른쪽 그림과 같을 때, 부등식 $f(x)<0<g(x)$의 해는?

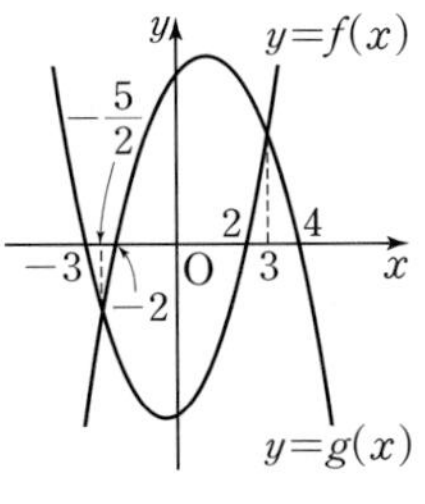

① $-3<x<4$

② $-\frac{5}{2}<x<3$

③ $-2<x<2$

④ $x<-\frac{5}{2}$ 또는 $x>3$

⑤ $x<-2$ 또는 $x>2$

091

유형 02

다음 보기의 이차부등식 중 해가 없는 것만을 있는 대로 고른 것은?

보기

ㄱ. $3x^2-x+1\geq 0$　　ㄴ. $2x^2-5x+6<0$

ㄷ. $-x^2+8x-16\geq 0$　　ㄹ. $12x-9>4x^2$

① ㄱ, ㄴ　② ㄱ, ㄷ　③ ㄴ, ㄷ　④ ㄴ, ㄹ　⑤ ㄷ, ㄹ

092

유형 02

부등식 $x^2-2x-3>3|x-1|$의 해를 구하시오.

093

유형 03

이차부등식 $x^2+2ax-b\geq 0$의 해가 $x\leq -1$ 또는 $x\geq 3$일 때, 상수 a, b에 대하여 $a+b$의 값은?

① -1　② 2　③ 4　④ 6　⑤ 7

094

유형 04

이차부등식 $f(x)<0$의 해가 $x<-3$ 또는 $x>1$일 때, 부등식 $f(2x+1)<f(1)$을 만족시키는 x의 값의 범위를 구하시오.

095

유형 05

이차부등식 $x^2\leq 2k$를 만족시키는 정수 x가 3개일 때, 자연수 k의 값은?

① 1　② 2　③ 3　④ 4　⑤ 5

096

유형 06

이차부등식 $(k-1)x^2+2(k-1)x+1\leq 0$의 해가 오직 한 개일 때, 실수 k의 값을 구하시오.

097 유형 07

이차부등식 $kx^2-6x+k-8>0$이 해를 갖도록 하는 실수 k의 값의 범위는?

① $-1\le k<0$
② $k\le -1$ 또는 $k>0$
③ $k\le -1$ 또는 $k\ge 1$
④ $-1\le k<0$ 또는 $0<k<1$
⑤ $-1<k<0$ 또는 $k>0$

098 유형 08

이차부등식 $x^2-2(k+1)x-2k-2>0$의 해가 모든 실수가 되도록 하는 실수 k의 값의 범위를 구하시오.

099 유형 09

이차부등식 $x^2-2ax+9a<0$의 해가 존재하지 않도록 하는 정수 a의 개수는?

① 2 ② 4 ③ 6
④ 8 ⑤ 10

100 유형 10

$-4\le x\le 1$에서 이차부등식 $x^2-4x<2x^2+a^2-3a$가 항상 성립할 때, 자연수 a의 최솟값은?

① 1 ② 2 ③ 3
④ 4 ⑤ 5

101 유형 11

이차함수 $y=x^2-4x-5$의 그래프가 직선 $y=a$보다 아래쪽에 있는 부분의 x의 값의 범위가 $b<x<4$일 때, 상수 a, b에 대하여 $a+b$의 값을 구하시오.

102 유형 12

두 이차함수 $y=x^2-6x+4$, $y=-x^2+2kx+2$의 그래프가 서로 만나지 않도록 하는 정수 k의 최솟값은?

① -5 ② -4 ③ -3
④ -2 ⑤ -1

103 유형 13

어느 가게에서 양말 한 켤레를 3천 원에 판매하면 하루에 50켤레가 판매되고, 가격을 x천 원씩 올릴 때마다 하루 판매량은 $5x$켤레씩 줄어든다고 한다. 가격을 올려 하루 판매액이 21만 원 이상이 되도록 할 때, x의 최댓값을 구하시오.

104
유형 14

부등식 $x^2+3x+1\le 2x^2-2x-5\le 3x-2$를 풀면?

① 해는 없다. ② $-\frac{1}{2}\le x\le 3$
③ $x\le -1$ 또는 $x\ge 6$ ④ $x\le -\frac{1}{2}$ 또는 $x\ge 3$
⑤ 해는 모든 실수이다.

105
유형 15

연립부등식 $\begin{cases} x^2-2x-15\le 0 \\ x^2-(2+a)x+2a<0 \end{cases}$의 해가 $2<x\le 5$일 때, 정수 a의 최솟값은?

① 4 ② 5 ③ 6
④ 7 ⑤ 8

106
유형 16

연립부등식 $\begin{cases} (x-2)(x-3)\ge 0 \\ (2x-3)(x-a)\le 0 \end{cases}$을 만족시키는 정수 x가 6개일 때, 상수 a의 값의 범위는? $\left(\text{단, } a>\frac{3}{2}\right)$

① $3\le a<4$ ② $4\le a<5$ ③ $5\le a<6$
④ $6\le a<7$ ⑤ $7\le a<8$

107
유형 17

한 모서리의 길이가 a인 정육면체를 밑면의 가로의 길이는 3만큼 줄이고, 높이는 4만큼 늘여서 새로운 직육면체를 만들려고 한다. 이 직육면체의 부피가 처음 정육면체의 부피보다 작도록 하는 자연수 a의 최솟값을 구하시오.

108
유형 18

이차방정식 $x^2+2ax+a+6=0$은 허근을 갖고, 이차방정식 $x^2-2ax+4=0$은 실근을 갖도록 하는 정수 a의 값은?

① -1 ② 0 ③ 1
④ 2 ⑤ 3

109
유형 19

이차방정식 $x^2+2kx-k+2=0$의 두 근이 모두 양수일 때, 실수 k의 최댓값을 구하시오.

110
유형 20

이차방정식 $x^2-6ax+9=0$의 두 근이 모두 -2보다 크도록 하는 실수 a의 최솟값은?

① 1 ② 3 ③ 5
④ 6 ⑤ 8

09 평면좌표

유형 01 두 점 사이의 거리

유형 02 같은 거리에 있는 점

유형 03 삼각형의 세 변의 길이와 모양

유형 04 두 점 사이의 거리의 활용

유형 05 선분의 길이의 제곱의 합의 최솟값

유형 06 좌표를 이용한 도형의 성질

유형 07 선분의 내분점과 외분점

유형 08 선분의 내분점과 외분점의 활용 (1)

유형 09 선분의 내분점과 외분점의 활용 (2)

유형 10 삼각형의 무게중심

유형 11 평행사변형의 성질의 활용

유형 12 삼각형의 각의 이등분선의 성질

유형 13 점이 나타내는 도형의 방정식

평면좌표

★중요

유형 01 | 두 점 사이의 거리

좌표평면 위의 두 점 $\mathrm{A}(x_1, y_1)$, $\mathrm{B}(x_2, y_2)$ 사이의 거리는

$\overline{\mathrm{AB}}=\sqrt{(x_2-x_1)^2+(y_2-y_1)^2}$

대표 문제

001 두 점 $\mathrm{A}(a, -1)$, $\mathrm{B}(-1, 4)$ 사이의 거리가 $5\sqrt{2}$일 때, 양수 a의 값을 구하시오.

★중요

유형 02 | 같은 거리에 있는 점

두 점 A, B에서 같은 거리에 있는 점 P의 좌표는

$\overline{\mathrm{AP}}=\overline{\mathrm{BP}}$, 즉 $\overline{\mathrm{AP}}^2=\overline{\mathrm{BP}}^2$

임을 이용하여 구한다.

참고 구하는 점의 좌표는 위치에 따라 다음과 같이 놓는다.

① x축 위의 점 ➡ $(a, 0)$

② y축 위의 점 ➡ $(0, b)$

③ 직선 $y=mx+n$ 위의 점 ➡ $(a, am+n)$

대표 문제

002 두 점 $\mathrm{A}(-1, 2)$, $\mathrm{B}(2, 1)$로부터 같은 거리에 있는 점 $\mathrm{P}(a, b)$가 직선 $y=2x+1$ 위의 점일 때, $2a+3b$의 값은?

① 7 ② 9 ③ 11 ④ 13 ⑤ 15

유형 03 | 삼각형의 세 변의 길이와 모양

두 점 사이의 거리를 이용하여 세 변 a, b, c의 길이를 각각 구한 후 다음을 이용하여 삼각형의 모양을 판단한다.

➡ (1) $a=b=c$이면 정삼각형

(2) $a=b$ 또는 $b=c$ 또는 $c=a$이면 이등변삼각형

(3) $c^2=a^2+b^2$이면 c가 빗변인 직각삼각형

대표 문제

003 세 점 $\mathrm{A}(3, 2)$, $\mathrm{B}(-1, 4)$, $\mathrm{C}(5, 6)$을 꼭짓점으로 하는 삼각형 ABC는 어떤 삼각형인가?

① 정삼각형

② $\overline{\mathrm{BC}}=\overline{\mathrm{CA}}$인 이등변삼각형

③ $\angle\mathrm{A}=90°$인 직각이등변삼각형

④ $\angle\mathrm{B}=90°$인 직각삼각형

⑤ 둔각삼각형

유형 04 | 두 점 사이의 거리의 활용

(1) 실수 a, b, x, y에 대하여

$\sqrt{(x-a)^2+(y-b)^2}$ ➡ 두 점 (a, b), (x, y) 사이의 거리

(2) 두 점 A, B와 임의의 점 P에 대하여 $\overline{\mathrm{AP}}+\overline{\mathrm{BP}}$의 값이 최소인 경우는 점 P가 $\overline{\mathrm{AB}}$ 위에 있을 때이다.

➡ $\overline{\mathrm{AP}}+\overline{\mathrm{BP}}\ge\overline{\mathrm{AB}}$

A B P

대표 문제

004 실수 a, b에 대하여

$\sqrt{(a-1)^2+(b+1)^2}+\sqrt{(a-6)^2+(b-11)^2}$

의 최솟값을 구하시오.

유형 05 | 선분의 길이의 제곱의 합의 최솟값

두 점 A, B와 임의의 점 P에 대하여 $\overline{AP}^2+\overline{BP}^2$의 최솟값

➡ 두 점 사이의 거리를 이용하여 $\overline{AP}^2+\overline{BP}^2$을 이차식으로 나타낸 후 이차함수의 최솟값을 구한다.

대표 문제

005 두 점 A$(-2, 5)$, B$(4, 1)$과 x축 위의 점 P에 대하여 $\overline{AP}^2+\overline{BP}^2$의 최솟값은?

① 32 ② 36 ③ 40
④ 44 ⑤ 48

유형 06 | 좌표를 이용한 도형의 성질

도형을 좌표평면 위에 나타내면 좌표를 이용하여 도형의 성질을 확인할 수 있다.

➡ 도형의 한 꼭짓점 또는 한 변이 좌표축 위에 오도록 좌표축을 정한 후 두 점 사이의 거리를 이용하여 주어진 등식이 성립함을 보인다.

대표 문제

006 오른쪽 그림과 같은 삼각형 ABC에서 변 BC의 중점을 M이라 할 때,

$$\overline{AB}^2+\overline{AC}^2=2(\overline{AM}^2+\overline{BM}^2)$$

이 성립함을 보이시오.

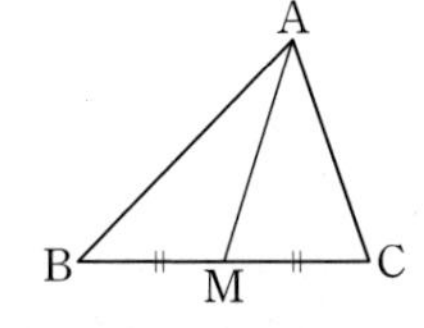

★중요

유형 07 | 선분의 내분점과 외분점

좌표평면 위의 두 점 A(x_1, y_1), B(x_2, y_2)를 이은 선분 AB를 $m : n$ $(m>0, n>0)$으로 내분하는 점을 P, 외분하는 점을 Q라 하면

$$P\left(\frac{mx_2+nx_1}{m+n}, \frac{my_2+ny_1}{m+n}\right), Q\left(\frac{mx_2-nx_1}{m-n}, \frac{my_2-ny_1}{m-n}\right)$$

(단, $m\neq n$)

대표 문제

007 두 점 A$(7, 1)$, B$(-3, 6)$을 이은 선분 AB를 $3 : 2$로 내분하는 점을 P, 외분하는 점을 Q라 할 때, 선분 PQ의 중점의 좌표를 구하시오.

★중요

유형 08 | 선분의 내분점과 외분점의 활용 (1)

선분의 내분점 또는 외분점을 이용하여 점의 좌표를 문자로 나타낸 후 주어진 조건을 이용한다.

참고 (1) 점 P(a, b)가 특정 사분면 위의 점이면
➡ a, b의 부호 이용
(2) 점 P(a, b)가 직선 $y=mx+n$ 위의 점이면
➡ $b=ma+n$임을 이용

대표 문제

008 두 점 A$(-2, 5)$, B$(5, -1)$을 이은 선분 AB를 $a : (1-a)$로 내분하는 점이 제1사분면 위에 있을 때, 실수 a의 값의 범위를 구하시오.

유형 09 | 선분의 내분점과 외분점의 활용 (2)

$m\overline{AB}=n\overline{BC}$ $(m>0, n>0)$이면
$\overline{AB} : \overline{BC}=n : m$이므로

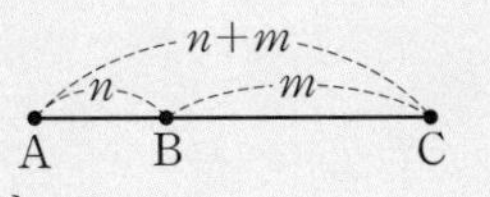

(1) 점 B는 $\overline{AC}$를 $n : m$으로 내분하는 점
(2) 점 C는 $\overline{AB}$를 $(n+m) : m$으로 외분하는 점

대표 문제

009 두 점 A$(-2, -1)$, B$(3, 2)$를 이은 선분 AB의 연장선 위에 $3\overline{AB}=2\overline{BC}$를 만족시키는 점 C$(a, b)$가 있을 때, $a+b$의 값을 구하시오. (단, $a>0$)

★ 중요

유형 10 | 삼각형의 무게중심

좌표평면 위의 세 점 $A(x_1, y_1)$, $B(x_2, y_2)$, $C(x_3, y_3)$을 꼭짓점으로 하는 삼각형 ABC의 무게중심을 G라 하면

$$G\left(\frac{x_1+x_2+x_3}{3}, \frac{y_1+y_2+y_3}{3}\right)$$

참고 삼각형 ABC의 세 변을 각각 $m : n(m>0, n>0)$으로 내분하는 점을 꼭짓점으로 하는 삼각형 DEF의 무게중심은 삼각형 ABC의 무게중심과 일치한다.

대표 문제

010 세 점 $A(-2, 3)$, $B(a, b)$, $C(-2b+4, a-1)$을 꼭짓점으로 하는 삼각형 ABC의 무게중심의 좌표가 $(-2, 2)$일 때, $b-a$의 값을 구하시오.

유형 11 | 평행사변형의 성질의 활용

평행사변형의 두 대각선은 서로 다른 것을 이등분한다.

➡ 평행사변형의 두 대각선의 중점이 일치한다.

참고 마름모는 네 변의 길이가 모두 같고, 두 대각선의 중점이 일치한다.

대표 문제

011 세 점 $A(7, 8)$, $B(0, 5)$, $C(4, -1)$에 대하여 사각형 ABCD가 평행사변형이 되도록 하는 점 D의 좌표는?

① $(3, 9)$ ② $(5, 8)$ ③ $(7, 6)$
④ $(9, 4)$ ⑤ $(11, 2)$

유형 12 | 삼각형의 각의 이등분선의 성질

삼각형 ABC에서 $\angle A$의 이등분선이 변 BC와 만나는 점을 D라 하면

$\overline{AB} : \overline{AC} = \overline{BD} : \overline{CD}$

➡ 점 D는 선분 BC를 $\overline{AB} : \overline{AC}$로 내분하는 점이다.

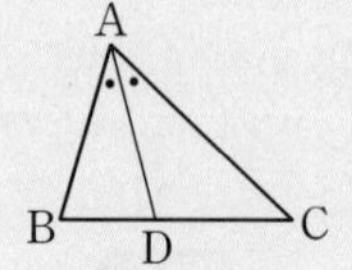

대표 문제

012 세 점 $A(5, 1)$, $B(-7, -4)$, $C(2, 5)$를 꼭짓점으로 하는 삼각형 ABC에서 $\angle A$의 이등분선이 변 BC와 만나는 점이 $D(a, b)$일 때, $a+b$의 값은?

① -1 ② 2 ③ 4
④ 6 ⑤ 8

유형 13 | 점이 나타내는 도형의 방정식

점 P가 직선 $y=mx+n$ 위를 움직인다.

➡ $P(a, b)$라 하고 $b=am+n$임을 이용하여 점이 나타내는 도형의 방정식을 구한다.

대표 문제

013 점 P가 직선 $y=-2x+1$ 위를 움직일 때, 점 $A(0, 2)$와 점 P를 이은 선분 AP의 중점 Q가 나타내는 도형의 방정식을 구하시오.

정답과 해설 82쪽

★ 중요

유형 01 두 점 사이의 거리

014 대표 문제 다시 보기

두 점 A$(a, 3)$, B$(2, a+2)$ 사이의 거리가 5일 때, 모든 a의 값의 합은?

① -3　② -1　③ 1
④ 3　⑤ 5

015 중

네 점 A$(a, -1)$, B$(1, a)$, C$(0, 1)$, D$(2, -1)$에 대하여 $\overline{AB}=2\overline{CD}$일 때, 양수 a의 값은?

① $\sqrt{7}$　② 3　③ $\sqrt{11}$
④ $\sqrt{13}$　⑤ $\sqrt{15}$

016 중

두 점 A$(a, a+2)$, B$(b+2, b)$ 사이의 거리가 4일 때, 두 점 (a, b), (b, a) 사이의 거리는?

① 1　② $\sqrt{2}$　③ 2
④ $2\sqrt{2}$　⑤ 4

★ 중요

유형 02 같은 거리에 있는 점

017 대표 문제 다시 보기

두 점 A$(-2, 2)$, B$(3, 1)$로부터 같은 거리에 있는 점 P(a, b)가 직선 $y=x+1$ 위의 점일 때, $a+b$의 값은?

① -2　② -1　③ 0
④ 1　⑤ 2

018 중

두 점 A$(2, 4)$, B$(6, 8)$에서 같은 거리에 있는 x축 위의 점 P와 y축 위의 점 Q에 대하여 선분 PQ의 길이를 구하시오.

019 중

세 점 A$(1, 2)$, B$(0, -1)$, C$(4, 3)$을 꼭짓점으로 하는 삼각형 ABC의 외심을 P(a, b)라 할 때, $a-b$의 값은?

① 3　② $\frac{7}{2}$　③ 4
④ $\frac{9}{2}$　⑤ 5

020 중

두 점 A$(1, 1)$, B$(3, 7)$에서 같은 거리에 있는 점 P(a, b)에 대하여 a, b가 모두 자연수인 점 P의 개수를 구하시오.

유형 03 삼각형의 세 변의 길이와 모양

021 대표 문제 다시 보기

세 점 A(1, 2), B(3, 0), C(−1, −2)를 꼭짓점으로 하는 삼각형 ABC는 어떤 삼각형인가?

① 정삼각형
② $\overline{AB}=\overline{BC}$인 이등변삼각형
③ $\overline{BC}=\overline{CA}$인 이등변삼각형
④ ∠C=90°인 직각삼각형
⑤ 둔각삼각형

022 중

세 점 A(−1, 1), B(1, −1), C(a, b)를 꼭짓점으로 하는 삼각형 ABC가 정삼각형일 때, ab의 값은?

① −4　② −3　③ −2
④ 3　⑤ 4

023 중

두 점 A(2, 5), B(7, 1)과 x축 위의 점 P(p, 0)에 대하여 삼각형 ABP가 선분 AB가 빗변인 직각삼각형이 되도록 하는 모든 p의 값의 합은?

① 1　② 3　③ 5
④ 7　⑤ 9

유형 04 두 점 사이의 거리의 활용

024 대표 문제 다시 보기

실수 a, b에 대하여

$$\sqrt{(a+1)^2+(b+3)^2}+\sqrt{(a-4)^2+(b-2)^2}$$

의 최솟값을 구하시오.

025 중

실수 x, y에 대하여

$$\sqrt{x^2-2x+1+y^2}+\sqrt{x^2+y^2+4y+4}$$

의 최솟값은?

① $\sqrt{3}$　② 2　③ $\sqrt{5}$
④ $\sqrt{6}$　⑤ $\sqrt{7}$

유형 05 선분의 길이의 제곱의 합의 최솟값

026 대표 문제 다시 보기

두 점 A(−2, 1), B(3, −3)과 y축 위의 점 P에 대하여 $\overline{AP}^2+\overline{BP}^2$의 최솟값은?

① 20　② 21　③ 22
④ 23　⑤ 24

027 중

두 점 A(3, 6), B(2, 5)와 직선 $y=x+4$ 위의 점 P에 대하여 $\overline{AP}^2+\overline{BP}^2$의 값이 최소일 때, 점 P의 좌표를 구하시오.

028 중

세 점 A(1, 2), B(2, 5), C(3, −1)과 임의의 점 P에 대하여 $\overline{AP}^2+\overline{BP}^2+\overline{CP}^2$의 최솟값은?

① 14 ② 16 ③ 18 ④ 20 ⑤ 22

유형 06 좌표를 이용한 도형의 성질

029 대표 문제 다시 보기

오른쪽 그림과 같이 직사각형 ABCD의 내부에 점 P가 있을 때,

$$\overline{AP}^2+\overline{CP}^2=\overline{BP}^2+\overline{DP}^2$$

이 성립함을 보이시오.

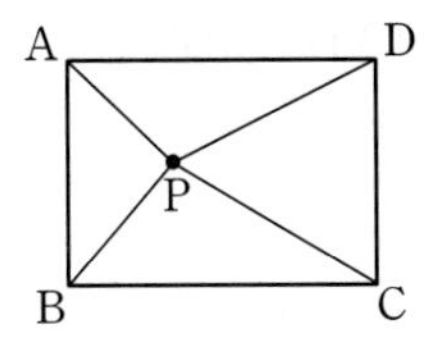

030 중

다음은 삼각형 ABC와 변 BC 위의 점 D에 대하여 $\overline{BD}=2\overline{CD}$일 때,

$$\overline{AB}^2+2\overline{AC}^2=3(\overline{AD}^2+2\overline{CD}^2)$$

이 성립함을 보이는 과정이다. (가), (나)에 들어갈 알맞은 것을 구하시오.

> 오른쪽 그림과 같이 직선 BC를 x축, 점 D를 지나고 직선 BC에 수직인 직선을 y축으로 하는 좌표평면을 잡으면 점 D는 원점이다.
> 따라서 A(a, b), B((가) , 0), C(c, 0)이라 하면
> $\overline{AB}^2+2\overline{AC}^2=3($ (나) $)$
> $\overline{AD}^2+2\overline{CD}^2=$ (나)
> $\therefore \overline{AB}^2+2\overline{AC}^2=3(\overline{AD}^2+2\overline{CD}^2)$

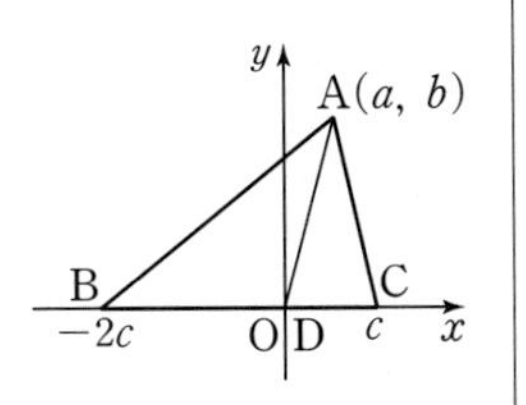

★중요 유형 07 선분의 내분점과 외분점

031 대표 문제 다시 보기

두 점 A(5, 1), B(−1, 4)를 이은 선분 AB를 2 : 1로 내분하는 점을 P, 외분하는 점을 Q라 할 때, 선분 PQ의 길이는?

① $\sqrt{5}$ ② $2\sqrt{5}$ ③ $3\sqrt{5}$ ④ $4\sqrt{5}$ ⑤ $5\sqrt{5}$

032 하

두 점 A(a, −1), B(−2, b)를 이은 선분 AB를 3 : 1로 외분하는 점의 좌표가 (−4, 5)일 때, $a+b$의 값은?

① 5 ② 6 ③ 7 ④ 8 ⑤ 9

033 중

삼각형 ABC에서 꼭짓점 A의 좌표가 (−3, −2)이고, 두 변 AB, AC의 중점의 좌표가 각각 (−4, 3), (−1, 1)이다. 변 BC를 3 : 2로 외분하는 점의 좌표가 (x, y)일 때, $x+y$의 값을 구하시오.

034 중

두 점 A(−3, −1), B(3, 5)를 이은 선분 AB를 삼등분하는 두 점을 각각 C(a, b), D(c, d)라 할 때, $cd-ab$의 값을 구하시오. (단, $a<c$)

★ 중요

유형 08 선분의 내분점과 외분점의 활용(1)

035 대표 문제 다시 보기

두 점 A$(-2, 3)$, B$(6, -2)$를 이은 선분 AB를 $t:(1-t)$로 내분하는 점이 제4사분면 위에 있을 때, 실수 t의 값의 범위가 $a<t<b$이다. 이때 $a+b$의 값은?

① $\frac{3}{5}$ ② 1 ③ $\frac{8}{5}$
④ 2 ⑤ $\frac{12}{5}$

036 중

두 점 A$(5, -2)$, B$(1, 2)$를 이은 선분 AB를 $a:1$로 외분하는 점이 직선 $3x+y-1=0$ 위에 있을 때, 실수 a의 값은?

① 3 ② 4 ③ 5
④ 6 ⑤ 7

037 중

두 점 A$(-3, 5)$, B$(6, -1)$을 이은 선분 AB를 $m:n$으로 내분하는 점이 y축 위에 있을 때, $\frac{n}{m}$의 값은?

① $\frac{1}{2}$ ② 1 ③ $\frac{3}{2}$
④ 2 ⑤ $\frac{5}{2}$

유형 09 선분의 내분점과 외분점의 활용(2)

038 대표 문제 다시 보기

두 점 A$(-5, 1)$, B$(4, 2)$를 이은 선분 AB의 연장선 위에 $2\overline{AB}=\overline{BC}$를 만족시키는 점 C$(a, b)$가 있을 때, $a-b$의 값을 구하시오. (단, $a>0$)

039 중

두 점 A$(-4, 2)$, B$(6, 8)$을 지나는 직선 위에 있고 $2\overline{AB}=3\overline{BC}$를 만족시키는 모든 점 C의 x좌표의 합을 구하시오.

040 중

두 점 A$(1, -2)$, B$(6, 8)$과 선분 AB 위의 점 P에 대하여 $\overline{AP}$를 한 변으로 하는 정사각형의 넓이를 S_1, $\overline{BP}$를 한 변으로 하는 정사각형의 넓이를 S_2라 하자. $S_1:S_2=9:4$일 때, 점 P의 좌표는?

① $(1, 5)$ ② $(2, 3)$ ③ $(3, 4)$
④ $(4, 4)$ ⑤ $(5, 2)$

041 상

두 점 A$(-1, 4)$, B$(3, -4)$와 직선 AB 위의 점 P에 대하여 삼각형 OBP의 넓이가 삼각형 OAP의 넓이의 3배가 되도록 하는 두 점을 P_1, P_2라 할 때, 두 점 P_1, P_2 사이의 거리를 구하시오. (단, O는 원점)

정답과 해설 84쪽

★ 중요

유형 10 삼각형의 무게중심

042 대표 문제 다시 보기

세 점 $A(-3, 4)$, $B(a-1, b+1)$, $C(-2b, a)$를 꼭짓점으로 하는 삼각형 ABC의 무게중심의 좌표가 $(-3, 3)$일 때, ab의 값을 구하시오.

043 중

삼각형 ABC에서 변 AC의 중점의 좌표가 $(3, 6)$, 삼각형 ABC의 무게중심의 좌표가 $(2, 6)$일 때, 점 B의 좌표를 구하시오.

044 중

세 점 $A(-1, 4)$, $B(7, 2)$, $C(3, 6)$을 꼭짓점으로 하는 삼각형 ABC에서 $\overline{AB}$, $\overline{BC}$, $\overline{CA}$의 중점을 각각 P, Q, R라 하자. 삼각형 PQR의 무게중심의 좌표를 (a, b)라 할 때, $a+b$의 값을 구하시오.

045 중

세 점 $A(1, 2)$, $B(3, 4)$, $C(-1, 3)$을 꼭짓점으로 하는 삼각형 ABC와 세 점 $D(a, -1)$, $E(3, 2)$, $F(5, b)$를 꼭짓점으로 하는 삼각형 DEF의 무게중심이 일치할 때, $a+b$의 값을 구하시오.

유형 11 평행사변형의 성질의 활용

046 대표 문제 다시 보기

세 점 $A(3, 6)$, $B(-1, 3)$, $C(3, -3)$에 대하여 사각형 ABCD가 평행사변형이 되도록 하는 점 D의 좌표는?

① $(5, 3)$ ② $(6, 2)$ ③ $(7, 0)$
④ $(8, -1)$ ⑤ $(9, -3)$

047 중

평행사변형 ABCD의 두 꼭짓점 A, B의 좌표가 각각 $(4, 0)$, $(2, 7)$이고, 대각선 AC의 중점의 좌표가 $(0, 3)$일 때, 두 꼭짓점 C, D의 좌표를 구하시오.

048 중

네 점 $A(3, -2)$, $B(7, a)$, $C(5, b)$, $D(1, 2)$를 꼭짓점으로 하는 사각형 ABCD가 마름모일 때, $|a+b|$의 값은?

① 1 ② 2 ③ 3
④ 4 ⑤ 5

정답과 해설 86쪽

049 상

네 점 (a, b), $(-3, -1)$, $(-1, 5)$, $(1, 3)$을 꼭짓점으로 하는 사각형이 평행사변형일 때, 모든 ab의 값의 합은?

① 22 ② 25 ③ 28
④ 30 ⑤ 33

유형 12 삼각형의 각의 이등분선의 성질

050 대표 문제 다시 보기

세 점 $A(-1, -5)$, $B(2, -1)$, $C(-7, 3)$을 꼭짓점으로 하는 삼각형 ABC에서 $\angle A$의 이등분선이 변 BC와 만나는 점을 D라 할 때, 점 D의 좌표를 구하시오.

051 중

세 점 $A(2, 3)$, $B(14, 8)$, $C(-4, -5)$를 꼭짓점으로 하는 삼각형 ABC에서 $\angle A$의 이등분선이 변 BC와 만나는 점을 D라 하자. 삼각형 ABD와 삼각형 ACD의 넓이를 각각 S_1, S_2라 할 때, $\frac{S_1}{S_2}$의 값은?

① $\frac{5}{12}$ ② $\frac{10}{13}$ ③ $\frac{12}{13}$
④ $\frac{13}{10}$ ⑤ $\frac{12}{5}$

052 상

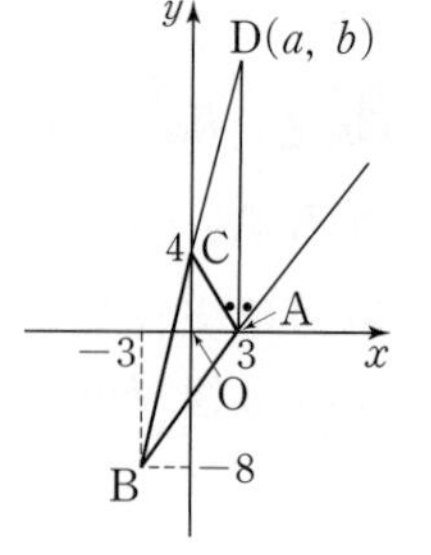

오른쪽 그림과 같이 세 점 $A(3, 0)$, $B(-3, -8)$, $C(0, 4)$를 꼭짓점으로 하는 삼각형 ABC에서 $\angle A$의 외각의 이등분선과 선분 BC의 연장선의 교점을 $D(a, b)$라 할 때, $a+b$의 값은?

① 11 ② 13
③ 15 ④ 17
⑤ 19

유형 13 점이 나타내는 도형의 방정식

053 대표 문제 다시 보기

점 P가 직선 $y=-4x+2$ 위를 움직일 때, 원점 O와 점 P를 이은 선분 OP를 $1:2$로 내분하는 점 Q가 나타내는 도형의 방정식은 $y=mx+n$이다. 이때 상수 m, n에 대하여 $m+n$의 값은?

① $-\frac{10}{3}$ ② -2 ③ $-\frac{5}{3}$
④ -1 ⑤ $-\frac{2}{3}$

054 중

두 점 $A(1, 4)$, $B(3, 2)$로부터 같은 거리에 있는 점이 나타내는 도형의 방정식을 구하시오.

정답과 해설 86쪽

055
유형 01

세 점 A$(1, 3)$, B$(a-1, 1)$, C$(3, -3)$에 대하여 $\overline{AB}=\overline{BC}$일 때, a의 값은?

① 2 ② 4 ③ 6
④ 8 ⑤ 10

056
유형 01

두 점 A$(a, 3)$, B$(2, a+2)$ 사이의 거리가 5 이하가 되도록 하는 정수 a의 개수를 구하시오.

057
유형 02

두 점 A$(0, -2)$, B$(-4, 2)$에서 같은 거리에 있는 x축 위의 점 P와 y축 위의 점 Q에 대하여 선분 PQ의 길이를 구하시오.

058
유형 02

두 점 A$(-4, 0)$, B$(6, -2)$에서 같은 거리에 있는 직선 $y=x-2$ 위의 점 P의 좌표는?

① $(-2, -4)$ ② $(-1, -3)$ ③ $(1, -1)$
④ $(2, 0)$ ⑤ $(3, 1)$

059
유형 03

세 점 A$(2, 1)$, B$(4, -1)$, C$(0, -3)$을 꼭짓점으로 하는 삼각형 ABC는 어떤 삼각형인가?

① 정삼각형
② $\overline{AB}=\overline{BC}$인 이등변삼각형
③ $\overline{BC}=\overline{CA}$인 이등변삼각형
④ $\angle A=90^\circ$인 직각삼각형
⑤ $\angle C=90^\circ$인 직각삼각형

060
유형 03

세 점 A$(1, 2)$, B$(-4, 5)$, C$(a, -3)$을 꼭짓점으로 하는 삼각형 ABC가 $\angle A=90^\circ$인 직각이등변삼각형일 때, 실수 a의 값을 구하시오.

061
유형 04

실수 a, b에 대하여

$$\sqrt{(a-1)^2+(b+2)^2}+\sqrt{(a-5)^2+(b-2)^2}$$

의 최솟값은?

① $2\sqrt{7}$ ② $4\sqrt{2}$ ③ 6
④ $2\sqrt{10}$ ⑤ $3\sqrt{5}$

062

유형 05

세 점 A(4, 3), B(−2, 0), C(3, 0)을 꼭짓점으로 하는 삼각형 ABC에서 변 BC 위를 움직이는 점을 P라 할 때, $\overline{AP}^2+\overline{BP}^2$의 최댓값과 최솟값의 합을 구하시오.

063

유형 06

다음은 선분 AB를 삼등분하는 두 점을 점 A에서 가까운 순서대로 C, D라 할 때, 선분 AD를 한 변으로 하는 정삼각형 ADE와 선분 DB를 한 변으로 하는 정삼각형 DBF에 대하여 삼각형 ECF가 정삼각형임을 보이는 과정이다. (가), (나), (다)에 들어갈 알맞은 것을 구하시오.

(단, 두 점 E, F는 같은 사분면 위의 점이다.)

> 오른쪽 그림과 같이 선분 AB를 x축 위에 놓고 점 A를 원점으로 잡자.
> B$(6a, 0)$이라 하면
> C$(2a, 0)$, D$(4a, 0)$,
> E((가) , $2\sqrt{3}a$), F$(5a$, (나))이므로
> $\overline{EC}=\overline{CF}=\overline{FE}=$ (다)
> 따라서 삼각형 ECF는 정삼각형이다.

064

유형 01+05+06

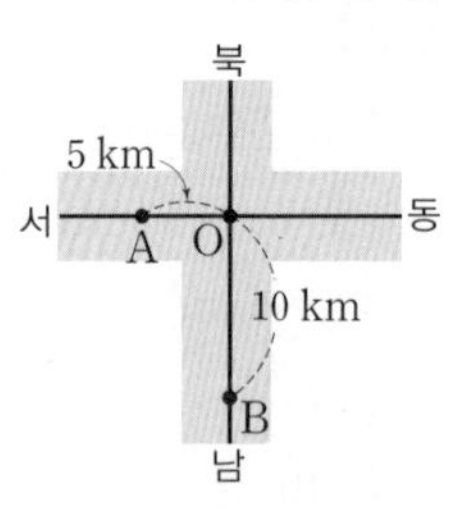

오른쪽 그림과 같이 O 지점에서 수직으로 만나는 일직선 모양의 두 도로가 있다. A, B 두 사람이 각각 O 지점으로부터 서쪽으로 5 km 떨어진 지점과 남쪽으로 10 km 떨어진 지점에서 동시에 출발하여 A는 동쪽 방향으로 시속 4 km의 속력으로, B는 북쪽 방향으로 시속 3 km의 속력으로 걸어가고 있다. 두 사람 사이의 거리가 가장 가까워지는 것은 출발한 지 a시간 후이고 그때의 거리는 d km일 때, $a+d$의 값을 구하시오.

065

유형 07

두 점 A(5, −2), B(−5, 3)을 이은 선분 AB를 2 : 3으로 내분하는 점을 P, 외분하는 점을 Q라 할 때, 선분 PQ의 중점의 좌표는?

① (−6, 13) ② (−4, 11) ③ (2, 9)
④ (11, −4) ⑤ (13, −6)

066

유형 07

두 점 A(4, −8), B(−12, a)를 이은 선분 AB를 3 : b로 내분하는 점의 좌표가 (−2, 1)일 때, $a+b$의 값은?

① 21 ② 22 ③ 23
④ 24 ⑤ 25

067

유형 08

두 점 A(2, 3), B(−1, 4)를 이은 선분 AB를 a : $(a+1)$로 외분하는 점이 x축 위에 있을 때, 실수 a의 값은?

① 1 ② 2 ③ 3
④ 4 ⑤ 5

068

유형 09

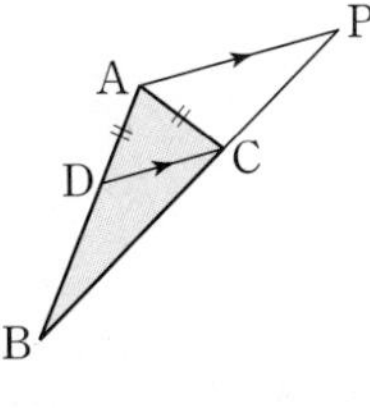

오른쪽 그림과 같이 세 점 $A(1, 4)$, $B(-4, -8)$, $C(5, 1)$을 꼭짓점으로 하는 삼각형 ABC에서 $\overline{AC}=\overline{AD}$가 되도록 선분 AB 위에 점 D를 잡는다. 점 A를 지나면서 선분 DC와 평행한 직선이 선분 BC의 연장선과 만나는 점을 $P(a, b)$라 할 때, $a-b$의 값을 구하시오.

069

유형 03+10

세 점 $A(2, 0)$, $B(0, 2)$, $C(a, b)$를 꼭짓점으로 하는 삼각형 ABC가 정삼각형이고, 무게중심의 좌표가 (p, q)일 때, $3(p+q)$의 값을 구하시오.

(단, 점 C는 제1사분면 위의 점이다.)

070

유형 11

네 점 $A(1, -1)$, $B(2, -3)$, $C(3, 5)$, $D(a, b)$를 꼭짓점으로 하는 사각형 ABCD가 평행사변형일 때, ab의 값은?

① 11 ② 12 ③ 13 ④ 14 ⑤ 15

071

유형 11

네 점 $A(4, 2)$, $B(1, 5)$, $C(a, 2)$, $D(b, -1)$을 꼭짓점으로 하는 사각형 ABCD가 마름모일 때, $a+2b$의 값은?

① -5 ② -3 ③ 0 ④ 2 ⑤ 5

072

유형 12

세 점 $A(3, 1)$, $B(0, -3)$, $C(-3, -7)$을 꼭짓점으로 하는 삼각형 ABC에서 $\angle A$의 이등분선이 변 BC와 만나는 점이 $D(a, b)$일 때, $a+b$의 값은?

① $-\frac{16}{3}$ ② -4 ③ $-\frac{10}{3}$ ④ $-\frac{8}{3}$ ⑤ -2

073

유형 13

직선 $y=-2x+3$ 위를 움직이는 점 P와 점 $A(-1, 0)$을 이은 선분 AP를 $3:2$로 외분하는 점 Q가 나타내는 도형의 방정식은 $y=mx+n$이다. 이때 상수 m, n에 대하여 $m+n$의 값은?

① 11 ② 12 ③ 13 ④ 14 ⑤ 15

직선의 방정식

유형 01 한 점과 기울기가 주어진 직선의 방정식

유형 02 두 점을 지나는 직선의 방정식

유형 03 x절편과 y절편이 주어진 직선의 방정식

유형 04 세 점이 한 직선 위에 있을 조건

유형 05 도형의 넓이를 이등분하는 직선

유형 06 직선의 개형

유형 07 정점을 지나는 직선

유형 08 정점을 지나는 직선의 활용

유형 09 두 직선의 교점을 지나는 직선의 방정식

유형 10 두 직선의 위치 관계

유형 11 한 직선에 평행 또는 수직인 직선의 방정식

유형 12 선분의 수직이등분선의 방정식

유형 13 세 직선의 위치 관계

유형 14 점과 직선 사이의 거리

유형 15 평행한 두 직선 사이의 거리

유형 16 세 꼭짓점의 좌표가 주어진 삼각형의 넓이

유형 17 두 직선이 이루는 각의 이등분선의 방정식

핵심 유형

10 직선의 방정식

★ 중요

유형 01 | 한 점과 기울기가 주어진 직선의 방정식

기울기가 m이고 점 (x_1, y_1)을 지나는 직선의 방정식은

$$y-y_1=m(x-x_1)$$

예 기울기가 3이고 점 $(2, 1)$을 지나는 직선의 방정식은
$y-1=3(x-2) \quad \therefore y=3x-5$

참고 x축의 양의 방향과 이루는 각의 크기가 θ인 직선의 기울기
➡ $\tan\theta$

대표 문제

001 두 점 $(-1, 3)$, $(5, -1)$을 이은 선분의 중점을 지나고 기울기가 -1인 직선의 방정식은?

① $y=-x+1$ ② $y=-x+2$
③ $y=-x+3$ ④ $y=-x+4$
⑤ $y=-x+5$

★ 중요

유형 02 | 두 점을 지나는 직선의 방정식

두 점 (x_1, y_1), (x_2, y_2)를 지나는 직선의 방정식은

$$y-y_1=\frac{y_2-y_1}{x_2-x_1}(x-x_1) \text{ (단, } x_1\neq x_2)$$

예 두 점 $(-2, -1)$, $(3, 9)$를 지나는 직선의 방정식은
$y-(-1)=\frac{9-(-1)}{3-(-2)}\{x-(-2)\} \quad \therefore y=2x+3$

참고 $x_1=x_2$이면 y축에 평행하므로 직선의 방정식은 $x=x_1$이다.

대표 문제

002 두 점 $(3, -2)$, $(1, -1)$을 지나는 직선 위에 두 점 $(1, a)$, $\left(b, \frac{1}{2}\right)$이 있을 때, $a+b$의 값은?

① -3 ② -2 ③ -1
④ 1 ⑤ 2

유형 03 | x절편과 y절편이 주어진 직선의 방정식

x절편이 a이고 y절편이 b인 직선의 방정식은

$$\frac{x}{a}+\frac{y}{b}=1 \text{ (단, } a\neq 0,\ b\neq 0)$$

예 x절편이 3이고 y절편이 2인 직선의 방정식은
$\frac{x}{3}+\frac{y}{2}=1$

대표 문제

003 x절편이 3이고 y절편이 -6인 직선이 점 $(a, -4)$를 지날 때, a의 값은?

① 1 ② 3 ③ 5
④ 7 ⑤ 9

유형 04 | 세 점이 한 직선 위에 있을 조건

세 점 $A(x_1, y_1)$, $B(x_2, y_2)$, $C(x_3, y_3)$이 한 직선 위에 있다.
➡ (직선 AB의 기울기)=(직선 BC의 기울기)
=(직선 AC의 기울기)
➡ $\frac{y_2-y_1}{x_2-x_1}=\frac{y_3-y_2}{x_3-x_2}=\frac{y_3-y_1}{x_3-x_1}$ (단, $x_1 \neq x_2$, $x_2 \neq x_3$, $x_3 \neq x_1$)

참고 한 직선 위에 있는 세 점은 삼각형을 이루지 않는다.

대표 문제

004 세 점 $A(1, -1)$, $B(2, -k)$, $C(k-2, -9)$가 한 직선 위에 있도록 하는 모든 k의 값의 합은?

① -2 ② 0 ③ 2
④ 4 ⑤ 6

유형 05 | 도형의 넓이를 이등분하는 직선

(1) 삼각형 ABC의 꼭짓점 A를 지나면서 그 넓이를 이등분하는 직선
➡ $\overline{BC}$의 중점을 지난다.
(2) 직사각형의 넓이를 이등분하는 직선
➡ 직사각형의 두 대각선의 교점을 지난다.

대표 문제

005 세 점 $A(2, 2)$, $B(4, -2)$, $C(2, -4)$를 꼭짓점으로 하는 삼각형 ABC에 대하여 점 A를 지나고 삼각형 ABC의 넓이를 이등분하는 직선의 방정식이 $y=ax+b$일 때, 상수 a, b에 대하여 $a+b$의 값은?

① 6 ② 7 ③ 8
④ 9 ⑤ 10

★ 중요

유형 06 | 직선의 개형

방정식 $ax+by+c=0\,(b \neq 0)$이 나타내는 직선의 개형은 다음과 같은 순서로 알아본다.
(1) 주어진 방정식을 $y=-\frac{a}{b}x-\frac{c}{b}$ 꼴로 변형한다.
(2) 기울기 $-\frac{a}{b}$와 y절편 $-\frac{c}{b}$의 부호를 정한다.
(3) 기울기와 y절편의 부호에 따라 직선의 개형을 그린다.

참고 ① $ab>0$이면 ➡ a, b의 부호가 같다.
② $ab=0$이면 ➡ $a=0$ 또는 $b=0$
③ $ab<0$이면 ➡ a, b의 부호가 다르다.

대표 문제

006 $ab>0$, $bc<0$일 때, 직선 $ax+by+c=0$이 지나지 않는 사분면은?

① 제1사분면 ② 제2사분면
③ 제3사분면 ④ 제4사분면
⑤ 제1, 3사분면

정답과 해설 89쪽

유형 07 | 정점을 지나는 직선

직선 $(ax+by+c)+k(a'x+b'y+c')=0$은 실수 k의 값에 관계없이 항상 두 직선 $ax+by+c=0$, $a'x+b'y+c'=0$의 교점을 지난다.

참고 두 직선 $ax+by+c=0$, $a'x+b'y+c'=0$의 교점의 좌표는 연립방정식 $\begin{cases} ax+by+c=0 \\ a'x+b'y+c'=0 \end{cases}$의 해와 같다.

대표 문제

007 직선 $(k+3)x+(k+1)y-2k+6=0$이 실수 k의 값에 관계없이 항상 점 (a, b)를 지날 때, a^2+b^2의 값은?

① 34 ② 41 ③ 45 ④ 52 ⑤ 61

유형 08 | 정점을 지나는 직선의 활용

직선 $y-b=m(x-a)$, 즉 $m(x-a)-(y-b)=0$은 실수 m의 값에 관계없이 항상 점 (a, b)를 지난다.

예 직선 $mx-y-m+2=0$을 m에 대하여 정리하면
$m(x-1)-(y-2)=0$
이 직선은 실수 m의 값에 관계없이 항상 점 $(1, 2)$를 지난다.

대표 문제

008 두 직선 $x+y-3=0$, $mx-y-5m+4=0$이 제1사분면에서 만나도록 하는 실수 m의 값의 범위가 $\alpha<m<\beta$일 때, $\alpha\beta$의 값은?

① $\frac{1}{5}$ ② $\frac{2}{5}$ ③ $\frac{1}{2}$ ④ 2 ⑤ $\frac{5}{2}$

유형 09 | 두 직선의 교점을 지나는 직선의 방정식

두 직선 $ax+by+c=0$, $a'x+b'y+c'=0$의 교점을 지나는 직선의 방정식은

$$(ax+by+c)+k(a'x+b'y+c')=0 \text{ (단, } k\text{는 실수)}$$

대표 문제

009 두 직선 $x+2y+4=0$, $2x-3y-5=0$의 교점과 점 $(2, 1)$을 지나는 직선의 방정식이 $ax+by-6=0$일 때, 상수 a, b에 대하여 $a+b$의 값은?

① 1 ② $\frac{3}{2}$ ③ 2 ④ $\frac{5}{2}$ ⑤ 3

핵심유형 완성하기

정답과 해설 89쪽

★ 중요

유형 01 한 점과 기울기가 주어진 직선의 방정식

010 대표 문제 다시 보기

두 점 $A(1, 3)$, $B(-3, 7)$에 대하여 선분 AB를 $3:1$로 내분하는 점을 지나고 기울기가 -2인 직선의 y절편은?

① -2 ② -1 ③ 0
④ 1 ⑤ 2

011 하

x축의 양의 방향과 이루는 각의 크기가 $60°$이고 점 $(2, -\sqrt{3})$을 지나는 직선의 방정식은?

① $y=\frac{\sqrt{3}}{3}x-2\sqrt{3}$ ② $y=\frac{\sqrt{3}}{3}x+3\sqrt{3}$
③ $y=x+\sqrt{3}$ ④ $y=\sqrt{3}x-3\sqrt{3}$
⑤ $y=\sqrt{3}x+2\sqrt{3}$

012 중

직선 $ax+by+12=0$이 직선 $2x-3y+5=0$과 기울기가 같고 점 $(-3, 2)$를 지날 때, 상수 a, b에 대하여 $a-b$의 값은?

① -5 ② -1 ③ 1
④ 2 ⑤ 5

★ 중요

유형 02 두 점을 지나는 직선의 방정식

013 대표 문제 다시 보기

두 점 $(-3, 5)$, $(1, -3)$을 지나는 직선이 두 점 $(a, 1)$, $(-2, b)$를 지날 때, ab의 값은?

① -3 ② -2 ③ -1
④ 2 ⑤ 3

014 중

두 점 $A(-1, 2)$, $B(3, 6)$을 이은 선분 AB를 $3:2$로 외분하는 점과 점 $(1, -6)$을 지나는 직선의 방정식을 구하시오.

015 중

세 점 $A(-3, -2)$, $B(2, 4)$, $C(4, 7)$을 꼭짓점으로 하는 삼각형 ABC의 무게중심과 점 $(-1, 1)$을 지나는 직선의 방정식이 $y=ax+b$일 때, 상수 a, b에 대하여 $a+b$의 값은?

① 1 ② 3 ③ 5
④ 7 ⑤ 9

016 중

오른쪽 그림과 같이 세 점 $A(1, 3)$, $B(5, 4)$, $C(6, 8)$을 꼭짓점으로 하는 삼각형 ABC에서 선분 AC 위의 한 점 P에 대하여 삼각형 PAB와 삼각형 PBC의 넓이의 비가 $3:2$일 때, 두 점 B, P를 지나는 직선의 x절편을 구하시오.

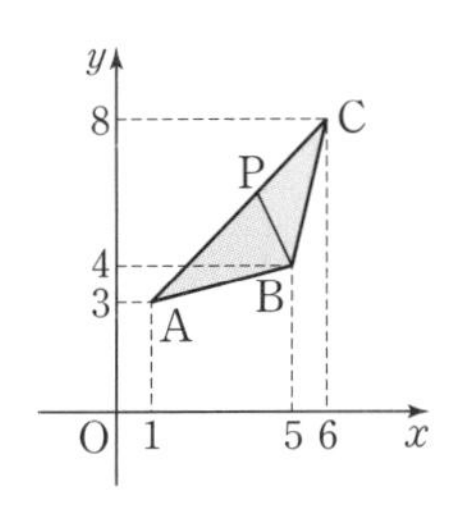

유형 03 x절편과 y절편이 주어진 직선의 방정식

017 대표 문제 다시 보기

x절편이 -2이고 y절편이 -4인 직선이 점 $(4,\ a)$를 지날 때, a의 값은?

① -15 ② -14 ③ -13
④ -12 ⑤ -11

018 중

점 $(4,\ -1)$을 지나는 직선의 x절편이 y절편의 2배일 때, 이 직선의 방정식은? (단, y절편은 0이 아니다.)

① $\frac{x}{2}-\frac{y}{4}=1$ ② $\frac{x}{2}-y=1$ ③ $\frac{x}{2}+y=1$
④ $\frac{x}{2}+\frac{y}{2}=1$ ⑤ $\frac{x}{2}+\frac{y}{4}=1$

019 중

직선 $\frac{x}{a}+\frac{y}{2}=1$과 x축 및 y축으로 둘러싸인 부분의 넓이가 8일 때, 양수 a의 값은?

① 4 ② 5 ③ 6
④ 7 ⑤ 8

유형 04 세 점이 한 직선 위에 있을 조건

020 대표 문제 다시 보기

세 점 $\mathrm{A}(1,\ -k)$, $\mathrm{B}(2k+1,\ 3)$, $\mathrm{C}(2,\ 1)$이 한 직선 위에 있도록 하는 모든 k의 값의 합은?

① $-\frac{3}{2}$ ② -1 ③ $-\frac{1}{2}$
④ $\frac{1}{2}$ ⑤ 1

021 중

점 $\mathrm{A}(1,\ 1)$이 두 점 $\mathrm{B}(2,\ 4)$, $\mathrm{C}(k+1,\ 2k-1)$을 지나는 직선 위에 있을 때, 두 점 A, C 사이의 거리는?

① $\sqrt{10}$ ② $2\sqrt{3}$ ③ 4
④ $3\sqrt{2}$ ⑤ $2\sqrt{10}$

022 중

세 점 $\mathrm{A}(k,\ -1)$, $\mathrm{B}(-3,\ 3k-4)$, $\mathrm{C}(2,\ 8)$이 삼각형을 이루지 않도록 하는 양수 k의 값은?

① 1 ② 3 ③ 5
④ 7 ⑤ 9

유형 05 도형의 넓이를 이등분하는 직선

023 대표 문제 다시 보기

세 점 A(3, 3), B(−1, −5), C(5, −3)을 꼭짓점으로 하는 삼각형 ABC에 대하여 점 A를 지나고 삼각형 ABC의 넓이를 이등분하는 직선의 방정식은?

① $y=-7x-21$ ② $y=-7x+18$
③ $y=7x-18$ ④ $y=7x+18$
⑤ $y=7x+21$

024 중

직선 $\frac{x}{3}+\frac{y}{6}=1$과 x축 및 y축으로 둘러싸인 부분의 넓이를 직선 $y=mx$가 이등분할 때, 상수 m의 값은?

① $\frac{1}{3}$ ② $\frac{1}{2}$ ③ 1
④ 2 ⑤ 3

025 중

오른쪽 그림과 같은 마름모의 넓이를 이등분하고 점 (0, −2)를 지나는 직선의 x절편은?

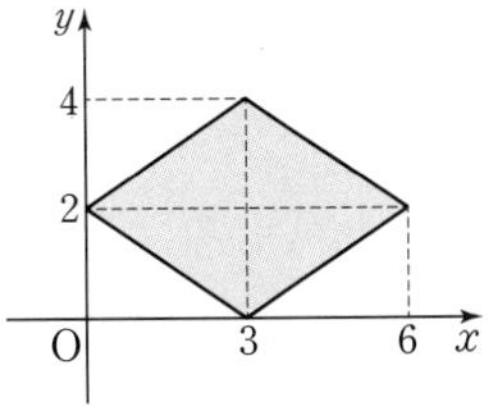

① $\frac{1}{2}$ ② 1
③ $\frac{4}{3}$ ④ $\frac{3}{2}$
⑤ 2

026 중

오른쪽 그림과 같은 직사각형 OABC와 정사각형 ODEF의 넓이를 동시에 이등분하는 직선의 방정식이 $y=mx+n$일 때, 상수 m, n에 대하여 $m-n$의 값을 구하시오.

(단, O는 원점)

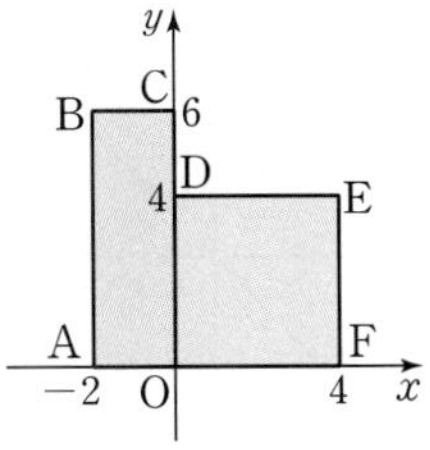

★중요

유형 06 직선의 개형

027 대표 문제 다시 보기

$\frac{b}{a}<0$, $\frac{c}{b}<0$일 때, 직선 $ax+by+c=0$이 지나지 않는 사분면은?

① 제1사분면 ② 제2사분면
③ 제3사분면 ④ 제4사분면
⑤ 제2, 4사분면

028 중

$ab=0$, $ac<0$일 때, 직선 $ax+by+c=0$이 지나는 사분면은?

① 제1, 3사분면 ② 제1, 4사분면
③ 제2, 3사분면 ④ 제2, 4사분면
⑤ 제3, 4사분면

029 중

$ab>0$, $bc>0$일 때, 직선 $ax+by+c=0$의 개형은?

①
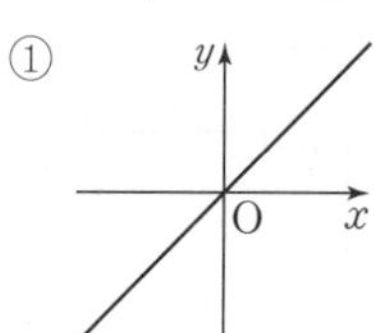

②
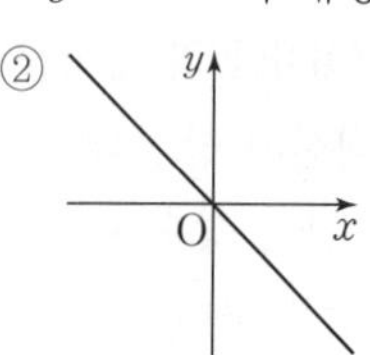

③
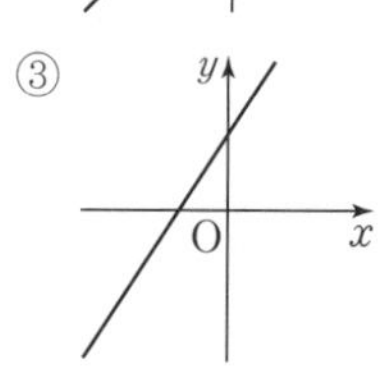

④
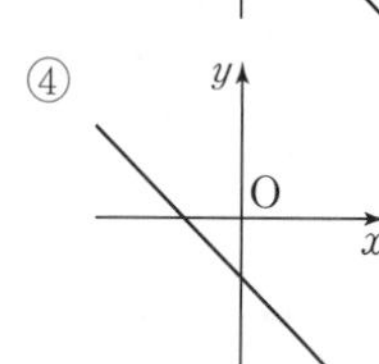

⑤

030 중

직선 $ax+by+c=0$의 개형이 오른쪽 그림과 같을 때, 직선 $cx+ay+b=0$의 개형은? (단, a, b, c는 상수)

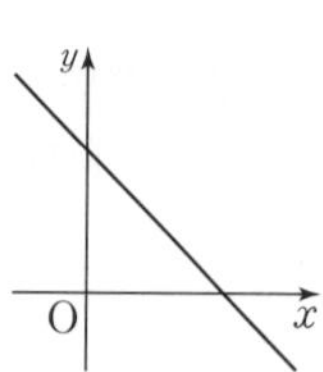

①
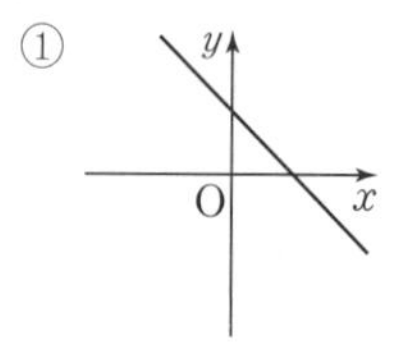

②
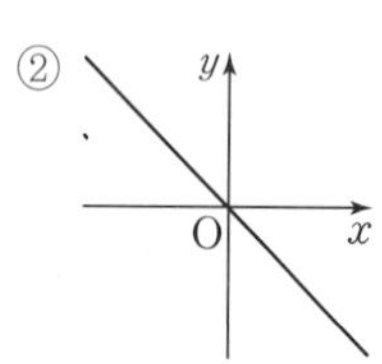

③
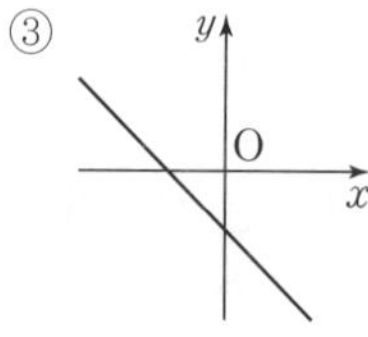

④
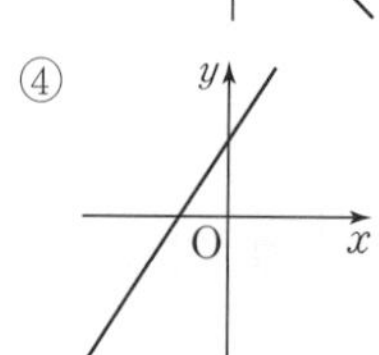

⑤
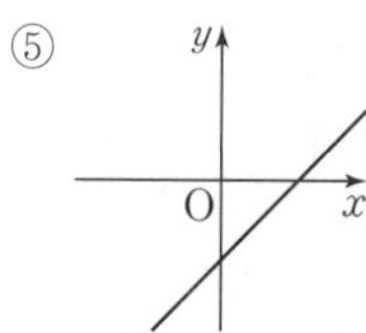

유형 07 정점을 지나는 직선

031 대표 문제 다시 보기

직선 $(4k+1)x+(k-2)y-2k-5=0$이 실수 k의 값에 관계없이 항상 점 P를 지날 때, 점 P와 원점 사이의 거리는?

① $\sqrt{3}$　② 2　③ $\sqrt{5}$
④ $\sqrt{6}$　⑤ $\sqrt{7}$

032 중

직선 $(k+1)x+(2k-1)y+3k+a=0$이 실수 k의 값에 관계없이 항상 점 $(3,\ b)$를 지날 때, 상수 a, b에 대하여 $a+b$의 값을 구하시오.

033 중

직선 $(k+1)x+(3k-1)y-4k+4=0$이 실수 k의 값에 관계없이 항상 점 P를 지날 때, 기울기가 3이고 점 P를 지나는 직선의 방정식을 구하시오.

034 상

직선 $2x-y=3$ 위의 점 $(a,\ b)$에 대하여 직선 $ax-2by=6$이 항상 지나는 점의 좌표를 구하시오.

유형 08 정점을 지나는 직선의 활용

035 대표 문제 다시 보기

두 직선 $3x+2y+6=0$, $mx-y-2m+1=0$이 제3사분면에서 만나도록 하는 실수 m의 값의 범위를 구하시오.

036 중

직선 $kx-y+3k-2=0$이 두 점 $A(1, -1)$, $B(-2, 3)$을 이은 선분 AB와 한 점에서 만나도록 하는 정수 k의 개수는?

① 2　② 3　③ 4　④ 5　⑤ 6

037 중

직선 $y=kx+2k-2$가 오른쪽 그림과 같은 정사각형과 만나도록 하는 실수 k의 최댓값을 M, 최솟값을 m이라 할 때, $M+m$의 값을 구하시오.

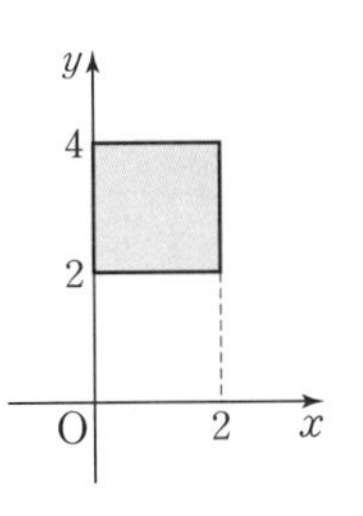

038 상

직선 $mx-y-3m+2=0$이 세 점 $A(1, 3)$, $B(4, -1)$, $C(-1, 1)$을 꼭짓점으로 하는 삼각형 ABC와 만나지 않도록 하는 실수 m의 값의 범위를 구하시오.

유형 09 두 직선의 교점을 지나는 직선의 방정식

039 대표 문제 다시 보기

두 직선 $3x-2y-2=0$, $x-y+1=0$의 교점과 점 $(1, -1)$을 지나는 직선의 y절편은?

① -5　② -3　③ -1　④ 1　⑤ 3

040 중

다음 중 두 직선 $2x-y+4=0$, $x+4y-3=0$의 교점과 점 $(3, 2)$를 지나는 직선 위의 점인 것은?

① $(-5, 1)$　② $(-2, -1)$　③ $(4, 2)$　④ $(6, -1)$　⑤ $(8, 3)$

041 중

오른쪽 그림과 같이 두 직선 $3x-y+3=0$, $x+y-7=0$이 x축과 만나는 점을 각각 A, B라 하고, 두 직선의 교점을 C라 하자. 점 C를 지나고 삼각형 ABC의 넓이를 이등분하는 직선의 방정식이 $ax+by-9=0$일 때, 상수 a, b에 대하여 a^2+b^2의 값은?

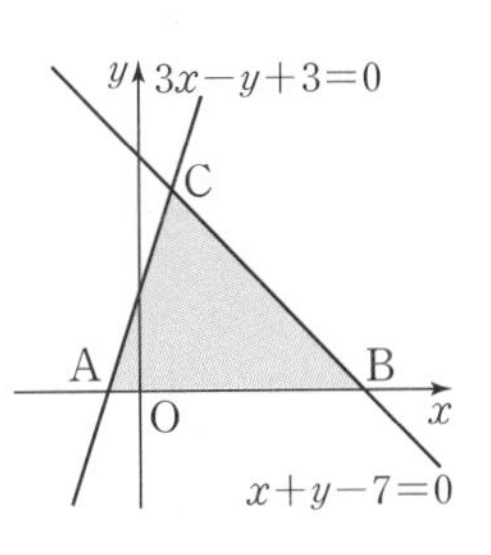

① 4　② 6　③ 8　④ 10　⑤ 12

핵심 유형 10

Ⅲ. 도형의 방정식

직선의 방정식

★ 중요

유형 10 | 두 직선의 위치 관계

(1) 두 직선 $y=mx+n$, $y=m'x+n'$이
① 평행하다. ➡ $m=m'$, $n\neq n'$
② 수직이다. ➡ $mm'=-1$
(2) 두 직선 $ax+by+c=0$, $a'x+b'y+c'=0$이 $(abc\neq0,\ a'b'c'\neq0)$
① 평행하다. ➡ $\frac{a}{a'}=\frac{b}{b'}\neq\frac{c}{c'}$
② 수직이다. ➡ $aa'+bb'=0$

대표 문제

042 직선 $x+3y-2=0$이 직선 $ax-by+3=0$에는 수직이고, 직선 $x-ay-1=0$에는 평행할 때, 상수 a, b에 대하여 a^2+b^2의 값은?

① 5 ② 10 ③ 13
④ 17 ⑤ 20

★ 중요

유형 11 | 한 직선에 평행 또는 수직인 직선의 방정식

(1) 두 직선이 평행하다.
➡ 두 직선의 기울기는 같고 y절편은 다르다.
(2) 두 직선이 수직이다.
➡ 두 직선의 기울기의 곱이 -1이다.

대표 문제

043 두 점 $\mathrm{A}(-1, 3)$, $\mathrm{B}(3, 6)$을 지나는 직선에 수직이고 선분 AB를 $1:2$로 외분하는 점을 지나는 직선의 방정식이 $ax+3y+2b=0$일 때, 상수 a, b에 대하여 $a+b$의 값을 구하시오.

유형 12 | 선분의 수직이등분선의 방정식

선분 AB의 수직이등분선을 l이라 하면
(1) 직선 l과 직선 AB의 기울기의 곱은 -1이다.
(2) 직선 l은 선분 AB의 중점을 지난다.

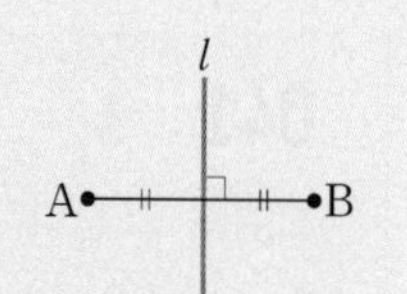

대표 문제

044 두 점 $\mathrm{A}(2, 1)$, $\mathrm{B}(4, -3)$을 이은 선분 AB를 수직이등분하는 직선의 방정식은?

① $x-y-3=0$ ② $x-2y-5=0$
③ $x+y-3=0$ ④ $x+2y-3=0$
⑤ $x+2y-5=0$

유형 13 | 세 직선의 위치 관계

서로 다른 세 직선이 삼각형을 이루지 않는 경우는 다음과 같다.
(1) 세 직선 모두 평행할 때
➡ 세 직선의 기울기가 모두 같다.
(2) 세 직선 중 두 직선이 평행할 때
➡ 두 직선의 기울기는 같고, 다른 한 직선의 기울기는 다르다.
(3) 세 직선이 한 점에서 만날 때
➡ 세 직선의 기울기가 모두 다르다.

대표 문제

045 세 직선 $x+y=0$, $x-2y+3=0$, $ax+y+2=0$이 삼각형을 이루지 않도록 하는 모든 상수 a의 값의 합을 구하시오.

★ 중요

유형 14 | 점과 직선 사이의 거리

점 (x_1, y_1)과 직선 $ax+by+c=0$ 사이의 거리는

$$\frac{|ax_1+by_1+c|}{\sqrt{a^2+b^2}}$$

대표 문제

046 직선 $3x+4y+2=0$에 수직이고 점 $(3, 2)$에서의 거리가 2인 직선의 y절편은? (단, y절편은 양수이다.)

① $\frac{2}{3}$ ② 1 ③ $\frac{4}{3}$

④ $\frac{5}{3}$ ⑤ 2

유형 15 | 평행한 두 직선 사이의 거리

평행한 두 직선 l_1, l_2 사이의 거리는 직선 l_1 위의 임의의 한 점과 직선 l_2 사이의 거리와 같음을 이용하여 구한다.

➡ 직선 l_1 위의 한 점 (x_1, y_1)을 정한 후 점 (x_1, y_1)과 직선 l_2 사이의 거리를 구한다.

대표 문제

047 두 직선 $x+2y+3=0$, $x+2y-7=0$ 사이의 거리는?

① $\sqrt{5}$ ② $2\sqrt{5}$ ③ $3\sqrt{5}$

④ $4\sqrt{5}$ ⑤ $5\sqrt{5}$

유형 16 | 세 꼭짓점의 좌표가 주어진 삼각형의 넓이

세 점 A, B, C를 꼭짓점으로 하는 삼각형 ABC의 넓이는 다음과 같은 순서로 구한다.

(1) 선분 BC의 길이를 구한다.

(2) 직선 BC의 방정식을 구하여 점 A와 직선 BC 사이의 거리 d를 구한다.

(3) $\triangle ABC=\frac{1}{2}\times\overline{BC}\times d$

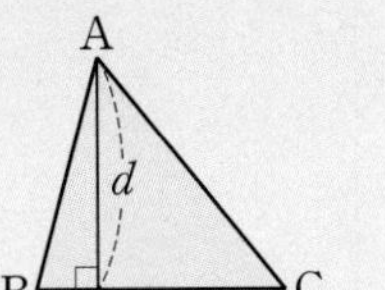

대표 문제

048 세 점 A$(1, 0)$, B$(3, 2)$, C$(2, 5)$를 꼭짓점으로 하는 삼각형 ABC의 넓이는?

① $\frac{5}{2}$ ② 3 ③ $\frac{7}{2}$

④ 4 ⑤ $\frac{9}{2}$

유형 17 | 두 직선이 이루는 각의 이등분선의 방정식

두 직선이 이루는 각의 이등분선의 방정식은 다음과 같은 순서로 구한다.

(1) 각의 이등분선 위의 임의의 점을 P(x, y)로 놓는다.

(2) 점 P에서 두 직선에 이르는 거리가 같음을 이용하여 x, y의 관계식을 구한다.

대표 문제

049 두 직선 $x-2y+3=0$, $2x+y+1=0$이 이루는 각의 이등분선의 방정식을 구하시오.

핵심 유형

완성하기

★중요

유형 10 두 직선의 위치 관계

050 대표 문제 다시 보기

직선 $ax-y-1=0$이 직선 $3x+2y-1=0$에는 수직이고, 직선 $2x+by+1=0$에는 평행할 때, 상수 a, b에 대하여 $3a-b$의 값은?

① -3 ② -1 ③ 1
④ 3 ⑤ 5

051 중

두 직선 $3x+(k+3)y-5=0$, $2x+(k-4)y+1=0$이 평행하도록 하는 상수 k의 값을 α, 수직이 되도록 하는 상수 k의 값을 β라 할 때, $\frac{\alpha}{\beta}$의 값은? (단, $\beta>0$)

① 5 ② 6 ③ 7
④ 8 ⑤ 9

052 중

두 직선 $kx+2y-3=0$, $3x+(k-1)y+1=0$의 교점이 존재하지 않도록 하는 모든 상수 k의 값의 합은?

① -3 ② -2 ③ -1
④ 0 ⑤ 1

053 중

직선 $ax-2y+1=0$이 직선 $bx-3y+2=0$에는 수직이고, 직선 $(b+2)x+2y+4=0$에는 평행할 때, 상수 a, b에 대하여 a^2+b^2의 값은?

① 8 ② 10 ③ 12
④ 14 ⑤ 16

054 중

직선 $x+(a+1)y+2=0$과 직선 $ax+ay+b=0$은 수직이고, 두 직선의 교점의 좌표는 $(1, c)$이다. 이때 상수 a, b, c에 대하여 $a+b+c$의 값은?

① 3 ② 5 ③ 7
④ 9 ⑤ 11

★중요

유형 11 한 직선에 평행 또는 수직인 직선의 방정식

055 대표 문제 다시 보기

두 점 A$(1, 2)$, B$(4, 8)$을 지나는 직선에 수직이고 선분 AB를 $2:1$로 내분하는 점을 지나는 직선의 x절편은?

① 5 ② 10 ③ 15
④ 20 ⑤ 25

056 하

두 점 $(-2, -3)$, $(2, 1)$을 지나는 직선에 평행하고 x절편이 -3인 직선이 점 $(2, k)$를 지날 때, k의 값은?

① -5 ② -3 ③ -1
④ 2 ⑤ 5

057 중

두 직선 $2x+y+5=0$, $x+3y-2=0$의 교점을 지나고 직선 $2x-y+3=0$에 수직인 직선의 방정식은?

① $5x-10y-2=0$ ② $5x-6y-1=0$
③ $5x+6y-1=0$ ④ $5x+10y-1=0$
⑤ $5x+12y-2=0$

058 중

점 $A(3, 2)$에서 직선 $2x-y+1=0$에 내린 수선의 발을 $H(a, b)$라 할 때, $a+b$의 값은?

① 2 ② 3 ③ 4
④ 5 ⑤ 6

유형 12 선분의 수직이등분선의 방정식

059 대표 문제 다시 보기

두 점 $A(-1, 2)$, $B(5, 4)$를 이은 선분 AB를 수직이등분하는 직선이 점 $(a, 6)$을 지날 때, a의 값은?

① -3 ② -1 ③ 1
④ 3 ⑤ 5

060 중

직선 $2x+y-4=0$이 x축, y축과 만나는 점을 각각 A, B라 할 때, 선분 AB의 수직이등분선의 방정식은?

① $x-2y+3=0$ ② $x-2y+5=0$
③ $x-2y+8=0$ ④ $2x+y-5=0$
⑤ $2x+y-3=0$

061 중

두 점 $A(1, 3)$, $B(5, a)$를 이은 선분 AB를 수직이등분하는 직선의 방정식이 $y=-2x+b$일 때, 상수 a, b에 대하여 $a+b$의 값은?

① 14 ② 15 ③ 16
④ 17 ⑤ 18

유형 13 세 직선의 위치 관계

062 대표 문제 다시 보기

세 직선 $2x-y=0$, $x+y-2=0$, $ax-y+4=0$이 삼각형을 이루지 않도록 하는 모든 상수 a의 값의 합은?

① -5 ② -4 ③ -3
④ 3 ⑤ 4

063 중

세 직선 $3x+y-6=0$, $2x-y-3=0$, $ax+2y+1=0$에 의하여 생기는 교점이 2개가 되도록 하는 모든 상수 a의 값의 합은?

① -1 ② 2 ③ 4
④ 5 ⑤ 7

064 중

세 직선 $3x+2y=0$, $x+2y-4=0$, $ax-y+2=0$으로 둘러싸인 도형이 직각삼각형이 되도록 하는 정수 a의 값을 구하시오.

065 중

서로 다른 세 직선 $ax-y-3=0$, $4x+by-5=0$, $2x+y+5=0$이 좌표평면을 4개의 영역으로 나눌 때, 상수 a, b에 대하여 $a+b$의 값을 구하시오.

중요

유형 14 점과 직선 사이의 거리

066 대표 문제 다시 보기

직선 $3x-4y+17=0$에 평행하고 점 $(-1,\ -2)$에서의 거리가 2인 직선의 y절편을 구하시오. (단, y절편은 음수이다.)

067 하

점 $(1,\ -4)$와 직선 $2x+y-3=0$ 사이의 거리는?

① $\frac{\sqrt{5}}{5}$ ② $\frac{2\sqrt{5}}{5}$ ③ $\frac{3\sqrt{5}}{5}$
④ $\frac{4\sqrt{5}}{5}$ ⑤ $\sqrt{5}$

068 중

점 $(-2,\ 3)$과 직선 $4x+3y-k=0$ 사이의 거리가 1이 되도록 하는 모든 상수 k의 값의 합을 구하시오.

069 중

직선 $(k+2)x+2(k-1)y+3=0$이 실수 k의 값에 관계없이 항상 점 P를 지날 때, 점 P와 직선 $3x+4y-9=0$ 사이의 거리는?

① $\frac{1}{2}$ ② 1 ③ $\frac{3}{2}$
④ 2 ⑤ $\frac{5}{2}$

070 중

x축 위의 점 P에서 두 직선 $2x-y+3=0$, $x-2y-6=0$에 이르는 거리가 같을 때, 다음 보기 중 점 P의 좌표가 될 수 있는 것만을 있는 대로 고른 것은?

보기
ㄱ. $(-9, 0)$ ㄴ. $(-5, 0)$
ㄷ. $(1, 0)$ ㄹ. $(7, 0)$

① ㄱ, ㄴ ② ㄱ, ㄷ ③ ㄱ, ㄹ
④ ㄴ, ㄷ ⑤ ㄷ, ㄹ

071 중

점 $(2, 5)$와 직선 $kx+2y-2k-4=0$ 사이의 거리를 $f(k)$라 할 때, $f(k)$의 최댓값은? (단, k는 상수)

① 1 ② $\frac{3}{2}$ ③ 2
④ $\frac{5}{2}$ ⑤ 3

072 상 신유형

오른쪽 그림과 같이 정사각형 ABCD의 두 꼭짓점 A, C의 좌표가 각각 $(3, 6)$, $(9, 3)$일 때, 원점 O와 직선 BD 사이의 거리를 구하시오.

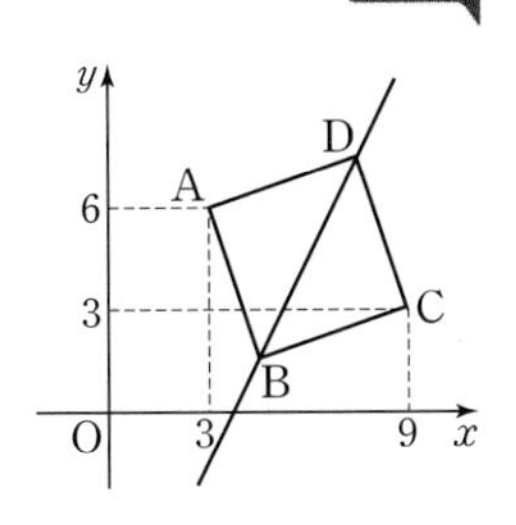

유형 15 평행한 두 직선 사이의 거리

073 대표 문제 다시 보기

두 직선 $3x+4y+4=0$, $3x+4y-6=0$ 사이의 거리는?

① 2 ② 4 ③ 6
④ 8 ⑤ 10

074 중

두 직선 $7x+y=0$, $7x+y+a=0$ 사이의 거리가 $3\sqrt{2}$일 때, 양수 a의 값은?

① 20 ② 25 ③ 30
④ 35 ⑤ 40

075 중

오른쪽 그림과 같이 평행한 두 직선 $x+ky+4=0$, $kx+y-2=0$ 위에 사각형 ABCD가 정사각형이 되도록 네 점 A, B, C, D를 잡을 때, 이 정사각형의 넓이는? (단, k는 양수)

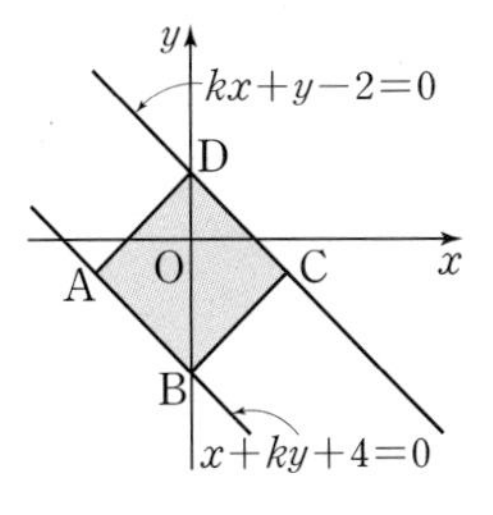

① 9 ② 12
③ 16 ④ 18
⑤ 25

정답과 해설 96쪽

유형 16 세 꼭짓점의 좌표가 주어진 삼각형의 넓이

076 대표 문제 다시 보기

세 점 A$(-2, 1)$, B$(3, -1)$, C$(1, 3)$을 꼭짓점으로 하는 삼각형 ABC의 넓이를 구하시오.

077 중

세 점 A$(2, 0)$, B$(0, 2)$, C$(3, a)$를 꼭짓점으로 하는 삼각형 ABC의 넓이가 6일 때, 양수 a의 값은?

① 3 ② 4 ③ 5
④ 6 ⑤ 7

078 중

오른쪽 그림과 같이 두 점 O$(0, 0)$, A$(3, 2)$와 직선 $2x-3y+12=0$ 위의 한 점 P를 꼭짓점으로 하는 삼각형 OAP의 넓이를 구하시오.

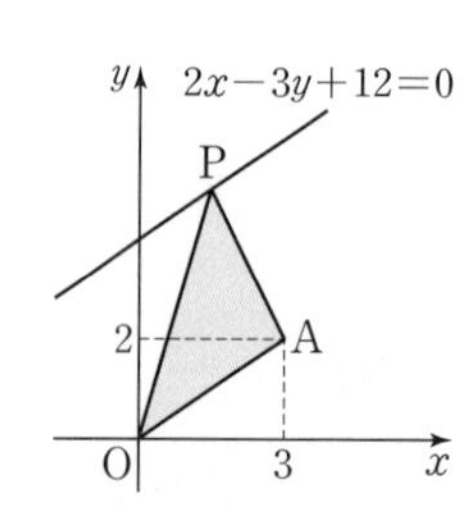

079 상

세 직선 $x-2y=0$, $2x+3y-21=0$, $4x-y-7=0$으로 둘러싸인 도형의 넓이를 구하시오.

유형 17 두 직선이 이루는 각의 이등분선의 방정식

080 대표 문제 다시 보기

두 직선 $x+3y+2=0$, $3x+y-2=0$이 이루는 각의 이등분선 중 y절편이 음수인 직선의 방정식은?

① $x-y-2=0$ ② $x-y-1=0$
③ $x+y+1=0$ ④ $x+y+2=0$
⑤ $x+y+3=0$

081 중

점 P에서 두 직선 $3x+2y+1=0$, $2x-3y-5=0$에 이르는 거리가 같을 때, 다음 보기 중 점 P가 나타내는 도형의 방정식인 것만을 있는 대로 고른 것은?

보기

ㄱ. $x+5y-2=0$ ㄴ. $x+5y+6=0$
ㄷ. $5x-y-4=0$ ㄹ. $5x+y+8=0$

① ㄱ, ㄴ ② ㄱ, ㄹ ③ ㄴ, ㄷ
④ ㄴ, ㄹ ⑤ ㄷ, ㄹ

082 상

세 점 A$(-1, 1)$, B$(2, -1)$, C$(4, 2)$를 꼭짓점으로 하는 삼각형 ABC에 대하여 점 B와 삼각형 ABC의 내심을 지나는 직선의 방정식을 구하시오.

정답과 해설 97쪽

083
유형 01

점 $(2, 4)$를 지나고 기울기가 3인 직선의 방정식이 $y=mx+n$일 때, 상수 m, n에 대하여 $m+n$의 값을 구하시오.

084
유형 01

기울기가 2이고 두 점 $(3, -k)$, $(k-3, 0)$을 지나는 직선의 y절편은?

① -18 ② -16 ③ -12
④ 4 ⑤ 8

085
유형 02

세 점 $A(1, 4)$, $B(7, -1)$, $C(3, 13)$에 대하여 점 A와 선분 BC의 중점을 지나는 직선의 방정식이 $ax+by+7=0$일 때, 상수 a, b에 대하여 $a+b$의 값을 구하시오.

086
유형 03

x절편과 y절편의 절댓값이 같고 부호가 반대인 직선이 점 $(-1, 2)$를 지날 때, 이 직선의 x절편은?

① -6 ② -3 ③ 1
④ 3 ⑤ 6

087
유형 04

세 점 $A(-2, -1)$, $B(k, 8)$, $C(2, 5k+6)$이 직선 l 위에 있을 때, 직선 l의 방정식을 구하시오. (단, $k>0$)

088
유형 05

오른쪽 그림과 같은 직사각형의 넓이를 이등분하고 점 $(1, -2)$를 지나는 직선의 방정식이 $y=ax+b$일 때, 상수 a, b에 대하여 $a-b$의 값은?

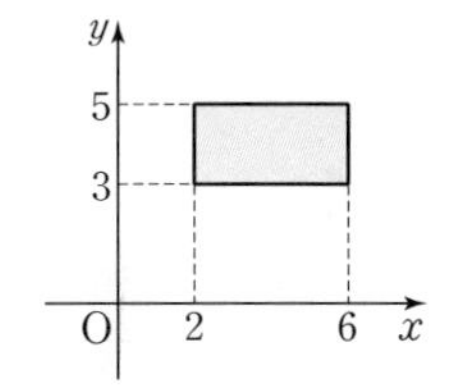

① 4 ② 5
③ 6 ④ 7
⑤ 8

089
유형 05

세 점 $A(2, 3)$, $B(3, -2)$, $C(5, 6)$을 꼭짓점으로 하는 삼각형 ABC에 대하여 점 A를 지나고 삼각형 ABC의 넓이를 이등분하는 직선이 점 $(-2, a)$를 지날 때, a의 값은?

① -5 ② -3 ③ -1
④ 3 ⑤ 5

090

유형 06

직선 $ax+by+c=0$의 개형이 오른쪽 그림과 같을 때, 직선 $cx+by+a=0$이 지나지 않는 사분면은? (단, a, b, c는 상수)

① 제1사분면 ② 제2사분면 ③ 제3사분면 ④ 제4사분면 ⑤ 제1, 4사분면

091

유형 07

직선 $(k+3)x+(2k-1)y-11k-5=0$이 실수 k의 값에 관계없이 항상 점 (a, b)를 지날 때, $a+b$의 값은?

① 3 ② 4 ③ 5 ④ 6 ⑤ 7

092

유형 08

직선 $y=kx-k+2$가 오른쪽 그림과 같은 삼각형과 만나도록 하는 실수 k의 최댓값을 M, 최솟값을 m이라 할 때, Mm의 값은?

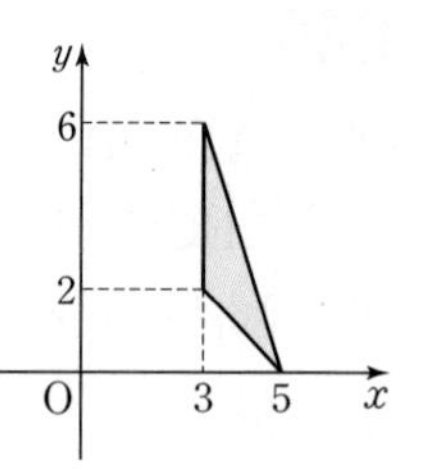

① -2 ② -1 ③ 0 ④ 1 ⑤ 2

093

유형 09

두 직선 $3x-4y+1=0$, $2x+y-8=0$의 교점과 점 $(1, 2)$를 지나는 직선의 방정식을 구하시오.

094

유형 10

두 직선 $(k+3)x+2y-4=0$, $kx-2y+3=0$이 평행하도록 하는 상수 k의 값을 α, 수직이 되도록 하는 상수 k의 값을 β라 할 때, $\alpha+\beta$의 값은? (단, $\beta>0$)

① -1 ② $-\frac{1}{2}$ ③ 0 ④ $\frac{1}{2}$ ⑤ 1

095

유형 11

두 점 $A(1, -3)$, $B(3, a)$를 지나는 직선이 직선 $4x-ay=1$과 수직일 때, 상수 a의 값을 구하시오.

096

유형 12

직선 $2x+y-1=0$이 두 점 $A(1, 4)$, $B(a, b)$를 이은 선분 AB를 수직이등분할 때, $a-b$의 값은?

① -5 ② -3 ③ -1 ④ 0 ⑤ 1

097
유형 13

세 직선 $3x-y-1=0$, $x+y-7=0$, $y=mx-3$이 좌표평면을 6개의 영역으로 나눌 때, 모든 상수 m의 값의 합을 구하시오.

098
유형 14

점 $(1, 3)$을 지나는 직선 중 원점과의 거리가 3인 직선의 x절편은? (단, 직선은 좌표축과 평행하지 않다.)

① -5 ② -3 ③ -2
④ 3 ⑤ 5

099
유형 08+14

직선 l: $kx-2y-2k+3=0$에 대하여 다음 보기 중 옳은 것만을 있는 대로 고르시오. (단, k는 실수)

보기

ㄱ. $k=-1$이면 직선 l은 직선 $2x+4y+3=0$에 평행하다.
ㄴ. 점 $(2, 0)$과 직선 l 사이의 거리의 최댓값은 2이다.
ㄷ. 직선 $x+3y-3=0$과 직선 l이 제1사분면에서 만나지 않도록 하는 k의 값의 범위는 $-3\le k\le\frac{1}{2}$이다.

100
유형 15

평행한 두 직선 $kx+y-2=0$, $2x+(2k-3)y+3=0$ 사이의 거리는? (단, $k>0$)

① $\sqrt{2}$ ② $\sqrt{3}$ ③ 2
④ $\sqrt{5}$ ⑤ $2\sqrt{2}$

101
유형 16

직선 $2x+y-12=0$과 두 직선 $y=x$, $y=2x$가 만나는 점을 각각 A, B라 할 때, 삼각형 OAB의 넓이는? (단, O는 원점)

① 6 ② 7 ③ 8
④ 9 ⑤ 10

102
유형 17

두 직선 $x+2y+1=0$, $2x+y+3=0$이 이루는 각의 이등분선이 점 $(3, a)$를 지날 때, 정수 a의 값은?

① -4 ② -1 ③ 2
④ 3 ⑤ 5

Ⅲ. 도형의 방정식

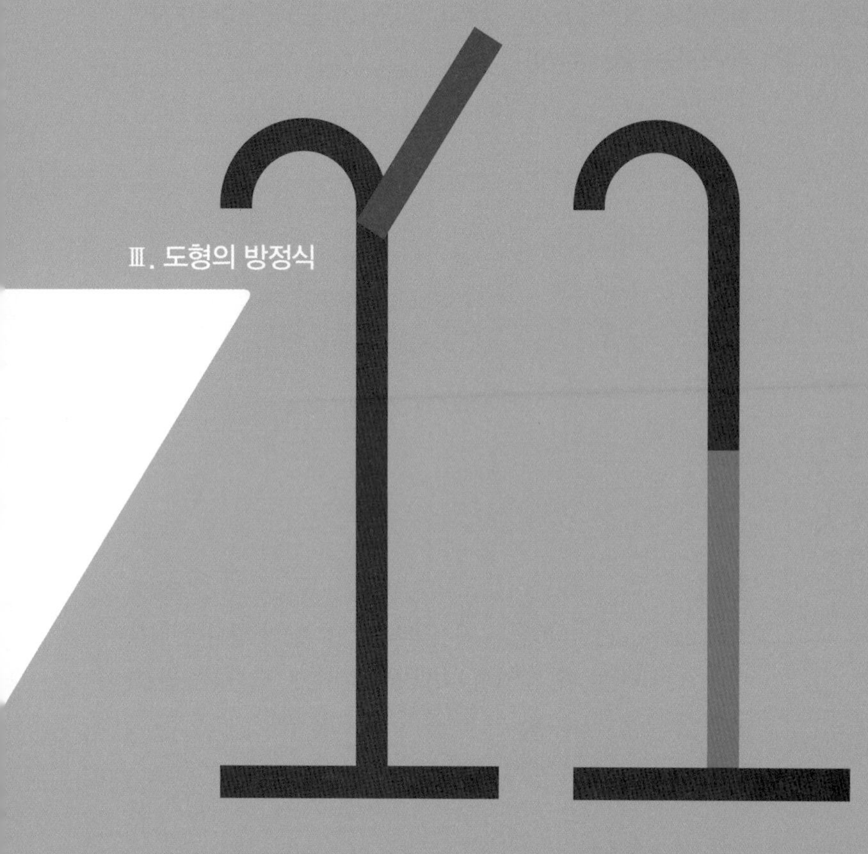

원의 방정식

유형 01 원의 방정식 구하기

유형 02 중심이 직선 위에 있는 원의 방정식

유형 03 이차방정식 $x^2+y^2+Ax+By+C=0$이 나타내는 도형

유형 04 세 점을 지나는 원의 방정식

유형 05 x축 또는 y축에 접하는 원의 방정식

유형 06 x축과 y축에 동시에 접하는 원의 방정식

유형 07 두 원의 교점을 지나는 원의 방정식

유형 08 두 원의 교점을 지나는 직선의 방정식

유형 09 조건을 만족시키는 점이 나타내는 도형의 방정식

유형 10 원과 직선의 위치 관계

유형 11 현의 길이

유형 12 접선의 길이

유형 13 원 위의 점과 직선 사이의 거리

유형 14 기울기가 주어진 원의 접선의 방정식

유형 15 원 위의 점에서의 접선의 방정식

유형 16 원 밖의 한 점에서 그은 접선의 방정식

핵심 유형 11

Ⅲ. 도형의 방정식

원의 방정식

★ 중요

유형 01 | 원의 방정식 구하기

(1) 중심의 좌표가 $(a,\ b)$이고 점 $(x_1,\ y_1)$을 지나는 원의 방정식은 $(x-a)^2+(y-b)^2=r^2$으로 놓고 점 $(x_1,\ y_1)$의 좌표를 대입하여 구한다.

(2) 두 점 A, B를 지름의 양 끝 점으로 하는 원의 방정식은 다음을 이용하여 구한다.

① 원의 중심을 C라 하면 점 C는 $\overline{AB}$의 중점이다.

② 원의 반지름의 길이는 $\overline{AC}$ 또는 $\overline{BC}$ 또는 $\frac{1}{2}\overline{AB}$이다.

대표 문제

001 원 $(x+3)^2+(y-5)^2=12$와 중심이 같고 점 $(0,\ -1)$을 지나는 원의 넓이는?

① 25π ② 30π ③ 35π ④ 40π ⑤ 45π

유형 02 | 중심이 직선 위에 있는 원의 방정식

(1) 중심이 x축 위에 있으면

➡ 중심의 좌표는 $(a,\ 0)$

➡ 원의 방정식은 $(x-a)^2+y^2=r^2$

(2) 중심이 y축 위에 있으면

➡ 중심의 좌표는 $(0,\ a)$

➡ 원의 방정식은 $x^2+(y-a)^2=r^2$

(3) 중심이 $y=f(x)$의 그래프 위에 있으면

➡ 중심의 좌표는 $(a,\ f(a))$

➡ 원의 방정식은 $(x-a)^2+\{y-f(a)\}^2=r^2$

대표 문제

002 중심이 y축 위에 있고 두 점 $(4,\ 0)$, $(3,\ 7)$을 지나는 원의 방정식은?

① $(x-3)^2+y^2=16$ ② $(x+3)^2+y^2=25$

③ $x^2+(y-3)^2=25$ ④ $x^2+(y+3)^2=16$

⑤ $(x-3)^2+(y-3)^2=25$

유형 03 | 이차방정식 $x^2+y^2+Ax+By+C=0$이 나타내는 도형

(1) 이차방정식 $x^2+y^2+Ax+By+C=0\ (A^2+B^2-4C>0)$이 나타내는 도형

➡ $(x-a)^2+(y-b)^2=r^2$ 꼴로 변형하면 중심의 좌표가 $(a,\ b)$이고 반지름의 길이가 r인 원이다.

(2) 이차방정식 $x^2+y^2+Ax+By+C=0$이 원을 나타내려면

➡ $(x-a)^2+(y-b)^2=c$ 꼴로 변형한 후 $c>0$임을 이용한다.

대표 문제

003 방정식 $x^2+y^2+4kx-2y+4k+9=0$이 원을 나타내도록 하는 실수 k의 값의 범위를 구하시오.

유형 04 | 세 점을 지나는 원의 방정식

(1) 원점과 두 점을 지나는 원의 방정식

➡ 원의 방정식을 $x^2+y^2+Ax+By+C=0$으로 놓고 원점과 두 점의 좌표를 대입하여 A, B, C의 값을 구한다.

(2) 원점이 아닌 세 점을 지나는 원의 방정식

➡ 원의 중심을 $\mathrm{P}(a, b)$로 놓고 원이 지나는 세 점 A, B, C에 대하여 $\overline{\mathrm{PA}}=\overline{\mathrm{PB}}=\overline{\mathrm{PC}}$임을 이용하여 원의 중심의 좌표와 반지름의 길이를 구한다.

대표 문제

004 원점과 두 점 $(0, 4)$, $(3, -3)$을 지나는 원의 방정식은?

① $x^2+y^2-10x-4y=0$　② $x^2+y^2-8x-6y=0$
③ $x^2+y^2-6x-8y=0$　④ $x^2+y^2-4x-10y=0$
⑤ $x^2+y^2-4x+8y=0$

유형 05 | x축 또는 y축에 접하는 원의 방정식

(1) 중심의 좌표가 (a, b)이고 x축에 접하는 원의 방정식

➡ (반지름의 길이)$=|$(중심의 y좌표)$|$
$=|b|$

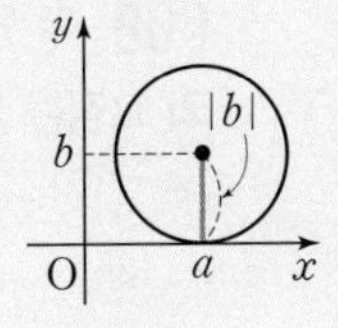

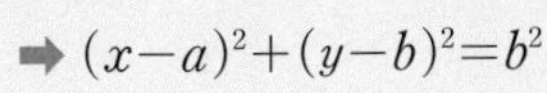

➡ $(x-a)^2+(y-b)^2=b^2$

(2) 중심의 좌표가 (a, b)이고 y축에 접하는 원의 방정식

➡ (반지름의 길이)$=|$(중심의 x좌표)$|$
$=|a|$

➡ $(x-a)^2+(y-b)^2=a^2$

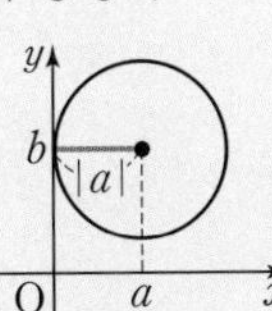

대표 문제

005 중심이 직선 $y=x+3$ 위에 있고 점 $(1, 2)$를 지나는 두 원이 x축에 접할 때, 이 두 원의 넓이의 합은?

① 104π　② 109π　③ 116π
④ 125π　⑤ 136π

★ 중요

유형 06 | x축과 y축에 동시에 접하는 원의 방정식

반지름의 길이가 r이고 x축과 y축에 동시에 접하는 원의 방정식은

(반지름의 길이)$=|$(중심의 x좌표)$|$
$=|$(중심의 y좌표)$|$
$=r$

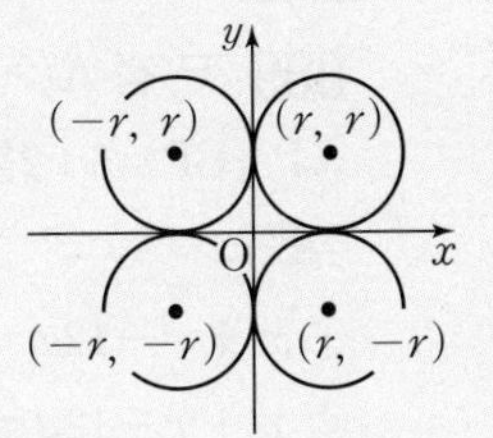

이므로 중심의 위치에 따라 다음과 같다.

(1) 제1사분면 ➡ $(x-r)^2+(y-r)^2=r^2$
(2) 제2사분면 ➡ $(x+r)^2+(y-r)^2=r^2$
(3) 제3사분면 ➡ $(x+r)^2+(y+r)^2=r^2$
(4) 제4사분면 ➡ $(x-r)^2+(y+r)^2=r^2$

대표 문제

006 점 $(2, 1)$을 지나고 x축과 y축에 동시에 접하는 두 원의 둘레의 길이의 합은?

① 2π　② 6π　③ 10π
④ 12π　⑤ 15π

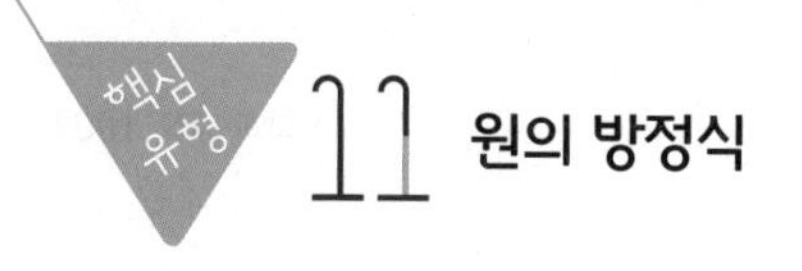

유형 07 | 두 원의 교점을 지나는 원의 방정식

서로 다른 두 점에서 만나는 두 원

$$x^2+y^2+Ax+By+C=0,\ x^2+y^2+A'x+B'y+C'=0$$

의 교점을 지나는 원의 방정식은

$$x^2+y^2+Ax+By+C+k(x^2+y^2+A'x+B'y+C')=0$$

(단, $k\neq-1$)

예 두 원 $x^2+y^2+2x-2y-1=0$, $x^2+y^2+3x+1=0$의 교점을 지나는 원의 방정식은
$x^2+y^2+2x-2y-1+k(x^2+y^2+3x+1)=0$ (단, $k\neq-1$)

대표 문제

007 두 원 $x^2+y^2=2$, $x^2+y^2-2x+4y+2=0$의 교점과 원점을 지나는 원의 방정식이 $x^2+y^2+ax+by=0$일 때, 상수 a, b에 대하여 $a+b$의 값은?

① -2　② -1　③ 0
④ 1　⑤ 2

★ 중요

유형 08 | 두 원의 교점을 지나는 직선의 방정식

서로 다른 두 점에서 만나는 두 원

$$x^2+y^2+Ax+By+C=0,\ x^2+y^2+A'x+B'y+C'=0$$

의 교점을 지나는 직선의 방정식은

$$x^2+y^2+Ax+By+C-(x^2+y^2+A'x+B'y+C')=0$$

$$\therefore (A-A')x+(B-B')y+(C-C')=0$$

예 두 원 $x^2+y^2-3x+2y=0$, $x^2+y^2-4x-y+3=0$의 교점을 지나는 직선의 방정식은
$x^2+y^2-3x+2y-(x^2+y^2-4x-y+3)=0$
$\therefore x+3y-3=0$

대표 문제

008 두 원 $x^2+y^2+x-5y+1=0$, $x^2+y^2-2x-4y-4=0$의 교점을 지나는 직선의 기울기는?

① -2　② -1　③ 1
④ 2　⑤ 3

유형 09 | 조건을 만족시키는 점이 나타내는 도형의 방정식

조건을 만족시키는 점의 좌표를 (x, y)로 놓고 주어진 조건을 이용하여 x, y 사이의 관계식을 구한다.

참고 두 점 A, B에 대하여
$\overline{AP}:\overline{BP}=m:n$
$(m>0,\ n>0,\ m\neq n)$

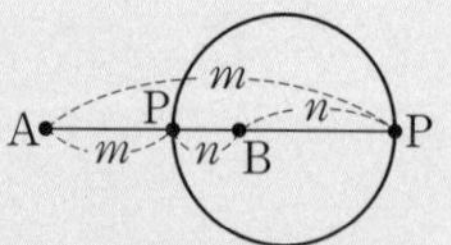

을 만족시키는 점 P가 나타내는 도형은 선분 AB를 $m:n$으로 내분하는 점과 $m:n$으로 외분하는 점을 지름의 양 끝 점으로 하는 원이다.
이 원을 아폴로니오스의 원이라 한다.

대표 문제

009 두 점 $A(-3, 0)$, $B(2, 0)$에 대하여 $\overline{AP}:\overline{BP}=3:2$를 만족시키는 점 P가 나타내는 도형의 방정식은?

① $x^2+y^2-12x=0$　② $x^2+y^2-6x=0$
③ $x^2+y^2-12y=0$　④ $x^2+y^2-6y=0$
⑤ $x^2+y^2-6x-12y=0$

★ 중요

유형 01 원의 방정식 구하기

010 대표 문제 다시 보기

원 $(x+2)^2+(y-3)^2=4$와 중심이 같고 점 $(0, 1)$을 지나는 원의 둘레의 길이는?

① $\sqrt{2}\pi$ ② $2\sqrt{2}\pi$ ③ $3\sqrt{2}\pi$
④ $4\sqrt{2}\pi$ ⑤ $5\sqrt{2}\pi$

011 하

중심의 좌표가 $(-1, 2)$이고 원 $(x-1)^2+(y-3)^2=9$와 반지름의 길이가 같은 원이 점 $(a, 5)$를 지날 때, a의 값은?

① -1 ② 0 ③ 1
④ 2 ⑤ 3

012 중

두 점 $A(2, -3)$, $B(1, -2)$를 이은 선분 AB를 $3:2$로 외분하는 점을 중심으로 하고 점 A를 지나는 원의 방정식은?

① $x^2+(y-1)^2=9$ ② $x^2+(y+1)^2=18$
③ $(x-1)^2+y^2=9$ ④ $(x+1)^2+y^2=18$
⑤ $(x+1)^2+(y+1)^2=18$

013 중

세 점 $A(1, 2)$, $B(3, 6)$, $C(-4, -5)$를 꼭짓점으로 하는 삼각형 ABC의 무게중심을 G라 할 때, 점 G를 중심으로 하고 선분 AG를 반지름으로 하는 원의 방정식을 구하시오.

014 중

두 점 $A(5, -3)$, $B(3, 1)$을 지름의 양 끝 점으로 하는 원의 방정식이 $(x-a)^2+(y-b)^2=c$일 때, 상수 a, b, c에 대하여 $a+b+c$의 값은?

① 2 ② 4 ③ 6
④ 8 ⑤ 10

015 중

세 점 $A(1, 3)$, $B(-1, 3)$, $C(3, -5)$를 꼭짓점으로 하는 삼각형 ABC에 대하여 꼭짓점 A에서 변 BC에 그은 중선을 지름으로 하는 원의 방정식은?

① $(x-1)^2+(y-1)^2=2$ ② $(x-1)^2+(y-1)^2=4$
③ $(x-1)^2+(y+1)^2=2$ ④ $(x-1)^2+(y+1)^2=4$
⑤ $(x+1)^2+(y+1)^2=4$

유형 02 중심이 직선 위에 있는 원의 방정식

016 대표 문제 다시 보기

중심이 x축 위에 있고 두 점 $(3, 1)$, $(-1, 5)$를 지나는 원의 방정식은?

① $(x-3)^2+y^2=21$
② $(x-2)^2+y^2=\sqrt{26}$
③ $(x-2)^2+y^2=26$
④ $(x+2)^2+y^2=\sqrt{26}$
⑤ $(x+2)^2+y^2=26$

017 중

중심이 직선 $y=x$ 위에 있고 반지름의 길이가 $\sqrt{2}$이며 원점을 지나는 원의 방정식이 $(x-a)^2+(y-b)^2=c$일 때, 상수 a, b, c에 대하여 abc의 값은?

① $\frac{3}{2}$
② 2
③ $\frac{5}{2}$
④ 3
⑤ $\frac{7}{2}$

018 중

중심이 직선 $y=2x-1$ 위에 있고 두 점 $(3, 2)$, $(5, -2)$를 지나는 원의 중심의 좌표가 (a, b)일 때, $a+b$의 값은?

① -5
② -4
③ -3
④ -2
⑤ -1

유형 03 이차방정식 $x^2+y^2+Ax+By+C=0$이 나타내는 도형

019 대표 문제 다시 보기

방정식 $x^2+y^2-4x+4ky+5k^2-5k+4=0$이 원을 나타내도록 하는 정수 k의 개수는?

① 2
② 3
③ 4
④ 5
⑤ 6

020 하

다음 중 원의 방정식이 아닌 것은?

① $x^2+y^2+2x=0$
② $x^2+y^2-6y+7=0$
③ $x^2+y^2-2x-2y+1=0$
④ $x^2+y^2+4x+2y+1=0$
⑤ $x^2+y^2+4x+4y+8=0$

021 중

방정식 $x^2+y^2-4x+6y+4=0$이 나타내는 도형의 둘레의 길이를 구하시오.

022 중

방정식 $x^2+y^2-6kx+2ky+11k^2-2k-3=0$이 원을 나타낼 때, 원의 넓이가 최대가 되도록 하는 원의 반지름의 길이를 구하시오. (단, k는 실수)

유형 04 세 점을 지나는 원의 방정식

023 대표 문제 다시 보기

원점과 두 점 $(1,\ 2)$, $(-1,\ 3)$을 지나는 원의 방정식을 구하시오.

024 중

네 점 $(0,\ 0)$, $(-2,\ 4)$, $(2,\ 6)$, $(p,\ 2)$가 한 원 위에 있을 때, 양수 p의 값은?

① 3 ② 4 ③ 5
④ 6 ⑤ 7

025 중

세 점 $\mathrm{A}(-3,\ 1)$, $\mathrm{B}(-2,\ -6)$, $\mathrm{C}(1,\ 3)$을 지나는 원의 넓이를 구하시오.

026 상

세 직선 $x+3y=0$, $2x+y=0$, $x-2y+5=0$으로 둘러싸인 삼각형의 외접원의 방정식은?

① $x^2+y^2+3x+y=0$ ② $x^2+y^2+3x-y=0$
③ $x^2+y^2-x+3y=0$ ④ $x^2+y^2-x-3y=0$
⑤ $x^2+y^2-3x-y=0$

유형 05 x축 또는 y축에 접하는 원의 방정식

027 대표 문제 다시 보기

중심이 직선 $y=-x-1$ 위에 있고 점 $(-2,\ 3)$을 지나는 두 원이 y축에 접할 때, 이 두 원의 반지름의 길이의 합은?

① 10 ② 11 ③ 12
④ 13 ⑤ 14

028 중

두 점 $(0,\ 2)$, $(1,\ 3)$을 지나고 y축에 접하는 원의 넓이를 구하시오.

029 중

원 $x^2+y^2+4kx-4y+9=0$은 x축에 접하고 중심이 제2사분면 위에 있을 때, 상수 k의 값은?

① -3 ② $-\frac{3}{2}$ ③ $\frac{1}{2}$
④ $\frac{3}{2}$ ⑤ 3

030 중

원 $x^2+y^2-4x-2ay-b+2=0$이 x축에 접하고 점 $(2,\ 6)$을 지날 때, 상수 a, b에 대하여 ab의 값은?

① -8 ② -6 ③ -4
④ -2 ⑤ -1

★ 중요

유형 06 x축과 y축에 동시에 접하는 원의 방정식

031 대표 문제 다시 보기

점 $(-1, 2)$를 지나고 x축과 y축에 동시에 접하는 두 원의 중심 사이의 거리를 구하시오.

032 중

중심이 직선 $3x+y-4=0$ 위에 있고 x축과 y축에 동시에 접하는 원의 넓이는? (단, 원의 중심은 제4사분면 위에 있다.)

① π ② 2π ③ 4π
④ 9π ⑤ 16π

033 중

원 $x^2+y^2+6x+2ay+6-b=0$이 x축과 y축에 동시에 접할 때, 상수 a, b에 대하여 $a-b$의 값은? (단, $a>0$)

① 2 ② 3 ③ 4
④ 5 ⑤ 6

034 상

중심이 직선 $y=2x-3$ 위에 있고 x축과 y축에 동시에 접하는 두 원의 둘레의 길이의 합을 구하시오.

유형 07 두 원의 교점을 지나는 원의 방정식

035 대표 문제 다시 보기

두 원 $x^2+y^2-4x+2y-3=0$, $x^2+y^2-2y-5=0$의 교점과 점 $(-1, -1)$을 지나는 원의 넓이는?

① 4π ② $\frac{9}{2}\pi$ ③ 5π
④ $\frac{11}{2}\pi$ ⑤ 6π

036 중

두 원 $x^2+y^2-2ax-5=0$, $x^2+y^2-6x+10y-7=0$의 교점과 두 점 $(0, 1)$, $(1, 1)$을 지나는 원의 방정식을 구하시오. (단, a는 상수)

★ 중요

유형 08 두 원의 교점을 지나는 직선의 방정식

037 대표 문제 다시 보기

두 원 $x^2+y^2=4$, $x^2+y^2-2x+6y+7=0$의 교점을 지나는 직선의 방정식이 $2x+ay+b=0$일 때, 상수 a, b에 대하여 $a-b$의 값은?

① 1 ② 3 ③ 5
④ 7 ⑤ 9

038 중

두 원 $x^2+y^2+6x-y+4=0$, $x^2+y^2+ax-2y+1=0$의 교점을 지나는 직선의 기울기가 -2일 때, 상수 a의 값은?

① -4 ② -2 ③ 1
④ 2 ⑤ 4

039 중

두 원 $x^2+y^2=16$, $(x-2)^2+(y+1)^2=13$의 교점을 지나는 직선이 x축, y축과 만나는 점을 각각 A, B라 할 때, 삼각형 OAB의 넓이는? (단, O는 원점)

① 2 ② 4 ③ 6
④ 8 ⑤ 10

040 상

두 원

C_1: $x^2+y^2+6x-4y+9=0$,

C_2: $x^2+y^2+4x-6y+a=0$

에 대하여 두 원 C_1, C_2의 교점을 지나는 직선이 원 C_1의 넓이를 이등분할 때, 상수 a의 값은?

① 4 ② 5 ③ 6
④ 7 ⑤ 8

유형 09 조건을 만족시키는 점이 나타내는 도형의 방정식

041 대표 문제 다시 보기

두 점 A$(-1, 0)$, B$(2, 0)$에 대하여 $\overline{AP}:\overline{BP}=2:1$을 만족시키는 점 P가 나타내는 도형의 넓이는?

① π ② 2π ③ 3π
④ 4π ⑤ 5π

042 중

두 점 A$(-1, 0)$, B$(3, 0)$에 대하여 $\overline{AP}^2+\overline{BP}^2=26$을 만족시키는 점 P가 나타내는 도형의 둘레의 길이는?

① 5π ② $\frac{11}{2}\pi$ ③ 6π
④ $\frac{13}{2}\pi$ ⑤ 7π

043 상

점 A$(2, -2)$와 원 $x^2+y^2+4x-6y-12=0$ 위의 점 P에 대하여 선분 AP의 중점 Q가 나타내는 도형의 방정식을 구하시오.

044 상

두 점 A$(-2, 0)$, B$(3, 0)$에 대하여 $\overline{AP}:\overline{BP}=3:2$를 만족시키는 점 P가 있다. 세 점 A, B, P를 꼭짓점으로 하는 삼각형 ABP의 넓이의 최댓값을 구하시오.

핵심 유형 11

Ⅲ. 도형의 방정식

원의 방정식

★ 중요

유형 10 | 원과 직선의 위치 관계

원의 방정식과 직선의 방정식을 연립하여 얻은 이차방정식의 판별식을 D라 하고, 원의 중심과 직선 사이의 거리를 d, 원의 반지름의 길이를 r라 하면 원과 직선의 위치 관계는

(1) $D>0$ 또는 $d<r$ ➡ 서로 다른 두 점에서 만난다.

(2) $D=0$ 또는 $d=r$ ➡ 한 점에서 만난다(접한다).

(3) $D<0$ 또는 $d>r$ ➡ 만나지 않는다.

참고 원의 중심이 원점이 아닌 경우에는 원의 중심과 직선 사이의 거리를 이용하는 것이 편리하다.

대표 문제

045 원 $(x-2)^2+y^2=18$과 직선 $y=x+n$이 만나지 않도록 하는 자연수 n의 최솟값은?

① 2 ② 3 ③ 4 ④ 5 ⑤ 6

★ 중요

유형 11 | 현의 길이

원과 직선이 서로 다른 두 점 A, B에서 만날 때, 원의 중심과 직선 사이의 거리를 d, 원의 반지름의 길이를 r라 하면

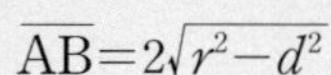

$$\overline{AB}=2\sqrt{r^2-d^2}$$

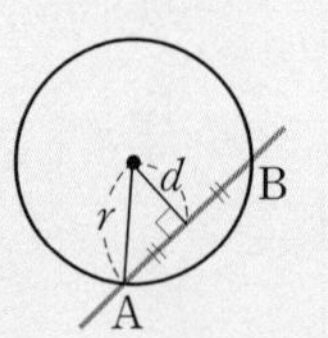

대표 문제

046 원 $x^2+y^2+2x-4y-4=0$과 직선 $3x+4y+5=0$이 두 점 A, B에서 만날 때, 선분 AB의 길이는?

① $2\sqrt{3}$ ② 4 ③ $2\sqrt{5}$ ④ $2\sqrt{6}$ ⑤ $2\sqrt{7}$

유형 12 | 접선의 길이

중심이 점 O인 원 밖의 한 점 P에서 원에 그은 접선의 접점을 Q라 하면 직각삼각형 OPQ에서

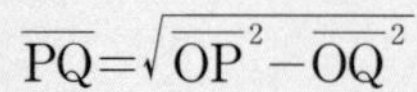

$$\overline{PQ}=\sqrt{\overline{OP}^2-\overline{OQ}^2}$$

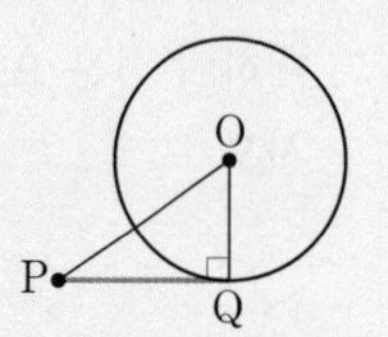

대표 문제

047 점 P$(5,\ -4)$에서 원 $x^2+y^2=9$에 그은 접선이 원과 만나는 점을 Q라 할 때, 선분 PQ의 길이를 구하시오.

유형 13 | 원 위의 점과 직선 사이의 거리

원과 직선이 만나지 않을 때, 원의 중심과 직선 사이의 거리를 d, 원의 반지름의 길이를 r라 하면 원 위의 점과 직선 사이의 거리의 최댓값과 최댓값은

(1) 최댓값 ➡ $d+r$

(2) 최솟값 ➡ $d-r$

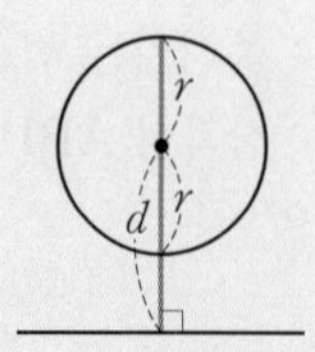

대표 문제

048 원 $(x-3)^2+(y+1)^2=2$ 위의 점 P와 직선 $4x+3y+1=0$ 사이의 거리의 최댓값을 M, 최솟값을 m이라 할 때, Mm의 값을 구하시오.

★중요

유형 14 | 기울기가 주어진 원의 접선의 방정식

(1) 원 $x^2+y^2=r^2$에 접하고 기울기가 m인 직선의 방정식은
$$y=mx\pm r\sqrt{m^2+1}$$
(2) 원 $(x-a)^2+(y-b)^2=r^2$에 접하고 기울기가 m인 직선의 방정식은 구하는 직선의 방정식을 $y=mx+n$, 즉 $mx-y+n=0$으로 놓고 원의 중심 (a, b)와 이 직선 사이의 거리가 원의 반지름의 길이 r와 같음을 이용하여 구한다.

대표 문제

049 직선 $2x-y+3=0$에 평행하고 원 $x^2+y^2=9$에 접하는 직선의 방정식이 $y=mx+n$일 때, 상수 m, n에 대하여 m^2+n^2의 값은?

① 41 ② 43 ③ 45
④ 47 ⑤ 49

★중요

유형 15 | 원 위의 점에서의 접선의 방정식

(1) 원 $x^2+y^2=r^2$ 위의 점 (x_1, y_1)에서의 접선의 방정식은
$$x_1x+y_1y=r^2$$
(2) 원 $(x-a)^2+(y-b)^2=r^2$ 위의 점 (x_1, y_1)에서의 접선의 방정식은 두 점 (a, b), (x_1, y_1)을 지나는 직선이 접선과 수직임을 이용하여 구한다.

대표 문제

050 원 $x^2+y^2=17$ 위의 점 $(4, 1)$에서의 접선의 방정식은?

① $x+2y=\sqrt{17}$ ② $x+4y=17$
③ $2x-y=\sqrt{17}$ ④ $4x-y=17$
⑤ $4x+y=17$

유형 16 | 원 밖의 한 점에서 그은 접선의 방정식

원 밖의 점 (a, b)에서 원에 그은 접선의 방정식은

[방법 1] 접점의 좌표를 (x_1, y_1)로 놓고 원 위의 점에서의 접선의 방정식을 세운 후 이 직선이 점 (a, b)를 지남을 이용하여 구한다.

[방법 2] 접선의 기울기를 m이라 하면 접선의 방정식은 $y-b=m(x-a)$, 즉 $mx-y-ma+b=0$이므로 원의 중심과 이 직선 사이의 거리가 원의 반지름의 길이와 같음을 이용하여 구한다.

참고 원의 중심이 원점일 때는 [방법 1]을, 원의 중심이 원점이 아닐 때는 [방법 2]를 이용하는 것이 편리하다.

대표 문제

051 점 $(3, -1)$에서 원 $x^2+y^2=5$에 그은 두 접선의 기울기의 합은?

① -2 ② $-\frac{3}{2}$ ③ -1
④ $-\frac{1}{2}$ ⑤ 0

핵심유형 완성하기

★중요

유형 10 원과 직선의 위치 관계

052 대표 문제 다시 보기

원 $(x-1)^2+(y-2)^2=5$와 직선 $x-2y+n=0$이 서로 다른 두 점에서 만나도록 하는 정수 n의 개수는?

① 5 ② 7 ③ 9
④ 11 ⑤ 13

053 하

다음 직선 중 원 $x^2+y^2=4$와 만나지 않는 것은?

① $y=x$ ② $y=2x-5$ ③ $y=2x+1$
④ $y=3x+5$ ⑤ $y=4x-1$

054 중

원 $x^2+y^2=2$와 직선 $y=mx+2$가 만나도록 하는 실수 m의 값의 범위가 $m\le\alpha$ 또는 $m\ge\beta$일 때, $\alpha+\beta$의 값을 구하시오.

055 중

중심의 좌표가 $(2,\ -1)$이고 직선 $x+ky-5=0$에 접하는 원의 넓이가 5π일 때, 모든 실수 k의 값의 곱을 구하시오.

056 중

중심이 제1사분면 위에 있고 x축과 y축에 동시에 접하는 원이 직선 $3x-4y+1=0$과 접할 때, 이 원의 반지름의 길이는?

① $\frac{1}{6}$ ② $\frac{1}{4}$ ③ $\frac{1}{3}$
④ $\frac{1}{2}$ ⑤ 1

057 중

직선 $y=x+n$이 원 $(x-1)^2+(y-3)^2=8$과는 만나지 않고 원 $x^2+y^2-8x-6y+7=0$과는 서로 다른 두 점에서 만날 때, 정수 n의 최솟값은?

① -2 ② -3 ③ -4
④ -5 ⑤ -6

★중요

유형 11 현의 길이

058 대표 문제 다시 보기

원 $(x-3)^2+(y-2)^2=25$와 직선 $4x+3y-3=0$이 두 점 P, Q에서 만날 때, 선분 PQ의 길이는?

① 4 ② 6 ③ 8
④ 10 ⑤ 12

059 중

원 $x^2+y^2-6x+4y-12=0$이 직선 $3x+4y+9=0$과 만나는 두 점을 A, B라 하고 원의 중심을 C라 할 때, 삼각형 ABC의 넓이를 구하시오.

060 중

원 $x^2+y^2=9$와 직선 $x-3y+k=0$이 만나서 생기는 현의 길이가 4일 때, 양수 k의 값은?

① $2\sqrt{3}$ ② $3\sqrt{3}$ ③ $4\sqrt{2}$
④ $4\sqrt{3}$ ⑤ $5\sqrt{2}$

061 상

두 원 $x^2+y^2=16$, $x^2+y^2-2x-4y-6=0$의 공통인 현의 길이는?

① $\sqrt{5}$ ② $\sqrt{11}$ ③ $2\sqrt{5}$
④ $2\sqrt{11}$ ⑤ $3\sqrt{11}$

062 상 신유형

중심이 직선 $x-2y+2=0$ 위에 있고 y축에 접하는 원이 x축과 만나서 생기는 현의 길이가 $2\sqrt{7}$일 때, 이 원의 방정식을 구하시오. (단, 원의 중심은 제1사분면 위에 있다.)

유형 12 접선의 길이

063 대표 문제 다시 보기

점 A(2, 4)에서 원 $x^2+y^2+4x-2y=11$에 그은 접선이 원과 만나는 점을 P라 할 때, 선분 AP의 길이는?

① 2 ② 3 ③ 4
④ 5 ⑤ 6

064 중

점 A(4, −5)에서 원 $(x+1)^2+(y-1)^2=9$에 그은 두 접선이 원과 만나는 점을 각각 P, Q라 하고, 원의 중심을 C라 할 때, 사각형 APCQ의 넓이는?

① $2\sqrt{13}$ ② $3\sqrt{13}$ ③ $4\sqrt{13}$
④ $5\sqrt{13}$ ⑤ $6\sqrt{13}$

065 중

점 A(5, 4)에서 원 $(x-2)^2+(y-3)^2=r^2$에 그은 두 접선이 서로 수직일 때, 양수 r의 값은?

① $\sqrt{3}$ ② 2 ③ $\sqrt{5}$
④ $\sqrt{6}$ ⑤ $\sqrt{7}$

유형 13 원 위의 점과 직선 사이의 거리

066 대표 문제 다시 보기

원 $(x-1)^2+(y+3)^2=5$ 위의 점 P와 직선 $2x+y+11=0$ 사이의 거리의 최댓값을 M, 최솟값을 m이라 할 때, Mm의 값은?

① 11 ② $5\sqrt{5}$ ③ 13
④ $6\sqrt{5}$ ⑤ 15

067 하

점 A$(3,\ -4)$와 원 $x^2+y^2=r^2$ 위의 점 P에 대하여 선분 AP의 길이의 최댓값이 7일 때, 양수 r의 값은?

① 1 ② $\sqrt{2}$ ③ $\sqrt{3}$
④ 2 ⑤ 3

068 중

원 $x^2+y^2-10y=0$ 위의 점 중 직선 $3x-4y-15=0$까지의 거리가 자연수인 점의 개수는?

① 16 ② 18 ③ 20
④ 22 ⑤ 24

069 상

원 $(x-3)^2+(y-1)^2=9$와 직선 $y=2x$가 만나는 두 점을 A, B라 할 때, 원 위의 점 P에 대하여 삼각형 PAB의 넓이의 최댓값은 $a+b\sqrt{5}$이다. 이때 유리수 a, b에 대하여 $a+b$의 값은?

① 2 ② 4 ③ 6
④ 8 ⑤ 10

★중요

유형 14 기울기가 주어진 원의 접선의 방정식

070 대표 문제 다시 보기

직선 $y=\frac{1}{3}x-1$에 수직이고 원 $x^2+y^2=4$에 접하는 직선의 방정식이 $y=mx+n$일 때, 상수 m, n에 대하여 m^2+n^2의 값을 구하시오.

071 중

기울기가 양수이고 y절편이 4인 직선이 원 $x^2+y^2=2$에 접할 때, 이 직선의 방정식은?

① $y=\sqrt{6}x+4$ ② $y=\sqrt{7}x+4$
③ $y=2\sqrt{2}x+4$ ④ $y=3x+4$
⑤ $y=\sqrt{10}x+4$

072 중

원 $(x-1)^2+(y+2)^2=8$에 접하고 기울기가 1인 두 직선의 x절편의 차는?

① 4　② 6　③ 8　④ 10　⑤ 12

073 중

점 A(3, 1)을 지나고 x축의 양의 방향과 이루는 각의 크기가 45°인 직선이 중심의 좌표가 $(3, -1)$인 원에 접할 때, 이 원의 넓이는?

① π　② 2π　③ 3π　④ 4π　⑤ 5π

074 중

원 $x^2+y^2-2x=0$에 접하고 직선 $x+2y+3=0$에 수직인 두 직선이 y축과 만나는 점을 각각 A, B라 할 때, 선분 AB의 길이는?

① 3　② $2\sqrt{3}$　③ 4　④ $2\sqrt{5}$　⑤ $3\sqrt{3}$

중요

유형 15 원 위의 점에서의 접선의 방정식

075 대표 문제 다시 보기

원 $x^2+y^2=20$ 위의 점 $(2, -4)$에서의 접선의 방정식이 $y=mx+n$일 때, 상수 m, n에 대하여 $4m+n$의 값은?

① -3　② -2　③ -1　④ 2　⑤ 3

076 중

원 $x^2+y^2=10$ 위의 점 (a, b)에서의 접선의 기울기가 3일 때, ab의 값은?

① -3　② $-\frac{5}{2}$　③ -2　④ $-\frac{3}{2}$　⑤ -1

077 중

원 $x^2+y^2-8x+4y+10=0$ 위의 점 P(3, 1)에서의 접선이 점 $(a, 2)$를 지날 때, a의 값은?

① 5　② 6　③ 7　④ 8　⑤ 9

정답과 해설 109쪽

078 중

원 $x^2+y^2=4$ 위의 점 $(\sqrt{3}, 1)$에서의 접선이 원 $x^2+(y-a)^2=9$에 접할 때, 양수 a의 값은?

① 2 ② 4 ③ 6 ④ 8 ⑤ 10

079 상

오른쪽 그림과 같이 원 $x^2+y^2=16$ 위의 점 P에서의 접선의 방정식을 $y=f(x)$라 할 때, $f(-4)f(4)$의 값을 구하시오.
(단, 점 P는 제1사분면 위에 있다.)

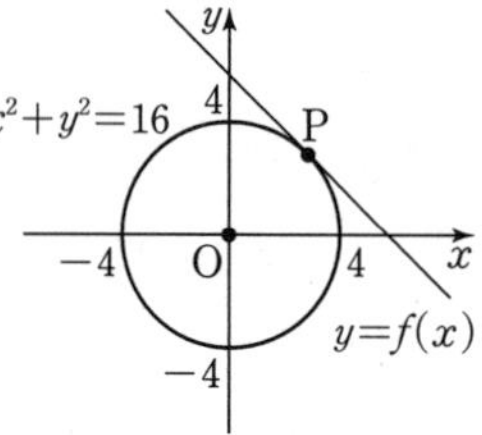

유형 16 원 밖의 한 점에서 그은 접선의 방정식

080 대표 문제 다시 보기

점 $(4, -2)$에서 원 $x^2+y^2=4$에 그은 접선의 방정식이 $ax+by-10=0$일 때, 상수 a, b에 대하여 $a+b$의 값은?
(단, $a\neq0$)

① 6 ② 7 ③ 8 ④ 9 ⑤ 10

081 중

점 $(-2, 1)$에서 원 $(x-2)^2+(y+1)^2=2$에 그은 두 접선의 방정식이 $x+ay+b=0$ 또는 $x+cy+d=0$일 때, 상수 a, b, c, d에 대하여 $abcd$의 값은?

① -35 ② -7 ③ 0 ④ 7 ⑤ 35

082 중

원점에서 원 $x^2+y^2-2x-6y+8=0$에 그은 두 접선의 기울기의 곱은?

① -7 ② -6 ③ -5 ④ -4 ⑤ -3

083 중

점 P$(0, 6)$에서 원 $x^2+y^2=6$에 그은 두 접선이 x축과 만나는 점을 각각 A, B라 할 때, 삼각형 PAB의 넓이는?

① $\frac{7\sqrt{6}}{2}$ ② $\frac{23\sqrt{3}}{3}$ ③ $\frac{31\sqrt{5}}{5}$ ④ $\frac{35\sqrt{6}}{6}$ ⑤ $\frac{36\sqrt{5}}{5}$

최종 점검하기

084
유형 01

직선 $y=-2x+4$가 x축과 만나는 점을 중심으로 하고 y축과 만나는 점을 지나는 원의 방정식을 구하시오.

085
유형 01

두 점 $A(2, -4)$, $B(-10, 8)$에 대하여 $\overline{AB}$의 중점과 $\overline{AB}$를 $1:2$로 내분하는 점을 지름의 양 끝 점으로 하는 원의 방정식을 구하시오.

086
유형 02

중심이 직선 $y=x-2$ 위에 있고 두 점 $(1, 2)$, $(3, -2)$를 지나는 원의 넓이는?

① π ② 2π ③ 3π
④ 4π ⑤ 5π

087
유형 03

방정식 $x^2+y^2-2ky-2k^2-6k=0$이 반지름의 길이가 3 이하인 원을 나타낼 때, 실수 k의 값의 범위를 구하시오.

088
유형 04

원점과 두 점 $(0, 4)$, $(2, 2)$를 지나는 원의 둘레의 길이는?

① π ② 2π ③ 3π
④ 4π ⑤ 5π

089
유형 05

y축에 접하는 원 $x^2+y^2-8x+ky+9=0$의 중심이 제4사분면 위에 있을 때, 상수 k의 값은?

① 2 ② 4 ③ 6
④ 8 ⑤ 10

090
유형 05

중심이 직선 $y=x+1$ 위에 있고 점 $(5, 3)$을 지나는 두 원이 모두 x축에 접할 때, 이 두 원의 중심 사이의 거리를 구하시오.

091
유형 06

중심의 좌표가 $(3, -3)$이고 x축과 y축에 동시에 접하는 원이 점 $(k, -2)$를 지날 때, 모든 k의 값의 합은?

① 2 ② 4 ③ 6 ④ 8 ⑤ 10

092
유형 07

두 원 $x^2+y^2-4=0$, $x^2+y^2+ax-2y-2=0$의 교점과 원점을 지나는 원의 넓이가 20π일 때, 양수 a의 값을 구하시오.

093
유형 08

중심의 좌표가 $(1, 3)$인 원 C가 있다. 원 C와 원 $x^2+y^2=10$의 교점을 지나는 직선이 원점을 지날 때, 원 C의 반지름의 길이는?

① 3 ② $2\sqrt{3}$ ③ 4 ④ $3\sqrt{2}$ ⑤ $2\sqrt{5}$

094
유형 09

두 점 $\mathrm{A}(3, 2)$, $\mathrm{B}(6, -1)$에 대하여 $\overline{\mathrm{AP}}:\overline{\mathrm{BP}}=2:1$을 만족시키는 점 P가 나타내는 도형의 둘레의 길이는?

① 2π ② $2\sqrt{2}\pi$ ③ 4π ④ $4\sqrt{2}\pi$ ⑤ 8π

095
유형 10

원 $(x-1)^2+(y-3)^2=10$과 직선 $y=-3x+k$가 접하도록 하는 모든 실수 k의 값의 합은?

① 4 ② 6 ③ 8 ④ 10 ⑤ 12

096
유형 10

원 $x^2+y^2+2y-3=0$과 직선 $kx-y+4=0$이 서로 다른 두 점에서 만나도록 하는 실수 k의 값의 범위를 구하시오.

097
유형 11

원 $x^2+y^2+4x-2y-4=0$과 직선 $4x-3y+1=0$이 두 점 P, Q에서 만날 때, 선분 PQ의 길이는?

① $2\sqrt{3}$ ② 4 ③ $2\sqrt{5}$ ④ 5 ⑤ $4\sqrt{2}$

098

유형 12

반지름의 길이가 2이고 중심이 제4사분면 위에 있으며 x축과 y축에 동시에 접하는 원이 있다. 점 A$(-2, 1)$에서 이 원에 그은 접선이 원과 만나는 점을 P라 할 때, 선분 AP의 길이는?

① $\sqrt{17}$ ② $3\sqrt{2}$ ③ $\sqrt{19}$
④ $2\sqrt{5}$ ⑤ $\sqrt{21}$

099

유형 13

점 A$(3, 4)$를 지나는 직선 중 원점과의 거리가 최대인 직선을 l이라 할 때, 원 $(x-5)^2+(y-7)^2=1$ 위의 점 P와 직선 l 사이의 거리의 최솟값은?

① $\frac{11}{5}$ ② $\frac{12}{5}$ ③ $\frac{13}{5}$
④ $\frac{14}{5}$ ⑤ 3

100

유형 13

점 A$(4, -2)$와 원 $x^2+y^2-2x-4y-11=0$ 위의 점 P에 대하여 선분 AP의 길이를 l이라 할 때, l의 값이 될 수 있는 자연수의 개수는?

① 5 ② 6 ③ 7
④ 8 ⑤ 9

101

유형 14

원 $x^2+y^2=20$에 접하고 기울기가 2인 직선이 x축, y축과 만나는 점을 각각 A, B라 할 때, 삼각형 OAB의 넓이를 구하시오. (단, O는 원점)

102

유형 14

원 $x^2+y^2-2x-8y+7=0$에 접하고 기울기가 3인 직선의 방정식을 구하시오.

103

유형 15

원 $(x+1)^2+(y-2)^2=10$ 위의 두 점 A$(2, 1)$, B$(0, 5)$에 대하여 점 A에서의 접선과 점 B에서의 접선이 만나는 점을 P(a, b)라 할 때, $a+b$의 값을 구하시오.

104

유형 16

점 $(6, 0)$에서 원 $x^2+y^2=9$에 그은 접선의 방정식이 $y=mx+n$일 때, 상수 m, n에 대하여 mn의 값은?

① -5 ② -4 ③ -3
④ -2 ⑤ -1

도형의 이동

유형 01 점의 평행이동

유형 02 도형의 평행이동 – 직선

유형 03 도형의 평행이동 – 원과 포물선

유형 04 점의 대칭이동

유형 05 도형의 대칭이동 – 직선

유형 06 도형의 대칭이동 – 원과 포물선

유형 07 평행이동과 대칭이동

유형 08 점에 대한 대칭이동

유형 09 직선에 대한 대칭이동

유형 10 대칭이동을 이용한 거리의 최솟값

유형 11 그래프로 주어진 도형의 평행이동과 대칭이동

핵심 유형 12

도형의 이동

★ 중요

유형 01 | 점의 평행이동

점 (x, y)를 x축의 방향으로 m만큼, y축의 방향으로 n만큼 평행이동한 점의 좌표

➡ x 대신 $x+m$을, y 대신 $y+n$을 대입한다.

➡ $(x, y) \to (x+m, y+n)$

대표 문제

001 점 (a, b)를 x축의 방향으로 2만큼, y축의 방향으로 -5만큼 평행이동한 점의 좌표가 $(3, -2)$일 때, $a+b$의 값은?

① -4 ② -2 ③ 2 ④ 4 ⑤ 6

★ 중요

유형 02 | 도형의 평행이동 – 직선

직선 $ax+by+c=0$을 x축의 방향으로 m만큼, y축의 방향으로 n만큼 평행이동한 직선의 방정식은

$$a(x-m)+b(y-n)+c=0$$

대표 문제

002 직선 $y=3x+n-1$을 x축의 방향으로 -1만큼, y축의 방향으로 3만큼 평행이동한 직선의 방정식이 $y=3x+9$일 때, 상수 n의 값은?

① -5 ② -4 ③ -2 ④ 4 ⑤ 5

유형 03 | 도형의 평행이동 – 원과 포물선

(1) 원 $(x-a)^2+(y-b)^2=r^2$을 x축의 방향으로 m만큼, y축의 방향으로 n만큼 평행이동한 원의 방정식은

$$(x-m-a)^2+(y-n-b)^2=r^2$$

참고 원의 평행이동은 원의 중심의 평행이동으로 생각할 수 있다.

(2) 포물선 $y=ax^2+bx+c$를 x축의 방향으로 m만큼, y축의 방향으로 n만큼 평행이동한 포물선의 방정식은

$$y-n=a(x-m)^2+b(x-m)+c$$

참고 포물선의 평행이동은 포물선의 꼭짓점의 평행이동으로 생각할 수 있다.

대표 문제

003 원 $(x-3)^2+(y-1)^2=9$를 x축의 방향으로 a만큼, y축의 방향으로 b만큼 평행이동한 원의 방정식이 $x^2+y^2-4y+c=0$일 때, 상수 a, b, c에 대하여 $a+b+c$의 값은?

① -7 ② -6 ③ -5 ④ -4 ⑤ -3

★ 중요

유형 04 | 점의 대칭이동

점 (x, y)를 x축, y축, 원점, 직선 $y=x$에 대하여 대칭이동한 점의 좌표는 다음과 같다.

(1) x축: y좌표의 부호만 바꾼다. ➡ $(x, -y)$

(2) y축: x좌표의 부호만 바꾼다. ➡ $(-x, y)$

(3) 원점: x좌표, y좌표의 부호를 모두 바꾼다. ➡ $(-x, -y)$

(4) 직선 $y=x$: x좌표와 y좌표를 서로 바꾼다. ➡ (y, x)

대표 문제

004 점 $(1, 2)$를 x축, y축에 대하여 대칭이동한 점을 각각 A, B라 할 때, 선분 AB의 길이는?

① $\sqrt{5}$ ② $2\sqrt{5}$ ③ $3\sqrt{5}$
④ $4\sqrt{5}$ ⑤ $5\sqrt{5}$

★ 중요

유형 05~06 | 도형의 대칭이동

방정식 $f(x, y)=0$이 나타내는 도형을 x축, y축, 원점, 직선 $y=x$에 대하여 대칭이동한 도형의 방정식은 다음과 같다.

(1) x축: y 대신 $-y$를 대입한다.
➡ $f(x, -y)=0$

(2) y축: x 대신 $-x$를 대입한다.
➡ $f(-x, y)=0$

(3) 원점: x 대신 $-x$를, y 대신 $-y$를 대입한다.
➡ $f(-x, -y)=0$

(4) 직선 $y=x$: x 대신 y를, y 대신 x를 대입한다.
➡ $f(y, x)=0$

참고 대칭이동하여도 포물선의 폭, 원의 반지름의 길이는 변하지 않는다.

대표 문제

005 직선 $y=ax+1$을 원점에 대하여 대칭이동한 직선이 점 $(1, 2)$를 지날 때, 상수 a의 값은?

① 2 ② $\frac{5}{2}$ ③ 3
④ $\frac{7}{2}$ ⑤ 4

대표 문제

006 원 $x^2+y^2-2ax+6y+a^2=0$을 직선 $y=x$에 대하여 대칭이동한 원의 중심이 직선 $2x-y+1=0$ 위에 있을 때, 상수 a의 값을 구하시오.

유형 07 | 평행이동과 대칭이동

점 또는 도형의 평행이동과 대칭이동이 연속으로 이루어지는 경우에는 이동하는 순서에 주의하여 점과 도형을 이동시킨 후 점의 좌표와 도형의 방정식을 구한다.

대표 문제

007 포물선 $y=x^2-2$를 x축의 방향으로 3만큼, y축의 방향으로 2만큼 평행이동한 후 x축에 대하여 대칭이동한 포물선의 방정식이 $y=-x^2+ax+b$일 때, 상수 a, b에 대하여 ab의 값을 구하시오.

유형 08 | 점에 대한 대칭이동

점 $P(x, y)$를 점 $A(a, b)$에 대하여 대칭이동한 점을 $P'(x', y')$이라 하면 점 A는 선분 PP′의 중점이다.

➡ $a=\frac{x+x'}{2},\ b=\frac{y+y'}{2}$

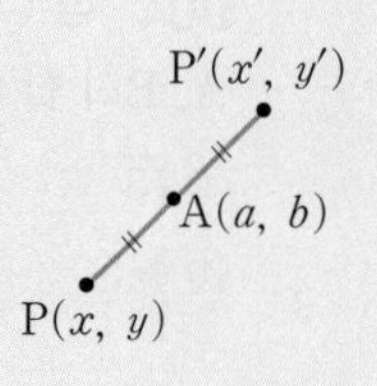

대표 문제

008 점 $(a, 2)$를 점 $(1, 2)$에 대하여 대칭이동한 점의 좌표가 $(4, b)$일 때, $a+b$의 값을 구하시오.

유형 09 | 직선에 대한 대칭이동

점 $P(x, y)$를 직선 $y=mx+n$에 대하여 대칭이동한 점을 $P'(x', y')$이라 하면

(1) 선분 PP′의 중점은 직선 $y=mx+n$ 위에 있다.

(2) 직선 PP′은 직선 $y=mx+n$에 수직이다.

➡ $\frac{y'-y}{x'-x}\times m=-1$

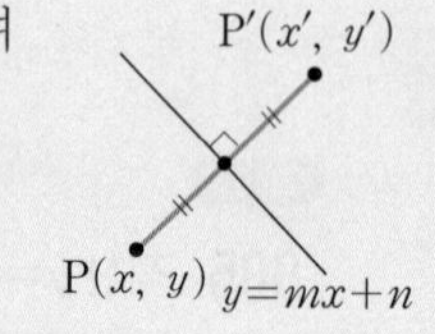

대표 문제

009 점 $(0, 4)$를 직선 $y=-2x-1$에 대하여 대칭이동한 점의 좌표가 (a, b)일 때, ab의 값은?

① -8 ② -7 ③ -6
④ -5 ⑤ -4

★ 중요

유형 10 | 대칭이동을 이용한 거리의 최솟값

오른쪽 그림과 같이 점 B를 직선 l에 대하여 대칭이동한 점을 B′이라 하면

➡ $\overline{AP}+\overline{BP}=\overline{AP}+\overline{B'P}\geq\overline{AB'}$

➡ $\overline{AP}+\overline{BP}$의 최솟값은 $\overline{AB'}$이다.

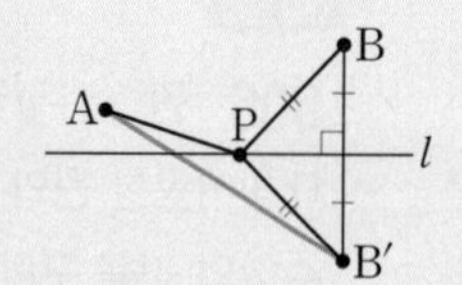

대표 문제

010 두 점 $A(2, 4)$, $B(5, 2)$와 x축 위를 움직이는 점 P에 대하여 $\overline{AP}+\overline{BP}$의 최솟값을 구하시오.

유형 11 | 그래프로 주어진 도형의 평행이동과 대칭이동

(1) $f(x, y)=0 \rightarrow f(x-a, y-b)=0$
➡ x축의 방향으로 a만큼, y축의 방향으로 b만큼 평행이동

(2) $f(x, y)=0 \rightarrow f(x, -y)=0$
➡ x축에 대하여 대칭이동

(3) $f(x, y)=0 \rightarrow f(-x, y)=0$
➡ y축에 대하여 대칭이동

(4) $f(x, y)=0 \rightarrow f(-x, -y)=0$
➡ 원점에 대하여 대칭이동

(5) $f(x, y)=0 \rightarrow f(y, x)=0$
➡ 직선 $y=x$에 대하여 대칭이동

대표 문제

011 방정식 $f(x, y)=0$이 나타내는 도형이 오른쪽 그림과 같을 때, 다음 중 방정식 $f(-x, -y)=0$이 나타내는 도형은?

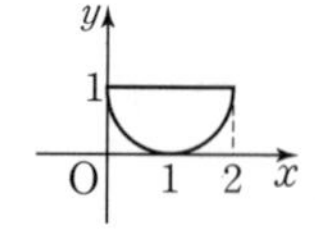

①
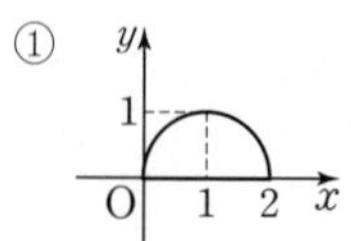

②
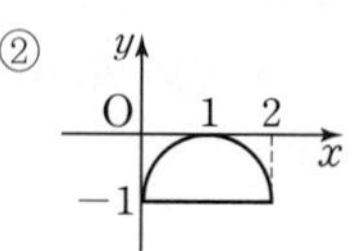

③
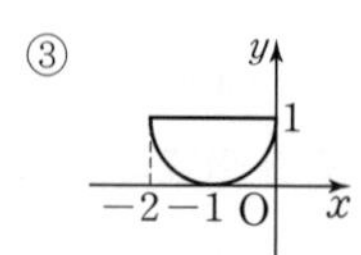

④
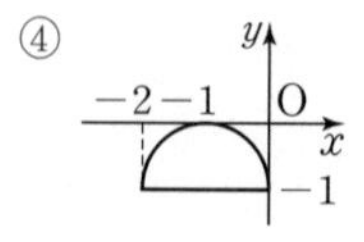

⑤
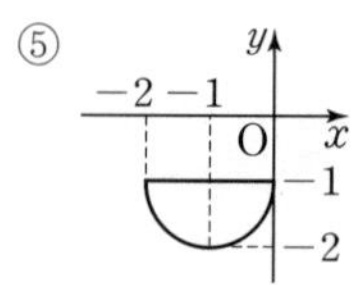

정답과 해설 114쪽

★ 중요

유형 01 점의 평행이동

012 대표 문제 다시 보기

점 P를 x축의 방향으로 -3만큼, y축의 방향으로 2만큼 평행이동한 점의 좌표가 $(1,\ -1)$일 때, 점 P의 좌표를 구하시오.

013 하

점 $(3,\ 1)$을 x축의 방향으로 a만큼, y축의 방향으로 4만큼 평행이동한 점의 좌표가 $(6,\ b)$일 때, ab의 값은?

① 5 ② 10 ③ 15
④ 20 ⑤ 25

014 중

평행이동 $(x,\ y) \rightarrow (x-4,\ y+3)$에 의하여 점 $(2,\ k)$가 직선 $y=-x+6$ 위의 점으로 옮겨질 때, k의 값은?

① -4 ② -2 ③ -1
④ 3 ⑤ 5

015 중

점 $(-1,\ 2)$를 점 $(3,\ -4)$로 옮기는 평행이동에 의하여 점 $(1,\ -1)$이 옮겨지는 점의 좌표를 구하시오.

016 중

평행이동 $(x,\ y) \rightarrow (x+2,\ y-2)$에 의하여 점 $\mathrm{A}(4,\ 3)$이 점 B로 옮겨질 때, 삼각형 OAB의 넓이를 구하시오.

(단, O는 원점)

017 상 신유형

세 점 $\mathrm{O}(0,\ 0)$, $\mathrm{P}(4,\ 0)$, $\mathrm{Q}(a,\ b)$를 x축의 방향으로 m만큼, y축의 방향으로 n만큼 평행이동한 점을 각각 O', P', Q'이라 하자. $\mathrm{Q}'(5,\ 4\sqrt{3})$이고 삼각형 $\mathrm{O}'\mathrm{P}'\mathrm{Q}'$이 정삼각형일 때, m^2+n^2의 값을 구하시오. (단, $a>0$, $b>0$)

★ 중요

유형 02 도형의 평행이동 – 직선

018 대표 문제 다시 보기

직선 $y=-2x+k$를 x축의 방향으로 2만큼, y축의 방향으로 -3만큼 평행이동한 직선의 방정식이 $y=-2x$일 때, 상수 k의 값은?

① -2 ② -1 ③ 0
④ 1 ⑤ 2

019 하

직선 $y=2x+1$을 x축의 방향으로 -2만큼, y축의 방향으로 1만큼 평행이동한 직선의 y절편은?

① 4 ② 5 ③ 6
④ 7 ⑤ 8

020 중

평행이동 $(x, y) \rightarrow (x+p, y-p)$에 의하여 직선 $y=4x+2$가 직선 $y=4x-8$로 옮겨질 때, p의 값은?

① -2　② -1　③ 1
④ 2　⑤ 3

021 중

방정식 $f(x, y)=0$이 나타내는 도형을 방정식 $f(x+1, y-4)=0$이 나타내는 도형으로 옮기는 평행이동에 의하여 직선 $2x+y-1=0$이 직선 $2x+ay+b=0$으로 옮겨질 때, 상수 a, b에 대하여 ab의 값을 구하시오.

022 중

직선 $y=2x+3$을 x축의 방향으로 1만큼, y축의 방향으로 -2만큼 평행이동하면 원 $(x-m)^2+(y+3)^2=5$의 넓이를 이등분할 때, 상수 m의 값은?

① -3　② -1　③ 0
④ 1　⑤ 3

유형 03 도형의 평행이동 – 원과 포물선

023 대표 문제 다시 보기

원 $(x-1)^2+(y+b)^2=4$를 x축의 방향으로 a만큼, y축의 방향으로 2만큼 평행이동한 원의 방정식이 $x^2+y^2+2x+c-1=0$일 때, 상수 a, b, c에 대하여 abc의 값을 구하시오.

024 중

평행이동 $(x, y) \rightarrow (x-1, y+2)$에 의하여 포물선 $y=x^2+1$을 평행이동하면 점 $(3, p)$를 지날 때, p의 값은?

① 11　② 13　③ 15
④ 17　⑤ 19

025 중

원 $x^2+y^2-4x-2y-4=0$을 x축의 방향으로 a만큼, y축의 방향으로 b만큼 평행이동한 원의 중심이 원점이고 반지름의 길이가 r일 때, $a+b+r$의 값을 구하시오.

026 중

점 $(1, 3)$을 점 $(-1, 2)$로 옮기는 평행이동에 의하여 포물선 $y=x^2+2x-1$이 옮겨지는 포물선의 꼭짓점의 좌표가 (a, b)일 때, $a+b$의 값은?

① -6　② -4　③ -2
④ 2　⑤ 4

027 중

포물선 $y=x^2+4x+5$를 포물선 $y=x^2+6x+13$으로 옮기는 평행이동에 의하여 원 $x^2+y^2-4y-9=0$이 옮겨지는 원의 중심을 C라 할 때, 선분 OC의 길이를 구하시오.
(단, O는 원점)

028 중

원 $(x-1)^2+y^2=10$을 x축의 방향으로 1만큼, y축의 방향으로 n만큼 평행이동하면 직선 $y=3x+1$에 접할 때, 양수 n의 값은?

① 11 ② 13 ③ 15
④ 17 ⑤ 19

029 상

신유형

오른쪽 그림과 같이 원 C_1: $x^2+y^2=4$와 직선 $3x+4y-6=0$이 만나는 두 점을 각각 A, B라 하자. 원 C_1을 원 C_2: $x^2+y^2-6x-8y+21=0$으로 옮기는 평행이동에 의하여 두 점 A, B가 원 C_2 위의 두 점 C, D로 옮겨질 때, 선분 AC, 선분 BD, 호 AB, 호 CD로 둘러싸인 부분의 넓이를 구하시오.

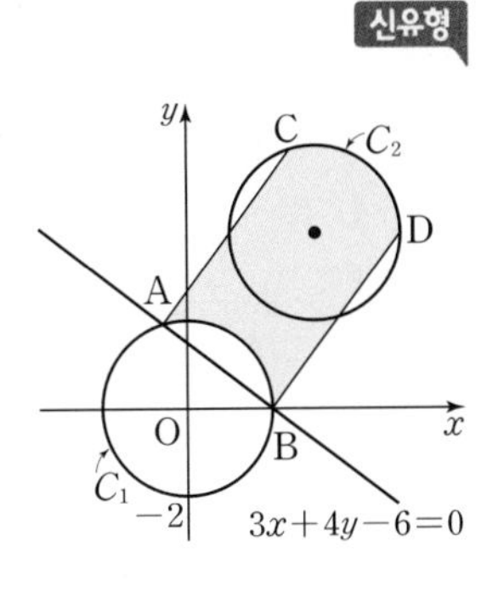

★중요

유형 04 점의 대칭이동

030 대표 문제 다시 보기

점 (3, 4)를 x축에 대하여 대칭이동한 점을 P, 직선 $y=x$에 대하여 대칭이동한 점을 Q라 할 때, 선분 PQ의 길이는?

① 6 ② $3\sqrt{5}$ ③ $4\sqrt{3}$
④ 7 ⑤ $5\sqrt{2}$

031 중

점 $(-2, 5)$를 원점에 대하여 대칭이동한 점과 직선 $3x-4y-6=0$ 사이의 거리는?

① 3 ② 4 ③ 5
④ 6 ⑤ 7

032 중

점 $(a+3, 4)$를 직선 $y=x$에 대하여 대칭이동한 후 다시 원점에 대하여 대칭이동한 점의 좌표가 $(b, -4)$일 때, ab의 값은?

① -4 ② -3 ③ -2
④ 1 ⑤ 2

033 상

점 (a, b)를 x축에 대하여 대칭이동한 점이 제3사분면 위에 있을 때, 점 $(a-b, ab)$를 y축에 대하여 대칭이동한 점은 어느 사분면 위에 있는지 구하시오.

034 상

점 A(a, b)를 x축, y축에 대하여 대칭이동한 점을 각각 B, C라 하자. 삼각형 ABC의 넓이가 6일 때, 점 A가 될 수 있는 점의 개수를 구하시오. (단, a, b는 정수)

완성하기

유형 05 도형의 대칭이동 – 직선

035 대표 문제 다시 보기

직선 $ax+(2a-1)y+7=0$을 원점에 대하여 대칭이동한 직선이 점 $(-1, 3)$을 지날 때, 상수 a의 값은?

① -1 ② 0 ③ 1
④ 2 ⑤ 3

036 중

직선 $x+3y-5=0$을 y축에 대하여 대칭이동한 후 다시 직선 $y=x$에 대하여 대칭이동한 직선의 방정식은?

① $x-3y-5=0$ ② $x-3y+5=0$
③ $x+3y+5=0$ ④ $3x-y-5=0$
⑤ $3x+y-5=0$

037 중

직선 $3x-2y+p=0$을 직선 $y=x$에 대하여 대칭이동하면 원 $(x-1)^2+(y+3)^2=13$에 접할 때, 양수 p의 값은?

① 20 ② 21 ③ 22
④ 23 ⑤ 24

038 중

직선 l: $y=4x+2$를 x축, y축, 원점에 대하여 대칭이동한 직선을 각각 m, n, o라 할 때, 네 직선 l, m, n, o로 둘러싸인 도형의 넓이를 구하시오.

★ 중요

유형 06 도형의 대칭이동 – 원과 포물선

039 대표 문제 다시 보기

원 $x^2+y^2-2x+2ay-6=0$을 직선 $y=x$에 대하여 대칭이동한 원의 중심이 포물선 $y=x^2-4x+5$의 꼭짓점과 일치할 때, 상수 a의 값을 구하시오.

040 하

포물선 $y=x^2+3x-2$를 x축에 대하여 대칭이동한 포물선이 점 $(1, a)$를 지날 때, a의 값은?

① -4 ② -3 ③ -2
④ -1 ⑤ 0

041 중

포물선 $y=x^2-2x-6$을 원점에 대하여 대칭이동한 후 다시 y축에 대하여 대칭이동한 포물선의 꼭짓점이 직선 $y=4x+a$ 위에 있을 때, 상수 a의 값은?

① -2 ② -1 ③ 1
④ 2 ⑤ 3

042 중

원 $x^2+y^2-2x+4y-4=0$을 직선 $y=x$에 대하여 대칭이동한 원의 넓이를 직선 $y=-3x+k$가 이등분할 때, 상수 k의 값을 구하시오.

유형 07 평행이동과 대칭이동

043 대표 문제 다시 보기

원 $(x-2)^2+(y+1)^2=9$를 x축에 대하여 대칭이동한 후 x축의 방향으로 -4만큼, y축의 방향으로 3만큼 평행이동한 원의 방정식이 $x^2+y^2+ax+by+c=0$일 때, 상수 a, b, c에 대하여 $a+b+c$의 값을 구하시오.

044 중

점 $(a-2,\ -a)$를 x축의 방향으로 -1만큼, y축의 방향으로 2만큼 평행이동한 후 원점에 대하여 대칭이동한 점이 직선 $2x-y+4=0$ 위에 있을 때, a의 값은?

① -3 ② -1 ③ 2
④ 4 ⑤ 6

045 중

직선 $y=2x+1$을 x축에 대하여 대칭이동한 후 x축의 방향으로 3만큼, y축의 방향으로 a만큼 평행이동한 직선을 다시 y축에 대하여 대칭이동하면 처음 직선 $y=2x+1$이 될 때, a의 값을 구하시오.

046 상

중심의 좌표가 $(0,\ -3)$이고 반지름의 길이가 r인 원을 x축의 방향으로 -1만큼, y축의 방향으로 3만큼 평행이동한 후 직선 $y=-x$에 대하여 대칭이동한 원이 직선 $3x+4y+1=0$과 만나지 않도록 하는 r의 값의 범위를 구하시오.

유형 08 점에 대한 대칭이동

047 대표 문제 다시 보기

점 $(2a-1,\ -4)$를 점 $(4,\ -5)$에 대하여 대칭이동한 점의 좌표가 $(3,\ b+1)$일 때, $a+b$의 값은?

① -7 ② -6 ③ -5
④ -4 ⑤ -3

048 중

원 $x^2+y^2-4x-6y+4=0$을 점 $(a,\ b)$에 대하여 대칭이동한 원의 방정식이 $x^2+y^2+8x+14y+56=0$일 때, $a-b$의 값을 구하시오.

049 중

두 포물선 $y=x^2-2x+3$, $y=-x^2-6x+a$이 점 $(b,\ 4)$에 대하여 대칭일 때, 상수 a, b에 대하여 $a+b$의 값을 구하시오.

050 상

직선 $y=2x+3$을 점 $(-2,\ 4)$에 대하여 대칭이동한 직선의 방정식은?

① $y=2x+7$ ② $y=2x+9$ ③ $y=2x+11$
④ $y=2x+13$ ⑤ $y=2x+15$

유형 09 직선에 대한 대칭이동

051 대표 문제 다시 보기

점 $(-3,\ 1)$을 직선 $x-y-2=0$에 대하여 대칭이동한 점의 좌표가 $(a,\ b)$일 때, ab의 값은?

① -15 ② -10 ③ 10
④ 15 ⑤ 20

052 중

두 점 $(-4,\ 2)$, $(12,\ -2)$가 직선 $y=mx+n$에 대하여 대칭일 때, 상수 m, n에 대하여 $m+n$의 값은?

① -12 ② -6 ③ -2
④ 4 ⑤ 8

053 중

원 $x^2+y^2-2x+6y+9=0$을 직선 $ax+by-1=0$에 대하여 대칭이동한 원의 방정식이 $x^2+y^2-8x+15=0$일 때, 상수 a, b에 대하여 $a+b$의 값은?

① -2 ② -1 ③ 0
④ 1 ⑤ 2

054 중

원 C_1: $(x-3)^2+(y+1)^2=1$을 직선 $2x-y+3=0$에 대하여 대칭이동한 원을 C_2라 하자. 원 C_1 위의 임의의 점 P와 원 C_2 위의 임의의 점 Q에 대하여 두 점 P, Q 사이의 거리의 최댓값을 M, 최솟값을 m이라 할 때, Mm의 값을 구하시오.

★중요

유형 10 대칭이동을 이용한 거리의 최솟값

055 대표 문제 다시 보기

두 점 $\mathrm{A}(3,\ 2)$, $\mathrm{B}(1,\ 6)$과 y축 위를 움직이는 점 P에 대하여 $\overline{\mathrm{AP}}+\overline{\mathrm{BP}}$의 최솟값은?

① $2\sqrt{7}$ ② $4\sqrt{2}$ ③ 6
④ $2\sqrt{10}$ ⑤ $2\sqrt{11}$

056 중

두 점 $\mathrm{A}(6,\ 3)$, $\mathrm{B}(7,\ 4)$와 직선 $y=x$ 위를 움직이는 점 P에 대하여 $\overline{\mathrm{AP}}+\overline{\mathrm{BP}}$의 최솟값은?

① $2\sqrt{2}$ ② $2\sqrt{3}$ ③ 4
④ $2\sqrt{5}$ ⑤ $2\sqrt{6}$

057 중

오른쪽 그림과 같이 두 점 $A(1,\ 3)$, $B(4,\ 2)$와 y축 위를 움직이는 점 P, x축 위를 움직이는 점 Q에 대하여 $\overline{AP}+\overline{PQ}+\overline{QB}$의 최솟값을 구하시오.

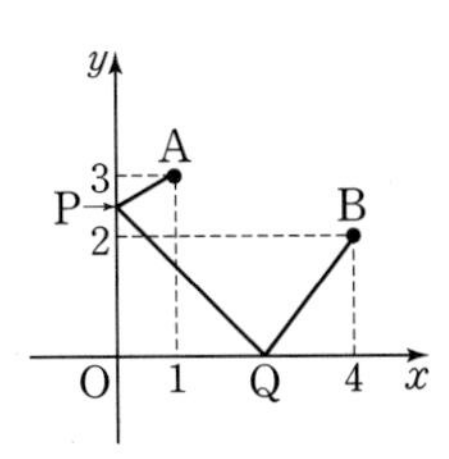

058 중

오른쪽 그림과 같이 점 $A(2,\ 4)$와 y축 위를 움직이는 점 P, 직선 $y=x$ 위를 움직이는 점 Q에 대하여 삼각형 APQ의 둘레의 길이의 최솟값을 구하시오.

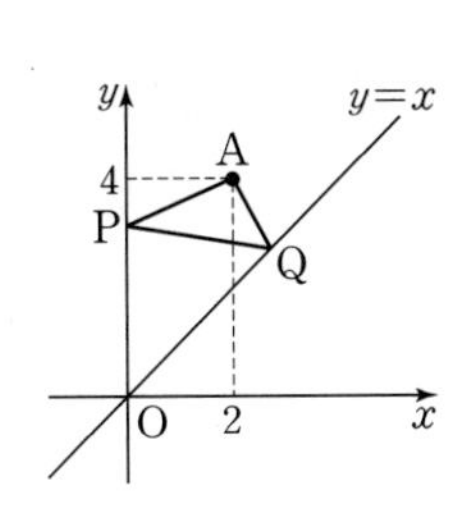

유형 11 그래프로 주어진 도형의 평행이동과 대칭이동

059 대표 문제 다시 보기

방정식 $f(x,\ y)=0$이 나타내는 도형이 오른쪽 그림과 같을 때, 다음 중 방정식 $f(y,\ -x)=0$이 나타내는 도형은?

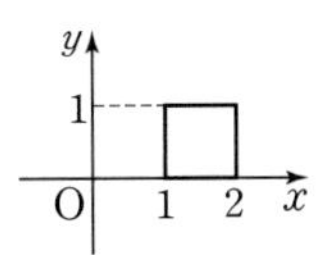

①
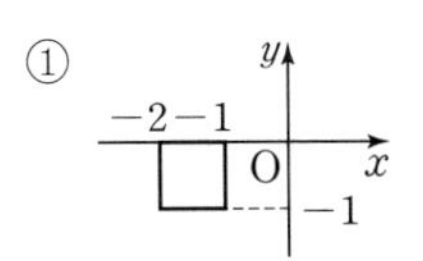

②
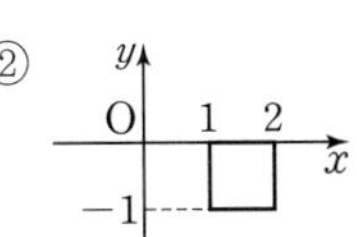

③
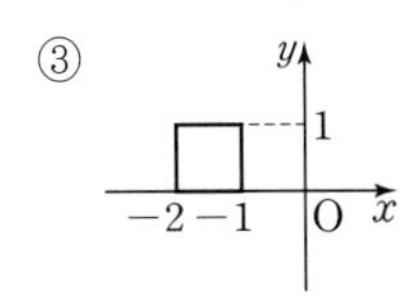

④
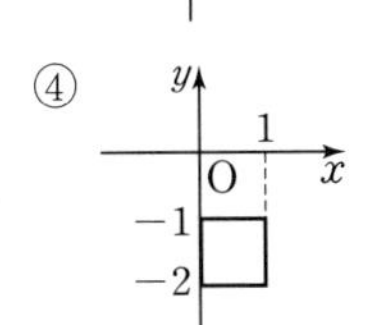

⑤
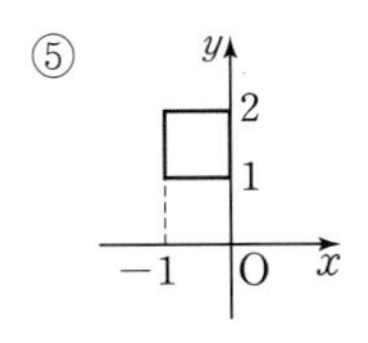

060 중

방정식 $f(x,\ y)=0$이 나타내는 도형이 오른쪽 그림과 같을 때, 다음 중 방정식 $f(-x,\ y+1)=0$이 나타내는 도형은?

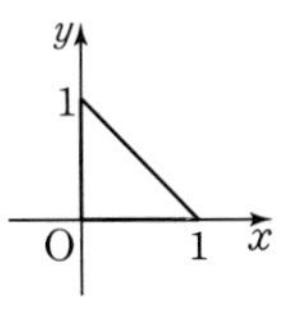

①

②
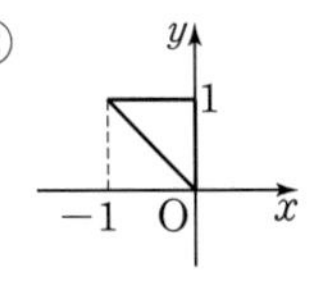

③

④
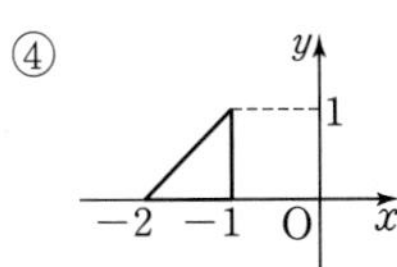

⑤

061 중

방정식 $f(x,\ y)=0$이 나타내는 도형이 [그림 1]과 같을 때, 다음 보기 중 [그림 2]와 같은 도형을 나타내는 방정식인 것만을 있는 대로 고른 것은?

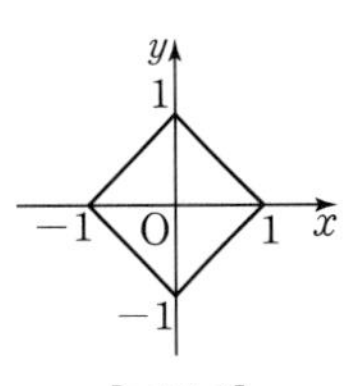
[그림 1]

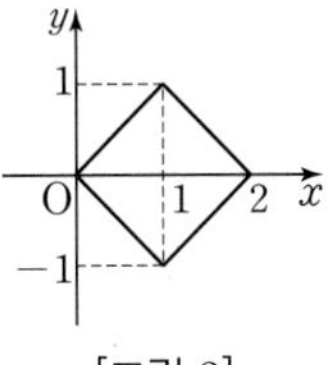
[그림 2]

보기

ㄱ. $f(x-1,\ y)=0$
ㄴ. $f(-x+1,\ -y)=0$
ㄷ. $f(y+1,\ x)=0$

① ㄱ ② ㄷ ③ ㄱ, ㄴ
④ ㄴ, ㄷ ⑤ ㄱ, ㄴ, ㄷ

최종 점검하기

062
유형 01

평행이동 $(x, y) \rightarrow (x-2, y+a)$에 의하여 점 $(1, 3)$이 점 $(b, 5)$로 옮겨질 때, $a+b$의 값은?

① -2 ② -1 ③ 0
④ 1 ⑤ 2

063
유형 01

점 (a, b)를 x축의 방향으로 4만큼, y축의 방향으로 3만큼 평행이동한 점과 점 (c, d)를 x축의 방향으로 -1만큼, y축의 방향으로 -3만큼 평행이동한 점의 좌표가 같을 때, $a-b-c+d$의 값은?

① -3 ② -1 ③ 1
④ 3 ⑤ 5

064
유형 02

직선 $y=-2x$를 x축의 방향으로 a만큼 평행이동한 직선이 원 $(x-3)^2+(y-1)^2=5$와 서로 다른 두 점에서 만나도록 하는 정수 a의 개수는?

① 2 ② 3 ③ 4
④ 5 ⑤ 6

065
유형 03

원점을 점 $(2, -3)$으로 옮기는 평행이동에 의하여 원 $x^2+y^2-2x+4y+4=0$이 옮겨지는 원의 중심의 좌표를 구하시오.

066
유형 03

포물선 $y=x^2+2x+6a$를 x축의 방향으로 a만큼, y축의 방향으로 3만큼 평행이동한 포물선의 꼭짓점이 y축 위에 있을 때, 이 꼭짓점의 좌표를 구하시오.

067
유형 04

점 $(1, 3)$을 원점에 대하여 대칭이동한 점을 P, 직선 $y=x$에 대하여 대칭이동한 점을 Q라 할 때, 직선 PQ의 방정식을 구하시오.

068
유형 05

직선 $x+3y-1=0$을 x축에 대하여 대칭이동한 후 다시 직선 $y=x$에 대하여 대칭이동한 직선이 점 $(2, p)$를 지날 때, p의 값은?

① 5 ② 6 ③ 7
④ 8 ⑤ 9

069
유형 06

다음 보기의 방정식이 나타내는 도형 중 원점에 대하여 대칭이동한 도형이 처음 도형과 일치하는 것만을 있는 대로 고르시오.

보기

ㄱ. $y=-x$ ㄴ. $y=x^2+1$

ㄷ. $x^2+y^2+4x=0$ ㄹ. $|x+y|=4$

070
유형 07

포물선 $y=x^2-4x+2$를 x축의 방향으로 1만큼, y축의 방향으로 -9만큼 평행이동한 후 y축에 대하여 대칭이동한 포물선이 점 $(2, a)$를 지날 때, a의 값을 구하시오.

071
유형 08

점 $\mathrm{P}(2, a)$를 점 $(3, -2)$에 대하여 대칭이동한 점이 $\mathrm{Q}(b, -3)$일 때, 선분 PQ의 길이는?

① $\sqrt{2}$ ② 2 ③ $2\sqrt{2}$
④ 3 ⑤ $2\sqrt{3}$

072
유형 08

다음 중 원 $(x-1)^2+(y-2)^2=4$를 점 $(-1, 5)$에 대하여 대칭이동한 원 위의 점인 것은?

① $(-3, 6)$ ② $(-2, 4)$ ③ $(-1, 2)$
④ $(1, 5)$ ⑤ $(2, 7)$

073
유형 09

점 $(-4, 2)$를 직선 $y=-3x+a$에 대하여 대칭이동한 점의 좌표가 $(b, 4)$일 때, 상수 a, b에 대하여 $a+b$의 값은?

① -2 ② -1 ③ 0
④ 1 ⑤ 2

074
유형 10

오른쪽 그림과 같이 두 점 $\mathrm{A}(1, -3)$, $\mathrm{B}(3, -1)$과 y축 위를 움직이는 점 P, x축 위를 움직이는 점 Q에 대하여 $\overline{\mathrm{AP}}+\overline{\mathrm{PQ}}+\overline{\mathrm{QB}}$의 최솟값을 구하시오.

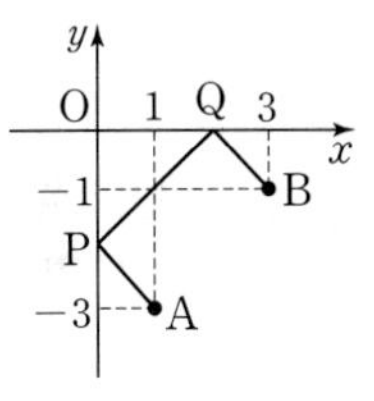

075
유형 11

두 방정식 $f(x, y)=0$, $g(x, y)=0$이 나타내는 도형이 오른쪽 그림과 같을 때, 다음 중 옳은 것은?

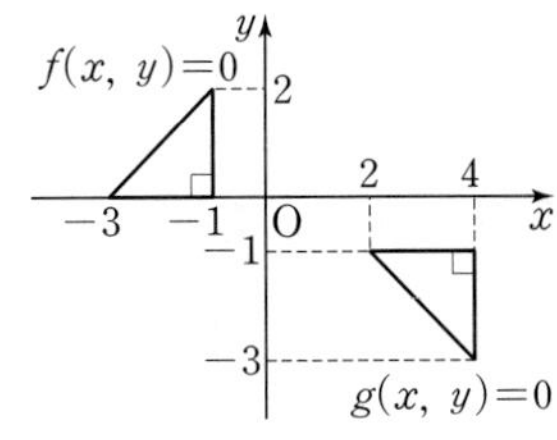

① $g(x, y)=f(x+5, y-1)$
② $g(x, y)=f(x+5, -y+1)$
③ $g(x, y)=f(x-5, -y-1)$
④ $g(x, y)=f(x-5, -y+1)$
⑤ $g(x, y)=f(-x-5, -y+1)$

빠른답 체크

01 다항식의 연산 8~21쪽

001 $4x^3+x-1$ 002 ③ 003 ④
004 $x^4+4x^3+3x^2-2x-2$ 005 ⑤ 006 ②
007 $\frac{5}{6}$ 008 ③ 009 22 010 ④
011 $x-4$ 012 ①
013 $a=-2$, $b=3$, $c=0$, $d=4$, $e=1$ 014 ④
015 $-10x^2+9xy-13y^2$ 016 ②
017 $2x^3+x^2-2x+1$ 018 $8x^2+3x-1$
019 11 020 ① 021 ③ 022 -2
023 -1 024 ④ 025 ⑤
026 x^4+4x^2+16 027 ①
028 $x^3-y^3+z^3+3xyz$ 029 ⑤ 030 ②
031 ② 032 -4 033 ④
034 $x^4+8x^3+14x^2-8x-15$ 035 ① 036 7
037 ① 038 ④ 039 $10\sqrt{13}$ 040 -14
041 ④ 042 31 043 ④ 044 11
045 ② 046 14 047 ④ 048 3
049 ① 050 9 051 ② 052 ④
053 ② 054 8 055 ③ 056 $5\sqrt{2}$
057 ② 058 270 059 1 060 7
061 2 062 -3 063 ④
064 몫: $3x+7$, 나머지: 7 065 ① 066 ①
067 ⑤ 068 -3 069 $x-4$
070 몫: x^2-x+3, 나머지: 5 071 137
072 $-x^2-5xy+7y^2$ 073 ③ 074 ②
075 ③ 076 ④ 077 ③ 078 ④
079 ① 080 ③ 081 ② 082 ②
083 ③ 084 48 085 56 086 ④
087 ① 088 몫: $3Q(x)$, 나머지: R 089 ①

02 나머지정리와 인수분해 24~45쪽

001 ① 002 -2 003 -12 004 ③
005 20 006 ⑤ 007 ④ 008 $-x+2$
009 34 010 4 011 1 012 ①
013 2 014 ④ 015 3 016 2
017 6 018 ② 019 ⑤ 020 -4
021 ① 022 ④ 023 ① 024 -1
025 ④ 026 ① 027 ② 028 ⑤
029 ② 030 ⑤ 031 ③ 032 -3
033 ③ 034 -6 035 12 036 14
037 ③ 038 ⑤ 039 $2x-3$ 040 ④
041 $2x$ 042 $-2x+6$ 043 ④
044 $-x^2+2x-1$ 045 $2x^2+5x+1$
046 -5 047 ① 048 8 049 1
050 ② 051 -12 052 6 053 ①
054 2 055 ⑤ 056 -10 057 ③
058 -2 059 ③ 060 ⑤ 061 ②
062 3 063 ③ 064 ④ 065 ⑤
066 ③ 067 ④ 068 ④ 069 ③
070 ⑤ 071 ① 072 ④ 073 ⑤
074 $(3a+2b-1)(3a-2b-1)$ 075 ②
076 $x(x-3y)^3$
077 $(x-y)(x^2+xy+y^2)(x^2-xy+y^2)$ 078 ③
079 ⑤ 080 $(a+b-1)(a+b-2)$ 081 ①
082 ② 083 -13 084 ② 085 ③
086 ⑤ 087 ② 088 ③ 089 ④
090 ⑤ 091 ④ 092 ㄴ, ㄷ 093 14
094 $(x+1)(x+2)(x-3)$ 095 ⑤ 096 2
097 ② 098 3 099 ② 100 ④
101 ③ 102 정삼각형 103 ⑤ 104 ③
105 ④ 106 ② 107 2000 108 ④
109 ① 110 ③ 111 ③ 112 4
113 4 114 64 115 ③ 116 11
117 $4x-5$ 118 7 119 15 120 ⑤
121 ⑤ 122 12 123 24 124 ④
125 ④ 126 $2x^2+10x-6$ 127 ③
128 ④ 129 $(x-y-z)(x+y-z-1)$ 130 2
131 -5 132 ⑤ 133 12 134 ②

03 복소수 48~59쪽

001 ⑤ 002 $5+6i$ 003 ⑤ 004 -3
005 ① 006 3 007 ㄱ, ㄷ 008 ⑤
009 $6+8i$ 010 ③ 011 ② 012 -4
013 $-b$ 014 ③ 015 ② 016 3
017 $4+i$ 018 ④ 019 ① 020 ④
021 $-32-24i$ 022 ① 023 2 024 ③
025 ② 026 0 027 7 028 ⑤
029 -3 030 0 031 ① 032 -1
033 -6 034 ④ 035 16 036 $-\frac{2}{5}$
037 10 038 ㄱ, ㄴ, ㄷ 039 ⑤ 040 ②
041 3 042 25 043 $3-9i$ 044 $-2i$
045 ④ 046 ② 047 $1\pm\sqrt{2}i$ 048 3
049 ③ 050 ③ 051 0 052 60
053 12 054 -2 055 ① 056 i
057 ㄱ, ㄷ 058 $-\sqrt{3}+\sqrt{5}i$ 059 ⑤ 060 ⑤
061 $x=\frac{1}{4}$, $y=-\frac{1}{2}$ 062 $2a+2b$ 063 ④
064 ① 065 ⑤ 066 ⑤ 067 4
068 5 069 -13 070 ④ 071 ①
072 ⑤ 073 ② 074 $4-2i$ 075 ③
076 1 077 24 078 $b+c$

04 이차방정식 62~77쪽

001 ② 002 -3 003 ③ 004 ⑤
005 서로 다른 두 실근 006 ⑤ 007 $\frac{5}{4}$
008 ④ 009 ② 010 5 011 1
012 ① 013 ① 014 ②
015 $x=1$ 또는 $x=4$ 016 ①
017 $x=-3$ 또는 $x=3$ 018 ⑤ 019 $k<-4$
020 ② 021 ② 022 ② 023 1
024 8 025 ① 026 서로 다른 두 허근
027 서로 다른 두 실근
028 빗변의 길이가 a인 직각삼각형 029 ③
030 ② 031 ① 032 ⑤ 033 2
034 20 035 -3 036 ② 037 ②
038 17 039 $x^2-x-4=0$
040 $x^2+4x-8=0$ 041 ④ 042 5
043 ① 044 22 045 $\sqrt{5}$ 046 ④
047 ⑤ 048 ④ 049 9 050 ②
051 $\frac{1}{3}$ 052 $\frac{1}{2}$ 053 ② 054 ①
055 2 056 3 057 -3 058 ⑤
059 ④ 060 10 061 ② 062 10
063 3 064 $x^2+x+4=0$ 065 ③
066 ⑤ 067 $5x^2-7x+1=0$ 068 ②
069 ③ 070 1 071 17 072 ④
073 ② 074 ② 075 ② 076 ①
077 ⑤ 078 ② 079 ⑤ 080 ④
081 ① 082 ③ 083 ③ 084 ⑤
085 ③ 086 ③ 087 1 088 ④
089 ① 090 ③ 091 ③ 092 ④
093 ② 094 $x=2\pm\sqrt{2}i$ 095 ④
096 ③ 097 $6x^2+x-1=0$

05 이차방정식과 이차함수 80~91쪽

001 ① 002 ④ 003 0 004 3
005 ① 006 ① 007 ② 008 ①
009 -12 010 ⑤ 011 4 012 ①
013 ④ 014 $\frac{1}{2}$ 015 2 016 1
017 ⑤ 018 4 019 $k\le\frac{5}{8}$ 020 ③
021 8 022 2 023 -3 024 ②
025 4 026 $\sqrt{2}$ 027 ④ 028 $k>5$
029 ④ 030 ⑤ 031 ③ 032 ②
033 ① 034 ① 035 $\frac{9}{2}$ m 036 2
037 ④ 038 ⑤ 039 2 040 ②
041 ① 042 40 043 ② 044 14
045 7 046 ⑤ 047 -3 048 9
049 ④ 050 5 051 ⑤ 052 4
053 1 054 ② 055 $\frac{9}{2}$ 056 1
057 20 058 21 m 059 ③ 060 ⑤
061 225 062 ④ 063 ㄱ, ㄷ 064 -21
065 1 066 ⑤ 067 1 068 -4
069 ① 070 ③ 071 ③ 072 ①
073 ③ 074 12

빠른답 체크

06 여러 가지 방정식 94~111쪽

001 ② 002 $x=-3$ 또는 $x=-2$ 또는 $x=1$ 또는 $x=2$
003 ⑤ 004 -5 005 -1 006 ③
007 ② 008 $x^3-8x^2-12x+16=0$ 009 ④
010 ② 011 3 cm 012 2 013 -4
014 ① 015 ② 016 ② 017 ⑤
018 ③ 019 ① 020 ② 021 ③
022 ① 023 ② 024 ② 025 ④
026 1 027 ① 028 ② 029 ⑤
030 ① 031 ③ 032 ① 033 ②
034 0 035 ② 036 84 037 ②
038 ③ 039 ③ 040 ①
041 $x^3-2x^2+x-1=0$ 042 ① 043 ④
044 ④ 045 -2 046 ③ 047 4
048 ② 049 ① 050 1 051 ②
052 ③ 053 13 054 ③ 055 ③
056 2 057 ② 058 ④ 059 ④
060 ③ 061 ③ 062 ② 063 $2\sqrt{2}$
064 -1 065 3 066 ④ 067 1
068 ①
069 $\begin{cases} x=-2 \\ y=2 \end{cases}$ 또는 $\begin{cases} x=2 \\ y=-2 \end{cases}$ 또는 $\begin{cases} x=-2\sqrt{3} \\ y=-2\sqrt{3} \end{cases}$ 또는 $\begin{cases} x=2\sqrt{3} \\ y=2\sqrt{3} \end{cases}$
070 ③ 071 ④ 072 $(-2,\ 2)$, $(2,\ -2)$
073 3 074 ④ 075 ③ 076 ④
077 ③ 078 ② 079 ① 080 5
081 ④ 082 3 083 ① 084 $-2+3\sqrt{2}$
085 ① 086 ② 087 ④ 088 ④
089 ④ 090 24 091 ② 092 ②
093 ④ 094 4 095 ③ 096 ④
097 ② 098 ⑤ 099 ④ 100 ①
101 ⑤

07 연립일차부등식 114~123쪽

001 ① 002 ③ 003 12 004 ③
005 $a>1$ 006 $-4<a\le-1$ 007 15개
008 ④ 009 ② 010 ① 011 ⑤
012 ① 013 -3 014 ④ 015 해는 없다.
016 $x=3$ 017 ㄱ, ㄹ 018 $2<x\le10$ 019 ②
020 -3 021 ① 022 3 023 ②
024 $-4\le x<2$ 025 ⑤ 026 $a\le\frac{15}{2}$
027 ⑤ 028 $a\le6$ 029 $-5\le a<-3$
030 ③ 031 ② 032 $1\le x\le7$ 033 $9<x<18$
034 110 g 035 125 036 ③ 037 ④
038 5 039 ⑤ 040 3 041 ①
042 ③ 043 ② 044 ② 045 ③
046 ④ 047 ① 048 ④ 049 $x=-6$
050 해는 없다. 051 ④ 052 -18 053 ④
054 -1 055 ⑤ 056 -1 057 35
058 ① 059 ② 060 ③ 061 ③

08 이차부등식 126~143쪽

001 $-1<x<2$ 002 ① 003 ①
004 $-1<x<0$ 005 3 006 2
007 ③ 008 ① 009 $-6\le k\le-2$
010 $a<-2$ 또는 $a>1$ 011 ④ 012 $0<a<8$
013 ② 014 $x\le\frac{3}{2}$ 또는 $x\ge\frac{7}{2}$ 015 ⑤
016 $-3<x<-2$ 또는 $1<x<2$ 017 ①
018 ③ 019 ④ 020 $x\ne-4$인 모든 실수
021 ① 022 7 023 -4 024 ①
025 2 026 $-\frac{1}{4}<x<\frac{1}{3}$
027 $x\le0$ 또는 $x\ge\frac{3}{2}$ 028 ③ 029 ③
030 ④ 031 ① 032 ⑤ 033 ①
034 ② 035 ③ 036 ③ 037 ④
038 ② 039 $-4<a<-1$ 040 1
041 ① 042 ④ 043 ④ 044 $k\le-2$
045 ④ 046 ② 047 ② 048 11
049 5 050 ① 051 $-4<k<0$
052 7 053 ② 054 ④ 055 $\frac{2}{5}\le t\le1$

056 80　057 ②　058 5　059 $2<a\le 3$
060 ②　061 ①　062 ③　063 ①
064 ①　065 ③　066 ③　067 ②
068 ①　069 ①　070 ④　071 ③
072 $-4\le a\le 3$　073 4　074 $3\le a<4$
075 ①　076 1　077 ⑤　078 ⑤
079 $1\le x\le 2$　080 $3\le x\le 4$ 또는 $6\le x\le 7$　081 ④
082 ④　083 ③　084 ⑤
085 $k<-1$ 또는 $0<k<1$　086 ②　087 ①
088 ③　089 ④　090 ③　091 ④
092 $x<-3$ 또는 $x>5$　093 ②
094 $x<-2$ 또는 $x>0$　095 ①　096 2
097 ⑤　098 $-3<k<-1$　099 ⑤
100 ⑤　101 -5　102 ②　103 4
104 ①　105 ③　106 ⑤　107 4
108 ④　109 -2　110 ①

09 평면좌표 146~157쪽

001 4　002 ③　003 ③　004 13
005 ④　006 풀이 참조　007 $(-11,\ 10)$
008 $\frac{2}{7}<a<\frac{5}{6}$　009 17　010 4　011 ⑤
012 ②　013 $y=-2x+\frac{3}{2}$　014 ④
015 ⑤　016 ④　017 ⑤　018 $10\sqrt{2}$
019 ③　020 4　021 ③　022 ④
023 ⑤　024 $5\sqrt{2}$　025 ③　026 ②
027 $(2,\ 6)$　028 ④　029 풀이 참조
030 (가) $-2c$　(나) $a^2+b^2+2c^2$　031 ④　032 ①
033 9　034 4　035 ③　036 ①
037 ④　038 18　039 12　040 ④
041 $3\sqrt{5}$　042 3　043 $(0,\ 6)$　044 7
045 3　046 ③　047 $\mathrm{C}(-4,\ 6)$, $\mathrm{D}(-2,\ -1)$
048 ④　049 ②　050 $\left(-1,\ \frac{1}{3}\right)$　051 ④
052 ⑤　053 ①　054 $y=x+1$　055 ③
056 8　057 $2\sqrt{2}$　058 ③　059 ③
060 -2　061 ②　062 72
063 (가) $2a$　(나) $\sqrt{3}a$　(다) $2\sqrt{3}a$　064 7　065 ⑤
066 ①　067 ③　068 4　069 $6+2\sqrt{3}$
070 ④　071 ③　072 ①　073 ①

10 직선의 방정식 160~177쪽

001 ③　002 ①　003 ①　004 ④
005 ②　006 ③　007 ④　008 ②
009 ①　010 ⑤　011 ④　012 ⑤
013 ①　014 $y=2x-8$　015 ②　016 7
017 ④　018 ③　019 ⑤　020 ③
021 ⑤　022 ④　023 ③　024 ④
025 ④　026 -3　027 ④　028 ②
029 ④　030 ⑤　031 ③　032 -9
033 $y=3x+8$　034 $(4,\ 1)$　035 $\frac{1}{4}<m<2$　036 ④
037 4　038 $-3<m<-\frac{1}{2}$　039 ②
040 ⑤　041 ④　042 ②　043 14
044 ②　045 $\frac{7}{2}$　046 ③　047 ②
048 ④　049 $x+3y-2=0$ 또는 $3x-y+4=0$
050 ⑤　051 ②　052 ⑤　053 ⑤
054 ④　055 ③　056 ⑤　057 ④
058 ③　059 ③　060 ①　061 ②
062 ③　063 ②　064 2　065 0
066 $-\frac{15}{4}$　067 ⑤　068 2　069 ④
070 ②　071 ⑤　072 $\frac{3\sqrt{5}}{2}$　073 ①
074 ③　075 ④　076 8　077 ③
078 6　079 7　080 ①　081 ③
082 $5x+y-9=0$　083 1　084 ①
085 -1　086 ②　087 $y=3x+5$　088 ③
089 ⑤　090 ③　091 ⑤　092 ②
093 $x-5y+9=0$　094 ②　095 -2
096 ①　097 6　098 ⑤　099 ㄱ, ㄷ
100 ④　101 ①　102 ⑤

빠른답 체크

11 원의 방정식 180~197쪽

001 ⑤ 002 ③ 003 $k<-1$ 또는 $k>2$
004 ① 005 ① 006 ④ 007 ④
008 ⑤ 009 ① 010 ④ 011 ①
012 ④ 013 $x^2+(y-1)^2=2$ 014 ④
015 ② 016 ⑤ 017 ② 018 ③
019 ③ 020 ⑤ 021 6π 022 2
023 $x^2+y^2+x-3y=0$ 024 ② 025 25π
026 ② 027 ③ 028 π 029 ④
030 ② 031 $4\sqrt{2}$ 032 ③ 033 ⑤
034 8π 035 ③ 036 $x^2+y^2-x+5y-6=0$
037 ③ 038 ⑤ 039 ② 040 ④
041 ④ 042 ③ 043 $x^2+y^2-y-6=0$
044 15 045 ④ 046 ③ 047 $4\sqrt{2}$
048 2 049 ⑤ 050 ⑤ 051 ②
052 ③ 053 ② 054 0 055 -1
056 ① 057 ⑤ 058 ③ 059 $2\sqrt{21}$
060 ⑤ 061 ④ 062 $(x-4)^2+(y-3)^2=16$
063 ② 064 ⑤ 065 ③ 066 ⑤
067 ④ 068 ③ 069 ④ 070 49
071 ② 072 ③ 073 ② 074 ④
075 ① 076 ① 077 ② 078 ⑤
079 16 080 ② 081 ① 082 ①
083 ⑤ 084 $(x-2)^2+y^2=20$
085 $(x+3)^2+(y-1)^2=2$ 086 ⑤
087 $-3\le k<-2$ 또는 $0<k\le 1$ 088 ④
089 ③ 090 $12\sqrt{2}$ 091 ③ 092 4
093 ⑤ 094 ④ 095 ⑤
096 $k<-\frac{\sqrt{21}}{2}$ 또는 $k>\frac{\sqrt{21}}{2}$ 097 ③ 098 ⑤
099 ③ 100 ⑤ 101 25
102 $y=3x-9$ 또는 $y=3x+11$ 103 7 104 ④

12 도형의 이동 200~211쪽

001 ④ 002 ④ 003 ① 004 ②
005 ③ 006 -5 007 -54 008 0
009 ① 010 $3\sqrt{5}$ 011 ④ 012 $(4, -3)$
013 ③ 014 ⑤ 015 $(5, -7)$ 016 7
017 21 018 ② 019 ③ 020 ④
021 -3 022 ② 023 8 024 ⑤
025 0 026 ① 027 $\sqrt{26}$ 028 ④
029 16 030 ⑤ 031 ② 032 ①
033 제4사분면 034 8 035 ④ 036 ④
037 ⑤ 038 2 039 -2 040 ③
041 ⑤ 042 -5 043 7 044 ④
045 -4 046 $0<r<1$ 047 ④ 048 1
049 -4 050 ④ 051 ① 052 ①
053 ⑤ 054 76 055 ② 056 ④
057 $5\sqrt{2}$ 058 $2\sqrt{10}$ 059 ⑤ 060 ③
061 ③ 062 ④ 063 ③ 064 ③
065 $(3, -5)$ 066 $(0, 8)$ 067 $y=x-2$ 068 ③
069 ㄱ, ㄹ 070 14 071 ③ 072 ①
073 ⑤ 074 $4\sqrt{2}$ 075 ③

15개정 교육과정

핵심 유형 마스터

만렙 PM

고등 수학(상)

정답과 해설

책 속의 가접 별책 (특허 제 0557442호)
'정답과 해설'은 본책에서 쉽게 분리할 수 있도록 제작되었으므로
유통 과정에서 분리될 수 있으나 파본이 아닌 정상제품입니다.

우리는 남다른 상상과 혁신으로
교육 문화의 새로운 전형을 만들어
모든 이의 행복한 경험과 성장에 기여한다

정답과 해설

고등 **수학**(상)

다항식의 연산

8~21쪽

001 답 $\boldsymbol{4x^3+x-1}$

$2A-B-3(A-C)$
$=2A-B-3A+3C$
$=-A-B+3C$
$=-(2x^3-3x+4)-(-3x^2+2x)+3(2x^3-x^2+1)$
$=-2x^3+3x-4+3x^2-2x+6x^3-3x^2+3$
$=4x^3+x-1$

002 답 ③

$(x^2+3x-2)(2x^2-x+6)$의 전개식에서 x^2항은
$x^2\times6+3x\times(-x)+(-2)\times2x^2=6x^2-3x^2-4x^2=-x^2$
따라서 x^2의 계수는 -1이다.

003 답 ④

④ $(a-2b)(a^2+2ab+4b^2)=a^3-(2b)^3=a^3-8b^3$

004 답 $\boldsymbol{x^4+4x^3+3x^2-2x-2}$

$x^2+2x=X$로 놓으면
$(x^2+2x+1)(x^2+2x-2)=(X+1)(X-2)=X^2-X-2$
$=(x^2+2x)^2-(x^2+2x)-2$
$=x^4+4x^3+4x^2-x^2-2x-2$
$=x^4+4x^3+3x^2-2x-2$

005 답 ⑤

$x^2+y^2=(x-y)^2+2xy$에서 $20=2^2+2xy$ $\quad\therefore xy=8$
$\therefore x^3-y^3=(x-y)^3+3xy(x-y)=2^3+3\times8\times2=56$

006 답 ②

$x^2+3x+1=0$에서 $x\neq0$이므로 양변을 x로 나누면
$x+3+\frac{1}{x}=0 \quad \therefore x+\frac{1}{x}=-3$
$\therefore x^3+\frac{1}{x^3}=\left(x+\frac{1}{x}\right)^3-3\left(x+\frac{1}{x}\right)=(-3)^3-3\times(-3)=-18$

007 답 $\boldsymbol{\frac{5}{6}}$

$a^2+b^2+c^2=(a+b+c)^2-2(ab+bc+ca)$에서
$14=2^2-2(ab+bc+ca) \quad \therefore ab+bc+ca=-5$
$\therefore \frac{1}{a}+\frac{1}{b}+\frac{1}{c}=\frac{ab+bc+ca}{abc}=\frac{-5}{-6}=\frac{5}{6}$

008 답 ③

$(2+1)(2^2+1)(2^4+1)(2^8+1)$
$=(2-1)(2+1)(2^2+1)(2^4+1)(2^8+1)$
$=(2^2-1)(2^2+1)(2^4+1)(2^8+1)$
$=(2^4-1)(2^4+1)(2^8+1)=(2^8-1)(2^8+1)=2^{16}-1$

009 답 **22**

직육면체의 가로의 길이를 a, 세로의 길이를 b, 높이를 c라 하면
직육면체의 모든 모서리의 길이의 합이 24이므로
$4(a+b+c)=24$
$\therefore a+b+c=6$
또 대각선의 길이가 $\sqrt{14}$이므로
$\sqrt{a^2+b^2+c^2}=\sqrt{14}$
$\therefore a^2+b^2+c^2=14$
이때 $a^2+b^2+c^2=(a+b+c)^2-2(ab+bc+ca)$에서
$14=6^2-2(ab+bc+ca)$
$\therefore ab+bc+ca=11$
따라서 구하는 직육면체의 겉넓이는
$2(ab+bc+ca)=2\times11=22$

010 답 ④

다항식 $2x^3-3x^2+2x-15$를 x^2+2x+3으로 나누면

$$\begin{array}{r|l} & 2x-7 \\ x^2+2x+3 & 2x^3-3x^2+2x-15 \\ & 2x^3+4x^2+6x \\ \hline & -7x^2-4x-15 \\ & -7x^2-14x-21 \\ \hline & 10x+6 \end{array}$$

따라서 몫은 $2x-7$, 나머지는 $10x+6$이다.

011 답 $\boldsymbol{x-4}$

다항식 x^3-2x^2+5x-3을 다항식 A로 나누었을 때의 몫이
$x^2+2x+13$이고 나머지가 49이므로
$x^3-2x^2+5x-3=A(x^2+2x+13)+49$
$A(x^2+2x+13)=x^3-2x^2+5x-52$
$\therefore A=(x^3-2x^2+5x-52)\div(x^2+2x+13)$

$$\begin{array}{r|l} & x-4 \\ x^2+2x+13 & x^3-2x^2+5x-52 \\ & x^3+2x^2+13x \\ \hline & -4x^2-8x-52 \\ & -4x^2-8x-52 \\ \hline & 0 \end{array}$$

$\therefore A=x-4$

012 답 ①

다항식 $f(x)$를 $x-\frac{3}{2}$으로 나누었을 때의 몫이 $Q(x)$, 나머지가
R이므로
$f(x)=\left(x-\frac{3}{2}\right)Q(x)+R$
$=(2x-3)\times\frac{1}{2}Q(x)+R$
따라서 다항식 $f(x)$를 $2x-3$으로 나누었을 때의 몫은 $\frac{1}{2}Q(x)$, 나머지는 R이다.

013 답 $a=-2,\ b=3,\ c=0,\ d=4,\ e=1$

조립제법을 이용하여 다항식 x^3+3x^2-1을 $x+2$로 나누었을 때의 몫과 나머지를 구하면

$$\begin{array}{r|rrrr} -2 & 1 & 3 & 0 & -1 \\ & & -2 & -2 & 4 \\ \hline & 1 & 1 & -2 & \boxed{3} \end{array}$$

$\therefore a=-2,\ b=3,\ c=0,\ d=4,\ e=1$

014 답 ④

$3(A-B)+2(B+C)$
$=3A-3B+2B+2C=3A-B+2C$
$=3(2x^3-x^2-x+6)-(x^3-2x)+2(3x^3-x^2)$
$=6x^3-3x^2-3x+18-x^3+2x+6x^3-2x^2$
$=11x^3-5x^2-x+18$

015 답 $-10x^2+9xy-13y^2$

$2X-A=3(X-2B)$에서 $2X-A=3X-6B$
$\therefore X=-A+6B$
$=-(4x^2-3xy+y^2)+6(-x^2+xy-2y^2)$
$=-4x^2+3xy-y^2-6x^2+6xy-12y^2$
$=-10x^2+9xy-13y^2$

016 답 ②

$\langle x+2y-1,\ 3x-4y+1\rangle=2(x+2y-1)-(3x-4y+1)+3$
$=2x+4y-2-3x+4y-1+3$
$=-x+8y$

017 답 $2x^3+x^2-2x+1$

$A+2B=x^3+6x^2-5x+3$ …… ㉠
$A-B=4x^3-9x^2+4x-3$ …… ㉡
㉠$-$㉡을 하면
$3B=-3x^3+15x^2-9x+6$
$\therefore B=-x^3+5x^2-3x+2$
따라서 ㉡에서
$A=B+(4x^3-9x^2+4x-3)$
$=(-x^3+5x^2-3x+2)+(4x^3-9x^2+4x-3)$
$=3x^3-4x^2+x-1$
$\therefore A+B=(3x^3-4x^2+x-1)+(-x^3+5x^2-3x+2)$
$=2x^3+x^2-2x+1$

018 답 $8x^2+3x-1$

$2x^2-3x+5$	㉠	$6x^2-x+3$
	㉡	
	$3x^2-4x+6$	A

위의 표에서 가로에 놓인 세 다항식의 합이 $15x^2+6$이므로
$(2x^2-3x+5)+㉠+(6x^2-x+3)=15x^2+6$
$\therefore ㉠=7x^2+4x-2$
또 세로에 놓인 세 다항식의 합이 $15x^2+6$이므로
$(7x^2+4x-2)+㉡+(3x^2-4x+6)=15x^2+6$
$\therefore ㉡=5x^2+2$
따라서 대각선에 놓인 세 다항식의 합이 $15x^2+6$이므로
$(2x^2-3x+5)+(5x^2+2)+A=15x^2+6$
$\therefore A=8x^2+3x-1$

019 답 11

$(x^3+4x-1)(2x^2-x+3)$의 전개식에서 x^3항은
$x^3\times3+4x\times2x^2=3x^3+8x^3=11x^3$
따라서 x^3의 계수는 11이다.

020 답 ①

$(x-2y-3)(4x+5y-6)$의 전개식에서 xy항은
$x\times5y+(-2y)\times4x=5xy-8xy=-3xy$
따라서 xy의 계수는 -3이다.

021 답 ③

$(2x^2+x-3)(x^2-5x+k)$의 전개식에서 x^2항은
$2x^2\times k+x\times(-5x)+(-3)\times x^2$
$=2kx^2-5x^2-3x^2=(2k-8)x^2$
따라서 x^2의 계수는 $2k-8$이므로 $2k-8=-6$ $\therefore k=1$

022 답 -2

두 다항식 A, B에서 x^3의 계수를 각각 a, b라 하면 $A-2B$에서 x^3의 계수는 $a-2b$이다.
$(x-1)(x^3-3x^2+1)$의 전개식에서 x^3항은
$x\times(-3x^2)+(-1)\times x^3=-3x^3-x^3=-4x^3$
즉, 다항식 A에서 x^3의 계수는 -4이므로 $a=-4$
$(2x^2-x+1)(x^3-x-2)$의 전개식에서 x^3항은
$2x^2\times(-x)+1\times x^3=-2x^3+x^3=-x^3$
즉, 다항식 B에서 x^3의 계수는 -1이므로 $b=-1$
따라서 다항식 $A-2B$의 x^3의 계수는
$a-2b=-4-2\times(-1)=-2$

023 답 -1

$(1-x+x^2-x^3+x^4-\cdots+x^{50})^2$
$=(1-x+x^2-x^3+x^4-\cdots+x^{50})(1-x+x^2-x^3+x^4-\cdots+x^{50})$
이므로 주어진 다항식의 전개식에서 x^4항은
$1\times x^4+(-x)\times(-x^3)+x^2\times x^2+(-x^3)\times(-x)+x^4\times1$
$=x^4+x^4+x^4+x^4+x^4=5x^4$
$\therefore a=5$
또 주어진 다항식의 전개식에서 x^5항은
$1\times(-x^5)+(-x)\times x^4+x^2\times(-x^3)+(-x^3)\times x^2$
$+x^4\times(-x)+(-x^5)\times1$
$=-x^5-x^5-x^5-x^5-x^5-x^5=-6x^5$
$\therefore b=-6$
$\therefore a+b=-1$

024 답 ④

$(x+1)(x+2)(x+3)(x+4)(x+5)$ 중 임의의 4개의 일차식에서 x만 뽑아 곱하면 x^4이 되고, 여기에 남은 일차식의 상수항을 곱하면 x^4의 계수가 되므로

$x^4+2x^4+3x^4+4x^4+5x^4=15x^4$

따라서 x^4의 계수는 15이다.

025 답 ⑤

① $(a-b-1)^2$

$=a^2+(-b)^2+(-1)^2+2\times a\times(-b)+2\times(-b)\times(-1)+2\times(-1)\times a$

$=a^2+b^2-2ab-2a+2b+1$

② $(a+2b)^3=a^3+3\times a^2\times 2b+3\times a\times(2b)^2+(2b)^3$

$=a^3+6a^2b+12ab^2+8b^3$

③ $(x+1)(x^2-x+1)=(x+1)(x^2-x\times 1+1^2)=x^3+1$

④ $(x-y)(x+y)(x^2+y^2)(x^4+y^4)$

$=(x^2-y^2)(x^2+y^2)(x^4+y^4)$

$=(x^4-y^4)(x^4+y^4)=x^8-y^8$

026 답 x^4+4x^2+16

$(x^2+2x+4)(x^2-2x+4)=(x^2+x\times 2+2^2)(x^2-x\times 2+2^2)$

$=x^4+x^2\times 2^2+2^4$

$=x^4+4x^2+16$

027 답 ①

$(2x-3)^3=(2x)^3-3\times(2x)^2\times 3+3\times 2x\times 3^2-3^3$

$=8x^3-36x^2+54x-27$

따라서 $a=-36$, $b=54$, $c=-27$이므로

$a+b+c=-9$

028 답 $x^3-y^3+z^3+3xyz$

$(x-y+z)(x^2+y^2+z^2+xy+yz-zx)$

$=\{x+(-y)+z\}\times\{x^2+(-y)^2+z^2-x\times(-y)-(-y)\times z-z\times x\}$

$=x^3+(-y)^3+z^3-3\times x\times(-y)\times z$

$=x^3-y^3+z^3+3xyz$

029 답 ⑤

$(a+b-2c)^2$

$=a^2+b^2+(-2c)^2+2\times a\times b+2\times b\times(-2c)+2\times(-2c)\times a$

$=a^2+b^2+4c^2+2(ab-2bc-2ca)$

$=41+2\times(-16)=9$

030 답 ②

$(x+3)(x-3)(x^2+3x+9)(x^2-3x+9)$

$=\{(x+3)(x^2-3x+9)\}\{(x-3)(x^2+3x+9)\}$

$=(x^3+27)(x^3-27)$

$=x^6-729$

031 답 ②

$x+y+z=2$에서

$x+y=2-z$, $y+z=2-x$, $z+x=2-y$

$\therefore (x+y)(y+z)(z+x)$

$=(2-z)(2-x)(2-y)$

$=2^3-2^2(x+y+z)+2(xy+yz+zx)-xyz$

$=8-4\times 2+2\times(-1)-(-2)=0$

032 답 -4

$(x^2+x-3)(x^2-4x-3)=(x^2-3+x)(x^2-3-4x)$에서

$x^2-3=X$로 놓으면

$(x^2-3+x)(x^2-3-4x)=(X+x)(X-4x)$

$=X^2-3xX-4x^2$

$=(x^2-3)^2-3x(x^2-3)-4x^2$

$=x^4-6x^2+9-3x^3+9x-4x^2$

$=x^4-3x^3-10x^2+9x+9$

따라서 $a=-3$, $b=-10$, $c=9$이므로

$a+b+c=-4$

033 답 ④

$x+y=X$로 놓으면

$(x+y+z)(x+y-z)=(X+z)(X-z)$

$=X^2-z^2$

$=(x+y)^2-z^2$

$=x^2+2xy+y^2-z^2$

034 답 $x^4+8x^3+14x^2-8x-15$

$(x-1)(x+1)(x+3)(x+5)$

$=\{(x-1)(x+5)\}\{(x+1)(x+3)\}$

$=(x^2+4x-5)(x^2+4x+3)$

$x^2+4x=X$로 놓으면

$(x^2+4x-5)(x^2+4x+3)=(X-5)(X+3)=X^2-2X-15$

$=(x^2+4x)^2-2(x^2+4x)-15$

$=x^4+8x^3+16x^2-2x^2-8x-15$

$=x^4+8x^3+14x^2-8x-15$

035 답 ①

$(x^2+x+1)(x^2-x+1)(x^4-3x^2+1)$

$=(x^4+x^2+1)(x^4-3x^2+1)$

$x^4+1=X$로 놓으면

$(x^4+x^2+1)(x^4-3x^2+1)=(X+x^2)(X-3x^2)$

$=X^2-2x^2X-3x^4$

$=(x^4+1)^2-2x^2(x^4+1)-3x^4$

$=x^8+2x^4+1-2x^6-2x^2-3x^4$

$=x^8-2x^6-x^4-2x^2+1$

따라서 $a=1$, $b=-2$, $c=-1$, $d=-2$이므로

$abcd=-4$

036 답 **7**

$x^2+y^2=(x+y)^2-2xy$에서

$5=1^2-2xy \quad \therefore xy=-2$

$\therefore x^3+y^3=(x+y)^3-3xy(x+y)=1^3-3\times(-2)\times1=7$

037 답 ①

$\frac{y}{x}+\frac{x}{y}=\frac{x^2+y^2}{xy}=\frac{(x+y)^2-2xy}{xy}$

$=\frac{4^2-2\times(-2)}{-2}=-10$

038 답 ④

$x^3-y^3=(x-y)^3+3xy(x-y)$에서

$-9=(-3)^3+3xy\times(-3) \quad \therefore xy=-2$

$\therefore x^2-xy+y^2=(x-y)^2+xy=(-3)^2+(-2)=7$

039 답 $\mathbf{10\sqrt{13}}$

$a^2+b^2=(a+b)^2-2ab$에서

$11=3^2-2ab \quad \therefore ab=-1$

$\therefore (a-b)^2=(a+b)^2-4ab=3^2-4\times(-1)=13$

그런데 $a>b$이므로 $a-b=\sqrt{13}$

$\therefore a^3-b^3=(a-b)^3+3ab(a-b)$

$=(\sqrt{13})^3+3\times(-1)\times\sqrt{13}$

$=13\sqrt{13}-3\sqrt{13}=10\sqrt{13}$

040 답 **−14**

$x+y=(1+\sqrt{2})+(1-\sqrt{2})=2$

$xy=(1+\sqrt{2})\times(1-\sqrt{2})=-1$

$\therefore \frac{x^2}{y}+\frac{y^2}{x}=\frac{x^3+y^3}{xy}=\frac{(x+y)^3-3xy(x+y)}{xy}$

$=\frac{2^3-3\times(-1)\times2}{-1}=-14$

041 답 ④

$\frac{1}{x}-\frac{1}{y}=-2$에서 $\frac{x-y}{xy}=2$

$\frac{2}{xy}=2 \quad \therefore xy=1$

$\therefore x^4+y^4=(x^2+y^2)^2-2x^2y^2$

$=\{(x-y)^2+2xy\}^2-2(xy)^2$

$=(2^2+2\times1)^2-2\times1^2=34$

042 답 **31**

$x^3+y^3=(x+y)^3-3xy(x+y)$에서

$7=1^3-3xy\times1 \quad \therefore xy=-2$

$\therefore x^2+y^2=(x+y)^2-2xy=1^2-2\times(-2)=5$

$(x^3+y^3)(x^2+y^2)=x^5+x^3y^2+x^2y^3+y^5$이므로

$x^5+y^5=(x^3+y^3)(x^2+y^2)-x^2y^2(x+y)$

$=7\times5-(-2)^2\times1=31$

043 답 ④

$x^2-x-1=0$에서 $x\neq0$이므로 양변을 x로 나누면

$x-1-\frac{1}{x}=0 \quad \therefore x-\frac{1}{x}=1$

$\therefore x^3-\frac{1}{x^3}=\left(x-\frac{1}{x}\right)^3+3\left(x-\frac{1}{x}\right)$

$=1^3+3\times1=4$

044 답 **11**

$x^2+\frac{1}{x^2}=\left(x-\frac{1}{x}\right)^2+2=3^2+2=11$

045 답 ②

$x^2+\frac{1}{x^2}=\left(x+\frac{1}{x}\right)^2-2$에서

$7=\left(x+\frac{1}{x}\right)^2-2 \quad \therefore \left(x+\frac{1}{x}\right)^2=9$

그런데 $x>0$이므로 $x+\frac{1}{x}=3$

$\therefore x^3+\frac{1}{x^3}=\left(x+\frac{1}{x}\right)^3-3\left(x+\frac{1}{x}\right)$

$=3^3-3\times3=18$

046 답 **14**

$x^2-4x+1=0$에서 $x\neq0$이므로 양변을 x로 나누면

$x-4+\frac{1}{x}=0 \quad \therefore x+\frac{1}{x}=4$

$x^2+\frac{1}{x^2}=\left(x+\frac{1}{x}\right)^2-2$

$=4^2-2=14$

$x^3+\frac{1}{x^3}=\left(x+\frac{1}{x}\right)^3-3\left(x+\frac{1}{x}\right)$

$=4^3-3\times4=52$

$\therefore x^3-2x^2-10-\frac{2}{x^2}+\frac{1}{x^3}=x^3+\frac{1}{x^3}-2\left(x^2+\frac{1}{x^2}\right)-10$

$=52-2\times14-10=14$

047 답 ④

$\left(x^2+\frac{1}{x^2}\right)^2=\left(x^2-\frac{1}{x^2}\right)^2+4$

$=(-2\sqrt{3})^2+4=16$

그런데 $x^2>0$이므로 $x^2+\frac{1}{x^2}=4$

$x^2+\frac{1}{x^2}=\left(x+\frac{1}{x}\right)^2-2$에서

$4=\left(x+\frac{1}{x}\right)^2-2 \quad \therefore \left(x+\frac{1}{x}\right)^2=6$

그런데 $x>0$이므로 $x+\frac{1}{x}=\sqrt{6}$

$\therefore \frac{x^6+x^4+x^2+1}{x^3}=x^3+x+\frac{1}{x}+\frac{1}{x^3}$

$=\left(x^3+\frac{1}{x^3}\right)+\left(x+\frac{1}{x}\right)$

$=\left(x+\frac{1}{x}\right)^3-3\left(x+\frac{1}{x}\right)+\left(x+\frac{1}{x}\right)$

$=(\sqrt{6})^3-3\times\sqrt{6}+\sqrt{6}=4\sqrt{6}$

048 답 3

$a^2+b^2+c^2=(a+b+c)^2-2(ab+bc+ca)$

$=4^2-2\times5=6$

$\therefore \frac{a}{bc}+\frac{b}{ca}+\frac{c}{ab}=\frac{a^2+b^2+c^2}{abc}=\frac{6}{2}=3$

049 답 ①

$a^2+b^2+c^2=(a+b+c)^2-2(ab+bc+ca)$에서

$21=(-1)^2-2(ab+bc+ca)$

$\therefore ab+bc+ca=-10$

$\therefore a^3+b^3+c^3=(a+b+c)(a^2+b^2+c^2-ab-bc-ca)+3abc$

$=(-1)\times\{21-(-10)\}+3\times(-8)=-55$

050 답 9

$x^2+y^2+z^2=(x+y+z)^2-2(xy+yz+zx)$에서

$6=2^2-2(xy+yz+zx)$

$\therefore xy+yz+zx=-1$

$x^3+y^3+z^3=(x+y+z)(x^2+y^2+z^2-xy-yz-zx)+3xyz$에서

$8=2\times\{6-(-1)\}+3xyz$

$\therefore xyz=-2$

$\therefore x^2y^2+y^2z^2+z^2x^2=(xy)^2+(yz)^2+(zx)^2$

$=(xy+yz+zx)^2-2(xy^2z+yz^2x+zx^2y)$

$=(xy+yz+zx)^2-2xyz(x+y+z)$

$=(-1)^2-2\times(-2)\times2=9$

051 답 ②

$a-b=5$, $b-c=-2$를 변끼리 더하면 $a-c=3$

$\therefore a^2+b^2+c^2-ab-bc-ca$

$=\frac{1}{2}(2a^2+2b^2+2c^2-2ab-2bc-2ca)$

$=\frac{1}{2}\{(a-b)^2+(b-c)^2+(a-c)^2\}$

$=\frac{1}{2}\times\{5^2+(-2)^2+3^2\}=19$

052 답 ④

$(3+2)(3^2+2^2)(3^4+2^4)=(3-2)(3+2)(3^2+2^2)(3^4+2^4)$

$=(3^2-2^2)(3^2+2^2)(3^4+2^4)$

$=(3^4-2^4)(3^4+2^4)$

$=3^8-2^8$

053 답 ②

$2018=a$로 놓으면

$\frac{2018^2}{2017(2018^2+2019)+1}=\frac{a^2}{(a-1)(a^2+a+1)+1}$

$=\frac{a^2}{a^3-1+1}$

$=\frac{a^2}{a^3}=\frac{1}{a}$

$=\frac{1}{2018}$

054 답 8

$100=a$로 놓으면

$99^3+101^3=(a-1)^3+(a+1)^3$

$=(a^3-3a^2+3a-1)+(a^3+3a^2+3a+1)$

$=2a^3+6a=2\times100^3+6\times100=2000600$

따라서 구하는 각 자리의 숫자의 합은 $2+6=8$

055 답 ③

$\frac{3\times5\times17\times257+1}{32}=\frac{(2+1)(2^2+1)(2^4+1)(2^8+1)+1}{2^5}$

$=\frac{(2-1)(2+1)(2^2+1)(2^4+1)(2^8+1)+1}{2^5}$

$=\frac{(2^2-1)(2^2+1)(2^4+1)(2^8+1)+1}{2^5}$

$=\frac{(2^4-1)(2^4+1)(2^8+1)+1}{2^5}$

$=\frac{(2^8-1)(2^8+1)+1}{2^5}$

$=\frac{2^{16}-1+1}{2^5}=\frac{2^{16}}{2^5}=2^{11}$

056 답 $5\sqrt{2}$

직육면체의 가로의 길이를 a, 세로의 길이를 b, 높이를 c라 하면 직육면체의 모든 모서리의 길이의 합이 48이므로

$4(a+b+c)=48$ $\therefore a+b+c=12$

또 겉넓이가 94이므로

$2(ab+bc+ca)=94$ $\therefore ab+bc+ca=47$

$\therefore a^2+b^2+c^2=(a+b+c)^2-2(ab+bc+ca)$

$=12^2-2\times47=50$

따라서 구하는 대각선의 길이는 $\sqrt{a^2+b^2+c^2}=\sqrt{50}=5\sqrt{2}$

057 답 ②

직사각형의 가로의 길이를 x, 세로의 길이를 y라 하면 직사각형의 둘레의 길이가 16이므로

$2(x+y)=16$ $\therefore x+y=8$

또 직사각형이 반지름의 길이가 3인 원에 내접하므로 대각선의 길이는 원의 지름의 길이인 6이다.

이때 피타고라스 정리에 의하여

$x^2+y^2=6^2$ $\therefore x^2+y^2=36$

$x^2+y^2=(x+y)^2-2xy$에서

$36=8^2-2xy$ $\therefore xy=14$

따라서 구하는 직사각형의 넓이는 14이다.

058 답 270

두 정육면체의 한 모서리의 길이를 각각 x, y라 하면

$x+y=9$, $x^3+y^3=243$

$x^3+y^3=(x+y)^3-3xy(x+y)$에서

$243=9^3-3xy\times9$ $\therefore xy=18$

따라서 구하는 두 정육면체의 겉넓이의 합은

$6(x^2+y^2)=6\{(x+y)^2-2xy\}$

$=6\times(9^2-2\times18)=270$

059 답 1

다항식 $3x^3-2x^2+10$을 x^2-x+5로 나누면

$$\begin{array}{r l}
 & 3x+1 \\
x^2-x+5\,\big) & \overline{3x^3-2x^2 \qquad +10} \\
 & 3x^3-3x^2+15x \\ \hline
 & \qquad x^2-15x+10 \\
 & \qquad x^2-\quad x+\ 5 \\ \hline
 & \qquad -14x+\ 5
\end{array}$$

따라서 몫은 $3x+1$, 나머지는 $-14x+5$이므로

$a=3$, $b=1$, $c=-14$, $d=5$

$\therefore ad+bc=15-14=1$

060 답 7

$a=2$, $b=2$, $c=2$, $d=1$이므로

$a+b+c+d=7$

061 답 2

다항식 $x^4-x^3+6x^2+2x+11$을 x^2+1로 나누면

$$\begin{array}{r l}
 & x^2-x+5 \\
x^2+1\,\big) & \overline{x^4-x^3+6x^2+2x+11} \\
 & x^4 \qquad +x^2 \\ \hline
 & \quad -x^3+5x^2+2x \\
 & \quad -x^3 \qquad -x \\ \hline
 & \qquad 5x^2+3x+11 \\
 & \qquad 5x^2 \qquad +5 \\ \hline
 & \qquad\qquad 3x+\ 6
\end{array}$$

따라서 $Q(x)=x^2-x+5$, $R(x)=3x+6$이므로

$Q(1)-R(-1)=5-3=2$

062 답 -3

다항식 x^3-4x^2+ax-5를 x^2+x+b로 나누면

$$\begin{array}{r l}
 & x-5 \\
x^2+x+b\,\big) & \overline{x^3-4x^2+ \qquad ax-5} \\
 & x^3+\ x^2+ \qquad bx \\ \hline
 & \quad -5x^2+(a-b)x-5 \\
 & \quad -5x^2- \qquad 5x-5b \\ \hline
 & \qquad (a-b+5)x-5+5b
\end{array}$$

이때 나머지가 0이므로

$(a-b+5)x-5+5b=0$

따라서 $a-b+5=0$, $-5+5b=0$이므로

$a=-4$, $b=1$ $\quad\therefore a+b=-3$

063 답 ④

다항식 $2x^3+3x^2-x+2$를 다항식 A로 나누었을 때의 몫이 $2x+1$이고 나머지가 3이므로

$2x^3+3x^2-x+2=A(2x+1)+3$

$A(2x+1)=2x^3+3x^2-x-1$

$A=(2x^3+3x^2-x-1)\div(2x+1)$

$2x^3+3x^2-x-1$을 $2x+1$로 나누면

$$\begin{array}{r l}
 & x^2+x-1 \\
2x+1\,\big) & \overline{2x^3+3x^2-\ x-1} \\
 & 2x^3+\ x^2 \\ \hline
 & \qquad 2x^2-\ x \\
 & \qquad 2x^2+\ x \\ \hline
 & \qquad\quad -2x-1 \\
 & \qquad\quad -2x-1 \\ \hline
 & \qquad\qquad\quad 0
\end{array}$$

$\therefore A=x^2+x-1$

064 답 몫: $3x+7$, 나머지: 7

다항식 $f(x)$를 $x+2$로 나누었을 때의 몫이 $3x-5$이고 나머지가 3이므로 $f(x)=(x+2)(3x-5)+3=3x^2+x-7$

$f(x)$를 $x-2$로 나누면

$$\begin{array}{r l}
 & 3x+7 \\
x-2\,\big) & \overline{3x^2+\ x-\ 7} \\
 & 3x^2-6x \\ \hline
 & \qquad 7x-\ 7 \\
 & \qquad 7x-14 \\ \hline
 & \qquad\qquad 7
\end{array}$$

따라서 구하는 몫은 $3x+7$, 나머지는 7이다.

065 답 ①

$x=\dfrac{1+\sqrt{3}}{2}$에서 $2x-1=\sqrt{3}$

양변을 제곱하면 $4x^2-4x+1=3$ $\quad\therefore 2x^2-2x-1=0$

이때 다항식 $2x^4-8x^3+11x^2-5x+3$을 $2x^2-2x-1$로 나누면

$$\begin{array}{r l}
 & x^2-3x+3 \\
2x^2-2x-1\,\big) & \overline{2x^4-8x^3+11x^2-5x+3} \\
 & 2x^4-2x^3-\quad x^2 \\ \hline
 & \quad -6x^3+12x^2-5x \\
 & \quad -6x^3+\ 6x^2+3x \\ \hline
 & \qquad\qquad 6x^2-8x+3 \\
 & \qquad\qquad 6x^2-6x-3 \\ \hline
 & \qquad\qquad\quad -2x+6
\end{array}$$

$\therefore 2x^4-8x^3+11x^2-5x+3$

$\quad =(2x^2-2x-1)(x^2-3x+3)-2x+6$

이때 $2x^2-2x-1=0$이므로

$2x^4-8x^3+11x^2-5x+3=-2x+6=-2\times\dfrac{1+\sqrt{3}}{2}+6=5-\sqrt{3}$

066 답 ①

다항식 $f(x)$를 $x+\dfrac{1}{2}$로 나누었을 때의 몫이 $Q(x)$, 나머지가 R이므로

$f(x)=\left(x+\dfrac{1}{2}\right)Q(x)+R=(2x+1)\times\dfrac{1}{2}Q(x)+R$

따라서 다항식 $f(x)$를 $2x+1$로 나누었을 때의 몫은 $\dfrac{1}{2}Q(x)$, 나머지는 R이다.

067 답 ⑤

다항식 $f(x)$를 $3x-2$로 나누었을 때의 몫이 $Q(x)$, 나머지가 R이므로 $f(x)=(3x-2)Q(x)+R$

이 식의 양변에 x를 곱하면

$$xf(x)=x(3x-2)Q(x)+Rx$$
$$=3x\left(x-\frac{2}{3}\right)Q(x)+R\left(x-\frac{2}{3}\right)+\frac{2}{3}R$$
$$=\left(x-\frac{2}{3}\right)\{3xQ(x)+R\}+\frac{2}{3}R$$

따라서 다항식 $xf(x)$를 $x-\frac{2}{3}$로 나누었을 때의 몫은 $3xQ(x)+R$, 나머지는 $\frac{2}{3}R$이다.

068 답 -3

조립제법을 이용하여 다항식 x^3+2x-3을 $x+1$로 나누었을 때의 몫과 나머지를 구하면

-1	1	0	2	-3
		-1	1	-3
	1	-1	3	-6

$\therefore a=-1,\ b=0,\ c=1,\ d=3,\ e=-6$

$\therefore a+b+c+d+e=-3$

069 답 $x-4$

오른쪽과 같이 조립제법을 이용하면 다항식 x^3-3x^2-6x+9를 $x+2$로 나누었을 때의 몫은 x^2-5x+4이므로 $Q(x)=x^2-5x+4$

따라서 $Q(x)$를 $x-1$로 나누었을 때의 몫은 $x-4$이다.

-2	1	-3	-6	9
		-2	10	-8
1	1	-5	4	1
		1	-4	
	1	-4	0	

070 답 몫: x^2-x+3, 나머지: 5

다항식 $f(x)$를 $x-\frac{1}{2}$로 나누었을 때의 몫이 $2x^2-2x+6$, 나머지가 5이므로

$$f(x)=\left(x-\frac{1}{2}\right)(2x^2-2x+6)+5=(2x-1)(x^2-x+3)+5$$

따라서 다항식 $f(x)$를 $2x-1$로 나누었을 때의 몫은 x^2-x+3, 나머지는 5이다.

071 답 137

주어진 조립제법은 다항식 $6x^3+2ax^2+2bx+6$을 $x-\frac{2}{3}$로 나누었을 때의 몫과 나머지를 구하는 과정이다.

☐ 안에 들어갈 수를 각각 p, q라 하면 $\frac{2}{3}p=8$, $\frac{2}{3}q=-4$에서 $p=12,\ q=-6$

$\frac{2}{3}$	6	$2a$	$2b$	6
		4	8	-4
	6	p	q	2

또 $2a+4=p,\ 2b+8=q$에서 $a=4,\ b=-7$

$$\therefore 6x^3+8x^2-14x+6=\left(x-\frac{2}{3}\right)(6x^2+12x-6)+2$$
$$=(3x-2)(2x^2+4x-2)+2$$

$6x^3+8x^2-14x+6=(3x-2)(2x^2+4x-2)+2$의 양변을 2로 나누면 $3x^3+4x^2-7x+3=(3x-2)(x^2+2x-1)+1$

따라서 $Q(x)=x^2+2x-1,\ R=1$이므로

$aQ(b)+R=4Q(-7)+1=4\times34+1=137$

072 답 $-x^2-5xy+7y^2$

$2X-A=3A-2B$에서 $2X=4A-2B$

$$\therefore X=2A-B=2(x^2-2xy+3y^2)-(3x^2+xy-y^2)$$
$$=2x^2-4xy+6y^2-3x^2-xy+y^2=-x^2-5xy+7y^2$$

073 답 ③

$A+B=2x^3-x^2+4x+6$ …… ㉠

$B+C=x^3-2x$ …… ㉡

$C+A=3x^3-x^2$ …… ㉢

㉠+㉡+㉢을 하면 $2(A+B+C)=6x^3-2x^2+2x+6$

$\therefore A+B+C=3x^3-x^2+x+3$

074 답 ②

$(x^2-2x+1)(2x^3-x+3)$의 전개식에서

x^3항은 $x^2\times(-x)+1\times2x^3=x^3$ $\therefore a=1$

x^2항은 $x^2\times3+(-2x)\times(-x)=5x^2$ $\therefore b=5$

$\therefore a+b=6$

075 답 ③

$(x+y)(x^2-xy+y^2)+(x-2y)(x^2+2xy+4y^2)$

$=x^3+y^3+x^3-8y^3=2x^3-7y^3$

076 답 ④

$\frac{1}{a}+\frac{1}{b}-\frac{1}{c}=0$에서 $\frac{-ab+bc+ca}{abc}=0$

$\therefore ab-bc-ca=0$

$\therefore (a+b-c)^2=a^2+b^2+c^2+2(ab-bc-ca)=9+2\times0=9$

077 답 ③

$(x+y+z)(x-y-z)=\{x+(y+z)\}\{x-(y+z)\}$

$y+z=X$로 놓으면

$$\{x+(y+z)\}\{x-(y+z)\}=(x+X)(x-X)=x^2-X^2$$
$$=x^2-(y+z)^2=x^2-y^2-z^2-2yz$$

078 답 ④

$(x-4y)(x-2y)(x-y)(x+y)$

$=\{(x-4y)(x+y)\}\{(x-2y)(x-y)\}$

$=(x^2-3xy-4y^2)(x^2-3xy+2y^2)$

$x^2-3xy=X$로 놓으면

$(x^2-3xy-4y^2)(x^2-3xy+2y^2)$

$=(X-4y^2)(X+2y^2)=X^2-2y^2X-8y^4$

$=(x^2-3xy)^2-2y^2(x^2-3xy)-8y^4$

$=x^4-6x^3y+9x^2y^2-2x^2y^2+6xy^3-8y^4$

$=x^4-6x^3y+7x^2y^2+6xy^3-8y^4$

079 답 ①

$x^2+y^2=(x+y)^2-2xy$에서

$6=(-2)^2-2xy \quad \therefore xy=-1$

$\therefore x^3+y^3-2xy=(x+y)^3-3xy(x+y)-2xy$

$=(-2)^3-3\times(-1)\times(-2)-2\times(-1)=-12$

080 답 ③

$(x-1)^3+(y-1)^3$

$=x^3-3x^2+3x-1+y^3-3y^2+3y-1$

$=x^3+y^3-3(x^2+y^2)+3(x+y)-2$

$=(x+y)^3-3xy(x+y)-3\{(x+y)^2-2xy\}+3(x+y)-2$

$=4^3-3\times(-2)\times4-3\times\{4^2-2\times(-2)\}+3\times4-2=38$

081 답 ②

$x^2-3x-1=0$에서 $x\neq0$이므로 양변을 x로 나누면

$x-3-\frac{1}{x}=0 \quad \therefore x-\frac{1}{x}=3$

$\therefore \frac{x^4+1}{x^2}-\frac{x^6-1}{x^3}=x^2+\frac{1}{x^2}-\left(x^3-\frac{1}{x^3}\right)$

$=\left(x-\frac{1}{x}\right)^2+2-\left\{\left(x-\frac{1}{x}\right)^3+3\left(x-\frac{1}{x}\right)\right\}$

$=3^2+2-(3^3+3\times3)=-25$

082 답 ②

$a^2+b^2+c^2=(a+b+c)^2-2(ab+bc+ca)$에서

$12=2^2-2(ab+bc+ca) \quad \therefore ab+bc+ca=-4$

$a^3+b^3+c^3=(a+b+c)(a^2+b^2+c^2-ab-bc-ca)+3abc$에서

$8=2\times\{12-(-4)\}+3abc \quad \therefore abc=-8$

083 답 ③

$100=a$로 놓으면

$99\times(100^2+101)=99\times(100^2+100+1)$

$=(a-1)(a^2+a+1)$

$=a^3-1=100^3-1=10^6-1$

$\therefore n=6$

084 답 48

직사각형의 가로의 길이를 x, 세로의 길이를 y라 하면 직사각형의 둘레의 길이가 28이므로 $2(x+y)=28 \quad \therefore x+y=14$

직사각형의 대각선의 길이는 반지름의 길이 10과 같으므로 피타고라스 정리에 의하여 $x^2+y^2=10^2$

$x^2+y^2=(x+y)^2-2xy$에서 $100=14^2-2xy \quad \therefore xy=48$

따라서 구하는 직사각형의 넓이는 48이다.

085 답 56

직육면체 ABCD-EFGH에서 $\overline{BC}=a$, $\overline{CD}=b$, $\overline{CG}=c$라 하면

직육면체의 겉넓이가 136이므로

$2(ab+bc+ca)=136 \quad \therefore ab+bc+ca=68$ …… ㉠

삼각형 BGD의 세 변의 길이의 제곱의 합이 120이므로

$\overline{BD}^2+\overline{DG}^2+\overline{BG}^2=120$

$(a^2+b^2)+(b^2+c^2)+(c^2+a^2)=120$

$2(a^2+b^2+c^2)=120 \quad \therefore a^2+b^2+c^2=60$ …… ㉡

㉠, ㉡에 의하여

$(a+b+c)^2=a^2+b^2+c^2+2(ab+bc+ca)$

$=60+2\times68=196$

$\therefore a+b+c=14 \ (\because a+b+c>0)$

따라서 주어진 직육면체의 모든 모서리의 길이의 합은

$4(a+b+c)=4\times14=56$

086 답 ④

다항식 $2x^3-x^2-4x+5$를 x^2+x-1로 나누면

$$\begin{array}{r} 2x-3 \\ x^2+x-1\,\overline{)\,2x^3-\ x^2-4x+5} \\ 2x^3+2x^2-2x \\ \hline -3x^2-2x+5 \\ -3x^2-3x+3 \\ \hline x+2 \end{array}$$

따라서 $Q(x)=2x-3$, $R(x)=x+2$이므로

$Q(3)+R(2)=3+4=7$

087 답 ①

다항식 $f(x)$를 $x-2$로 나누었을 때의 몫이 x^2-3이고 나머지가 -1이므로

$f(x)=(x-2)(x^2-3)-1=x^3-2x^2-3x+5$

$f(x)$를 x^2-1로 나누면

$$\begin{array}{r} x-2 \\ x^2-1\,\overline{)\,x^3-2x^2-3x+5} \\ x^3 \qquad\ -x \quad\ \\ \hline -2x^2-2x+5 \\ -2x^2 \qquad +2 \\ \hline -2x+3 \end{array}$$

따라서 나머지가 $-2x+3$이므로 $a=-2$

088 답 몫: $3Q(x)$, 나머지: R

다항식 $f(x)$를 $3x+9$로 나누었을 때의 몫이 $Q(x)$, 나머지가 R이므로

$f(x)=(3x+9)Q(x)+R=(x+3)\times3Q(x)+R$

따라서 다항식 $f(x)$를 $x+3$으로 나누었을 때의 몫은 $3Q(x)$, 나머지는 R이다.

089 답 ①

조립제법을 이용하여 다항식 x^3-3x+a를 $x-1$로 나누었을 때의 몫과 나머지를 구하면

$$\begin{array}{c|cccc} 1 & 1 & 0 & -3 & a \\ & & 1 & 1 & -2 \\ \hline & 1 & 1 & -2 & \boxed{-1} \end{array}$$

$\therefore b=1, c=0, d=1, e=-2$

이때 $a-2=-1$이므로 $a=1$

나머지정리와 인수분해

001 답 ①

주어진 등식에서 좌변을 정리하면

$x^3+(a-9)x+3a=x^3+bx-18$

이 등식이 x에 대한 항등식이므로

$a-9=b$, $3a=-18$

따라서 $a=-6$, $b=-15$이므로

$a+b=-21$

002 답 -2

주어진 등식의 양변에 $x=0$을 대입하면

$2=-2c \quad \therefore c=-1$

주어진 등식의 양변에 $x=1$을 대입하면

$a+3=0 \quad \therefore a=-3$

주어진 등식의 양변에 $x=-2$를 대입하면

$6-2a=6b$, $12=6b$

$\therefore b=2$

$\therefore a+b+c=-2$

003 답 -12

$x-y=-1$에서 $x=y-1$을 주어진 등식에 대입하면

$(y-1)^2-2(y-1)=ay^2+by+c$

$y^2-4y+3=ay^2+by+c$

이 등식이 y에 대한 항등식이므로

$a=1$, $b=-4$, $c=3$

$\therefore abc=-12$

004 답 ③

주어진 등식의 양변에 $x=1$을 대입하면

$2^{10}=a_0+a_1+a_2+\cdots+a_{10}$ …… ㉠

주어진 등식의 양변에 $x=-1$을 대입하면

$0=a_0-a_1+a_2-\cdots+a_{10}$ …… ㉡

㉠+㉡을 하면

$2^{10}=2(a_0+a_2+a_4+\cdots+a_{10})$

$\therefore a_0+a_2+a_4+\cdots+a_{10}=2^9=512$

005 답 20

다항식 x^3+ax^2+b를 x^2-x+2로 나누었을 때의 몫을 $x+c$(c는 상수)라 하면

$x^3+ax^2+b=(x^2-x+2)(x+c)-6x+4$

$\qquad\qquad=x^3+(c-1)x^2-(c+4)x+2c+4$

이 등식이 x에 대한 항등식이므로

$a=c-1$, $0=c+4$, $b=2c+4$

$\therefore a=-5$, $b=-4$, $c=-4$

$\therefore ab=20$

006 답 ⑤

다음과 같이 조립제법을 이용하면

$$\begin{array}{r|rrrr}
2 & 1 & 1 & -1 & 4 \\
 & & 2 & 6 & 10 \\ \hline
2 & 1 & 3 & 5 & \boxed{14} \\
 & & 2 & 10 & \\ \hline
2 & 1 & 5 & \boxed{15} & \\
 & & 2 & & \\ \hline
 & 1 & \boxed{7} & &
\end{array}$$

따라서 $a=1$, $b=7$, $c=15$, $d=14$이므로

$a+b-c+d=7$

007 답 ④

$f(x)=x^3+ax^2+bx-5$라 하면 나머지정리에 의하여

$f(1)=2$, $f(-2)=-1$

$f(1)=2$에서 $1+a+b-5=2$

$a+b=6$ …… ㉠

$f(-2)=-1$에서 $-8+4a-2b-5=-1$

$2a-b=6$ …… ㉡

㉠, ㉡을 연립하여 풀면 $a=4$, $b=2$

$\therefore ab=8$

008 답 $-x+2$

나머지정리에 의하여

$f(-2)=4$, $f(3)=-1$

$f(x)$를 x^2-x-6으로 나누었을 때의 몫을 $Q(x)$, 나머지를 $ax+b$(a, b는 상수)라 하면

$f(x)=(x^2-x-6)Q(x)+ax+b$

$\qquad=(x+2)(x-3)Q(x)+ax+b$

$f(-2)=4$에서 $-2a+b=4$ …… ㉠

$f(3)=-1$에서 $3a+b=-1$ …… ㉡

㉠, ㉡을 연립하여 풀면 $a=-1$, $b=2$

따라서 구하는 나머지는 $-x+2$

009 답 34

$x^{15}+x^{10}+x^5-1$을 x^3-x로 나누었을 때의 몫을 $Q(x)$, 나머지를 $R(x)=ax^2+bx+c$(a, b, c는 상수)라 하면

$x^{15}+x^{10}+x^5-1=(x^3-x)Q(x)+R(x)$

$\qquad=x(x+1)(x-1)Q(x)+ax^2+bx+c$

양변에 $x=0$을 대입하면 $c=-1$

양변에 $x=-1$을 대입하면 $-2=a-b+c$

$-2=a-b-1$, $a-b=-1$ …… ㉠

양변에 $x=1$을 대입하면 $2=a+b+c$

$2=a+b-1$, $a+b=3$ …… ㉡

㉠, ㉡을 연립하여 풀면 $a=1$, $b=2$

따라서 $R(x)=x^2+2x-1$이므로

$R(5)=5^2+2\times5-1=34$

010 답 4

$f(x)$를 $(x+2)(x-1)$로 나누었을 때의 몫을 $Q(x)$라 하면
$f(x)=(x+2)(x-1)Q(x)+x+3$
$\therefore f(1)=4$
따라서 $f(3x-5)$를 $x-2$로 나누었을 때의 나머지는
$f(3\times2-5)=f(1)=4$

011 답 1

$f(x)=x^{21}-3x^{16}+6$이라 하면 $f(1)=4$이므로
$f(x)=(x-1)Q(x)+4$ ...... ㉠
이때 $f(-1)=2$이고 $Q(x)$를 $x+1$로 나누었을 때의 나머지는 $Q(-1)$이므로 ㉠의 양변에 $x=-1$을 대입하면
$2=-2Q(-1)+4 \quad \therefore Q(-1)=1$

012 답 ①

x^{100}을 $x+1$로 나누었을 때의 몫을 $Q(x)$, 나머지를 R라 하면
$x^{100}=(x+1)Q(x)+R$
양변에 $x=-1$을 대입하면 $R=1$
$x^{100}=(x+1)Q(x)+1$의 양변에 $x=19$를 대입하면
$19^{100}=20Q(19)+1$
따라서 구하는 나머지는 1이다.

013 답 2

$f(x)=ax^3-5x^2+bx+2$라 하면 $f(x)$가 $x-1$, $x-2$로 각각 나누어떨어지므로 $f(1)=0$, $f(2)=0$
$f(1)=0$에서 $a-5+b+2=0$, $a+b=3$ ...... ㉠
$f(2)=0$에서 $8a-20+2b+2=0$, $4a+b=9$ ...... ㉡
㉠, ㉡을 연립하여 풀면 $a=2$, $b=1$
$\therefore ab=2$

014 답 ④

$f(x)=2x^3-5x^2+ax+b$라 하면 $f(x)$가 x^2-x-6, 즉 $(x+2)(x-3)$으로 나누어떨어지므로
$f(-2)=0$, $f(3)=0$
$f(-2)=0$에서 $-16-20-2a+b=0$
$2a-b=-36$ ...... ㉠
$f(3)=0$에서 $54-45+3a+b=0$
$3a+b=-9$ ...... ㉡
㉠, ㉡을 연립하여 풀면 $a=-9$, $b=18$
$\therefore a+b=9$

015 답 3

주어진 등식에서 우변을 정리하면
$x^3-2x^2+ax-32=x^3+(b+c)x^2+(bc-16)x-16b$
이 등식이 x에 대한 항등식이므로
$-2=b+c$, $a=bc-16$, $-32=-16b$
$\therefore a=-24$, $b=2$, $c=-4$
$\therefore \dfrac{a}{bc}=\dfrac{-24}{2\times(-4)}=3$

016 답 2

주어진 등식을 k에 대하여 정리하면
$(x+y-3)k+2x-3y+4=0$
이 등식이 k에 대한 항등식이므로
$x+y-3=0$, $2x-3y+4=0$
두 식을 연립하여 풀면 $x=1$, $y=2$
$\therefore xy=2$

017 답 6

주어진 등식에서 좌변을 x, y에 대하여 정리하면
$(a+b)x+(a-2b)y+c=4x+y+2$
이 등식이 x, y에 대한 항등식이므로
$a+b=4$, $a-2b=1$, $c=2$
$a+b=4$, $a-2b=1$을 연립하여 풀면
$a=3$, $b=1$
$\therefore abc=6$

018 답 ②

주어진 식의 일정한 값을 k라 하면
$\dfrac{6x+3a}{x+2}=k \quad \therefore 6x+3a=kx+2k$
이 등식이 x에 대한 항등식이므로
$k=6$, $3a=2k$
$\therefore a=4$

019 답 ⑤

주어진 등식의 양변에 $x=0$을 대입하면
$-2b=-4 \quad \therefore b=2$
주어진 등식의 양변에 $x=-1$을 대입하면
$3c=-3 \quad \therefore c=-1$
주어진 등식의 양변에 $x=2$를 대입하면
$6a=6 \quad \therefore a=1$
$\therefore a+b+c=2$

020 답 −4

주어진 등식의 양변에 $x=-1$을 대입하면
$-28=-24+b \quad \therefore b=-4$
주어진 등식의 양변에 $x=1$을 대입하면
$0=4a+b$, $0=4a-4 \quad \therefore a=1$
$\therefore ab=-4$

021 답 ①

주어진 등식의 양변에 $x=-1$을 대입하면
$0=1+a+b$, $a+b=-1$ ...... ㉠
주어진 등식의 양변에 $x^2=2$를 대입하면
$0=4+2a+b$, $2a+b=-4$ ...... ㉡
㉠, ㉡을 연립하여 풀면 $a=-3$, $b=2$
$\therefore ab=-6$

022 답 ④

$x+y=2$에서 $y=2-x$를 주어진 등식에 대입하면

$ax^2+bx(2-x)+c(2-x)^2=4$

$(a-b+c)x^2+2(b-2c)x+4c-4=0$

이 등식이 x에 대한 항등식이므로

$a-b+c=0,\ b-2c=0,\ 4c-4=0 \qquad \therefore\ a=1,\ b=2,\ c=1$

$\therefore\ a+b+c=4$

023 답 ①

주어진 이차방정식에 $x=1$을 대입하면

$1-(k+1)+(k-3)a-b+1=0$

$\therefore\ (a-1)k-3a-b+1=0$

이 등식이 k에 대한 항등식이므로

$a-1=0,\ -3a-b+1=0 \qquad \therefore\ a=1,\ b=-2$

$\therefore\ a^2+b^2=1+4=5$

024 답 -1

주어진 등식의 양변에 $x=1$을 대입하면

$-1=a_0+a_1+a_2+\cdots+a_{14}$ …… ㉠

주어진 등식의 양변에 $x=-1$을 대입하면

$1=a_0-a_1+a_2-\cdots+a_{14}$ …… ㉡

㉠$-$㉡을 하면 $-2=2(a_1+a_3+a_5+\cdots+a_{13})$

$\therefore\ a_1+a_3+a_5+\cdots+a_{13}=-1$

025 답 ④

주어진 등식의 양변에 $x=0$을 대입하면

$-1=a_0$ …… ㉠

주어진 등식의 양변에 $x=1$을 대입하면

$0=a_0+a_1+a_2+\cdots+a_5$ …… ㉡

㉡$-$㉠을 하면

$a_1+a_2+a_3+a_4+a_5=1$

026 답 ①

주어진 등식의 양변에 $x=3$을 대입하면

$3^{20}+1=a_{20}+a_{19}+\cdots+a_1+a_0$ …… ㉠

주어진 등식의 양변에 $x=1$을 대입하면

$2=a_{20}-a_{19}+\cdots-a_1+a_0$ …… ㉡

㉠$+$㉡을 하면 $3^{20}+3=2(a_{20}+a_{18}+\cdots+a_2+a_0)$

$\therefore\ a_{20}+a_{18}+\cdots+a_2+a_0=\dfrac{3^{20}+3}{2}=\dfrac{3(3^{19}+1)}{2}$

027 답 ②

$(3x-5)^5(x^3-4x^2+3x-1)^6=a_0+a_1x+a_2x^2+\cdots+a_{23}x^{23}$

($a_0,\ a_1,\ \cdots,\ a_{23}$은 상수)

이라 하고 양변에 $x=1$을 대입하면

$-32=a_0+a_1+a_2+\cdots+a_{23}$

따라서 상수항을 포함한 모든 계수의 합은 -32이다.

028 답 ⑤

다항식 x^3+ax^2+b를 x^2-x+3으로 나누었을 때의 몫을 $x+c$(c는 상수)라 하면

$x^3+ax^2+b=(x^2-x+3)(x+c)+2$

$=x^3+(c-1)x^2+(-c+3)x+3c+2$

이 등식이 x에 대한 항등식이므로

$a=c-1,\ 0=-c+3,\ b=3c+2$

$\therefore\ a=2,\ b=11,\ c=3$

$\therefore\ a+b=13$

029 답 ②

다항식 $x^4+2x^3+4x^2+4$를 x^2+ax+b로 나누었을 때의 몫이 x^2+1이고 나머지가 $-2x+1$이므로

$x^4+2x^3+4x^2+4=(x^2+ax+b)(x^2+1)-2x+1$

$=x^4+ax^3+(b+1)x^2+(a-2)x+b+1$

이 등식이 x에 대한 항등식이므로

$2=a,\ 4=b+1,\ 0=a-2,\ 4=b+1$

따라서 $a=2,\ b=3$이므로 $a-b=-1$

030 답 ⑤

다항식 x^3+ax^2+bx+6을 x^2-4x+2로 나누었을 때의 몫을 $x+c$(c는 상수)라 하면

$x^3+ax^2+bx+6=(x^2-4x+2)(x+c)$

$=x^3+(c-4)x^2+(-4c+2)x+2c$

이 등식이 x에 대한 항등식이므로

$a=c-4,\ b=-4c+2,\ 6=2c$

$\therefore\ a=-1,\ b=-10,\ c=3$

$\therefore\ ab=10$

031 답 ③

다음과 같이 조립제법을 이용하면

1	1	3	-2	1
		1	4	2
1	1	4	2	3
		1	5	
1	1	5	7	
		1		
	1	6		

따라서 $a=6,\ b=7,\ c=3$이므로

$a-b+c=2$

032 답 -3

$p-1=2$에서 $p=3$

$q-2=-1$에서 $q=1$

주어진 조립제법에서 $a=1,\ b=1,\ c=-1$이므로

$abcpq=-3$

033 답 ③

$x^3+8x^2+21x+21=(x+2)^3+a(x+2)^2+b(x+2)+c$이므로

다음과 같이 조립제법을 이용하면

-2	1	8	21	21
		-2	-12	-18
-2	1	6	9	3
		-2	-8	
-2	1	4	1	
		-2		
	1	2		

따라서 $a=2$, $b=1$, $c=3$이므로

$f(x)=(x+2)^3+2(x+2)^2+(x+2)+3$

$\therefore f(98)=100^3+2\times100^2+100+3$

$=1000000+20000+100+3$

$=1020103$

이때 각 자리의 숫자의 합은

$1+2+1+3=7$

034 답 -6

$f(x)=x^3+2x^2+ax+b$라 하면 나머지정리에 의하여

$f(-1)=1$, $f(-3)=-3$

$f(-1)=1$에서

$-1+2-a+b=1$

$a-b=0$ …… ㉠

$f(-3)=-3$에서

$-27+18-3a+b=-3$

$3a-b=-6$ …… ㉡

㉠, ㉡을 연립하여 풀면 $a=-3$, $b=-3$

$\therefore a+b=-6$

035 답 12

나머지정리에 의하여 $f(2)=4$

따라서 $(x+1)f(x)$를 $x-2$로 나누었을 때의 나머지는

$(2+1)f(2)=3\times4=12$

036 답 14

나머지정리에 의하여 $f(-1)=2$이므로

$-1+a+5=2$ $\quad\therefore a=-2$

따라서 $f(x)=x^3-2x^2+5$이므로 $f(x)$를 $x-3$으로 나누었을 때의 나머지는

$f(3)=14$

037 답 ③

$f(x)=x^3+2x^2-ax+1$이라 하면 나머지정리에 의하여

$f(-2)=f(3)$이므로

$2a+1=-3a+46$ $\quad\therefore a=9$

038 답 ⑤

나머지정리에 의하여

$f(4)+g(4)=3$, $f(4)g(4)=2$

따라서 $\{f(x)\}^3+\{g(x)\}^3$을 $x-4$로 나누었을 때의 나머지는

$\{f(4)\}^3+\{g(4)\}^3=\{f(4)+g(4)\}^3-3f(4)g(4)\{f(4)+g(4)\}$

$=3^3-3\times2\times3=9$

039 답 $2x-3$

나머지정리에 의하여

$f(1)=-1$, $f(3)=3$

$f(x)$를 x^2-4x+3으로 나누었을 때의 몫을 $Q(x)$, 나머지를 $ax+b$(a, b는 상수)라 하면

$f(x)=(x^2-4x+3)Q(x)+ax+b$

$=(x-1)(x-3)Q(x)+ax+b$

$f(1)=-1$에서 $a+b=-1$ …… ㉠

$f(3)=3$에서 $3a+b=3$ …… ㉡

㉠, ㉡을 연립하여 풀면 $a=2$, $b=-3$

따라서 구하는 나머지는 $2x-3$

040 답 ④

나머지정리에 의하여

$f(-2)=1$, $f(2)=5$

$x^2f(x)$를 x^2-4로 나누었을 때의 몫을 $Q(x)$, 나머지를 $R(x)=ax+b$(a, b는 상수)라 하면

$x^2f(x)=(x^2-4)Q(x)+R(x)$

$=(x+2)(x-2)Q(x)+ax+b$

양변에 $x=-2$를 대입하면 $4\times1=-2a+b$ …… ㉠

양변에 $x=2$를 대입하면 $4\times5=2a+b$ …… ㉡

㉠, ㉡을 연립하여 풀면 $a=4$, $b=12$

따라서 $R(x)=4x+12$이므로 $R(1)=16$

041 답 $2x$

$f(x)$를 x^2+x-6으로 나누었을 때의 몫을 $Q_1(x)$라 하면

$f(x)=(x^2+x-6)Q_1(x)+4$

$=(x+3)(x-2)Q_1(x)+4$

$\therefore f(2)=4$

$f(x)$를 x^2-2x-3으로 나누었을 때의 몫을 $Q_2(x)$라 하면

$f(x)=(x^2-2x-3)Q_2(x)+x-1$

$=(x+1)(x-3)Q_2(x)+x-1$

$\therefore f(-1)=-2$

$f(x)$를 x^2-x-2로 나누었을 때의 몫을 $Q(x)$, 나머지를 $ax+b$(a, b는 상수)라 하면

$f(x)=(x^2-x-2)Q(x)+ax+b$

$=(x+1)(x-2)Q(x)+ax+b$

$f(-1)=-2$에서 $-a+b=-2$ …… ㉠

$f(2)=4$에서 $2a+b=4$ …… ㉡

㉠, ㉡을 연립하여 풀면 $a=2$, $b=0$

따라서 구하는 나머지는 $2x$

042 답 $-2x+6$

(나)의 양변에 $x=0$을 대입하면 (가)에 의하여

$f(1)=f(0)=4$

(나)의 양변에 $x=1$을 대입하면

$f(2)=f(1)-2=4-2=2$

$f(x)$를 x^2-3x+2로 나누었을 때의 몫을 $Q(x)$, 나머지를 $ax+b$(a, b는 상수)라 하면

$f(x)=(x^2-3x+2)Q(x)+ax+b$

$\quad=(x-1)(x-2)Q(x)+ax+b$

$f(1)=4$에서 $a+b=4$ …… ㉠

$f(2)=2$에서 $2a+b=2$ …… ㉡

㉠, ㉡을 연립하여 풀면 $a=-2$, $b=6$

따라서 구하는 나머지는 $-2x+6$

043 답 ④

$x^{10}+x^7+x^5+x^2$을 x^3-x로 나누었을 때의 몫을 $Q(x)$, 나머지를 ax^2+bx+c(a, b, c는 상수)라 하면

$x^{10}+x^7+x^5+x^2=(x^3-x)Q(x)+ax^2+bx+c$

$\quad=x(x+1)(x-1)Q(x)+ax^2+bx+c$

양변에 $x=0$을 대입하면 $c=0$

양변에 $x=-1$을 대입하면 $0=a-b+c$

$a-b=0$ …… ㉠

양변에 $x=1$을 대입하면 $4=a+b+c$

$a+b=4$ …… ㉡

㉠, ㉡을 연립하여 풀면 $a=2$, $b=2$

따라서 구하는 나머지는 $2x^2+2x$

044 답 $-x^2+2x-1$

$f(x)$를 $x(x+1)$로 나누었을 때의 몫을 $Q_1(x)$라 하면

$f(x)=x(x+1)Q_1(x)+3x-1$

$\therefore f(0)=-1$, $f(-1)=-4$

$f(x)$를 $(x+1)(x-2)$로 나누었을 때의 몫을 $Q_2(x)$라 하면

$f(x)=(x+1)(x-2)Q_2(x)+x-3 \quad \therefore f(2)=-1$

$f(x)$를 $x(x+1)(x-2)$로 나누었을 때의 몫을 $Q(x)$, 나머지를 ax^2+bx+c(a, b, c는 상수)라 하면

$f(x)=x(x+1)(x-2)Q(x)+ax^2+bx+c$

$f(0)=-1$에서 $c=-1$

$f(-1)=-4$에서 $a-b+c=-4$

$a-b-1=-4$, $a-b=-3$ …… ㉠

$f(2)=-1$에서 $4a+2b+c=-1$

$4a+2b-1=-1$, $2a+b=0$ …… ㉡

㉠, ㉡을 연립하여 풀면 $a=-1$, $b=2$

따라서 구하는 나머지는 $-x^2+2x-1$

045 답 $2x^2+5x+1$

$f(x)$를 $(x+1)^2(x+2)$로 나누었을 때의 몫을 $Q(x)$, 나머지를 ax^2+bx+c(a, b, c는 상수)라 하면

$f(x)=(x+1)^2(x+2)Q(x)+ax^2+bx+c$ …… ㉠

$f(x)$를 $(x+1)^2$으로 나누었을 때의 나머지가 $x-1$이므로 ㉠에서 ax^2+bx+c를 $(x+1)^2$으로 나누었을 때의 나머지가 $x-1$이다.

$\therefore ax^2+bx+c=a(x+1)^2+x-1$

이를 ㉠에 대입하면

$f(x)=(x+1)^2(x+2)Q(x)+a(x+1)^2+x-1$

한편 $f(x)$를 $x+2$로 나누었을 때의 나머지가 -1이므로

$f(-2)=-1$에서

$a-3=-1 \quad \therefore a=2$

따라서 구하는 나머지는

$2(x+1)^2+x-1=2x^2+5x+1$

046 답 -5

$f(x)$를 $2x^2+x-1$로 나누었을 때의 몫을 $Q(x)$라 하면

$f(x)=(2x^2+x-1)Q(x)+3x-2$

$\quad=(2x-1)(x+1)Q(x)+3x-2$

$\therefore f(-1)=-5$

따라서 $f(2x+3)$을 $x+2$로 나누었을 때의 나머지는

$f(2\times(-2)+3)=f(-1)=-5$

047 답 ①

나머지정리에 의하여

$f(-1)=-2$

따라서 $f(x+6)$을 $x+7$로 나누었을 때의 나머지는

$f(-7+6)=f(-1)=-2$

048 답 8

$f(x)$를 x^2+5x+6으로 나누었을 때의 몫을 $Q(x)$라 하면

$f(x)=(x^2+5x+6)Q(x)+3x+7$

$\quad=(x+3)(x+2)Q(x)+3x+7$

$\therefore f(-2)=1$

따라서 $(4x^2-1)f(2x-5)$를 $2x-3$으로 나누었을 때의 나머지는

$\left(4\times\frac{9}{4}-1\right)f\left(2\times\frac{3}{2}-5\right)=8f(-2)$

$\quad=8\times1=8$

049 답 1

$f(x)=x^{100}-x^{60}+x-5$라 하면 $f(-1)=-6$이므로

$x^{100}-x^{60}+x-5=(x+1)Q(x)-6$ …… ㉠

이때 $Q(x)$를 $x-1$로 나누었을 때의 나머지는 $Q(1)$이므로 ㉠의 양변에 $x=1$을 대입하면

$-4=2Q(1)-6 \quad \therefore Q(1)=1$

050 답 ②

$f(x)=(x+3)Q(x)+2$ …… ㉠

이때 나머지정리에 의하여 $f(2)=-3$이고 $Q(x)$를 $x-2$로 나누었을 때의 나머지는 $Q(2)$이므로 ㉠의 양변에 $x=2$를 대입하면

$-3=5Q(2)+2 \quad \therefore Q(2)=-1$

051 답 −12

$f(x)=(x-1)Q(x)+3$ ...... ㉠

이때 나머지정리에 의하여 $Q(-2)=5$이고 $f(x)$를 $x+2$로 나누었을 때의 나머지는 $f(-2)$이므로 ㉠의 양변에 $x=-2$를 대입하면

$f(-2)=-3Q(-2)+3=-3\times5+3=-12$

052 답 6

$f(x)=(x^2-2x+4)Q(x)+3x+2$ ...... ㉠

$Q(x)$를 $x+2$로 나누었을 때의 몫을 $Q'(x)$라 하면

$Q(x)=(x+2)Q'(x)+1$ ...... ㉡

㉡을 ㉠에 대입하면

$f(x)=(x^2-2x+4)\{(x+2)Q'(x)+1\}+3x+2$

$=(x^3+8)Q'(x)+x^2+x+6$

따라서 $R(x)=x^2+x+6$이므로

$R(-1)=6$

053 답 ①

x^{50}을 $x-1$로 나누었을 때의 몫을 $Q(x)$, 나머지를 R라 하면

$x^{50}=(x-1)Q(x)+R$

양변에 $x=1$을 대입하면 $R=1$

$x^{50}=(x-1)Q(x)+1$의 양변에 $x=9$를 대입하면

$9^{50}=8Q(9)+1$

따라서 구하는 나머지는 1이다.

054 답 2

$2x^{50}$을 $x+1$로 나누었을 때의 몫을 $Q(x)$, 나머지를 R라 하면

$2x^{50}=(x+1)Q(x)+R$

양변에 $x=-1$을 대입하면 $R=2$

$2x^{50}=(x+1)Q(x)+2$의 양변에 $x=3$을 대입하면

$2\times3^{50}=4Q(3)+2$

따라서 구하는 나머지는 2이다.

055 답 ⑤

$2^{2023}=(2^5)^{404}\times2^3=8\times32^{404}$

$8x^{404}$을 $x-1$로 나누었을 때의 몫을 $Q(x)$, 나머지를 R라 하면

$8x^{404}=(x-1)Q(x)+R$

양변에 $x=1$을 대입하면 $R=8$

$8x^{404}=(x-1)Q(x)+8$의 양변에 $x=32$를 대입하면

$8\times32^{404}=31Q(32)+8$

$\therefore 2^{2023}=31Q(32)+8$

따라서 구하는 나머지는 8이다.

056 답 −10

$f(x)=x^3+ax^2+bx-15$라 하면 $f(x)$가 $x+1$, $x-3$으로 각각 나누어떨어지므로

$f(-1)=0$, $f(3)=0$

$f(-1)=0$에서 $-1+a-b-15=0$

$a-b=16$ ...... ㉠

$f(3)=0$에서 $27+9a+3b-15=0$

$3a+b=-4$ ...... ㉡

㉠, ㉡을 연립하여 풀면 $a=3$, $b=-13$

$\therefore a+b=-10$

057 답 ③

$f(x)=2x^4-3x^3+kx^2-x+7$이라 하면 $f(x)$가 $x-1$을 인수로 가지므로 $f(1)=0$에서

$2-3+k-1+7=0$ $\therefore k=-5$

058 답 −2

$f(x+1)$이 $x+2$로 나누어떨어지므로

$f(-2+1)=f(-1)=0$

$-2+a+3+1=0$ $\therefore a=-2$

059 답 ③

$f(-1)=-1$, $f(1)=1$, $f(2)=2$에서

$f(-1)+1=0$, $f(1)-1=0$, $f(2)-2=0$

즉, $f(x)-x$는 $x+1$, $x-1$, $x-2$로 나누어떨어진다.

이때 $f(x)$는 x^3의 계수가 1인 삼차식이므로

$f(x)-x=(x+1)(x-1)(x-2)$

$\therefore f(x)=(x+1)(x-1)(x-2)+x$

따라서 $f(x)$를 $x-3$으로 나누었을 때의 나머지는

$f(3)=(3+1)(3-1)(3-2)+3=11$

060 답 ⑤

$f(x)=x^3+x^2+ax+b$라 하면 $f(x)$가 x^2-x-2, 즉 $(x+1)(x-2)$로 나누어떨어지므로

$f(-1)=0$, $f(2)=0$

$f(-1)=0$에서 $-1+1-a+b=0$

$a-b=0$ ...... ㉠

$f(2)=0$에서 $8+4+2a+b=0$

$2a+b=-12$ ...... ㉡

㉠, ㉡을 연립하여 풀면 $a=-4$, $b=-4$

$\therefore ab=16$

061 답 ②

$f(x)=2x^3-11x^2+ax+b$가 x^2-5x+6, 즉 $(x-2)(x-3)$으로 나누어떨어지므로

$f(2)=0$, $f(3)=0$

$f(2)=0$에서 $16-44+2a+b=0$

$2a+b=28$ ...... ㉠

$f(3)=0$에서 $54-99+3a+b=0$

$3a+b=45$ ...... ㉡

㉠, ㉡을 연립하여 풀면 $a=17$, $b=-6$

$\therefore f(x)=2x^3-11x^2+17x-6$

따라서 $f(x)$를 $x-1$로 나누었을 때의 나머지는

$f(1)=2-11+17-6=2$

062 답 3

$f(x)-3$이 x^2-1, 즉 $(x+1)(x-1)$로 나누어떨어지므로

$f(-1)-3=0$, $f(1)-3=0$

$\therefore f(-1)=3$, $f(1)=3$

$f(x+2)$를 x^2+4x+3으로 나누었을 때의 몫을 $Q(x)$, 나머지를 $ax+b$(a, b는 상수)라 하면

$$f(x+2)=(x^2+4x+3)Q(x)+ax+b$$
$$=(x+3)(x+1)Q(x)+ax+b$$

양변에 $x=-3$을 대입하면 $f(-1)=-3a+b$

$-3a+b=3$ ...... ㉠

양변에 $x=-1$을 대입하면 $f(1)=-a+b$

$-a+b=3$ ...... ㉡

㉠, ㉡을 연립하여 풀면 $a=0$, $b=3$

따라서 구하는 나머지는 3이다.

063 답 ③

③ $a^2+b^2+c^2+2ab-2bc-2ca$

$=a^2+b^2+(-c)^2+2\times a\times b+2\times b\times(-c)+2\times(-c)\times a$

$=(a+b-c)^2$

064 답 ④

$(x-1)(x-2)(x+3)(x+4)+6$

$=\{(x-1)(x+3)\}\{(x-2)(x+4)\}+6$

$=(x^2+2x-3)(x^2+2x-8)+6$

$x^2+2x=X$로 놓으면

$(x^2+2x-3)(x^2+2x-8)+6$

$=(X-3)(X-8)+6$

$=X^2-11X+30$

$=(X-5)(X-6)$

$=(x^2+2x-5)(x^2+2x-6)$

따라서 주어진 식의 인수인 것은 ④이다.

065 답 ⑤

$x^2=X$로 놓으면

$$x^4-10x^2+9=X^2-10X+9$$
$$=(X-1)(X-9)$$
$$=(x^2-1)(x^2-9)$$
$$=(x+1)(x-1)(x+3)(x-3)$$

$\therefore a^2+b^2+c^2+d^2=1^2+(-1)^2+3^2+(-3)^2=20$

066 답 ③

x에 대하여 내림차순으로 정리한 다음 인수분해하면

$x^2-xy-2y^2+2x+5y-3$

$=x^2+(-y+2)x-2y^2+5y-3$

$=x^2+(-y+2)x-(2y-3)(y-1)$

$=\{x+(y-1)\}\{x-(2y-3)\}$

$=(x+y-1)(x-2y+3)$

067 답 ④

$f(x)=x^3+2x^2-x-2$라 할 때, $f(1)=0$이므로 조립제법을 이용하여 인수분해하면

1	1	2	−1	−2
		1	3	2
	1	3	2	0

$x^3+2x^2-x-2=(x-1)(x^2+3x+2)=(x-1)(x+1)(x+2)$

이때 $a<b<c$이므로 $a=-1$, $b=1$, $c=2$

$\therefore a+b-c=-2$

068 답 ④

$$x^4+2x^3-x^2+2x+1=x^2\left(x^2+2x-1+\frac{2}{x}+\frac{1}{x^2}\right)$$
$$=x^2\left\{x^2+\frac{1}{x^2}+2\left(x+\frac{1}{x}\right)-1\right\}$$
$$=x^2\left\{\left(x+\frac{1}{x}\right)^2+2\left(x+\frac{1}{x}\right)-3\right\}$$
$$=x^2\left\{\left(x+\frac{1}{x}\right)+3\right\}\left\{\left(x+\frac{1}{x}\right)-1\right\}$$
$$=(x^2+3x+1)(x^2-x+1)$$

069 답 ③

주어진 등식의 좌변을 a에 대하여 내림차순으로 정리한 다음 인수분해하면

$a^2b+ab^2+b^2c-bc^2-c^2a-ca^2$

$=(b-c)a^2+(b^2-c^2)a+b^2c-bc^2$

$=(b-c)a^2+(b+c)(b-c)a+bc(b-c)$

$=(b-c)\{a^2+(b+c)a+bc\}$

$=(b-c)(a+b)(a+c)$

$\therefore (b-c)(a+b)(a+c)=0$

그런데 $a+b\neq0$, $a+c\neq0$이므로

$b-c=0$ $\quad\therefore b=c$

따라서 주어진 조건을 만족시키는 삼각형은 $b=c$인 이등변삼각형이다.

070 답 ⑤

$$x^4+x^2y^2+y^4=(x^2+xy+y^2)(x^2-xy+y^2)$$
$$=\{(x-y)^2+3xy\}\{(x-y)^2+xy\}$$
$$=(4+3)(4+1)=35$$

071 답 ①

$2030=a$로 놓으면

$$\frac{2030^3-1}{2030\times2031+1}=\frac{a^3-1}{a(a+1)+1}=\frac{(a-1)(a^2+a+1)}{a^2+a+1}$$
$$=a-1=2029$$

072 답 ④

④ $a^2+b^2+4c^2-2ab-4bc+4ca$

$=a^2+(-b)^2+(2c)^2+2\times a\times(-b)+2\times(-b)\times2c+2\times2c\times a$

$=(a-b+2c)^2$

073 답 ⑤

$x^2-x+xy-y=x(x-1)+y(x-1)$
$=(x+y)(x-1)$

074 답 $(3a+2b-1)(3a-2b-1)$

$9a^2-4b^2-6a+1=(9a^2-6a+1)-4b^2$
$=(3a-1)^2-(2b)^2$
$=(3a-1+2b)(3a-1-2b)$
$=(3a+2b-1)(3a-2b-1)$

075 답 ②

$x^6-64=(x^3)^2-(2^3)^2=(x^3+2^3)(x^3-2^3)$
$=(x+2)(x^2-2x+4)(x-2)(x^2+2x+4)$

따라서 주어진 식의 인수인 것은 ②이다.

076 답 $x(x-3y)^3$

$x^4-9x^3y+27x^2y^2-27xy^3=x(x^3-9x^2y+27xy^2-27y^3)$
$=x(x-3y)^3$

077 답 $(x-y)(x^2+xy+y^2)(x^2-xy+y^2)$

$(x-y)(x^4+y^4)+x^3y^2-x^2y^3$
$=(x-y)(x^4+y^4)+x^2y^2(x-y)$
$=(x-y)(x^4+y^4+x^2y^2)$
$=(x-y)(x^2+xy+y^2)(x^2-xy+y^2)$

078 답 ③

$x^3-8y^3-7xy(x-2y)$
$=(x-2y)(x^2+2xy+4y^2)-7xy(x-2y)$
$=(x-2y)(x^2-5xy+4y^2)$
$=(x-2y)(x-y)(x-4y)$

따라서 주어진 식의 인수가 아닌 것은 ③이다.

079 답 ⑤

$(x+1)(x+2)^2(x+3)-6=\{(x+1)(x+3)\}(x+2)^2-6$
$=(x^2+4x+3)(x^2+4x+4)-6$

$x^2+4x=X$로 놓으면

$(x^2+4x+3)(x^2+4x+4)-6=(X+3)(X+4)-6$
$=X^2+7X+6$
$=(X+1)(X+6)$
$=(x^2+4x+1)(x^2+4x+6)$

따라서 주어진 식의 인수인 것은 ⑤이다.

080 답 $(a+b-1)(a+b-2)$

$a+b=X$로 놓으면

$(a+b+1)(a+b-4)+6=(X+1)(X-4)+6$
$=X^2-3X+2$
$=(X-1)(X-2)$
$=(a+b-1)(a+b-2)$

081 답 ①

$x^2-2x=X$로 놓으면

$(x^2-2x)^2-2x^2+4x-3=(x^2-2x)^2-2(x^2-2x)-3$
$=X^2-2X-3$
$=(X+1)(X-3)$
$=(x^2-2x+1)(x^2-2x-3)$
$=(x-1)^2(x+1)(x-3)$

$\therefore a+bc=-1+1\times(-3)=-4$

082 답 ②

$(x-3)(x-2)(x+1)(x+2)+k$
$=\{(x-3)(x+2)\}\{(x-2)(x+1)\}+k$
$=(x^2-x-6)(x^2-x-2)+k$

$x^2-x=X$로 놓으면

$(x^2-x-6)(x^2-x-2)+k=(X-6)(X-2)+k$
$=X^2-8X+12+k$ ...... ㉠

주어진 식이 x에 대한 이차식의 완전제곱식으로 인수분해되려면 ㉠이 X에 대한 완전제곱식으로 인수분해되어야 하므로

$12+k=4^2$ $\therefore k=4$

083 답 -13

$(x^2-4x+3)(x^2+6x+8)+21$
$=(x-1)(x-3)(x+4)(x+2)+21$
$=\{(x-1)(x+2)\}\{(x-3)(x+4)\}+21$
$=(x^2+x-2)(x^2+x-12)+21$

$x^2+x=X$로 놓으면

$(x^2+x-2)(x^2+x-12)+21=(X-2)(X-12)+21$
$=X^2-14X+45$
$=(X-5)(X-9)$
$=(x^2+x-5)(x^2+x-9)$

$\therefore a+b+c=1+(-5)+(-9)=-13$

084 답 ②

$x^2=X$로 놓으면

$x^4-13x^2+36=X^2-13X+36$
$=(X-4)(X-9)$
$=(x^2-4)(x^2-9)$
$=(x+2)(x-2)(x+3)(x-3)$

이때 $a<b<c<d$이므로 $a=-3$, $b=-2$, $c=2$, $d=3$

$\therefore ab-cd=6-6=0$

085 답 ③

$x^2=X$, $y^2=Y$로 놓으면

$x^4-2x^2y^2-8y^4=X^2-2XY-8Y^2$
$=(X+2Y)(X-4Y)$
$=(x^2+2y^2)(x^2-4y^2)$
$=(x+2y)(x-2y)(x^2+2y^2)$

따라서 주어진 식의 인수가 아닌 것은 ③이다.

086 답 ⑤

$x^4+x^2+25=(x^4+10x^2+25)-9x^2$
$=(x^2+5)^2-(3x)^2$
$=(x^2+3x+5)(x^2-3x+5)$

따라서 $a=3$, $b=5$, $c=5$이므로

$a+b-c=3$

087 답 ②

$x^4+64=(x^4+16x^2+64)-16x^2$
$=(x^2+8)^2-(4x)^2$
$=(x^2+4x+8)(x^2-4x+8)$

따라서 $Q(x)=x^2-4x+8$이므로

$Q(2)=4-8+8=4$

088 답 ③

x에 대하여 내림차순으로 정리한 다음 인수분해하면

$x^2+3xy+2y^2-x-3y-2=x^2+(3y-1)x+2y^2-3y-2$
$=x^2+(3y-1)x+(y-2)(2y+1)$
$=\{x+(y-2)\}\{x+(2y+1)\}$
$=(x+y-2)(x+2y+1)$

따라서 $a=1$, $b=2$, $c=1$이므로

$a+b+c=4$

089 답 ④

차수가 가장 낮은 c에 대하여 내림차순으로 정리한 다음 인수분해하면

$a^2-abc+ab-b^2c=-(ab+b^2)c+a^2+ab$
$=-(a+b)bc+a(a+b)$
$=(a+b)(a-bc)$

따라서 주어진 식의 인수인 것은 ④이다.

090 답 ⑤

주어진 식을 x에 대하여 내림차순으로 정리하면

$x^2+xy-2y^2+ax+7y-3=x^2+(y+a)x-(2y^2-7y+3)$
$=x^2+(y+a)x-(2y-1)(y-3)$

이 식이 x, y에 대한 두 일차식의 곱으로 인수분해되므로

$y+a=(2y-1)-(y-3)$

$\therefore a=2$

091 답 ④

a에 대하여 내림차순으로 정리한 다음 인수분해하면

$ab(a-b)-bc(b+c)+ca(a+c)$
$=a^2b-ab^2-b^2c-bc^2+ca^2+c^2a$
$=(b+c)a^2-(b^2-c^2)a-b^2c-bc^2$
$=(b+c)a^2-(b+c)(b-c)a-bc(b+c)$
$=(b+c)\{a^2-(b-c)a-bc\}$
$=(b+c)(a-b)(a+c)$
$=(a-b)(b+c)(c+a)$

092 답 ㄴ, ㄷ

a에 대하여 내림차순으로 정리한 다음 인수분해하면

$a^2(b-c)-b^2(c+a)-c^2(a-b)+2abc$
$=a^2(b-c)-b^2c-b^2a-c^2a+c^2b+2abc$
$=(b-c)a^2-(b^2-2bc+c^2)a-b^2c+bc^2$
$=(b-c)a^2-(b-c)^2a-bc(b-c)$
$=(b-c)\{a^2-(b-c)a-bc\}$
$=(b-c)(a-b)(a+c)$

따라서 보기 중 주어진 식의 인수인 것은 ㄴ, ㄷ이다.

093 답 14

$f(x)=x^3+2x^2-5x-6$이라 할 때, $f(-1)=0$이므로 조립제법을 이용하여 인수분해하면

-1	1	2	-5	-6
		-1	-1	6
	1	1	-6	0

$x^3+2x^2-5x-6=(x+1)(x^2+x-6)$
$=(x+1)(x+3)(x-2)$

$\therefore a^2+b^2+c^2=1^2+3^2+(-2)^2=14$

094 답 $(x+1)(x+2)(x-3)$

다항식 $f(x)=x^3+ax-6$이 $x+1$로 나누어떨어지므로

$f(-1)=0$에서 $-1-a-6=0$ $\therefore a=-7$

따라서 $f(x)=x^3-7x-6$이므로 조립제법을 이용하여 인수분해하면

-1	1	0	-7	-6
		-1	1	6
	1	-1	-6	0

$x^3-7x-6=(x+1)(x^2-x-6)$
$=(x+1)(x+2)(x-3)$

095 답 ⑤

$f(x)=x^4-2x^3-2x^2+3x+2$라 할 때, $f(-1)=0$, $f(2)=0$이므로 조립제법을 이용하여 인수분해하면

-1	1	-2	-2	3	2
		-1	3	-1	-2
2	1	-3	1	2	0
		2	-2	-2	
	1	-1	-1	0	

$x^4-2x^3-2x^2+3x+2=(x+1)(x-2)(x^2-x-1)$

따라서 주어진 식의 인수가 아닌 것은 ⑤이다.

096 답 2

$f(x)=x^3-(a+1)x^2-a(2a-1)x+2a^2$이라 할 때, $f(1)=0$이므로 조립제법을 이용하여 인수분해하면

1	1	$-a-1$	$-2a^2+a$	$2a^2$
		1	$-a$	$-2a^2$
	1	$-a$	$-2a^2$	0

$x^3-(a+1)x^2-a(2a-1)x+2a^2=(x-1)(x^2-ax-2a^2)$
$=(x-1)(x+a)(x-2a)$

이때 세 일차식의 상수항의 합이 -3이므로

$-1+a-2a=-3$ $\therefore a=2$

097 답 ②

$f(x)=x^4+3x^3+ax^2+bx+2$라 하면 $f(x)$가 $x-1$, $x+2$를 인수로 가지므로

$f(1)=0$, $f(-2)=0$

$f(1)=0$에서 $1+3+a+b+2=0$

$a+b=-6$ ...... ㉠

$f(-2)=0$에서 $16-24+4a-2b+2=0$

$2a-b=3$ ...... ㉡

㉠, ㉡을 연립하여 풀면 $a=-1$, $b=-5$

$f(x)=x^4+3x^3-x^2-5x+2$이므로 조립제법을 이용하여 인수분해하면

1	1	3	−1	−5	2
		1	4	3	−2
−2	1	4	3	−2	0
		−2	−4	2	
	1	2	−1	0	

$x^4+3x^3-x^2-5x+2=(x-1)(x+2)(x^2+2x-1)$

따라서 $Q(x)=x^2+2x-1$이므로

$Q(-2)=-1$

098 답 3

$f(x)=x^3+8x^2+13x+6$이라 할 때, $f(-1)=0$이므로 조립제법을 이용하여 인수분해하면

−1	1	8	13	6
		−1	−7	−6
	1	7	6	0

$x^3+8x^2+13x+6=(x+1)(x^2+7x+6)$

$=(x+1)^2(x+6)$

즉, 주어진 원기둥의 부피는 $(x+1)^2(x+6)\pi$이고, 이 원기둥의 밑면의 반지름의 길이와 높이가 각각 x의 계수가 1인 일차식이므로 밑면의 반지름의 길이는 $x+1$, 높이는 $x+6$이다.

즉, 이 원기둥의 겉넓이는

$\pi(x+1)^2\times2+2\pi(x+1)(x+6)$

$=2\pi(x+1)(x+1+x+6)$

$=2\pi(x+1)(2x+7)$

따라서 $a=1$, $b=2$이므로 $a+b=3$

099 답 ②

$$x^4-5x^3+6x^2-5x+1=x^2\left(x^2-5x+6-\frac{5}{x}+\frac{1}{x^2}\right)$$
$$=x^2\left\{x^2+\frac{1}{x^2}-5\left(x+\frac{1}{x}\right)+6\right\}$$
$$=x^2\left\{\left(x+\frac{1}{x}\right)^2-5\left(x+\frac{1}{x}\right)+4\right\}$$
$$=x^2\left\{\left(x+\frac{1}{x}\right)-1\right\}\left\{\left(x+\frac{1}{x}\right)-4\right\}$$
$$=(x^2-x+1)(x^2-4x+1)$$

따라서 $a=1$, $b=-4$, $c=1$이므로

$a+b+c=-2$

100 답 ④

$$x^4-4x^3+5x^2-4x+1=x^2\left(x^2-4x+5-\frac{4}{x}+\frac{1}{x^2}\right)$$
$$=x^2\left\{x^2+\frac{1}{x^2}-4\left(x+\frac{1}{x}\right)+5\right\}$$
$$=x^2\left\{\left(x+\frac{1}{x}\right)^2-4\left(x+\frac{1}{x}\right)+3\right\}$$
$$=x^2\left\{\left(x+\frac{1}{x}\right)-1\right\}\left\{\left(x+\frac{1}{x}\right)-3\right\}$$
$$=(x^2-x+1)(x^2-3x+1)$$

따라서 주어진 식의 인수인 것은 ④이다.

101 답 ③

주어진 등식의 좌변을 차수가 가장 낮은 a에 대하여 내림차순으로 정리한 다음 인수분해하면

$b^2+c^2+ab-2bc-ac=(b-c)a+b^2+c^2-2bc$

$=(b-c)a+(b-c)^2$

$=(b-c)(a+b-c)$

$\therefore (b-c)(a+b-c)=0$

그런데 $a+b-c\neq0$이므로 $b-c=0$ $\therefore b=c$

따라서 주어진 조건을 만족시키는 삼각형은 $b=c$인 이등변삼각형이다.

102 답 정삼각형

주어진 등식의 좌변을 인수분해하면

$a^3+b^3+c^3-3abc=(a+b+c)(a^2+b^2+c^2-ab-bc-ca)$

$=\frac{1}{2}(a+b+c)\{(a-b)^2+(b-c)^2+(c-a)^2\}$

$\therefore (a+b+c)\{(a-b)^2+(b-c)^2+(c-a)^2\}=0$

그런데 $a+b+c\neq0$이므로

$(a-b)^2+(b-c)^2+(c-a)^2=0$

즉, $a-b=0$, $b-c=0$, $c-a=0$이므로 $a=b=c$

따라서 주어진 조건을 만족시키는 삼각형은 정삼각형이다.

103 답 ⑤

주어진 등식의 좌변을 차수가 가장 낮은 b에 대하여 내림차순으로 정리한 다음 인수분해하면

$a^3-ab^2+ac^2+a^2c-b^2c+c^3$

$=-(a+c)b^2+a^3+a^2c+ac^2+c^3$

$=-(a+c)b^2+a^2(a+c)+c^2(a+c)$

$=(a+c)(a^2-b^2+c^2)$

$\therefore (a+c)(a^2-b^2+c^2)=0$

그런데 $a+c\neq0$이므로 $a^2-b^2+c^2=0$ $\therefore a^2+c^2=b^2$

따라서 주어진 조건을 만족시키는 삼각형은 빗변의 길이가 b인 직각삼각형이다.

104 답 ③

$a^4+a^2b^2+b^4=(a^2+ab+b^2)(a^2-ab+b^2)$

$=\{(a+b)^2-ab\}\{(a+b)^2-3ab\}$

$=(4+2)(4+6)=60$

105 답 ④

$a^3+b^3+c^3-3abc=(a+b+c)(a^2+b^2+c^2-ab-bc-ca)$에서

$a+b+c=0$이므로

$a^3+b^3+c^3-3abc=0$

$\therefore a^3+b^3+c^3=3abc$

$\therefore \frac{a^3+b^3+c^3}{abc}=\frac{3abc}{abc}=3$

106 답 ②

$a-b=2-\sqrt{3}$, $c-a=2+\sqrt{3}$을 변끼리 더하면

$c-b=4 \qquad \therefore b-c=-4$

$\therefore ab^2-a^2b+bc^2-b^2c-ac^2+a^2c$

$=-(b-c)a^2+(b^2-c^2)a+bc^2-b^2c$

$=-(b-c)a^2+(b+c)(b-c)a-bc(b-c)$

$=-(b-c)\{a^2-(b+c)a+bc\}$

$=-(b-c)(a-b)(a-c)$

$=(a-b)(b-c)(c-a)$

$=(2-\sqrt{3})\times(-4)\times(2+\sqrt{3})$

$=-4$

107 답 2000

$1999=a$로 놓으면

$\frac{1999^3+1}{1999^2-1999+1}=\frac{a^3+1}{a^2-a+1}$

$=\frac{(a+1)(a^2-a+1)}{a^2-a+1}$

$=a+1=2000$

108 답 ④

$386=a$, $14=b$로 놓으면

$\frac{386^3+14^3}{386\times372+14^2}=\frac{a^3+b^3}{a(a-b)+b^2}$

$=\frac{(a+b)(a^2-ab+b^2)}{a^2-ab+b^2}$

$=a+b=400$

109 답 ①

$20=a$로 놓으면

$18\times19\times20\times21+1=(a-2)(a-1)a(a+1)+1$

$=\{(a-2)(a+1)\}\{a(a-1)\}+1$

$=(a^2-a-2)(a^2-a)+1$

$a^2-a=X$로 놓으면

$(a^2-a-2)(a^2-a)+1=(X-2)X+1$

$=X^2-2X+1$

$=(X-1)^2$

$=(a^2-a-1)^2$

$=(400-20-1)^2$

$=379^2$

$\therefore \sqrt{18\times19\times20\times21+1}=\sqrt{379^2}=379$

110 답 ③

$f(1)=0$이므로 조립제법을 이용하여 $f(x)$를 인수분해하면

1	1	5	3	-9
		1	6	9
	1	6	9	0

$f(x)=(x-1)(x^2+6x+9)=(x-1)(x+3)^2$

$\therefore f(97)=96\times100^2=960000$

111 답 ③

주어진 등식을 k에 대하여 정리하면

$(x+2y+5)k+2x-3y-4=0$

이 등식이 k에 대한 항등식이므로

$x+2y+5=0$, $2x-3y-4=0$

두 식을 연립하여 풀면 $x=-1$, $y=-2$

$\therefore xy=2$

112 답 4

주어진 등식의 양변에 $x=1$을 대입하면

$0=-6c \qquad \therefore c=0$

주어진 등식의 양변에 $x=-2$를 대입하면

$15=15b \qquad \therefore b=1$

주어진 등식의 양변에 $x=3$을 대입하면

$30=10a \qquad \therefore a=3$

$\therefore a+b+c=4$

113 답 4

주어진 이차방정식에 $x=1$을 대입하면

$a-b(k+2)+a(k-1)=4$

$\therefore (a-b)k-2b-4=0$

이 등식이 k에 대한 항등식이므로

$a-b=0$, $-2b-4=0$

$\therefore a=-2$, $b=-2$

$\therefore ab=4$

114 답 64

주어진 등식의 양변에 $x=1$을 대입하면

$2^6=a_0+a_1+a_2+\cdots+a_{12}$ …… ㉠

주어진 등식의 양변에 $x=-1$을 대입하면

$2^6=a_0-a_1+a_2-\cdots+a_{12}$ …… ㉡

㉠+㉡을 하면

$2\times2^6=2(a_0+a_2+a_4+\cdots+a_{12})$

$\therefore a_0+a_2+a_4+\cdots+a_{12}=2^6=64$

115 답 ③

다항식 x^3+ax^2+bx+1을 x^2+x-2로 나누었을 때의 몫을 $Q(x)$라 하면

$x^3+ax^2+bx+1=(x^2+x-2)Q(x)+2x+3$

$=(x+2)(x-1)Q(x)+2x+3$

양변에 $x=1$을 대입하면

$1+a+b+1=5$, $a+b=3$ …… ㉠

양변에 $x=-2$를 대입하면

$-8+4a-2b+1=-1$, $2a-b=3$ …… ㉡

㉠, ㉡을 연립하여 풀면 $a=2$, $b=1$

$\therefore a-b=1$

116 답 11

$f(x)=x^3-3x^2+ax+b$라 하면 나머지정리에 의하여

$f(1)=3$, $f(3)=-1$

$f(1)=3$에서 $1-3+a+b=3$

$a+b=5$ …… ㉠

$f(3)=-1$에서 $27-27+3a+b=-1$

$3a+b=-1$ …… ㉡

㉠, ㉡을 연립하여 풀면 $a=-3$, $b=8$

$\therefore b-a=11$

117 답 $4x-5$

$f(x+2)-f(x)=2x^2+6x$ …… ㉠

㉠의 양변에 $x=-1$을 대입하면

$f(1)-f(-1)=-4$

$\therefore f(1)=f(-1)-4=3-4=-1$

㉠의 양변에 $x=1$을 대입하면

$f(3)-f(1)=8$

$\therefore f(3)=f(1)+8=-1+8=7$

$f(x)$를 x^2-4x+3으로 나누었을 때의 몫을 $Q(x)$, 나머지를 $ax+b$(a, b는 상수)라 하면

$f(x)=(x^2-4x+3)Q(x)+ax+b$

$\quad=(x-1)(x-3)Q(x)+ax+b$

$f(1)=-1$에서 $a+b=-1$ …… ㉠

$f(3)=7$에서 $3a+b=7$ …… ㉡

㉠, ㉡을 연립하여 풀면 $a=4$, $b=-5$

따라서 구하는 나머지는 $4x-5$

118 답 7

나머지정리에 의하여 $f(0)=1$, $f(1)=3$, $f(-2)=3$

$f(x)$를 x^3+x^2-2x로 나누었을 때의 몫을 $Q(x)$, 나머지를 $R(x)=ax^2+bx+c$(a, b, c는 상수)라 하면

$f(x)=(x^3+x^2-2x)Q(x)+ax^2+bx+c$

$\quad=x(x-1)(x+2)Q(x)+ax^2+bx+c$

$f(0)=1$에서 $c=1$

$f(1)=3$에서 $a+b+c=3$

$a+b+1=3$, $a+b=2$ …… ㉠

$f(-2)=3$에서 $4a-2b+c=3$

$4a-2b+1=3$, $2a-b=1$ …… ㉡

㉠, ㉡을 연립하여 풀면 $a=1$, $b=1$

따라서 $R(x)=x^2+x+1$이므로 $R(2)=7$

119 답 15

$f(x)-5x$를 x^2-2x-3으로 나누었을 때의 몫을 $Q(x)$라 하면

$f(x)-5x=(x^2-2x-3)Q(x)$

$f(x)=(x+1)(x-3)Q(x)+5x$

$\therefore f(3)=15$

따라서 $f(3x+2)$를 $3x-1$로 나누었을 때의 나머지는

$f\left(3\times\frac{1}{3}+2\right)=f(3)=15$

120 답 ⑤

$x^3+ax^2-11x+7=(x-1)Q(x)-1$

양변에 $x=1$을 대입하면

$1+a-11+7=-1$ $\quad\therefore a=2$

$x^3+2x^2-11x+7=(x-1)Q(x)-1$의 양변에 $x=2$를 대입하면

$8+8-22+7=Q(2)-1$ $\quad\therefore Q(2)=2$

따라서 $Q(x)$를 $x-2$로 나누었을 때의 나머지는 2이다.

121 답 ⑤

x^{15}을 $x+1$로 나누었을 때의 몫을 $Q(x)$, 나머지를 R라 하면

$x^{15}=(x+1)Q(x)+R$

양변에 $x=-1$을 대입하면 $R=-1$

$x^{15}=(x+1)Q(x)-1$의 양변에 $x=46$을 대입하면

$46^{15}=47Q(46)-1$

이때 46^{15}을 47로 나누었을 때의 나머지를 r라 하면 $0\le r<47$이므로

$46^{15}=47Q(46)-1$

$\quad=47\{Q(46)-1\}+47-1$

$\quad=47\{Q(46)-1\}+46$

따라서 구하는 나머지는 46이다.

122 답 12

$f(x)=x^3-2x^2+ax+b$라 하면 $f(x)$가 $x-1$, $x+2$를 인수로 가지므로

$f(1)=0$, $f(-2)=0$

$f(1)=0$에서 $1-2+a+b=0$, $a+b=1$ …… ㉠

$f(-2)=0$에서 $-8-8-2a+b=0$, $2a-b=-16$ …… ㉡

㉠, ㉡을 연립하여 풀면 $a=-5$, $b=6$

따라서 $g(x)=x^2-5x+6$이라 하면 $g(x)$를 $x+1$로 나누었을 때의 나머지는 $g(-1)=12$

123 답 24

$f(x+2)$가 x^2+2x-3, 즉 $(x+3)(x-1)$로 나누어떨어지므로

$f(-3+2)=0$, $f(1+2)=0$

$\therefore f(-1)=0$, $f(3)=0$

$f(-1)=0$에서 $-2-3-a+b=0$, $a-b=-5$ …… ㉠

$f(3)=0$에서 $54-27+3a+b=0$, $3a+b=-27$ …… ㉡

㉠, ㉡을 연립하여 풀면 $a=-8$, $b=-3$

$\therefore ab=24$

124 답 ④

④ $x^6-y^6=(x^3)^2-(y^3)^2$
$=(x^3+y^3)(x^3-y^3)$
$=(x+y)(x^2-xy+y^2)(x-y)(x^2+xy+y^2)$

125 답 ④

$a^3+1-a(a+1)=(a+1)(a^2-a+1)-a(a+1)$
$=(a+1)(a^2-a+1-a)$
$=(a+1)(a^2-2a+1)$
$=(a+1)(a-1)^2$
따라서 주어진 식의 인수가 아닌 것은 ④이다.

126 답 $2x^2+10x-6$

$x^2+5x=X$로 놓으면
$(x^2+5x-1)(x^2+5x-5)+3=(X-1)(X-5)+3$
$=X^2-6X+8$
$=(X-2)(X-4)$
$=(x^2+5x-2)(x^2+5x-4)$
따라서 구하는 합은
$(x^2+5x-2)+(x^2+5x-4)=2x^2+10x-6$

127 답 ③

$x^2=X$로 놓으면
$x^4-8x^2+16=X^2-8X+16$
$=(X-4)^2$
$=(x^2-4)^2$
$=(x+2)^2(x-2)^2$
따라서 $a=2$, $b=-2$이므로 $a-b=4$

128 답 ④

$x^4+3x^2y^2+4y^4=x^4+4x^2y^2+4y^4-x^2y^2$
$=(x^2+2y^2)^2-(xy)^2$
$=(x^2+xy+2y^2)(x^2-xy+2y^2)$
따라서 주어진 식의 인수인 것은 ④이다.

129 답 $(x-y-z)(x+y-z-1)$

x에 대하여 내림차순으로 정리한 다음 인수분해하면
$x^2-y^2+z^2-2xz-x+y+z$
$=x^2-(2z+1)x-y^2+z^2+y+z$
$=x^2-(2z+1)x-(y+z)(y-z)+(y+z)$
$=x^2-(2z+1)x-(y+z)(y-z-1)$
$=\{x-(y+z)\}\{x+(y-z-1)\}$
$=(x-y-z)(x+y-z-1)$

130 답 2

$f(x)=x^3+2x^2+ax-4$라 하면 $f(x)$가 $x-1$을 인수로 가지므로 $f(1)=0$에서
$1+2+a-4=0$ $\therefore a=1$

$f(x)=x^3+2x^2+x-4$이므로 조립제법을 이용하여 인수분해하면

1	1	2	1	−4
		1	3	4
	1	3	4	0

$x^3+2x^2+x-4=(x-1)(x^2+3x+4)$
따라서 $Q(x)=x^2+3x+4$이므로
$Q(-1)=2$

131 답 −5

$x^4-2x^3-5x^2+2x+1=x^2\left(x^2-2x-5+\frac{2}{x}+\frac{1}{x^2}\right)$
$=x^2\left\{x^2+\frac{1}{x^2}-2\left(x-\frac{1}{x}\right)-5\right\}$
$=x^2\left\{\left(x-\frac{1}{x}\right)^2-2\left(x-\frac{1}{x}\right)-3\right\}$
$=x^2\left\{\left(x-\frac{1}{x}\right)+1\right\}\left\{\left(x-\frac{1}{x}\right)-3\right\}$
$=(x^2+x-1)(x^2-3x-1)$
따라서 $a=-1$, $b=-3$, $c=-1$이므로
$a+b+c=-5$

132 답 ⑤

주어진 등식의 좌변을 인수분해하면
$a^4+b^4-c^4+2a^2b^2=(a^2+b^2)^2-(c^2)^2$
$=(a^2+b^2+c^2)(a^2+b^2-c^2)$
$\therefore (a^2+b^2+c^2)(a^2+b^2-c^2)=0$
그런데 $a^2+b^2+c^2\neq0$이므로
$a^2+b^2-c^2=0$ $\therefore a^2+b^2=c^2$
따라서 주어진 조건을 만족시키는 삼각형은 빗변의 길이가 c인 직각삼각형이다.

133 답 12

$x+y=(1+\sqrt{2})+(1-\sqrt{2})=2$
$xy=(1+\sqrt{2})(1-\sqrt{2})=-1$
$\therefore x^3+x^2y+xy^2+y^3=x^2(x+y)+y^2(x+y)$
$=(x+y)(x^2+y^2)$
$=(x+y)\{(x+y)^2-2xy\}$
$=2\times\{2^2-2\times(-1)\}=12$

134 답 ②

$f(-1)=0$, $f(2)=0$이므로 조립제법을 이용하여 $f(x)$를 인수분해하면

−1	1	−5	6	4	−8
		−1	6	−12	8
2	1	−6	12	−8	0
		2	−8	8	
	1	−4	4	0	

$f(x)=(x+1)(x-2)(x^2-4x+4)$
$=(x+1)(x-2)^3$
$\therefore f(2.1)=(2.1+1)(2.1-2)^3$
$=3.1\times0.1^3=0.0031$

복소수

48~59쪽

001 답 ⑤

⑤ $\sqrt{2}-i$의 실수부분은 $\sqrt{2}$, 허수부분은 -1이다.

002 답 $5+6i$

$$(3-i)(1+2i)-\frac{1-i}{1+i}=3+6i-i-2i^2-\frac{(1-i)^2}{(1+i)(1-i)}$$
$$=3+5i+2-\frac{1-2i+i^2}{1-i^2}$$
$$=5+5i-\frac{1-2i-1}{1+1}$$
$$=5+5i+i$$
$$=5+6i$$

003 답 ⑤

$z=x(1-2i)+3(i-4)$
$=(x-12)+(-2x+3)i$

z^2이 음의 실수가 되려면 z의 실수부분은 0이고 허수부분은 0이 아니어야 하므로

$x-12=0,\ -2x+3\neq0\qquad \therefore x=12$

004 답 -3

$x(5+i)-y(4+3i)=3+5i$에서

$(5x-4y)+(x-3y)i=3+5i$

복소수가 서로 같을 조건에 의하여

$5x-4y=3,\ x-3y=5$

두 식을 연립하여 풀면 $x=-1,\ y=-2$

$\therefore x+y=-3$

005 답 ①

$x=2+\sqrt{6}i$에서 $x-2=\sqrt{6}i$

양변을 제곱하면 $x^2-4x+4=-6,\ x^2-4x=-10$

$\therefore x^2-4x+5=-10+5=-5$

006 답 3

$\bar{z}=1-i$이므로

$$\frac{z+1}{z}+\frac{\bar{z}+1}{\bar{z}}=\frac{2+i}{1+i}+\frac{2-i}{1-i}$$
$$=\frac{(2+i)(1-i)+(2-i)(1+i)}{(1+i)(1-i)}$$
$$=\frac{(2-2i+i+1)+(2+2i-i+1)}{1+1}$$
$$=\frac{(3-i)+(3+i)}{2}=3$$

007 답 ㄱ, ㄷ

$z=a+bi$(a, b는 실수)라 하면 $\bar{z}=a-bi$

ㄱ. $z\bar{z}=(a+bi)(a-bi)=a^2+b^2$ (실수)

ㄴ. $\displaystyle\frac{1}{z}+\frac{1}{\bar{z}}=\frac{1}{a+bi}+\frac{1}{a-bi}$
$$=\frac{a-bi+a+bi}{(a+bi)(a-bi)}=\frac{2a}{a^2+b^2}\ (\text{실수})$$

ㄷ. $z=-\bar{z}$이면 $a+bi=-a+bi$에서 $a=-a$

따라서 $a=0$이므로 $z=bi\,(b\neq0)$는 순허수이다.

따라서 보기 중 옳은 것은 ㄱ, ㄷ이다.

008 답 ⑤

$$\alpha\bar{\alpha}+\alpha\bar{\beta}+\bar{\alpha}\beta+\beta\bar{\beta}=\alpha(\bar{\alpha}+\bar{\beta})+\beta(\bar{\alpha}+\bar{\beta})$$
$$=(\alpha+\beta)(\bar{\alpha}+\bar{\beta})$$
$$=(\alpha+\beta)(\overline{\alpha+\beta})$$

이때 $\alpha+\beta=(2-5i)+(-1+2i)=1-3i$이므로

$\overline{\alpha+\beta}=1+3i$

$$\therefore \alpha\bar{\alpha}+\alpha\bar{\beta}+\bar{\alpha}\beta+\beta\bar{\beta}=(\alpha+\beta)(\overline{\alpha+\beta})$$
$$=(1-3i)(1+3i)$$
$$=1+9=10$$

009 답 $6+8i$

$z=a+bi$(a, b는 실수)라 하면 $\bar{z}=a-bi$

$(2i-3)z+5i\bar{z}=6+18i$에서

$(2i-3)(a+bi)+5i(a-bi)=6+18i$

$(-3a+3b)+(7a-3b)i=6+18i$

복소수가 서로 같을 조건에 의하여

$-3a+3b=6,\ 7a-3b=18$

두 식을 연립하여 풀면 $a=6,\ b=8$

$\therefore z=6+8i$

010 답 ③

$i+i^2+i^3+i^4=i-1-i+1=0$이므로

$1+i+i^2+i^3+i^4+\cdots+i^{200}$
$=1+(i+i^2+i^3+i^4)+(i^5+i^6+i^7+i^8)+\cdots+(i^{197}+i^{198}+i^{199}+i^{200})$
$=1+(i+i^2+i^3+i^4)+i^4(i+i^2+i^3+i^4)+\cdots+i^{196}(i+i^2+i^3+i^4)$
$=1+0+0+\cdots+0=1$

011 답 ②

$(1+i)^2=2i,\ (1-i)^2=-2i$이므로

$$(1+i)^{120}-(1-i)^{120}=\{(1+i)^2\}^{60}-\{(1-i)^2\}^{60}$$
$$=(2i)^{60}-(-2i)^{60}$$
$$=2^{60}i^{60}-2^{60}i^{60}=0$$

012 답 -4

$$\sqrt{-2}\sqrt{-8}+\sqrt{-6}\sqrt{2}+\frac{\sqrt{24}}{\sqrt{-2}}=\sqrt{2}i\sqrt{8}i+\sqrt{6}i\sqrt{2}+\frac{\sqrt{24}}{\sqrt{2}i}$$
$$=-4+2\sqrt{3}i+\frac{\sqrt{12}i}{i^2}$$
$$=-4+2\sqrt{3}i-2\sqrt{3}i$$
$$=-4$$

013 답 $-b$
$\sqrt{a}\sqrt{b}=-\sqrt{ab}$에서 $a<0$, $b<0$이므로 $a+b<0$

$\therefore \sqrt{(a+b)^2}-|a|=-(a+b)-(-a)$
$=-a-b+a=-b$

014 답 ③
① 0은 실수인 복소수이다.

② $b=0$이어도 a가 허수이면 $a+bi$는 허수이다.

④ $\frac{2-5i}{3}$의 허수부분은 $-\frac{5}{3}$이다.

⑤ $\sqrt{3}i$의 실수부분은 0, 허수부분은 $\sqrt{3}$이다.

015 답 ②
$\frac{5i-1}{2}$의 실수부분은 $-\frac{1}{2}$, $2-i$의 허수부분은 -1이므로

$a=-\frac{1}{2}$, $b=-1$

$\therefore a+b=-\frac{3}{2}$

016 답 3
허수는 $8+\sqrt{-1}$, $-i$, $\sqrt{5}-9i$의 3개이다.

017 답 $4+i$
$$(\sqrt{3}+i)(\sqrt{3}-i)-\frac{1-2i}{2+i}=3+1-\frac{(1-2i)(2-i)}{(2+i)(2-i)}$$
$$=4-\frac{2-i-4i-2}{4+1}$$
$$=4-\frac{-5i}{5}$$
$$=4+i$$

018 답 ④
④ $(5-i)^2=25-10i-1=24-10i$

019 답 ①
$$(2+3i)\circledcirc(3+2i)=(2+3i)(3+2i)-(2+3i)-(3+2i)$$
$$=6+4i+9i-6-2-3i-3-2i$$
$$=-5+8i$$

020 답 ④
$z_1=(1+i)^2=1+2i-1=2i$

$$z_2=\frac{\sqrt{2}+2i}{\sqrt{2}-2i}=\frac{(\sqrt{2}+2i)^2}{(\sqrt{2}-2i)(\sqrt{2}+2i)}$$
$$=\frac{2+4\sqrt{2}i-4}{2+4}=\frac{-1+2\sqrt{2}i}{3}$$

$\therefore z_1z_2=2i\times\frac{-1+2\sqrt{2}i}{3}=-\frac{4\sqrt{2}+2i}{3}$

따라서 실수부분은 $-\frac{4\sqrt{2}}{3}$, 허수부분은 $-\frac{2}{3}$이므로

$a=-\frac{4\sqrt{2}}{3}$, $b=-\frac{2}{3}$

$\therefore a^2+b^2=\frac{32}{9}+\frac{4}{9}=4$

021 답 $-32-24i$
$f(1, 3)+f(2, 6)+f(3, 9)+\cdots+f(40, 120)$
$$=\frac{1-3i}{1+3i}+\frac{2-6i}{2+6i}+\frac{3-9i}{3+9i}+\cdots+\frac{40-120i}{40+120i}$$
$$=\frac{1-3i}{1+3i}+\frac{1-3i}{1+3i}+\frac{1-3i}{1+3i}+\cdots+\frac{1-3i}{1+3i}$$
$$=40\times\frac{1-3i}{1+3i}=40\times\frac{(1-3i)^2}{(1+3i)(1-3i)}$$
$$=40\times\frac{-8-6i}{10}=-32-24i$$

022 답 ①
$z=2(3+5i)-x(4i-1)=(x+6)+(-4x+10)i$

z^2이 음의 실수가 되려면 z의 실수부분은 0이고 허수부분은 0이 아니어야 하므로

$x+6=0$, $-4x+10\neq0$ $\quad\therefore x=-6$

023 답 2
$x(i-x)+1-2i=(-x^2+1)+(x-2)i$

이 복소수가 실수가 되려면 허수부분이 0이어야 하므로

$x-2=0$ $\quad\therefore x=2$

024 답 ③
$(1+i)(1-i)a^2+(2i-3)a+1-2i=(2a^2-3a+1)+(2a-2)i$

이 복소수가 순허수가 되려면 실수부분은 0이고 허수부분은 0이 아니어야 하므로

$2a^2-3a+1=0$, $2a-2\neq0$

$2a^2-3a+1=0$에서 $(2a-1)(a-1)=0$

$\therefore a=\frac{1}{2}$ 또는 $a=1$ $\quad\cdots\cdots$ ㉠

$2a-2\neq0$에서 $a\neq1$ $\quad\cdots\cdots$ ㉡

따라서 ㉠, ㉡에 의하여 $a=\frac{1}{2}$

025 답 ②
$z=x(x+4+i)-5(1-i)=(x^2+4x-5)+(x+5)i$

z^2이 실수가 되려면 z의 실수부분이 0이거나 허수부분이 0이어야 하므로

$x^2+4x-5=0$ 또는 $x+5=0$ $\quad\therefore x=-5$ 또는 $x=1$

따라서 구하는 x의 값의 합은 $-5+1=-4$

026 답 0
$z=(a+4i)(a-3i)+a^2(i-2)-11=(-a^2+1)+(a^2+a)i$

z^2이 양의 실수가 되려면 z의 실수부분은 0이 아니고 허수부분은 0이어야 하므로 $-a^2+1\neq0$, $a^2+a=0$

$-a^2+1\neq0$에서 $(1-a)(1+a)\neq0$

$\therefore a\neq-1$이고 $a\neq1$ $\quad\cdots\cdots$ ㉠

$a^2+a=0$에서 $a(a+1)=0$

$\therefore a=-1$ 또는 $a=0$ $\quad\cdots\cdots$ ㉡

따라서 ㉠, ㉡에 의하여 $a=0$

027 답 7

$x(1+i)-2y(3-i)=1+9i$에서

$(x-6y)+(x+2y)i=1+9i$

복소수가 서로 같을 조건에 의하여

$x-6y=1$, $x+2y=9$

두 식을 연립하여 풀면 $x=7$, $y=1$

$\therefore xy=7$

028 답 ⑤

복소수가 서로 같을 조건에 의하여

$x-2=0$, $3x+y-5=0$

따라서 $x=2$, $y=-1$이므로 $x-y=3$

029 답 -3

$x(2-i)^2-y(3+i)=3y+(5-2x)i$에서

$3(x-y)-(4x+y)i=3y-(2x-5)i$

복소수가 서로 같을 조건에 의하여

$x-y=y$, $4x+y=2x-5$ $\quad\therefore x-2y=0$, $2x+y=-5$

두 식을 연립하여 풀면 $x=-2$, $y=-1$

$\therefore x+y=-3$

030 답 0

$\frac{x}{1+3i}+\frac{y}{1-3i}=\frac{6}{1-i}$에서

$\frac{x(1-3i)+y(1+3i)}{(1+3i)(1-3i)}=\frac{6(1+i)}{(1-i)(1+i)}$

$\frac{(x+y)-3(x-y)i}{10}=3+3i$

$(x+y)-3(x-y)i=30+30i$

복소수가 서로 같을 조건에 의하여

$x+y=30$, $x-y=-10$

두 식을 연립하여 풀면 $x=10$, $y=20$

$\therefore 2x-y=20-20=0$

031 답 ①

$x=3-4i$에서 $x-3=-4i$

양변을 제곱하면

$x^2-6x+9=-16$, $x^2-6x=-25$

$\therefore x^2-6x+10=-25+10=-15$

032 답 -1

$a+b=(2+2\sqrt{3}i)+(2-2\sqrt{3}i)=4$

$ab=(2+2\sqrt{3}i)(2-2\sqrt{3}i)=16$

$$\therefore \frac{b}{a}+\frac{a}{b}=\frac{a^2+b^2}{ab}=\frac{(a+b)^2-2ab}{ab}=\frac{4^2-2\times16}{16}=-1$$

033 답 -6

$a=\frac{2}{1+i}=\frac{2(1-i)}{(1+i)(1-i)}=1-i$,

$b=\frac{2}{1-i}=\frac{2(1+i)}{(1-i)(1+i)}=1+i$이므로

$a+b=(1-i)+(1+i)=2$

$ab=(1-i)(1+i)=2$

$$\therefore a^3+b^3-ab=(a+b)^3-3ab(a+b)-ab=2^3-3\times2\times2-2=-6$$

034 답 ④

$x=\frac{1}{2+i}=\frac{2-i}{(2+i)(2-i)}=\frac{2-i}{5}$

$x=\frac{2-i}{5}$에서 $5x-2=-i$

양변을 제곱하면

$25x^2-20x+4=-1$, $5x^2-4x+1=0$

$$\therefore 5x^3-4x^2+6x-2=x(5x^2-4x+1)+5x-2=5x-2=5\times\frac{2-i}{5}-2=-i$$

035 답 16

$z=\frac{10}{3-i}=\frac{10(3+i)}{(3-i)(3+i)}=3+i$

따라서 $\bar{z}=3-i$이므로

$z+\bar{z}+z\bar{z}=(3+i)+(3-i)+(3+i)(3-i)=6+10=16$

036 답 $-\frac{2}{5}$

$\bar{z}=4-2i$이므로

$$\frac{1-\bar{z}}{z}=\frac{1-(4-2i)}{4+2i}=\frac{-3+2i}{4+2i}=\frac{(-3+2i)(4-2i)}{(4+2i)(4-2i)}=-\frac{2}{5}+\frac{7}{10}i$$

따라서 구하는 실수부분은 $-\frac{2}{5}$이다.

037 답 10

$\bar{\alpha}=2-i$, $\bar{\beta}=3+4i$이므로

$$(\bar{\alpha}-\beta)(\alpha-\bar{\beta})=\{(2-i)-(3-4i)\}\{(2+i)-(3+4i)\}=(-1+3i)(-1-3i)=10$$

038 답 ㄱ, ㄴ, ㄷ

$z=a+bi$(a, b는 실수)라 하면 $\bar{z}=a-bi$

ㄱ. $z+\bar{z}=(a+bi)+(a-bi)=2a$ (실수)

ㄴ. $z\bar{z}=0$이면 $(a+bi)(a-bi)=0$

$a^2+b^2=0$ $\quad\therefore a=0$, $b=0$ $\quad\therefore z=0$

ㄷ. $z=\bar{z}$이면 $a+bi=a-bi$에서

$b=-b$ $\quad\therefore b=0$ $\quad\therefore z=a$ (실수)

ㄹ. $z^2+\bar{z}^2=0$이면 $(a+bi)^2+(a-bi)^2=0$

$2a^2-2b^2=0$, $a^2=b^2$ $\quad\therefore b=\pm a$ $\quad\therefore z=a\pm ai$

따라서 보기 중 옳은 것은 ㄱ, ㄴ, ㄷ이다.

039 답 ⑤

$z=\bar{z}$이면 z는 실수이므로 ⑤이다.

040 답 ②

$z=a+bi$(a, b는 실수)라 하면 $\bar{z}=a-bi$

ㄱ. $z+\bar{z}=(a+bi)+(a-bi)=2a$ (실수)

ㄴ. $z-\bar{z}=(a+bi)-(a-bi)=2bi$

ㄷ. $z\bar{z}=(a+bi)(a-bi)=a^2+b^2$ (실수)

ㄹ. $\frac{z}{\bar{z}}=\frac{a+bi}{a-bi}=\frac{(a+bi)^2}{(a-bi)(a+bi)}=\frac{a^2-b^2}{a^2+b^2}+\frac{2ab}{a^2+b^2}i$

ㅁ. $\frac{1}{z}+\frac{1}{\bar{z}}=\frac{1}{a+bi}+\frac{1}{a-bi}=\frac{2a}{a^2+b^2}$ (실수)

따라서 보기 중 실수인 것은 ㄱ, ㄷ, ㅁ이다.

041 답 3

$z=2(1+2i)x^2-7x+3-i=(2x^2-7x+3)+(4x^2-1)i$

이때 $z\neq0$이고, $z=-\bar{z}$이면 z는 순허수이므로

$2x^2-7x+3=0$, $4x^2-1\neq0$

$2x^2-7x+3=0$에서 $(2x-1)(x-3)=0$

$\therefore x=\frac{1}{2}$ 또는 $x=3$ …… ㉠

$4x^2-1\neq0$에서 $(2x+1)(2x-1)\neq0$

$\therefore x\neq-\frac{1}{2}$, $x\neq\frac{1}{2}$ …… ㉡

따라서 ㉠, ㉡에 의하여 $x=3$

042 답 25

$$\begin{aligned}\alpha\bar{\alpha}-\alpha\bar{\beta}-\bar{\alpha}\beta+\beta\bar{\beta}&=\alpha(\bar{\alpha}-\bar{\beta})-\beta(\bar{\alpha}-\bar{\beta})\\&=(\alpha-\beta)(\bar{\alpha}-\bar{\beta})\\&=(\alpha-\beta)(\overline{\alpha-\beta})\end{aligned}$$

이때 $\alpha-\beta=(4+i)-(7-3i)=-3+4i$이므로

$\overline{\alpha-\beta}=-3-4i$

$$\begin{aligned}\therefore \alpha\bar{\alpha}-\alpha\bar{\beta}-\bar{\alpha}\beta+\beta\bar{\beta}&=(\alpha-\beta)(\overline{\alpha-\beta})\\&=(-3+4i)(-3-4i)=25\end{aligned}$$

043 답 $3-9i$

$\bar{z_2}-\bar{z_1}=\overline{z_2-z_1}=-1-4i$이므로 $z_2-z_1=-1+4i$

$\bar{z_1}\times\bar{z_2}=\overline{z_1z_2}=5+i$이므로 $z_1z_2=5-i$

$$\begin{aligned}\therefore (z_1-2)(z_2+2)&=z_1z_2-2(z_2-z_1)-4\\&=(5-i)-2(-1+4i)-4\\&=3-9i\end{aligned}$$

044 답 $-2i$

$\bar{\alpha}\beta=1$에서 $\frac{1}{\beta}=\bar{\alpha}$이므로

$\bar{\beta}+\frac{1}{\beta}=\bar{\beta}+\bar{\alpha}=\overline{\alpha+\beta}=2i$

$\therefore \alpha+\beta=-2i$

또 $\bar{\alpha}\beta=1$에서 $\frac{1}{\bar{\alpha}}=\beta$이므로

$\alpha+\frac{1}{\bar{\alpha}}=\alpha+\beta=-2i$

045 답 ④

$\bar{\alpha}=\frac{1-\sqrt{3}i}{2}$이므로

$\alpha+\bar{\alpha}=\frac{1+\sqrt{3}i}{2}+\frac{1-\sqrt{3}i}{2}=1$

$\alpha\bar{\alpha}=\frac{1+\sqrt{3}i}{2}\times\frac{1-\sqrt{3}i}{2}=1$

$$\begin{aligned}\therefore z\bar{z}&=\frac{\alpha+2}{\alpha-1}\times\overline{\left(\frac{\alpha+2}{\alpha-1}\right)}\\&=\frac{\alpha+2}{\alpha-1}\times\frac{\bar{\alpha}+2}{\bar{\alpha}-1}\\&=\frac{\alpha\bar{\alpha}+2(\alpha+\bar{\alpha})+4}{\alpha\bar{\alpha}-(\alpha+\bar{\alpha})+1}\\&=\frac{1+2+4}{1-1+1}=7\end{aligned}$$

046 답 ②

$z=a+bi$(a, b는 실수)라 하면 $\bar{z}=a-bi$

$2z-(i+2)\bar{z}=9i-2$에서

$2(a+bi)-(i+2)(a-bi)=9i-2$

$(-a+4b)i-b=9i-2$

복소수가 서로 같을 조건에 의하여

$-a+4b=9$, $-b=-2$ $\quad\therefore a=-1$, $b=2$

$\therefore z=-1+2i$

047 답 $1\pm\sqrt{2}i$

$z=a+bi$(a, b는 실수)라 하면 $\bar{z}=a-bi$

$z+\bar{z}=2$에서 $(a+bi)+(a-bi)=2$

$2a=2$ $\quad\therefore a=1$

$z\bar{z}=3$에서 $(a+bi)(a-bi)=3$

$a^2+b^2=3$, $b^2=2$ $\quad\therefore b=\pm\sqrt{2}$

$\therefore z=1\pm\sqrt{2}i$

048 답 3

$z=a+bi$(a, b는 실수)라 하면 $\bar{z}=a-bi$

이때 z는 실수가 아닌 복소수이므로 $b\neq0$

$z^2=\bar{z}$에서 $(a+bi)^2=a-bi$

$a^2+2abi-b^2=a-bi$, $(a^2-b^2)+2abi=a-bi$

복소수가 서로 같을 조건에 의하여

$a^2-b^2=a$, $2ab=-b$

$2ab=-b$에서 $b\neq0$이므로 $a=-\frac{1}{2}$

$a^2-b^2=a$에서 $\frac{1}{4}-b^2=-\frac{1}{2}$

$b^2=\frac{3}{4}$ $\quad\therefore b=\pm\frac{\sqrt{3}}{2}$

$$\begin{aligned}\therefore (1-z)(1-\bar{z})&=1-(z+\bar{z})+z\bar{z}\\&=1-(a+bi+a-bi)+(a+bi)(a-bi)\\&=1-2a+a^2+b^2\\&=1+1+\frac{1}{4}+\frac{3}{4}=3\end{aligned}$$

049 답 ③

$z=a+bi$(a, b는 실수)라 하면 $\bar{z}=a-bi$

이때 z는 실수가 아닌 복소수이므로 $b\neq0$

$$\bar{z}-\frac{1}{z}=(a-bi)-\frac{1}{a+bi}$$
$$=(a-bi)-\frac{a-bi}{(a+bi)(a-bi)}$$
$$=a\left(1-\frac{1}{a^2+b^2}\right)-b\left(1-\frac{1}{a^2+b^2}\right)i$$

$\bar{z}-\frac{1}{z}$이 실수이려면 허수부분이 0이어야 하므로

$b\left(1-\frac{1}{a^2+b^2}\right)=0$

그런데 $b\neq0$이므로 $\frac{1}{a^2+b^2}=1$ $\quad\therefore a^2+b^2=1$

$\therefore z\bar{z}=(a+bi)(a-bi)=a^2+b^2=1$

050 답 ③

$-i+i^2-i^3+i^4=-i-1+i+1=0$이므로

$1-i+i^2-i^3+i^4-\cdots+i^{120}$
$=1+(-i+i^2-i^3+i^4)+i^4(-i+i^2-i^3+i^4)+\cdots+i^{116}(-i+i^2-i^3+i^4)$
$=1+0+0+\cdots+0=1$

051 답 0

$\frac{1}{i}+\frac{1}{i^2}+\frac{1}{i^3}+\frac{1}{i^4}=\frac{1}{i}-1-\frac{1}{i}+1=0$이므로

$\frac{1}{i}+\frac{1}{i^2}+\frac{1}{i^3}+\frac{1}{i^4}+\cdots+\frac{1}{i^{100}}$
$=\left(\frac{1}{i}+\frac{1}{i^2}+\frac{1}{i^3}+\frac{1}{i^4}\right)+\frac{1}{i^4}\left(\frac{1}{i}+\frac{1}{i^2}+\frac{1}{i^3}+\frac{1}{i^4}\right)+\cdots+\frac{1}{i^{96}}\left(\frac{1}{i}+\frac{1}{i^2}+\frac{1}{i^3}+\frac{1}{i^4}\right)$
$=0+0+\cdots+0=0$

052 답 60

$i+2i^2+3i^3+4i^4+\cdots+59i^{59}+60i^{60}$
$=(i-2-3i+4)+(5i-6-7i+8)+\cdots+(57i-58-59i+60)$
$=(2-2i)+(2-2i)+\cdots+(2-2i)$
$=15(2-2i)=30-30i$

따라서 $a=30$, $b=-30$이므로 $a-b=60$

053 답 12

$f(1)=i+(-i)=0$
$f(2)=i^2+(-i)^2=-1-1=-2$
$f(3)=i^3+(-i)^3=-i+i=0$
$f(4)=i^4+(-i)^4=1+1=2$
$f(5)=i^5+(-i)^5=i-i=0$
$f(6)=i^6+(-i)^6=-1-1=-2$
⋮

따라서 $f(n)=2$를 만족시키는 자연수 n은 $4k(k=1, 2, 3, \cdots)$ 꼴이므로 50 이하의 자연수 n은 4, 8, 12, 16, …, 48의 12개이다.

054 답 −2

$\frac{1-i}{1+i}=\frac{(1-i)^2}{(1+i)(1-i)}=-i$,

$\frac{1+i}{1-i}=\frac{(1+i)^2}{(1-i)(1+i)}=i$이므로

$\left(\frac{1-i}{1+i}\right)^{50}+\left(\frac{1+i}{1-i}\right)^{50}=(-i)^{50}+i^{50}$
$=i^{4\times12+2}+i^{4\times12+2}$
$=-1-1$
$=-2$

055 답 ①

$z^2=\left(\frac{1-i}{\sqrt{2}}\right)^2=-i$이므로

$z^2+z^4+z^6+\cdots+z^{100}$
$=-i+(-i)^2+(-i)^3+\cdots+(-i)^{50}$
$=-i+i^2-i^3+\cdots+i^{50}$

이때 $-i+i^2-i^3+i^4=-i-1+i+1=0$이므로

$z^2+z^4+z^6+\cdots+z^{100}$
$=-i+i^2-i^3+\cdots+i^{50}$
$=(-i+i^2-i^3+i^4)+i^4(-i+i^2-i^3+i^4)+\cdots+i^{44}(-i+i^2-i^3+i^4)-i^{49}+i^{50}$
$=0+0+\cdots+0-i^{4\times12+1}+i^{4\times12+2}$
$=-1-i$

056 답 i

$\frac{1+i}{1-i}=\frac{(1+i)^2}{(1-i)(1+i)}=i$이므로 $f(n)=i^n$

$\therefore f(1)+f(2)+f(3)+\cdots+f(25)$
$=i+i^2+i^3+\cdots+i^{25}$

이때 $i+i^2+i^3+i^4=i-1-i+1=0$이므로

$f(1)+f(2)+f(3)+\cdots+f(25)$
$=i+i^2+i^3+\cdots+i^{25}$
$=(i+i^2+i^3+i^4)+i^4(i+i^2+i^3+i^4)+\cdots+i^{20}(i+i^2+i^3+i^4)+i^{25}$
$=0+0+\cdots+0+i^{4\times6+1}$
$=i$

057 답 ㄱ, ㄷ

ㄱ. $z^2=\left(\frac{\sqrt{2}i}{1-i}\right)^2$
$=\frac{2i^2}{(1-i)^2}=\frac{-2}{-2i}$
$=\frac{i}{i^2}=-i$

ㄴ. ㄱ에서 $z^2=-i$이므로
$z^6=(z^2)^3=(-i)^3=-i^3=i$
$\therefore z^6\neq z^2$

ㄷ. $z^8=z^6\times z^2=i\times(-i)=1$이므로
$z^{n+8}=z^n\times z^8=z^n$

따라서 보기 중 옳은 것은 ㄱ, ㄷ이다.

058 답 $-\sqrt{3}+\sqrt{5}i$

$$\sqrt{-2}\sqrt{-6}-\frac{\sqrt{10}}{\sqrt{-2}}+\frac{\sqrt{-21}}{\sqrt{-7}}=\sqrt{2}i\sqrt{6}i-\frac{\sqrt{10}}{\sqrt{2}i}+\frac{\sqrt{21}i}{\sqrt{7}i}$$
$$=-2\sqrt{3}-\frac{\sqrt{5}i}{i^2}+\sqrt{3}$$
$$=-2\sqrt{3}+\sqrt{5}i+\sqrt{3}$$
$$=-\sqrt{3}+\sqrt{5}i$$

059 답 ⑤

① $\sqrt{2}\sqrt{-5}=\sqrt{2}\sqrt{5}i=\sqrt{10}i=\sqrt{-10}$

② $\sqrt{-2}\sqrt{-5}=\sqrt{2}i\sqrt{5}i=-\sqrt{10}$

③ $\frac{\sqrt{-2}}{\sqrt{5}}=\frac{\sqrt{2}i}{\sqrt{5}}=\sqrt{\frac{2}{5}}i=\sqrt{-\frac{2}{5}}$

④ $\frac{\sqrt{-2}}{\sqrt{-5}}=\frac{\sqrt{2}i}{\sqrt{5}i}=\sqrt{\frac{2}{5}}$

⑤ $\frac{\sqrt{2}}{\sqrt{-5}}=\frac{\sqrt{2}}{\sqrt{5}i}=\frac{\sqrt{2}i}{\sqrt{5}i^2}=-\sqrt{\frac{2}{5}}i=-\sqrt{-\frac{2}{5}}$

따라서 옳지 않은 것은 ⑤이다.

060 답 ⑤

$$z=\frac{3+\sqrt{-9}}{3-\sqrt{-9}}=\frac{3+3i}{3-3i}=\frac{1+i}{1-i}$$
$$=\frac{(1+i)^2}{(1-i)(1+i)}=\frac{2i}{2}=i$$
$$\therefore z+\frac{1}{z}=i+\frac{1}{-i}=i-\frac{i}{i^2}=i+i=2i$$

061 답 $x=\frac{1}{4}$, $y=-\frac{1}{2}$

$$\frac{8x}{1+\sqrt{-3}}+\frac{4y}{1-\sqrt{-3}}=\frac{8x}{1+\sqrt{3}i}+\frac{4y}{1-\sqrt{3}i}$$
$$=\frac{8x(1-\sqrt{3}i)+4y(1+\sqrt{3}i)}{(1+\sqrt{3}i)(1-\sqrt{3}i)}$$
$$=(2x+y)+\sqrt{3}(-2x+y)i$$

이때 -3의 제곱근은 $\pm\sqrt{3}i$이므로

(i) $(2x+y)+\sqrt{3}(-2x+y)i=\sqrt{3}i$일 때
복소수가 서로 같을 조건에 의하여
$2x+y=0$, $-2x+y=1$
두 식을 연립하여 풀면 $x=-\frac{1}{4}$, $y=\frac{1}{2}$

(ii) $(2x+y)+\sqrt{3}(-2x+y)i=-\sqrt{3}i$일 때
복소수가 서로 같을 조건에 의하여
$2x+y=0$, $-2x+y=-1$
두 식을 연립하여 풀면 $x=\frac{1}{4}$, $y=-\frac{1}{2}$

그런데 $x>y$이므로 $x=\frac{1}{4}$, $y=-\frac{1}{2}$

062 답 $2a+2b$

$\frac{\sqrt{a}}{\sqrt{b}}=-\sqrt{\frac{a}{b}}$이므로 $a>0$, $b<0$

이때 $a>b$이므로 $a-b>0$

$$\therefore \sqrt{(a-b)^2}+|a|-3\sqrt{b^2}=(a-b)+a-3(-b)$$
$$=a-b+a+3b$$
$$=2a+2b$$

063 답 ④

$\sqrt{a}\sqrt{b}=-\sqrt{ab}$이므로 $a<0$, $b<0$

① $\sqrt{-a}\sqrt{b}=\sqrt{-a}\sqrt{-b}i=\sqrt{ab}i=\sqrt{-ab}$

② $\sqrt{ab^2}=\sqrt{-ab^2}i=-b\sqrt{-a}i=-b\sqrt{a}$

③ $\frac{\sqrt{b}}{\sqrt{a}}=\frac{\sqrt{-b}i}{\sqrt{-a}i}=\sqrt{\frac{b}{a}}$

④ $\frac{\sqrt{-b}}{\sqrt{a}}=\frac{\sqrt{-b}}{\sqrt{-a}i}=-\frac{\sqrt{-b}}{\sqrt{-a}}i=-\sqrt{\frac{b}{a}}i=-\sqrt{-\frac{b}{a}}$

⑤ $|a+b|=-(a+b)=-a-b=|a|+|b|$

따라서 옳지 않은 것은 ④이다.

064 답 ①

(가)에서 $a<0$, $b>0$이므로 $a<b$

(나)에서 $a+c=0$, $2a+3b=0$

$a+c=0$에서 $c=-a>0$

$2a+3b=0$에서 $-a=\frac{3}{2}b$이므로 $c=-a=\frac{3}{2}b$

이때 $b>0$, $c>0$이고 $c=\frac{3}{2}b$이므로 $b<c$

$\therefore a<b<c$

065 답 ⑤

⑤ $1+\sqrt{3}$의 허수부분은 0이다.

066 답 ⑤

① $(5+3i)+(2-11i)=7-8i$

② $(6-i)-(3-2i)=6-i-3+2i=3+i$

③ $(2-i)(3+2i)=6+4i-3i+2=8+i$

④ $(2-7i)+(2-3i)-(i-4)=2-7i+2-3i-i+4$
$=8-11i$

⑤ $\frac{1}{1+2i}-\frac{1}{1-2i}=\frac{1-2i-(1+2i)}{(1+2i)(1-2i)}=-\frac{4}{5}i$

따라서 옳은 것은 ⑤이다.

067 답 4

$z=x^2+(i-4)x+i-5=(x^2-4x-5)+(x+1)i$

z가 실수가 되려면 $x+1=0$ $\therefore x=-1$

$\therefore a=-1$

z^2이 음의 실수가 되려면 z가 순허수이어야 하므로

$x^2-4x-5=0$, $x+1\neq0$

$x^2-4x-5=0$에서 $(x+1)(x-5)=0$

$\therefore x=-1$ 또는 $x=5$ …… ㉠

$x+1\neq0$에서 $x\neq-1$ …… ㉡

㉠, ㉡에 의하여 $x=5$ $\therefore b=5$

$\therefore a+b=4$

068 답 5

$(2+i)x-2(1-i)y=\overline{2-7i}$에서

$2(x-y)+(x+2y)i=2+7i$

복소수가 서로 같을 조건에 의하여

$x-y=1,\ x+2y=7$

두 식을 연립하여 풀면 $x=3,\ y=2$

$\therefore\ x+y=5$

069 답 −13

$a+b=(\sqrt{3}+\sqrt{2}i)+(\sqrt{3}-\sqrt{2}i)=2\sqrt{3}$

$ab=(\sqrt{3}+\sqrt{2}i)(\sqrt{3}-\sqrt{2}i)=5$

$\therefore\ a^2+b^2-3ab=(a+b)^2-5ab$

$=(2\sqrt{3})^2-5\times5=-13$

070 답 ④

$x=\dfrac{1-3i}{1+i}=\dfrac{(1-3i)(1-i)}{(1+i)(1-i)}$

$=\dfrac{-2-4i}{2}=-1-2i$

$x+1=-2i$의 양변을 제곱하면

$x^2+2x+1=-4,\ x^2+2x+5=0$

$\therefore\ x^3+2x^2+5x+2=x(x^2+2x+5)+2=2$

071 답 ①

$\bar{z}=1-\sqrt{3}i$이므로 $z+\bar{z}=2,\ z\bar{z}=4$

$\therefore\ z^3+\bar{z}^3=(z+\bar{z})^3-3z\bar{z}(z+\bar{z})$

$=2^3-3\times4\times2=-16$

072 답 ⑤

$z=a+bi$(a, b는 실수)라 하면 $\bar{z}=a-bi$

ㄱ. $z\bar{z}=0$이므로 $(a+bi)(a-bi)=0$

$a^2+b^2=0$ $\quad\therefore\ a=0,\ b=0$

$\therefore\ z=\bar{z}=0$

ㄴ. $\overline{z\bar{z}}=\overline{(a+bi)(a-bi)}$

$=\overline{a^2+b^2}=a^2+b^2$ (실수)

ㄷ. $z^2=(a+bi)^2=a^2-b^2+2abi$

z^2이 허수이므로 $ab\neq0$

즉, $a\neq0$, $b\neq0$이므로 z는 허수이다.

따라서 보기 중 옳은 것은 ㄱ, ㄴ, ㄷ이다.

073 답 ②

$\alpha\bar{\alpha}+2\alpha\bar{\beta}+2\bar{\alpha}\beta+4\beta\bar{\beta}=\alpha(\bar{\alpha}+2\bar{\beta})+2\beta(\bar{\alpha}+2\bar{\beta})$

$=(\alpha+2\beta)(\bar{\alpha}+2\bar{\beta})$

$=(\alpha+2\beta)(\overline{\alpha+2\beta})$

이때 $\alpha+2\beta=(1+3i)+2(3-2i)=7-i$이므로

$\overline{\alpha+2\beta}=7+i$

$\therefore\ \alpha\bar{\alpha}+2\alpha\bar{\beta}+2\bar{\alpha}\beta+4\beta\bar{\beta}=(\alpha+2\beta)(\overline{\alpha+2\beta})$

$=(7-i)(7+i)=50$

074 답 4−2i

$z=a+bi$(a, b는 실수)라 하면 $\bar{z}=a-bi$

$\dfrac{z}{3+i}+\dfrac{\bar{z}}{2}=3$에서 $\dfrac{a+bi}{3+i}+\dfrac{a-bi}{2}=3$

$2(a+bi)+(a-bi)(3+i)=6(3+i)$

$(5a+b)+(a-b)i=18+6i$

복소수가 서로 같을 조건에 의하여

$5a+b=18,\ a-b=6$

두 식을 연립하여 풀면 $a=4,\ b=-2$

$\therefore\ z=4-2i$

075 답 ③

$i+i^2+i^3+i^4=i-1-i+1=0$이므로

$i+i^2+i^3+i^4+\cdots+i^{102}$

$=(i+i^2+i^3+i^4)+i^4(i+i^2+i^3+i^4)$

$+\cdots+i^{96}(i+i^2+i^3+i^4)+i^{101}+i^{102}$

$=0+0+\cdots+0+i^{4\times25+1}+i^{4\times25+2}=-1+i$

따라서 $a=-1,\ b=1$이므로 $a+b=0$

076 답 1

$z^2=\left(\dfrac{1+i}{\sqrt{2}}\right)^2=i$이므로

$\dfrac{1}{z^2}-\dfrac{1}{z^4}+\dfrac{1}{z^6}-\dfrac{1}{z^8}+\cdots+\dfrac{1}{z^{30}}=\dfrac{1}{i}-\dfrac{1}{i^2}+\dfrac{1}{i^3}-\dfrac{1}{i^4}+\cdots+\dfrac{1}{i^{15}}$

이때 $\dfrac{1}{i}-\dfrac{1}{i^2}+\dfrac{1}{i^3}-\dfrac{1}{i^4}=\dfrac{1}{i}+1-\dfrac{1}{i}-1=0$이므로

$\dfrac{1}{z^2}-\dfrac{1}{z^4}+\dfrac{1}{z^6}-\dfrac{1}{z^8}+\cdots+\dfrac{1}{z^{30}}$

$=\dfrac{1}{i}-\dfrac{1}{i^2}+\dfrac{1}{i^3}-\dfrac{1}{i^4}+\cdots+\dfrac{1}{i^{15}}$

$=\left(\dfrac{1}{i}-\dfrac{1}{i^2}+\dfrac{1}{i^3}-\dfrac{1}{i^4}\right)+\dfrac{1}{i^4}\left(\dfrac{1}{i}-\dfrac{1}{i^2}+\dfrac{1}{i^3}-\dfrac{1}{i^4}\right)$

$+\dfrac{1}{i^8}\left(\dfrac{1}{i}-\dfrac{1}{i^2}+\dfrac{1}{i^3}-\dfrac{1}{i^4}\right)+\dfrac{1}{i^{13}}-\dfrac{1}{i^{14}}+\dfrac{1}{i^{15}}$

$=0+0+0+\dfrac{1}{i^{4\times3+1}}-\dfrac{1}{i^{4\times3+2}}+\dfrac{1}{i^{4\times3+3}}$

$=\dfrac{1}{i}+1-\dfrac{1}{i}=1$

077 답 24

$\sqrt{-27}\sqrt{-9}+\dfrac{\sqrt{-18}}{\sqrt{-6}}+\dfrac{\sqrt{9}}{\sqrt{-3}}=\sqrt{27}i\sqrt{9}i+\dfrac{\sqrt{18}i}{\sqrt{6}i}+\dfrac{\sqrt{9}}{\sqrt{3}i}$

$=-9\sqrt{3}+\sqrt{3}+\dfrac{\sqrt{3}i}{i^2}$

$=-8\sqrt{3}-\sqrt{3}i$

따라서 $a=-8\sqrt{3},\ b=-\sqrt{3}$이므로 $ab=24$

078 답 b+c

$\sqrt{a}\sqrt{b}=-\sqrt{ab}$에서 $a<0,\ b<0$

$\dfrac{\sqrt{c}}{\sqrt{b}}=-\sqrt{\dfrac{c}{b}}$에서 $b<0,\ c>0$

따라서 $a+b<0$이므로

$\sqrt{a^2}-|a+b|+\sqrt{c^2}=-a+(a+b)+c=b+c$

001 답 ②

$x^2+3x+5=0$에서 근의 공식에 의하여

$x=\frac{-3\pm\sqrt{3^2-4\times1\times5}}{2\times1}=\frac{-3\pm\sqrt{11}i}{2}$

따라서 $a=-3$, $b=11$이므로 $a+b=8$

002 답 -3

이차방정식 $x^2+kx+6=0$의 한 근이 -2이므로 $x=-2$를 대입하면

$4-2k+6=0 \quad \therefore k=5$

$k=5$를 주어진 방정식에 대입하면

$x^2+5x+6=0$, $(x+3)(x+2)=0$

$\therefore x=-3$ 또는 $x=-2$

따라서 다른 한 근은 -3이다.

003 답 ③

(i) $x<-3$일 때

$|x+3|=-(x+3)$이므로

$x^2-(x+3)-9=0$, $x^2-x-12=0$

$(x+3)(x-4)=0$

$\therefore x=-3$ 또는 $x=4$

그런데 $x<-3$이므로 이를 만족시키는 해는 없다.

(ii) $x\ge-3$일 때

$|x+3|=x+3$이므로

$x^2+(x+3)-9=0$, $x^2+x-6=0$

$(x+3)(x-2)=0$

$\therefore x=-3$ 또는 $x=2$

(i), (ii)에 의하여 $x=-3$ 또는 $x=2$

따라서 방정식의 모든 근의 곱은 $-3\times2=-6$

004 답 ⑤

$x^2-2kx+k^2=-4x+5$에서

$x^2-2(k-2)x+k^2-5=0$

이 이차방정식의 판별식을 D라 하면 $D<0$이어야 하므로

$\frac{D}{4}=(k-2)^2-(k^2-5)<0$

$-4k+9<0 \quad \therefore k>\frac{9}{4}$

005 답 서로 다른 두 실근

$b-ac=2$에서 $ac=b-2$

이차방정식 $ax^2+bx+c=0$의 판별식을 D라 하면

$D=b^2-4ac=b^2-4(b-2)$

$=b^2-4b+8=(b-2)^2+4>0$

따라서 이차방정식 $ax^2+bx+c=0$은 서로 다른 두 실근을 갖는다.

006 답 ⑤

이차방정식 $x^2-2ax+b^2+c^2=0$의 판별식을 D라 하면 $D=0$이어야 하므로

$\frac{D}{4}=(-a)^2-(b^2+c^2)=0$

$a^2-b^2-c^2=0 \quad \therefore a^2=b^2+c^2$

따라서 a, b, c를 세 변의 길이로 하는 삼각형은 빗변의 길이가 a인 직각삼각형이다.

007 답 $\frac{5}{4}$

$x^2+(2k+1)x+k^2+2k-1$이 완전제곱식이 되려면 이차방정식 $x^2+(2k+1)x+k^2+2k-1=0$이 중근을 가져야 한다.

이 이차방정식의 판별식을 D라 하면 $D=0$이어야 하므로

$D=(2k+1)^2-4(k^2+2k-1)=0$

$-4k+5=0 \quad \therefore k=\frac{5}{4}$

008 답 ④

$x^2+4x+7=0$에서 근의 공식에 의하여

$x=-2\pm\sqrt{2^2-1\times7}$

$=-2\pm\sqrt{3}i$

따라서 $a=-2$, $b=3$이므로

$a+b=1$

009 답 ②

$x(x+3)=3(x^2-1)-2x$에서

$2x^2-5x-3=0$, $(2x+1)(x-3)=0$

$\therefore x=-\frac{1}{2}$ 또는 $x=3$

010 답 5

$\{x\circledcirc(x+2)\}+\{(x-1)\circledcirc2\}=7$에서

$\{x(x+2)-x+(x+2)\}+\{(x-1)\times2-(x-1)+2\}-7=0$

$(x^2+2x+2)+(x+1)-7=0$

$x^2+3x-4=0$, $(x+4)(x-1)=0$

$\therefore x=-4$ 또는 $x=1$

따라서 $\alpha=-4$, $\beta=1$ 또는 $\alpha=1$, $\beta=-4$이므로

$|\alpha|+|\beta|=|-4|+|1|=5$

011 답 1

주어진 방정식의 양변에 $\sqrt{2}+1$을 곱하면

$(\sqrt{2}+1)(\sqrt{2}-1)x^2-(\sqrt{2}+1)(2+\sqrt{2})x+(\sqrt{2}+1)\times3=0$

$x^2-(4+3\sqrt{2})x+3+3\sqrt{2}=0$

$(x-1)(x-3-3\sqrt{2})=0$

$\therefore x=1$ 또는 $x=3+3\sqrt{2}$

따라서 유리수인 근은 1이다.

012 답 ①

이차방정식 $4x^2+8x+k=0$의 한 근이 $-\frac{1}{2}$이므로 $x=-\frac{1}{2}$을 대입하면

$1-4+k=0 \qquad \therefore k=3$

$k=3$을 주어진 방정식에 대입하면

$4x^2+8x+3=0$, $(2x+3)(2x+1)=0$

$\therefore x=-\frac{3}{2}$ 또는 $x=-\frac{1}{2}$

따라서 다른 한 근은 $-\frac{3}{2}$이다.

013 답 ①

이차방정식 $x^2+(2k+1)x+k+3=0$의 한 근이 -1이므로

$x=-1$을 대입하면

$1-(2k+1)+k+3=0$

$-k+3=0 \qquad \therefore k=3$

$k=3$을 주어진 방정식에 대입하면

$x^2+7x+6=0$, $(x+6)(x+1)=0$

$\therefore x=-6$ 또는 $x=-1$

따라서 $\alpha=-6$이므로

$\frac{\alpha}{k}=\frac{-6}{3}=-2$

014 답 ②

$x^2+x-a=0$의 한 근이 1이므로 $x=1$을 대입하면

$1+1-a=0 \qquad \therefore a=2$

$3x^2+bx+a=0$의 한 근이 1이므로 $x=1$을 대입하면

$3+b+a=0$, $b+5=0 \qquad \therefore b=-5$

$\therefore ab=-10$

015 답 $x=1$ 또는 $x=4$

이차방정식 $kx^2+(m+1)x-n(k-2)=0$의 한 근이 2이므로

$x=2$를 대입하면

$4k+2(m+1)-n(k-2)=0$

$(4-n)k+2m+2n+2=0$

이 등식이 k에 대한 항등식이므로

$4-n=0$, $2m+2n+2=0$

$\therefore m=-5$, $n=4$

이를 방정식 $x^2+mx+n=0$에 대입하면

$x^2-5x+4=0$, $(x-1)(x-4)=0$

$\therefore x=1$ 또는 $x=4$

016 답 ①

(i) $x<-1$일 때

$|x+1|=-(x+1)$이므로

$x^2+(x+1)-1=0$

$x^2+x=0$, $x(x+1)=0$

$\therefore x=-1$ 또는 $x=0$

그런데 $x<-1$이므로 이를 만족시키는 해는 없다.

(ii) $x\geq-1$일 때

$|x+1|=x+1$이므로

$x^2-(x+1)-1=0$

$x^2-x-2=0$, $(x+1)(x-2)=0$

$\therefore x=-1$ 또는 $x=2$

(i), (ii)에 의하여 $x=-1$ 또는 $x=2$

따라서 방정식의 모든 근의 합은 $-1+2=1$

017 답 $x=-3$ 또는 $x=3$

(i) $x<0$일 때

$x^2+x-6=0$, $(x+3)(x-2)=0$

$\therefore x=-3$ 또는 $x=2$

그런데 $x<0$이므로 $x=-3$

(ii) $x\geq0$일 때

$x^2-x-6=0$, $(x+2)(x-3)=0$

$\therefore x=-2$ 또는 $x=3$

그런데 $x\geq0$이므로 $x=3$

(i), (ii)에 의하여 $x=-3$ 또는 $x=3$

다른 풀이 $x^2=|x|^2$이므로

$|x|^2-|x|-6=0$

$(|x|+2)(|x|-3)=0$

$\therefore |x|=-2$ 또는 $|x|=3$

그런데 $|x|\geq0$이므로 $|x|=3$

$\therefore x=-3$ 또는 $x=3$

018 답 ⑤

$\sqrt{x^2-2x+1}=\sqrt{(x-1)^2}=|x-1|$이므로

$x^2-8|x|+4\sqrt{x^2-2x+1}=0$에서

$x^2-8|x|+4|x-1|=0$

(i) $x<0$일 때

$|x|=-x$, $|x-1|=-(x-1)$이므로

$x^2+8x-4(x-1)=0$, $x^2+4x+4=0$

$(x+2)^2=0 \qquad \therefore x=-2$

(ii) $0\leq x<1$일 때

$|x|=x$, $|x-1|=-(x-1)$이므로

$x^2-8x-4(x-1)=0$, $x^2-12x+4=0$

$\therefore x=6\pm4\sqrt{2}$

그런데 $0\leq x<1$이므로 $x=6-4\sqrt{2}$

(iii) $x\geq1$일 때

$|x|=x$, $|x-1|=x-1$이므로

$x^2-8x+4(x-1)=0$, $x^2-4x-4=0$

$\therefore x=2\pm2\sqrt{2}$

그런데 $x\geq1$이므로 $x=2+2\sqrt{2}$

(i), (ii), (iii)에 의하여

$x=-2$ 또는 $x=6-4\sqrt{2}$ 또는 $x=2+2\sqrt{2}$

따라서 유리수가 아닌 모든 근의 합은

$(6-4\sqrt{2})+(2+2\sqrt{2})=8-2\sqrt{2}$

즉, $a=8$, $b=-2$이므로 $a+b=6$

019 답 $k<-4$

$x^2+2kx+k^2=2x-9$에서

$x^2+2(k-1)x+k^2+9=0$

이 이차방정식의 판별식을 D라 하면 $D>0$이어야 하므로

$\frac{D}{4}=(k-1)^2-(k^2+9)>0$

$-2k-8>0 \quad \therefore k<-4$

020 답 ②

ㄱ. $x^2+x+4=0$의 판별식을 D_1이라 하면

$D_1=1^2-4\times1\times4=-15<0$

즉, 주어진 이차방정식은 서로 다른 두 허근을 갖는다.

ㄴ. $x^2+3x-2=0$의 판별식을 D_2라 하면

$D_2=3^2-4\times1\times(-2)=17>0$

즉, 주어진 이차방정식은 서로 다른 두 실근을 갖는다.

ㄷ. $x^2-4x+5=0$의 판별식을 D_3이라 하면

$\frac{D_3}{4}=(-2)^2-1\times5=-1<0$

즉, 주어진 이차방정식은 서로 다른 두 허근을 갖는다.

ㄹ. $x^2+6x+9=0$의 판별식을 D_4라 하면

$\frac{D_4}{4}=3^2-1\times9=0$

즉, 주어진 이차방정식은 중근을 갖는다.

따라서 보기 중 허근을 갖는 이차방정식은 ㄱ, ㄷ이다.

021 답 ②

$x^2+4kx+3k=2kx-4$에서

$x^2+2kx+3k+4=0$

이 이차방정식의 판별식을 D라 하면 $D=0$이어야 하므로

$\frac{D}{4}=k^2-(3k+4)=0$

$k^2-3k-4=0,\ (k+1)(k-4)=0$

$\therefore k=-1$ 또는 $k=4$

따라서 모든 실수 k의 값의 합은

$-1+4=3$

022 답 ②

$x^2+4x+k^2=2kx+8$에서

$x^2-2(k-2)x+k^2-8=0$

이 이차방정식의 판별식을 D라 하면 $D\geq0$이어야 하므로

$\frac{D}{4}=(k-2)^2-(k^2-8)$

$-4k+12\geq0 \quad \therefore k\leq3$

따라서 실수 k의 최댓값은 3이다.

023 답 1

$x^2-x-2k=0$의 판별식을 D_1이라 하면 $D_1\geq0$이어야 하므로

$D_1=(-1)^2-4\times1\times(-2k)\geq0$

$1+8k\geq0 \quad \therefore k\geq-\frac{1}{8} \quad \cdots\cdots$ ㉠

$x^2+(k+1)x+1=0$의 판별식을 D_2라 하면 $D_2=0$이어야 하므로

$D_2=(k+1)^2-4=0$

$k^2+2k-3,\ (k+3)(k-1)=0$

$\therefore k=-3$ 또는 $k=1 \quad \cdots\cdots$ ㉡

㉠, ㉡에 의하여 $k=1$

024 답 8

$x^2+2(k-a)x+k^2-4k+b=0$의 판별식을 D라 하면 $D=0$이어야 하므로

$\frac{D}{4}=(k-a)^2-(k^2-4k+b)=0$

$2(2-a)k+a^2-b=0$

이 등식이 k에 대한 항등식이므로

$2-a=0,\ a^2-b=0 \quad \therefore a=2,\ b=4$

$\therefore ab=8$

025 답 ①

$2a=bc+1$에서 $bc=2a-1$

이차방정식 $x^2+2ax+bc=0$의 판별식을 D라 하면

$\frac{D}{4}=a^2-bc=a^2-(2a-1)=a^2-2a+1=(a-1)^2\geq0$

따라서 이차방정식 $x^2+2ax+bc=0$은 실근을 갖는다.

026 답 서로 다른 두 허근

이차방정식 $x^2-2kx+k^2-k+3=0$의 판별식을 D라 하면

$\frac{D}{4}=(-k)^2-(k^2-k+3)=k-3$

이때 $k<3$이므로 $k-3<0$

따라서 이차방정식 $x^2-2kx+k^2-k+3=0$은 서로 다른 두 허근을 갖는다.

027 답 서로 다른 두 실근

이차방정식 $x^2+ax+b=0$의 판별식을 D_1이라 하면 $D_1>0$이어야 하므로

$D_1=a^2-4b>0$

이차방정식 $x^2+2(a+1)x+2(a+2b)=0$의 판별식을 D_2라 하면

$\frac{D_2}{4}=(a+1)^2-2(a+2b)=a^2-4b+1$

이때 $a^2-4b>0$이므로 $a^2-4b+1>1$

따라서 이차방정식 $x^2+2(a+1)x+2(a+2b)=0$은 서로 다른 두 실근을 갖는다.

028 답 빗변의 길이가 a인 직각삼각형

이차방정식 $x^2+2cx+a^2-b^2=0$의 판별식을 D라 하면 $D=0$이어야 하므로

$\frac{D}{4}=c^2-(a^2-b^2)=0$

$b^2+c^2-a^2=0 \quad \therefore a^2=b^2+c^2$

따라서 $a,\ b,\ c$를 세 변의 길이로 하는 삼각형은 빗변의 길이가 a인 직각삼각형이다.

029 답 ③

이차방정식 $x^2+2(a+b)x+2ab+c^2=0$의 판별식을 D라 하면 $D<0$이어야 하므로

$\frac{D}{4}=(a+b)^2-(2ab+c^2)<0$

$a^2+b^2-c^2<0 \quad \therefore a^2+b^2<c^2$

따라서 a, b, c를 세 변의 길이로 하는 삼각형은 가장 긴 변의 길이가 c인 둔각삼각형이다.

030 답 ②

이차방정식 $(a+c)x^2+2bx+a-c=0$의 판별식을 D라 하면 $D>0$이어야 하므로

$\frac{D}{4}=b^2-(a+c)(a-c)>0$

$b^2-a^2+c^2>0 \quad \therefore b^2+c^2>a^2$

따라서 a, b, c를 세 변의 길이로 하는 삼각형은 예각삼각형이다.

031 답 ①

$x^2-2kx+k^2-3k+1$이 완전제곱식이 되려면 이차방정식 $x^2-2kx+k^2-3k+1=0$이 중근을 가져야 한다.

이 이차방정식의 판별식을 D라 하면 $D=0$이어야 하므로

$\frac{D}{4}=(-k)^2-(k^2-3k+1)=0$

$3k-1=0 \quad \therefore k=\frac{1}{3}$

032 답 ⑤

$x^2-2(a+2k)x+4k^2+k+b$가 완전제곱식이 되려면 이차방정식 $x^2-2(a+2k)x+4k^2+k+b=0$이 중근을 가져야 한다.

이 이차방정식의 판별식을 D라 하면 $D=0$이어야 하므로

$\frac{D}{4}=(a+2k)^2-(4k^2+k+b)=0$

$(4a-1)k+a^2-b=0$

이 등식이 k에 대한 항등식이므로

$4a-1=0$, $a^2-b=0$

$\therefore a=\frac{1}{4}$, $b=\frac{1}{16} \quad \therefore a+b=\frac{5}{16}$

033 답 2

$kx^2+(3k+1)x+a(k+1)$이 완전제곱식이 되려면 이차방정식 $kx^2+(3k+1)x+a(k+1)=0$이 중근을 가져야 한다.

이 이차방정식의 판별식을 D라 하면 $D=0$이어야 하므로

$D=(3k+1)^2-4\times k\times a(k+1)$

$(9-4a)k^2+2(3-2a)k+1=0 \quad \cdots\cdots$ ㉠

(i) $9-4a\neq0$일 때

k의 값이 오직 한 개뿐이려면 ㉠의 판별식을 D_1이라 할 때, $D_1=0$이어야 하므로

$\frac{D_1}{4}=(3-2a)^2-(9-4a)=0$

$4a^2-8a=0$, $4a(a-2)=0 \quad \therefore a=0$ 또는 $a=2$

그런데 a는 자연수이므로 $a=2$

(ii) $9-4a=0$일 때

$9-4a=0$에서 $a=\frac{9}{4}$

그런데 a는 자연수이므로 이를 만족시키는 a의 값은 없다.

(i), (ii)에 의하여 구하는 자연수 a의 값은 2이다.

034 답 20

이차방정식의 근과 계수의 관계에 의하여

$\alpha+\beta=4$, $\alpha\beta=2$

$\therefore \frac{\beta^2}{\alpha}+\frac{\alpha^2}{\beta}=\frac{\alpha^3+\beta^3}{\alpha\beta}$

$=\frac{(\alpha+\beta)^3-3\alpha\beta(\alpha+\beta)}{\alpha\beta}$

$=\frac{4^3-3\times2\times4}{2}=20$

035 답 −3

α, β가 주어진 방정식의 근이므로

$\alpha^2+3\alpha-3=0$, $\beta^2+3\beta-3=0$

$\therefore \alpha^2+2\alpha-3=-\alpha$, $\beta^2+2\beta-3=-\beta$

$x^2+3x-3=0$에서 근과 계수의 관계에 의하여

$\alpha\beta=-3$

$\therefore (\alpha^2+2\alpha-3)(\beta^2+2\beta-3)=(-\alpha)\times(-\beta)$

$=\alpha\beta=-3$

036 답 ②

주어진 이차방정식의 두 근을 α, $3\alpha\ (\alpha\neq0)$라 하면 이차방정식의 근과 계수의 관계에 의하여

$\alpha+3\alpha=-4k \quad \therefore \alpha=-k \quad \cdots\cdots$ ㉠

$\alpha\times3\alpha=-2k+1 \quad \therefore 3\alpha^2+2k-1=0 \quad \cdots\cdots$ ㉡

㉠을 ㉡에 대입하면

$3k^2+2k-1=0$

$(k+1)(3k-1)=0$

$\therefore k=-1$ 또는 $k=\frac{1}{3}$

그런데 k는 정수이므로 $k=-1$

037 답 ②

이차방정식의 근과 계수의 관계에 의하여

$\alpha+\beta=2k$, $\alpha\beta=4k-1$

$\therefore \alpha^2+\beta^2=(\alpha+\beta)^2-2\alpha\beta$

$=(2k)^2-2(4k-1)$

$=4k^2-8k+2$

이때 $\alpha^2+\beta^2=34$이므로

$4k^2-8k+2=34$

$k^2-2k-8=0$

$(k+2)(k-4)=0$

$\therefore k=-2$ 또는 $k=4$

그런데 $k>0$이므로 $k=4$

038 답 17

$x^2-5x+a=0$에서 이차방정식의 근과 계수의 관계에 의하여

$\alpha+\beta=5,\ \alpha\beta=a$ ...... ㉠

$x^2+bx+30=0$에서 이차방정식의 근과 계수의 관계에 의하여

$(\alpha+\beta)+\alpha\beta=-b,\ (\alpha+\beta)\times\alpha\beta=30$ ...... ㉡

㉠을 ㉡에 대입하면

$5+a=-b,\ 5a=30 \quad \therefore a=6,\ b=-11$

$\therefore a-b=17$

039 답 $x^2-x-4=0$

이차방정식의 근과 계수의 관계에 의하여

$\alpha+\beta=-3,\ \alpha\beta=-2$

구하는 이차방정식의 두 근이 $\alpha+2,\ \beta+2$이므로

$(\alpha+2)+(\beta+2)=(\alpha+\beta)+4=-3+4=1$

$(\alpha+2)(\beta+2)=\alpha\beta+2(\alpha+\beta)+4$

$=-2+2\times(-3)+4=-4$

따라서 구하는 이차방정식은 $x^2-x-4=0$

040 답 $x^2+4x-8=0$

원래의 이차방정식을 $x^2+ax+b=0$이라 하자.

상윤이는 x^2의 계수와 b는 바르게 보고 풀었으므로 두 근의 곱은

$-2\times4=b \quad \therefore b=-8$

상효는 x^2의 계수와 a는 바르게 보고 풀었으므로 두 근의 합은

$(-2-2i)+(-2+2i)=-a \quad \therefore a=4$

따라서 원래의 이차방정식은 $x^2+4x-8=0$

041 답 ④

이차방정식 $x^2-4x+5=0$을 풀면 $x=2\pm i$

$\therefore x^2-4x+5=\{x-(2+i)\}\{x-(2-i)\}$

$=(x-2-i)(x-2+i)$

042 답 5

$f(x)=0$의 두 근을 $\alpha,\ \beta$라 하면 $\alpha+\beta=4$

$f(\alpha)=0,\ f(\beta)=0$이므로 $f(2x-3)=0$이려면

$2x-3=\alpha$ 또는 $2x-3=\beta$

$\therefore x=\dfrac{\alpha+3}{2}$ 또는 $x=\dfrac{\beta+3}{2}$

따라서 이차방정식 $f(2x-3)=0$의 두 근의 합은

$\dfrac{\alpha+3}{2}+\dfrac{\beta+3}{2}=\dfrac{(\alpha+\beta)+6}{2}=\dfrac{4+6}{2}=5$

043 답 ①

주어진 이차방정식의 계수가 실수이므로 $2-i$가 근이면 $2+i$도 근이다.

두 근의 합은 $(2-i)+(2+i)=-a \quad \therefore a=-4$

두 근의 곱은 $(2-i)(2+i)=b \quad \therefore b=5$

$\therefore a+b=1$

044 답 22

이차방정식의 근과 계수의 관계에 의하여

$\alpha+\beta=-2,\ \alpha\beta=5$

$\therefore \alpha^3+\beta^3=(\alpha+\beta)^3-3\alpha\beta(\alpha+\beta)$

$=(-2)^3-3\times5\times(-2)=22$

045 답 $\sqrt{5}$

이차방정식의 근과 계수의 관계에 의하여

$\alpha+\beta=3,\ \alpha\beta=1$

이때 $\alpha+\beta>0,\ \alpha\beta>0$에서 $\alpha>0,\ \beta>0$이므로

$(\sqrt{\alpha}+\sqrt{\beta})^2=\alpha+2\sqrt{\alpha}\sqrt{\beta}+\beta$

$=\alpha+\beta+2\sqrt{\alpha\beta}$

$=3+2\times1=5$

$\therefore \sqrt{\alpha}+\sqrt{\beta}=\sqrt{5}$

046 답 ④

이차방정식의 근과 계수의 관계에 의하여

$\alpha+\beta=3,\ \alpha\beta=\dfrac{3}{2}$

$\therefore (\alpha-\beta)^2=(\alpha+\beta)^2-4\alpha\beta$

$=3^2-4\times\dfrac{3}{2}=3$

그런데 $\alpha>\beta$이므로 $\alpha-\beta=\sqrt{3}$

$\therefore \alpha^2-\beta^2=(\alpha+\beta)(\alpha-\beta)$

$=3\times\sqrt{3}=3\sqrt{3}$

047 답 ⑤

이차방정식의 근과 계수의 관계에 의하여

$\alpha+\beta=4,\ \alpha\beta=-1$

① $\dfrac{1}{\alpha}+\dfrac{1}{\beta}=\dfrac{\alpha+\beta}{\alpha\beta}=\dfrac{4}{-1}=-4$

② $(\alpha-1)(\beta-1)=\alpha\beta-(\alpha+\beta)+1$

$=-1-4+1=-4$

③ $\alpha^2+\alpha\beta+\beta^2=(\alpha+\beta)^2-\alpha\beta$

$=4^2-(-1)=17$

④ $\dfrac{1+\alpha}{1-\alpha}+\dfrac{1+\beta}{1-\beta}=\dfrac{(1+\alpha)(1-\beta)+(1+\beta)(1-\alpha)}{(1-\alpha)(1-\beta)}$

$=\dfrac{2(1-\alpha\beta)}{1-(\alpha+\beta)+\alpha\beta}$

$=\dfrac{2\times(1+1)}{1-4-1}=-1$

⑤ $\dfrac{\beta}{\alpha-3}+\dfrac{\alpha}{\beta-3}=\dfrac{\beta(\beta-3)+\alpha(\alpha-3)}{(\alpha-3)(\beta-3)}$

$=\dfrac{\alpha^2+\beta^2-3(\alpha+\beta)}{\alpha\beta-3(\alpha+\beta)+9}$

$=\dfrac{(\alpha+\beta)^2-2\alpha\beta-3(\alpha+\beta)}{\alpha\beta-3(\alpha+\beta)+9}$

$=\dfrac{4^2-2\times(-1)-3\times4}{-1-3\times4+9}=-\dfrac{3}{2}$

따라서 옳지 않은 것은 ⑤이다.

048 답 ④

α, β가 주어진 방정식의 근이므로

$\alpha^2-3\alpha+4=0$, $\beta^2-3\beta+4=0$

$\therefore \alpha^2-\alpha+1=2\alpha-3$, $\beta^2-\beta+1=2\beta-3$

$x^2-3x+4=0$에서 이차방정식의 근과 계수의 관계에 의하여

$\alpha+\beta=3$, $\alpha\beta=4$

$$\begin{aligned}\therefore (\alpha^2-\alpha+1)(\beta^2-\beta+1)&=(2\alpha-3)(2\beta-3)\\&=4\alpha\beta-6(\alpha+\beta)+9\\&=4\times4-6\times3+9=7\end{aligned}$$

049 답 9

β가 주어진 방정식의 근이므로

$\beta^2-2\beta-5=0 \qquad \therefore \beta^2=2\beta+5$

$x^2-2x-5=0$에서 이차방정식의 근과 계수의 관계에 의하여

$\alpha+\beta=2$

$$\begin{aligned}\therefore 2\alpha+\beta^2&=2\alpha+(2\beta+5)=2(\alpha+\beta)+5\\&=2\times2+5=9\end{aligned}$$

050 답 ②

α, β가 주어진 방정식의 근이므로

$\alpha^2+2\alpha+3=0$, $\beta^2+2\beta+3=0$

$\therefore \alpha^2+\alpha+3=-\alpha$, $\beta^2+\beta+3=-\beta$

$x^2+2x+3=0$에서 이차방정식의 근과 계수의 관계에 의하여

$\alpha+\beta=-2$, $\alpha\beta=3$

$$\begin{aligned}\therefore \frac{\beta}{\alpha^2+\alpha+3}+\frac{\alpha}{\beta^2+\beta+3}&=\frac{\beta}{-\alpha}+\frac{\alpha}{-\beta}=-\frac{\alpha^2+\beta^2}{\alpha\beta}\\&=-\frac{(\alpha+\beta)^2-2\alpha\beta}{\alpha\beta}\\&=-\frac{(-2)^2-2\times3}{3}=\frac{2}{3}\end{aligned}$$

051 답 $\frac{1}{3}$

α, β가 주어진 방정식의 근이므로

$\alpha^2+2\alpha-6=0$, $\beta^2+2\beta-6=0$

$\therefore \alpha^2+3\alpha=\alpha+6$, $\beta^2+3\beta=\beta+6$

$x^2+2x-6=0$에서 이차방정식의 근과 계수의 관계에 의하여

$\alpha+\beta=-2$, $\alpha\beta=-6$

$$\begin{aligned}\therefore &\frac{1}{\alpha^3+3\alpha^2-3\alpha-6}+\frac{1}{\beta^3+3\beta^2-3\beta-6}\\&=\frac{1}{\alpha(\alpha^2+3\alpha)-3\alpha-6}+\frac{1}{\beta(\beta^2+3\beta)-3\beta-6}\\&=\frac{1}{\alpha(\alpha+6)-3\alpha-6}+\frac{1}{\beta(\beta+6)-3\beta-6}\\&=\frac{1}{\alpha^2+3\alpha-6}+\frac{1}{\beta^2+3\beta-6}\\&=\frac{1}{(\alpha+6)-6}+\frac{1}{(\beta+6)-6}\\&=\frac{1}{\alpha}+\frac{1}{\beta}=\frac{\alpha+\beta}{\alpha\beta}=\frac{-2}{-6}=\frac{1}{3}\end{aligned}$$

052 답 $\frac{1}{2}$

주어진 이차방정식의 두 근을 2α, $3\alpha\ (\alpha\neq0)$라 하면 이차방정식의 근과 계수의 관계에 의하여

$2\alpha+3\alpha=5k \qquad \therefore \alpha=k$ ...... ㉠

$2\alpha\times3\alpha=-k+2 \qquad \therefore 6\alpha^2+k-2=0$ ...... ㉡

㉠을 ㉡에 대입하면

$6k^2+k-2=0$

$(3k+2)(2k-1)=0$

$\therefore k=-\frac{2}{3}$ 또는 $k=\frac{1}{2}$

그런데 $k>0$이므로 $k=\frac{1}{2}$

053 답 ②

주어진 이차방정식의 두 근을 α, $2\alpha\ (\alpha\neq0)$라 하면 이차방정식의 근과 계수의 관계에 의하여

$\alpha+2\alpha=6k \qquad \therefore \alpha=2k$ ...... ㉠

$\alpha\times2\alpha=7k+1 \qquad \therefore 2\alpha^2-7k-1=0$ ...... ㉡

㉠을 ㉡에 대입하면

$8k^2-7k-1=0$

$(8k+1)(k-1)=0$

$\therefore k=-\frac{1}{8}$ 또는 $k=1$

그런데 $k>0$이므로 $k=1$

054 답 ①

주어진 이차방정식의 두 근을 α, $\alpha+1$이라 하면 이차방정식의 근과 계수의 관계에 의하여

$\alpha+(\alpha+1)=2k+1 \qquad \therefore \alpha=k$ ...... ㉠

$\alpha(\alpha+1)=3k \qquad \therefore \alpha^2+\alpha-3k=0$ ...... ㉡

㉠을 ㉡에 대입하면

$k^2+k-3k=0$, $k^2-2k=0$

$k(k-2)=0 \qquad \therefore k=0$ 또는 $k=2$

그런데 $k>0$이므로 $k=2$

055 답 2

주어진 이차방정식의 두 근을 α, $\alpha+3$이라 하면 이차방정식의 근과 계수의 관계에 의하여

$\alpha+(\alpha+3)=2k+5 \qquad \therefore \alpha=k+1$ ...... ㉠

$\alpha(\alpha+3)=-k-5$ ...... ㉡

㉠을 ㉡에 대입하면

$(k+1)(k+4)=-k-5$

$k^2+6k+9=0$, $(k+3)^2=0$

$\therefore k=-3$

$k=-3$을 $x^2+(k+1)x+2k=0$에 대입하면

$x^2-2x-6=0$

따라서 근과 계수의 관계에 의하여 두 근의 합은 2이다.

056 답 3

주어진 이차방정식의 두 근을 α, $-\alpha\,(\alpha\neq0)$라 하면 이차방정식의 근과 계수의 관계에 의하여

$\alpha+(-\alpha)=-(m^2-2m-3)$ …… ㉠

$\alpha\times(-\alpha)=-4m+2$ …… ㉡

㉠에서 $m^2-2m-3=0$, $(m+1)(m-3)=0$

$\therefore m=-1$ 또는 $m=3$ …… ㉢

㉢을 ㉡에 대입하면

$m=-1$일 때, $\alpha^2=-6$

$m=3$일 때, $\alpha^2=10$

그런데 주어진 이차방정식이 실근을 가지므로 $\alpha^2=10$

$\therefore m=3$

057 답 −3

이차방정식의 근과 계수의 관계에 의하여

$\alpha+\beta=3k$, $\alpha\beta=k^2-3k$

$\therefore (\alpha-\beta)^2=(\alpha+\beta)^2-4\alpha\beta$

$=(3k)^2-4(k^2-3k)=5k^2+12k$

이때 $(\alpha-\beta)^2=9$이므로

$5k^2+12k=9$, $5k^2+12k-9=0$

$(k+3)(5k-3)=0$ $\therefore k=-3$ 또는 $k=\frac{3}{5}$

그런데 k는 정수이므로 $k=-3$

058 답 ⑤

이차방정식의 근과 계수의 관계에 의하여

$\alpha+\beta=-k+1$, $\alpha\beta=k-3$

$\therefore \alpha^2-\alpha\beta+\beta^2=(\alpha+\beta)^2-3\alpha\beta$

$=(-k+1)^2-3(k-3)=k^2-5k+10$

이때 $\alpha^2-\alpha\beta+\beta^2=4$이므로

$k^2-5k+10=4$, $k^2-5k+6=0$

$(k-2)(k-3)=0$ $\therefore k=2$ 또는 $k=3$

따라서 모든 상수 k의 값의 곱은 $2\times3=6$

059 답 ④

이차방정식의 근과 계수의 관계에 의하여 $\alpha+\beta=a$, $\alpha\beta=b$

$\alpha+\beta-2\alpha\beta-7=0$에서

$a-2b-7=0$ $\therefore a-2b=7$ …… ㉠

$(\alpha+2)(\beta+2)=8$에서

$\alpha\beta+2(\alpha+\beta)=4$ $\therefore 2a+b=4$ …… ㉡

㉠, ㉡을 연립하여 풀면 $a=3$, $b=-2$ $\therefore a+b=1$

060 답 10

$x^2+ax+b=0$에서 이차방정식의 근과 계수의 관계에 의하여

$\alpha+\beta=-a$, $\alpha\beta=b$ …… ㉠

$x^2+bx+a=0$에서 이차방정식의 근과 계수의 관계에 의하여

$(\alpha-1)+(\beta-1)=-b$, $(\alpha-1)(\beta-1)=a$

$\therefore (\alpha+\beta)-2=-b$, $\alpha\beta-(\alpha+\beta)+1=a$ …… ㉡

㉠을 ㉡에 대입하면

$-a-2=-b$, $b+a+1=a$ $\therefore a=-3$, $b=-1$

$\therefore a^2+b^2=(-3)^2+(-1)^2=10$

061 답 ②

$x^2-ax+b=0$에서 이차방정식의 근과 계수의 관계에 의하여

$-1+2=a$, $-1\times2=b$ $\therefore a=1$, $b=-2$

따라서 이차방정식 $2ax^2+(a+b)x+b=0$의 두 근의 곱은

$\frac{b}{2a}=\frac{-2}{2\times1}=-1$

062 답 10

$x^2-x+a=0$에서 이차방정식의 근과 계수의 관계에 의하여

$\alpha+\beta=1$, $\alpha\beta=a$ …… ㉠

$x^2+bx+4=0$에서 이차방정식의 근과 계수의 관계에 의하여

$\alpha^2+\beta^2=-b$, $\alpha^2\beta^2=4$

$\therefore (\alpha+\beta)^2-2\alpha\beta=-b$, $(\alpha\beta)^2=4$ …… ㉡

㉠을 ㉡에 대입하면

$1-2a=-b$, $a^2=4$

이때 $a<0$이므로 $a=-2$, $b=-5$

$\therefore ab=10$

063 답 3

$x^2-ax+b=0$에서 이차방정식의 근과 계수의 관계에 의하여

$\alpha+\beta=a$, $\alpha\beta=b$ …… ㉠

$2x^2+ax+a+b=0$에서 이차방정식의 근과 계수의 관계에 의하여

$\frac{1}{\alpha}+\frac{1}{\beta}=-\frac{a}{2}$, $\frac{1}{\alpha}\times\frac{1}{\beta}=\frac{a+b}{2}$

$\therefore \frac{\alpha+\beta}{\alpha\beta}=-\frac{a}{2}$, $\frac{1}{\alpha\beta}=\frac{a+b}{2}$ …… ㉡

㉠을 ㉡에 대입하면

$\frac{a}{b}=-\frac{a}{2}$, $\frac{1}{b}=\frac{a+b}{2}$

이때 $a\neq0$이므로 $a=1$, $b=-2$

$\therefore a-b=3$

064 답 $x^2+x+4=0$

이차방정식의 근과 계수의 관계에 의하여

$\alpha+\beta=1$, $\alpha\beta=4$

구하는 이차방정식의 근이 $\alpha-1$, $\beta-1$이므로

$(\alpha-1)+(\beta-1)=(\alpha+\beta)-2$

$=1-2=-1$

$(\alpha-1)(\beta-1)=\alpha\beta-(\alpha+\beta)+1$

$=4-1+1=4$

따라서 구하는 이차방정식은 $x^2+x+4=0$

065 답 ③

이차방정식의 근과 계수의 관계에 의하여

$(2-i)+(2+i)=-a$, $(2-i)(2+i)=b$

$\therefore a=-4$, $b=5$ $\therefore a+b=1$

066 답 ⑤

이차방정식의 근과 계수의 관계에 의하여

$\alpha+\beta=-5$, $\alpha\beta=2$

구하는 이차방정식의 근이 $\frac{1}{\alpha}$, $\frac{1}{\beta}$이므로

$\frac{1}{\alpha}+\frac{1}{\beta}=\frac{\alpha+\beta}{\alpha\beta}=-\frac{5}{2}$, $\frac{1}{\alpha}\times\frac{1}{\beta}=\frac{1}{\alpha\beta}=\frac{1}{2}$

따라서 $\frac{1}{\alpha}$, $\frac{1}{\beta}$을 두 근으로 하고 x^2의 계수가 1인 이차방정식은

$x^2+\frac{5}{2}x+\frac{1}{2}=0$ $\therefore 2x^2+5x+1=0$

067 답 $5x^2-7x+1=0$

이차방정식의 근과 계수의 관계에 의하여

$\alpha+\beta=3$, $\alpha\beta=-5$

구하는 이차방정식의 근이 $1+\frac{1}{\alpha}$, $1+\frac{1}{\beta}$이므로

$\left(1+\frac{1}{\alpha}\right)+\left(1+\frac{1}{\beta}\right)=2+\frac{1}{\alpha}+\frac{1}{\beta}=2+\frac{\alpha+\beta}{\alpha\beta}$

$=2+\frac{3}{-5}=\frac{7}{5}$

$\left(1+\frac{1}{\alpha}\right)\left(1+\frac{1}{\beta}\right)=\frac{\alpha+1}{\alpha}\times\frac{\beta+1}{\beta}=\frac{\alpha\beta+(\alpha+\beta)+1}{\alpha\beta}$

$=\frac{-5+3+1}{-5}=\frac{1}{5}$

따라서 구하는 이차방정식은

$5\left(x^2-\frac{7}{5}x+\frac{1}{5}\right)=0$ $\therefore 5x^2-7x+1=0$

068 답 ②

오른쪽 그림과 같이 $\overline{AC}$, $\overline{BC}$를 그으면 $\angle ACB$는 지름에 대한 원주각이므로 삼각형 ABC는 $\angle ACB=90°$인 직각삼각형이다.

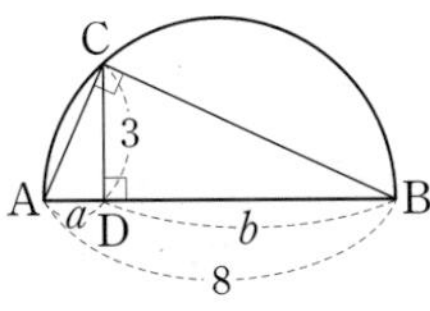

$\overline{AD}=a$, $\overline{DB}=b$라 하면 직각삼각형 ACD와 직각삼각형 CBD에서 피타고라스 정리에 의하여

$\overline{AC}^2=a^2+3^2$, $\overline{BC}^2=b^2+3^2$

또 직각삼각형 ABC에서 $\overline{AC}^2+\overline{BC}^2=\overline{AB}^2$이므로

$(a^2+3^2)+(b^2+3^2)=8^2$ $\therefore a^2+b^2=46$ ...... ㉠

한편 $\overline{AB}=8$에서 $a+b=8$이므로 ㉠을 변형하면

$(a+b)^2-2ab=46$, $8^2-2ab=46$ $\therefore ab=9$

따라서 $a+b=8$, $ab=9$이므로 구하는 이차방정식은

$x^2-8x+9=0$

069 답 ③

원래의 이차방정식을 $x^2+ax+b=0$이라 하자.

가민이는 x^2의 계수와 b는 바르게 보고 풀었으므로 두 근의 곱은

$3\times4=b$ $\therefore b=12$

예지는 x^2의 계수와 a는 바르게 보고 풀었으므로 두 근의 합은

$(1-\sqrt{5})+(1+\sqrt{5})=-a$ $\therefore a=-2$

따라서 원래의 이차방정식은 $x^2-2x+12=0$

070 답 1

준희는 a와 c는 바르게 보고 풀었으므로 두 근의 곱은

$\frac{c}{a}=-\frac{3}{2}$ $\therefore c=-\frac{3}{2}a$ ...... ㉠

서진이는 a와 b는 바르게 보고 풀었으므로 두 근의 합은

$-\frac{b}{a}=-\frac{1}{2}$ $\therefore b=\frac{1}{2}a$ ...... ㉡

㉠, ㉡을 $ax^2+bx+c=0$에 대입하면 $ax^2+\frac{1}{2}ax-\frac{3}{2}a=0$

$a\neq0$이므로 양변을 a로 나누면

$x^2+\frac{1}{2}x-\frac{3}{2}=0$, $2x^2+x-3=0$

$(2x+3)(x-1)=0$ $\therefore x=-\frac{3}{2}$ 또는 $x=1$

따라서 이 이차방정식의 두 근 중 양수인 근은 1이다.

071 답 17

이차방정식 $ax^2+bx+c=0$에서 근의 공식을 $x=\frac{b\pm\sqrt{b^2-ac}}{2a}$로 잘못 알고 풀어서 얻은 두 근이 -1, 2이므로

$\frac{b+\sqrt{b^2-ac}}{2a}+\frac{b-\sqrt{b^2-ac}}{2a}=-1+2$

$\frac{2b}{2a}=1$ $\therefore b=a$ ...... ㉠

$\frac{b+\sqrt{b^2-ac}}{2a}\times\frac{b-\sqrt{b^2-ac}}{2a}=-1\times2$

$\frac{b^2-(b^2-ac)}{4a^2}=-2$, $\frac{c}{4a}=-2$ $\therefore c=-8a$ ...... ㉡

㉠, ㉡을 $ax^2+bx+c=0$에 대입하면 $ax^2+ax-8a=0$

따라서 이차방정식의 근과 계수의 관계에 의하여

$\alpha+\beta=-\frac{a}{a}=-1$, $\alpha\beta=\frac{-8a}{a}=-8$

$\therefore \alpha^2+\beta^2=(\alpha+\beta)^2-2\alpha\beta=(-1)^2-2\times(-8)=17$

072 답 ④

이차방정식 $x^2+2x+5=0$의 근이 $x=-1\pm2i$이므로

$x^2+2x+5=\{x-(-1+2i)\}\{x-(-1-2i)\}$

$=(x+1-2i)(x+1+2i)$

073 답 ②

이차방정식 $4x^2-4x+3=0$의 근이 $x=\frac{1\pm\sqrt{2}i}{2}$이므로

$4x^2-4x+3=4\left(x-\frac{1+\sqrt{2}i}{2}\right)\left(x-\frac{1-\sqrt{2}i}{2}\right)$

$=(2x-1-\sqrt{2}i)(2x-1+\sqrt{2}i)$

따라서 주어진 식의 인수인 것은 ②이다.

074 답 ②

$f(x)=0$의 두 근이 α, β이므로 $f(\alpha)=0$, $f(\beta)=0$

$f(3x-5)=0$이려면 $3x-5=\alpha$ 또는 $3x-5=\beta$

$\therefore x=\frac{\alpha+5}{3}$ 또는 $x=\frac{\beta+5}{3}$

따라서 이차방정식 $f(3x-5)=0$의 두 근의 합은

$\frac{\alpha+5}{3}+\frac{\beta+5}{3}=\frac{(\alpha+\beta)+10}{3}=\frac{-1+10}{3}=3$

075 답 ②

$f(x)=0$의 두 근을 α, β라 하면 $\alpha+\beta=-1$, $\alpha\beta=4$

$f(\alpha)=0$, $f(\beta)=0$이므로 $f(2x+1)=0$이려면

$2x+1=\alpha$ 또는 $2x+1=\beta$

$\therefore x=\frac{\alpha-1}{2}$ 또는 $x=\frac{\beta-1}{2}$

따라서 이차방정식 $f(2x+1)=0$의 두 근의 곱은

$$\frac{\alpha-1}{2}\times\frac{\beta-1}{2}=\frac{(\alpha-1)(\beta-1)}{4}=\frac{\alpha\beta-(\alpha+\beta)+1}{4}$$
$$=\frac{4+1+1}{4}=\frac{3}{2}$$

076 답 ①

$f(3-4x)=0$의 두 근이 α, β이므로

$f(3-4\alpha)=0$, $f(3-4\beta)=0$

$f(2x)=0$이려면 $2x=3-4\alpha$ 또는 $2x=3-4\beta$

$\therefore x=\frac{3-4\alpha}{2}$ 또는 $x=\frac{3-4\beta}{2}$

따라서 이차방정식 $f(2x)=0$의 두 근의 곱은

$$\frac{3-4\alpha}{2}\times\frac{3-4\beta}{2}=\frac{(3-4\alpha)(3-4\beta)}{4}$$
$$=\frac{9-12(\alpha+\beta)+16\alpha\beta}{4}$$
$$=\frac{9-12\times\left(-\frac{1}{4}\right)+16\times(-2)}{4}=-5$$

077 답 ⑤

주어진 이차방정식의 계수가 실수이므로 $-2+\sqrt{3}i$가 근이면 $-2-\sqrt{3}i$도 근이다.

두 근의 합은

$(-2+\sqrt{3}i)+(-2-\sqrt{3}i)=-a$ $\quad\therefore a=4$

두 근의 곱은

$(-2+\sqrt{3}i)(-2-\sqrt{3}i)=b$ $\quad\therefore b=7$

$\therefore a+b=11$

078 답 ②

주어진 이차방정식의 계수가 실수이므로 $a-2i$가 근이면 $a+2i$도 근이다.

두 근의 합은

$(a-2i)+(a+2i)=-2$, $2a=-2$ $\quad\therefore a=-1$

두 근의 곱은

$(a-2i)(a+2i)=b$, $a^2+4=b$ $\quad\therefore b=5$

$\therefore ab=-5$

079 답 ⑤

이차방정식 $x^2+ax+b=0$의 계수가 유리수이므로 $2-\sqrt{3}$이 근이면 $2+\sqrt{3}$도 근이다.

두 근의 합은

$(2-\sqrt{3})+(2+\sqrt{3})=-a$ $\quad\therefore a=-4$

두 근의 곱은

$(2-\sqrt{3})(2+\sqrt{3})=b$ $\quad\therefore b=1$

즉, $x^2+2abx+a+b=0$에서 $x^2-8x-3=0$이므로

$\alpha+\beta=8$, $\alpha\beta=-3$

$$\therefore (\alpha-\beta)^2=(\alpha+\beta)^2-4\alpha\beta$$
$$=8^2-4\times(-3)=76$$

080 답 ④

$x^2+5x+8=0$에서 근의 공식에 의하여

$$x=\frac{-5\pm\sqrt{5^2-4\times1\times8}}{2}$$
$$=\frac{-5\pm\sqrt{7}i}{2}$$

따라서 $a=-5$, $b=7$이므로

$a+b=2$

081 답 ①

이차방정식 $x^2+3kx+2=0$의 한 근이 -1이므로 $x=-1$을 대입하면

$1-3k+2=0$ $\quad\therefore k=1$

$k=1$을 주어진 방정식에 대입하면

$x^2+3x+2=0$, $(x+2)(x+1)=0$

$\therefore x=-2$ 또는 $x=-1$

따라서 다른 한 근은 -2이다.

082 답 ③

(i) $x<1$일 때

$x^2+3(x-1)-1=0$, $x^2+3x-4=0$

$(x+4)(x-1)=0$ $\quad\therefore x=-4$ 또는 $x=1$

그런데 $x<1$이므로 $x=-4$

(ii) $x\geq1$일 때

$x^2-3(x-1)-1=0$, $x^2-3x+2=0$

$(x-1)(x-2)=0$ $\quad\therefore x=1$ 또는 $x=2$

(i), (ii)에 의하여 $x=-4$ 또는 $x=1$ 또는 $x=2$

따라서 방정식의 모든 근의 합은

$-4+1+2=-1$

083 답 ③

이차방정식 $kx^2+2(k+2)x+k+3=0$의 판별식을 D라 하면

$\frac{D}{4}=(k+2)^2-k(k+3)<0$

$k+4<0$ $\quad\therefore k<-4$

따라서 정수 k의 최댓값은 -5이다.

084 답 ⑤

이차방정식 $x^2+2(k+a)x+k^2+6k-3b=0$의 판별식을 D라 하면

$\frac{D}{4}=(k+a)^2-(k^2+6k-3b)=0$

$2(a-3)k+a^2+3b=0$

이 등식이 k에 대한 항등식이므로

$a-3=0$, $a^2+3b=0$ $\quad\therefore a=3$, $b=-3$

$\therefore a+b=0$

085 답 ③

ㄱ. a와 c의 부호가 서로 다르면 $ac<0$

이차방정식 $ax^2-2bx+c=0$의 판별식을 D_1이라 하면

$\frac{D_1}{4}=b^2-ac>0$

즉, 이차방정식 $ax^2-2bx+c=0$은 서로 다른 두 실근을 갖는다.

ㄴ. $b=a+c$를 $ax^2+bx+c=0$에 대입하면

$ax^2+(a+c)x+c=0$

이 이차방정식의 판별식을 D_2라 하면

$D_2=(a+c)^2-4ac=(a-c)^2\geq 0$

즉, 이차방정식 $ax^2+(a+c)x+c=0$은 실근을 갖는다.

ㄷ. 이차방정식 $ax^2-2bx+c=0$이 허근을 가지므로

$\frac{D_1}{4}=b^2-ac<0$

이때 $b^2>0$이므로 $0<b^2<ac$ $\quad\therefore ac>0$

이차방정식 $ax^2+bx+c=0$의 판별식을 D_3이라 하면

$D_3=b^2-4ac<b^2-ac<0$

즉, 이차방정식 $ax^2+bx+c=0$도 허근을 갖는다.

따라서 보기 중 옳은 것은 ㄱ, ㄷ이다.

086 답 ③

이차방정식 $x^2+2ax+b^2+c^2=0$의 판별식을 D라 하면

$\frac{D}{4}=a^2-(b^2+c^2)>0$

$a^2-b^2-c^2>0$ $\quad\therefore a^2>b^2+c^2$

따라서 a, b, c를 세 변의 길이로 하는 삼각형은 가장 긴 변의 길이가 a인 둔각삼각형이다.

087 답 1

이차방정식 $x^2+2ax-b(a-2b)=0$의 판별식을 D라 하면

$\frac{D}{4}=a^2-1\times\{-b(a-2b)\}=0$

$a^2+ab-2b^2=0$, $(a+2b)(a-b)=0$

$\therefore a=-2b$ 또는 $a=b$

그런데 $a>0$, $b>0$이므로 $a=b$

$\therefore \frac{b}{a}=1$

088 답 ④

이차방정식의 근과 계수의 관계에 의하여

$\alpha+\beta=\frac{6}{3}=2$, $\alpha\beta=\frac{2}{3}$

$\therefore \alpha^3+\beta^3-3\alpha\beta=(\alpha+\beta)^3-3\alpha\beta(\alpha+\beta)-3\alpha\beta$

$=2^3-3\times\frac{2}{3}\times2-3\times\frac{2}{3}=2$

089 답 ①

α, β가 주어진 방정식의 근이므로

$\alpha^2+\alpha+2=0$, $\beta^2+\beta+2=0$

$\therefore \alpha^2+2\alpha+2=\alpha$, $\beta^2+2\beta+2=\beta$

$x^2+x+2=0$에서 이차방정식의 근과 계수의 관계에 의하여

$\alpha+\beta=-1$, $\alpha\beta=2$

$\therefore \frac{1}{\alpha^2+2\alpha+2}+\frac{1}{\beta^2+2\beta+2}=\frac{1}{\alpha}+\frac{1}{\beta}=\frac{\alpha+\beta}{\alpha\beta}=-\frac{1}{2}$

090 답 ③

주어진 방정식의 두 근을 α, $\alpha+2$라 하면 이차방정식의 근과 계수의 관계에 의하여

$\alpha+(\alpha+2)=-2(k-1)$ $\quad\therefore \alpha=-k$ $\quad$ …… ㉠

$\alpha(\alpha+2)=-k+6$ $\quad\therefore \alpha^2+2\alpha+k-6=0$ $\quad$ …… ㉡

㉠을 ㉡에 대입하면 $k^2-k-6=0$

$(k+2)(k-3)=0$ $\quad\therefore k=-2$ 또는 $k=3$

그런데 $k>0$이므로 $k=3$

091 답 ③

이차방정식의 근과 계수의 관계에 의하여

$\alpha+\beta=2k+2$, $\alpha\beta=4k+3$

$\therefore \alpha^2+\alpha\beta+\beta^2=(\alpha+\beta)^2-\alpha\beta=(2k+2)^2-(4k+3)$

$=4k^2+4k+1$

이때 $\alpha^2+\alpha\beta+\beta^2=9$이므로 $4k^2+4k+1=9$

$k^2+k-2=0$, $(k+2)(k-1)=0$

$\therefore k=-2$ 또는 $k=1$

따라서 모든 상수 k의 값의 합은 $-2+1=-1$

092 답 ④

$x^2+ax+3=0$에서 이차방정식의 근과 계수의 관계에 의하여

$\alpha+\beta=-a$, $\alpha\beta=3$ $\quad$ …… ㉠

$x^2+2x+b=0$에서 이차방정식의 근과 계수의 관계에 의하여

$(\alpha+1)+(\beta+1)=-2$, $(\alpha+1)(\beta+1)=b$

$\therefore \alpha+\beta=-4$, $\alpha\beta+(\alpha+\beta)+1=b$ $\quad$ …… ㉡

㉠을 ㉡에 대입하면 $-a=-4$, $3-a+1=b$

$\therefore a=4$, $b=0$ $\quad\therefore a-b=4$

093 답 ②

이차방정식의 근과 계수의 관계에 의하여

$\alpha+\beta=3$, $\alpha\beta=-1$

구하는 이차방정식의 두 근이 $\frac{1}{\alpha+1}$, $\frac{1}{\beta+1}$이므로

$\frac{1}{\alpha+1}+\frac{1}{\beta+1}=\frac{(\beta+1)+(\alpha+1)}{(\alpha+1)(\beta+1)}=\frac{(\alpha+\beta)+2}{\alpha\beta+(\alpha+\beta)+1}$

$=\frac{3+2}{-1+3+1}=\frac{5}{3}$

$\frac{1}{\alpha+1}\times\frac{1}{\beta+1}=\frac{1}{(\alpha+1)(\beta+1)}=\frac{1}{\alpha\beta+(\alpha+\beta)+1}$

$=\frac{1}{-1+3+1}=\frac{1}{3}$

따라서 $\frac{1}{\alpha+1}$, $\frac{1}{\beta+1}$을 두 근으로 하고 x^2의 계수가 1인 이차방정식은

$x^2-\frac{5}{3}x+\frac{1}{3}=0$ $\quad\therefore 3x^2-5x+1=0$

094 답 $x=2\pm\sqrt{2}i$

민지는 a와 b는 바르게 보고 풀었으므로 두 근의 합은

$-\frac{b}{a}=-1+5$

$\therefore b=-4a$ ...... ㉠

선영이는 a와 c는 바르게 보고 풀었으므로 두 근의 곱은

$\frac{c}{a}=(1+\sqrt{5}i)(1-\sqrt{5}i)$

$\therefore c=6a$ ...... ㉡

㉠, ㉡을 $ax^2+bx+c=0$에 대입하면

$ax^2-4ax+6a=0$

$a\neq0$이므로 양변을 a로 나누면

$x^2-4x+6=0 \qquad \therefore x=2\pm\sqrt{2}i$

095 답 ④

이차방정식 $5x^2-4x+4=0$의 근이 $x=\frac{2\pm4i}{5}$이므로

$5x^2-4x+4=5\left(x-\frac{2+4i}{5}\right)\left(x-\frac{2-4i}{5}\right)$

$=\frac{1}{5}(5x-2-4i)(5x-2+4i)$

따라서 $a=-2$, $b=4$이므로

$a+b=2$

096 답 ③

$f(2x+1)=0$의 두 근이 α, β이므로

$f(2\alpha+1)=0$, $f(2\beta+1)=0$

$f(x-2)=0$이려면

$x-2=2\alpha+1$ 또는 $x-2=2\beta+1$

$\therefore x=2\alpha+3$ 또는 $x=2\beta+3$

따라서 이차방정식 $f(x-2)=0$의 두 근의 곱은

$(2\alpha+3)(2\beta+3)=4\alpha\beta+6(\alpha+\beta)+9$

$=4\times(-5)+6\times4+9=13$

097 답 $6x^2+x-1=0$

주어진 이차방정식의 계수가 실수이므로 $1+\sqrt{2}i$가 근이면 $1-\sqrt{2}i$도 근이다.

두 근의 합은

$(1+\sqrt{2}i)+(1-\sqrt{2}i)=-a \qquad \therefore a=-2$

두 근의 곱은

$(1+\sqrt{2}i)(1-\sqrt{2}i)=b \qquad \therefore b=3$

이때 구하는 이차방정식의 두 근이 $\frac{1}{a}$, $\frac{1}{b}$이므로

$\frac{1}{a}+\frac{1}{b}=-\frac{1}{2}+\frac{1}{3}=-\frac{1}{6}$

$\frac{1}{a}\times\frac{1}{b}=-\frac{1}{2}\times\frac{1}{3}=-\frac{1}{6}$

따라서 구하는 이차방정식은

$6\left(x^2+\frac{1}{6}x-\frac{1}{6}\right)=0$

$\therefore 6x^2+x-1=0$

05 이차방정식과 이차함수

80~91쪽

001 답 ①

이차함수 $y=x^2-ax+b$의 그래프와 x축의 교점의 x좌표가 -3, 1이므로 -3, 1은 이차방정식 $x^2-ax+b=0$의 두 근이다.

따라서 이차방정식의 근과 계수의 관계에 의하여

$-3+1=a$, $-3\times1=b \qquad \therefore a=-2$, $b=-3$

$\therefore a+b=-5$

002 답 ④

이차방정식 $x^2-2kx+k^2+3k-1=0$의 판별식을 D라 하면

$\frac{D}{4}=(-k)^2-(k^2+3k-1)<0$

$-3k+1<0 \qquad \therefore k>\frac{1}{3}$

따라서 정수 k의 최솟값은 1이다.

003 답 0

이차함수 $y=x^2+ax-1$의 그래프와 직선 $y=2x+b$의 교점의 x좌표가 -2, 4이므로 -2, 4는 이차방정식 $x^2+ax-1=2x+b$, 즉 $x^2+(a-2)x-b-1=0$의 두 근이다.

따라서 이차방정식의 근과 계수의 관계에 의하여

$-2+4=-(a-2)$, $-2\times4=-b-1$

$\therefore a=0$, $b=7 \qquad \therefore ab=0$

004 답 3

$x^2+4x+3k=-x+k$에서 $x^2+5x+2k=0$

이 이차방정식의 판별식을 D라 하면

$D=5^2-4\times1\times2k>0$

$25-8k>0 \qquad \therefore k<\frac{25}{8}$

따라서 자연수 k는 1, 2, 3의 3개이다.

005 답 ①

기울기가 2인 직선의 방정식을 $y=2x+b$라 하면

$x^2+3x-1=2x+b$에서 $x^2+x-b-1=0$

이 이차방정식의 판별식을 D라 하면

$D=1^2-4(-b-1)=0$

$4b+5=0 \qquad \therefore b=-\frac{5}{4}$

따라서 직선의 방정식은 $y=2x-\frac{5}{4}$이므로 y절편은 $-\frac{5}{4}$이다.

006 답 ①

$y=2x^2+8kx-3=2(x+2k)^2-8k^2-3$

이 이차함수는 $x=-2k$에서 최솟값 $-8k^2-3$을 가지므로

$-8k^2-3=-11$, $k^2=1 \qquad \therefore k=\pm1$

그런데 $k>0$이므로 $k=1$

007 답 ②

$f(x)=x^2-4x+k=(x-2)^2+k-4$이므로 $0\le x\le 3$에서 $y=f(x)$의 그래프는 오른쪽 그림과 같다.

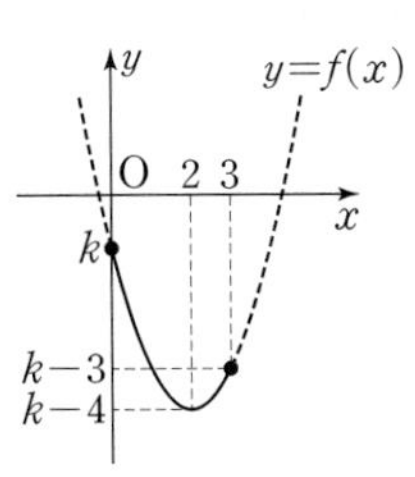

$x=2$에서 최솟값 $k-4$를 가지므로

$k-4=-5 \qquad \therefore k=-1$

따라서 $f(x)=(x-2)^2-5$의 최댓값은

$f(0)=4-5=-1$

008 답 ①

$x^2-2x=t$로 놓으면 $t=(x-1)^2-1$

$0\le x\le 3$에서 $x=3$일 때 최댓값은 3, $x=1$일 때 최솟값은 -1이므로 $-1\le t\le 3$

이때 주어진 함수는

$y=-2t^2+4t-5=-2(t-1)^2-3$

따라서 $-1\le t\le 3$에서 $t=1$일 때 최댓값은 -3이고, $t=-1$ 또는 $t=3$일 때 최솟값은 -11이므로 구하는 최댓값과 최솟값의 합은

$-3+(-11)=-14$

009 답 −12

$$x^2+y^2-4x+6y+1=(x^2-4x+4)+(y^2+6y+9)-12$$
$$=(x-2)^2+(y+3)^2-12$$

이때 x, y가 실수이므로 $(x-2)^2\ge 0$, $(y+3)^2\ge 0$

$\therefore x^2+y^2-4x+6y+1\ge -12$

따라서 구하는 최솟값은 -12이다.

010 답 ⑤

$x+y=1$에서 $y=1-x$이므로 이를 $4x^2+y^2$에 대입하면

$$4x^2+y^2=4x^2+(1-x)^2=5x^2-2x+1$$
$$=5\left(x-\frac{1}{5}\right)^2+\frac{4}{5}$$

따라서 $x=\frac{1}{5}$일 때 최솟값은 $\frac{4}{5}$이다.

011 답 4

점 P의 좌표를 $(a,\ -a+4)$라 하면

$\overline{\mathrm{OQ}}=a$, $\overline{\mathrm{PQ}}=-a+4$

사각형 ROQP의 넓이를 S라 하면

$S=a(-a+4)=-a^2+4a=-(a-2)^2+4$

이때 $0<a<4$이므로 $a=2$일 때 사각형 ROQP의 넓이의 최댓값은 4이다.

012 답 ①

이차함수 $y=2x^2+ax+b$의 그래프와 x축의 교점의 x좌표가 -2, 3이므로 -2, 3은 이차방정식 $2x^2+ax+b=0$의 두 근이다.

따라서 이차방정식의 근과 계수의 관계에 의하여

$-2+3=-\frac{a}{2}$, $-2\times 3=\frac{b}{2} \qquad \therefore a=-2,\ b=-12$

$\therefore ab=24$

013 답 ④

이차함수 $y=x^2-ax+a+5$의 그래프와 x축의 교점의 x좌표가 2, b이므로 2, b는 이차방정식 $x^2-ax+a+5=0$의 두 근이다.

따라서 이차방정식의 근과 계수의 관계에 의하여

$2+b=a$, $2\times b=a+5 \qquad \therefore a-b=2,\ a-2b=-5$

두 식을 연립하여 풀면 $a=9$, $b=7$

$\therefore a+b=16$

014 답 $\frac{1}{2}$

이차함수 $y=f(x)$의 그래프와 x축의 교점의 x좌표가 -1, 4이므로 -1, 4는 이차방정식 $f(x)=0$의 두 근이다.

즉, $f(-1)=0$, $f(4)=0$이므로 $f(2x+1)=0$이려면

$2x+1=-1$ 또는 $2x+1=4$

$\therefore x=-1$ 또는 $x=\frac{3}{2}$

따라서 이차방정식 $f(2x+1)=0$의 두 근의 합은

$-1+\frac{3}{2}=\frac{1}{2}$

015 답 2

이차방정식 $x^2-(k+1)x-2k=0$의 두 근을 α, β라 하면 근과 계수의 관계에 의하여

$\alpha+\beta=k+1$, $\alpha\beta=-2k$

이때 주어진 이차함수의 그래프가 x축과 만나는 두 점 사이의 거리가 5이므로 $|\alpha-\beta|=5$

양변을 제곱하면 $(\alpha-\beta)^2=25$

$(\alpha+\beta)^2-4\alpha\beta=25$, $(k+1)^2+8k=25$

$k^2+10k-24=0$, $(k+12)(k-2)=0$

$\therefore k=-12$ 또는 $k=2$

그런데 $k>0$이므로 $k=2$

016 답 1

$y=ax^2+bx+c$의 그래프가 점 $(0,\ -2)$를 지나므로

$c=-2 \qquad \therefore y=ax^2+bx-2$

이때 이차방정식 $ax^2+bx-2=0$의 계수가 유리수이고 한 근이 $-1+\sqrt{3}$이므로 $-1-\sqrt{3}$도 근이다.

따라서 이차방정식의 근과 계수의 관계에 의하여

$(-1+\sqrt{3})+(-1-\sqrt{3})=-\frac{b}{a}$

$(-1+\sqrt{3})\times(-1-\sqrt{3})=-\frac{2}{a}$

$\therefore a=1,\ b=2 \qquad \therefore a+b+c=1$

017 답 ⑤

이차방정식 $x^2+2(k+1)x+k^2+k+4=0$의 판별식을 D라 하면

$\frac{D}{4}=(k+1)^2-(k^2+k+4)>0$

$k-3>0 \qquad \therefore k>3$

따라서 정수 k의 최솟값은 4이다.

018 답 4
이차방정식 $x^2+kx+k=0$의 판별식을 D라 하면
$D=k^2-4\times1\times k=0$, $k^2-4k=0$
$k(k-4)=0$ $\quad\therefore k=0$ 또는 $k=4$
그런데 $k>0$이므로 $k=4$

019 답 $k\le\frac{5}{8}$
이차방정식 $x^2-(2k+1)x+k^2+3k-1=0$의 판별식을 D라 하면
$D=(2k+1)^2-4(k^2+3k-1)\ge0$
$-8k+5\ge0$ $\quad\therefore k\le\frac{5}{8}$

020 답 ③
이차방정식 $x^2+4x-3k+5=0$의 판별식을 D_1이라 하면
$\frac{D_1}{4}=2^2-(-3k+5)<0$
$3k-1<0$ $\quad\therefore k<\frac{1}{3}$ $\quad$ …… ㉠
이차방정식 $2x^2+2kx-k+4=0$의 판별식을 D_2라 하면
$\frac{D_2}{4}=k^2-2(-k+4)=0$
$k^2+2k-8=0$, $(k+4)(k-2)=0$
$\therefore k=-4$ 또는 $k=2$ $\quad$ …… ㉡
㉠, ㉡에 의하여 $k=-4$

021 답 8
이차방정식 $x^2+2(k-a)x+k^2-4k+b=0$의 판별식을 D라 하면
$\frac{D}{4}=(k-a)^2-(k^2-4k+b)=0$
$-2(a-2)k+a^2-b=0$
이 등식이 k에 대한 항등식이므로
$a-2=0$, $a^2-b=0$ $\quad\therefore a=2$, $b=4$
$\therefore ab=8$

022 답 2
이차방정식 $ax^2+bx+c=0$의 판별식을 D_1이라 하면
$D_1=b^2-4ac<0$ $\quad$ …… ㉠
이차방정식 $bx^2+2(a+c)x+b=0$의 판별식을 D_2라 하면
$\frac{D_2}{4}=(a+c)^2-b\times b=a^2+c^2+2ac-b^2$
㉠에서 $-b^2>-4ac$이므로
$\frac{D_2}{4}=a^2+c^2+2ac-b^2>a^2+c^2+2ac-4ac=(a-c)^2$
이때 $(a-c)^2\ge0$이므로 $\frac{D_2}{4}>0$
따라서 구하는 교점의 개수는 2이다.

023 답 −3
이차함수 $y=x^2+3x+a$의 그래프와 직선 $y=bx-1$의 두 교점의 x좌표가 -3, 1이므로 -3, 1은 이차방정식 $x^2+3x+a=bx-1$, 즉 $x^2-(b-3)x+a+1=0$의 두 근이다.
따라서 이차방정식의 근과 계수의 관계에 의하여
$-3+1=b-3$, $-3\times1=a+1$ $\quad\therefore a=-4$, $b=1$
$\therefore a+b=-3$

024 답 ②
이차방정식 $-x^2+ax+3=-2x+b$, 즉 $x^2-(a+2)x+b-3=0$의 계수가 유리수이고 한 근이 $2+\sqrt{5}$이므로 $2-\sqrt{5}$도 근이다.
따라서 이차방정식의 근과 계수의 관계에 의하여
$(2+\sqrt{5})+(2-\sqrt{5})=a+2$, $(2+\sqrt{5})\times(2-\sqrt{5})=b-3$
$\therefore a=2$, $b=2$ $\quad\therefore ab=4$

025 답 4
이차함수 $y=x^2+ax-1$의 그래프와 직선 $y=2x-5$의 두 교점의 x좌표를 α, β라 하면 α, β는 이차방정식 $x^2+ax-1=2x-5$, 즉 $x^2+(a-2)x+4=0$의 두 근이다.
따라서 이차방정식의 근과 계수의 관계에 의하여
$\alpha+\beta=-(a-2)$, $\alpha\beta=4$
이때 이차함수의 그래프와 직선의 두 교점의 x좌표의 차가 3이므로
$|\alpha-\beta|=3$
양변을 제곱하면 $(\alpha-\beta)^2=9$
$(\alpha+\beta)^2-4\alpha\beta=9$, $(a-2)^2-16=9$
$a^2-4a-21=0$, $(a+3)(a-7)=0$ $\quad\therefore a=-3$ 또는 $a=7$
따라서 모든 상수 a의 값의 합은 $-3+7=4$

026 답 $\sqrt{2}$
$\overline{OA}:\overline{OB}=2:1$이므로 두 점 A, B의 x좌표를 각각 $-2a$, $a\,(a>0)$라 하면 $-2a$, a는 이차방정식 $-x^2+4=kx$, 즉 $x^2+kx-4=0$의 두 근이다.
따라서 이차방정식의 근과 계수의 관계에 의하여
$-2a+a=-k$, $-2a\times a=-4$
$k=a$, $a^2=2$
그런데 $a>0$이므로 $a=\sqrt{2}$ $\quad\therefore k=\sqrt{2}$

027 답 ④
$-x^2+kx-k^2=-kx+k-3$에서
$x^2-2kx+k^2+k-3=0$
이 이차방정식의 판별식을 D라 하면
$\frac{D}{4}=(-k)^2-(k^2+k-3)>0$
$-k+3>0$ $\quad\therefore k<3$
따라서 정수 k의 최댓값은 2이다.

028 답 $k>5$
$x^2+2kx+k^2-1=4x+3k$에서 $x^2+2(k-2)x+k^2-3k-1=0$
이 이차방정식의 판별식을 D라 하면
$\frac{D}{4}=(k-2)^2-(k^2-3k-1)<0$
$-k+5<0$ $\quad\therefore k>5$

029 답 ④

$-x^2-(k-3)x+k+1=k(x+k)$에서

$x^2+(2k-3)x+k^2-k-1=0$

이 이차방정식의 판별식을 D라 하면

$D=(2k-3)^2-4(k^2-k-1)\geq 0$

$-8k+13\geq 0 \qquad \therefore k\leq \frac{13}{8}$

따라서 정수 k의 최댓값은 1이다.

030 답 ⑤

$y=x^2-3x+4$의 그래프가 직선 $y=-x+b$에 접하므로

$x^2-3x+4=-x+b$에서 $x^2-2x+4-b=0$

이 이차방정식의 판별식을 D_1이라 하면

$\frac{D_1}{4}=(-1)^2-(4-b)=0,\ b-3=0 \qquad \therefore b=3$

$y=-2x^2+3x+a$의 그래프가 직선 $y=-x+3$에 접하므로

$-2x^2+3x+a=-x+3$에서 $2x^2-4x+3-a=0$

이 이차방정식의 판별식을 D_2라 하면

$\frac{D_2}{4}=(-2)^2-2(3-a)=0,\ 2a-2=0 \qquad \therefore a=1$

$\therefore ab=3$

031 답 ③

함수 $y=f(x)$의 그래프는 오른쪽 그림과 같고, 이 그래프가 직선 $y=x+k$와 서로 다른 네 점에서 만나려면 직선 $y=x+k$는 (i)과 (ii) 사이에 있어야 한다.

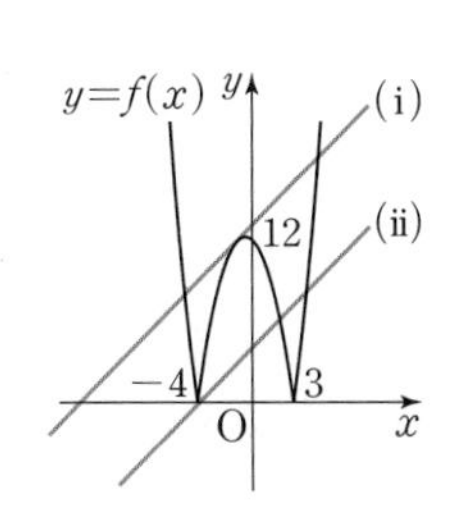

(i) 직선 $y=x+k$가 $y=-x^2-x+12$의 그래프에 접할 때

$-x^2-x+12=x+k$에서

$x^2+2x+k-12=0$

이 이차방정식의 판별식을 D라 하면

$\frac{D}{4}=1^2-(k-12)=0$

$13-k=0 \qquad \therefore k=13$

(ii) 직선 $y=x+k$가 점 $(-4,\ 0)$을 지날 때

$0=-4+k \qquad \therefore k=4$

(i), (ii)에 의하여 k의 값의 범위는

$4<k<13$

따라서 정수 k는 5, 6, 7, $\cdots$, 12의 8개이다.

032 답 ②

직선 $y=-x+7$에 평행한 직선의 기울기는 -1이다.

기울기가 -1인 직선의 방정식을 $y=-x+b$라 하면

$x^2-5x-3=-x+b$에서 $x^2-4x-b-3=0$

이 이차방정식의 판별식을 D라 하면

$\frac{D}{4}=(-2)^2-(-b-3)=0$

$b+7=0 \qquad \therefore b=-7$

따라서 직선의 방정식은 $y=-x-7$이므로 y절편은 -7이다.

033 답 ①

점 $(-3,\ 1)$을 지나는 직선의 방정식을 $y=m(x+3)+1$이라 하면 $-x^2+2x+3=m(x+3)+1$에서

$x^2+(m-2)x+3m-2=0$

이 이차방정식의 판별식을 D라 하면

$D=(m-2)^2-4(3m-2)=0$

$m^2-16m+12=0$

따라서 이차방정식 $m^2-16m+12=0$의 근이 직선의 기울기이므로 이차방정식의 근과 계수의 관계에 의하여 구하는 두 직선의 기울기의 합은 16이다.

034 답 ①

기울기가 2인 직선의 방정식을 $y=2x+b$라 하면

$x^2=2x+b$에서 $x^2-2x-b=0$

이 이차방정식의 판별식을 D_1이라 하면

$\frac{D_1}{4}=(-1)^2-(-b)=0$

$b+1=0 \qquad \therefore b=-1$

$\therefore y=2x-1$

$-2x^2+kx+k-3=2x-1$에서

$2x^2-(k-2)x-k+2=0$

이 이차방정식의 판별식을 D_2라 하면

$D_2=(k-2)^2-8(-k+2)=0$

$k^2+4k-12=0,\ (k+6)(k-2)=0$

$\therefore k=-6$ 또는 $k=2$

그런데 $k>0$이므로 $k=2$

035 답 $\frac{9}{2}$ m

오른쪽 그림과 같이 A 지점을 원점, 지면을 x축, 가로등을 y축으로 하여 좌표평면 위에 나타내자.

이때 포물선의 방정식을

$y=ax(x-4)\ (a<0)$

라 하면 이 포물선이 점 $(2,\ 4)$를 지나므로

$4=2a(2-4) \qquad \therefore a=-1$

즉, 포물선의 방정식은

$y=-x(x-4)=-x^2+4x$

한편 포물선의 접선의 y절편이 9이므로 직선의 방정식을 $y=bx+9\ (b<0)$라 하면 $-x^2+4x=bx+9$에서

$x^2+(b-4)x+9=0$

이 이차방정식의 판별식을 D라 하면

$D=(b-4)^2-4\times 9=0,\ b^2-8b-20=0$

$(b+2)(b-10)=0 \qquad \therefore b=-2$ 또는 $b=10$

그런데 $b<0$이므로 $b=-2$

즉, 직선의 방정식은 $y=-2x+9$

이 직선의 x절편은 $\frac{9}{2}$이므로 $\overline{AC}=\frac{9}{2}$

따라서 두 지점 A, C 사이의 거리는 $\frac{9}{2}$ m이다.

036 답 2

$y=-x^2+2kx+k=-(x-k)^2+k^2+k$

이 이차함수는 $x=k$에서 최댓값 k^2+k를 가지므로

$k^2+k=6$, $k^2+k-6=0$

$(k+3)(k-2)=0$

$\therefore k=-3$ 또는 $k=2$

그런데 $k>0$이므로 $k=2$

037 답 ④

$y=-2x^2+8x+5$

$=-2(x-2)^2+13$

따라서 $x=2$에서 최댓값 13을 갖는다.

038 답 ⑤

이차함수 $f(x)=ax^2+bx+c$가 $x=-1$에서 최솟값 -5를 가지므로

$f(x)=a(x+1)^2-5$

$f(1)=7$에서

$4a-5=7 \quad \therefore a=3$

$\therefore f(x)=3(x+1)^2-5=3x^2+6x-2$

따라서 $a=3$, $b=6$, $c=-2$이므로

$a+b-c=11$

039 답 2

$y=2x^2+kx-k=2\left(x+\frac{k}{4}\right)^2-\frac{k^2}{8}-k$

이 이차함수는 $x=-\frac{k}{4}$에서 최솟값 $-\frac{k^2}{8}-k$를 가지므로

$f(k)=-\frac{k^2}{8}-k=-\frac{1}{8}(k+4)^2+2$

따라서 $f(k)$는 $k=-4$에서 최댓값 2를 갖는다.

040 답 ②

$f(x)=-x^2+4x+k=-(x-2)^2+k+4$

이 이차함수는 $x=2$에서 최댓값 $k+4$를 가지므로 함수 $f(x)$가 모든 실수 x에 대하여 $f(x)\le 2$를 만족시키려면

$k+4\le 2 \quad \therefore k\le -2$

따라서 상수 k의 최댓값은 -2이다.

041 답 ①

$f(x)=x^2+ax+b$라 하면 주어진 방정식은

$x^2+ax+b+4x-3=0$

$\therefore x^2+(a+4)x+b-3=0$

이 이차방정식의 두 근 α, β에 대하여 $\alpha+\beta=2$, $\alpha\beta=-4$이므로

$-(a+4)=2$, $b-3=-4$

$\therefore a=-6$, $b=-1$

$\therefore f(x)=x^2-6x-1=(x-3)^2-10$

따라서 $f(x)$는 $x=3$에서 최솟값 -10을 갖는다.

042 답 40

이차함수 $y=f(x)$의 그래프와 직선 $y=g(x)$가 만나는 두 점의 x좌표가 3, 7이므로 방정식 $f(x)=g(x)$, 즉 $h(x)=0$의 두 근은 3, 7이다.

이때 $h(x)$는 x^2의 계수가 -2인 이차함수이므로

$h(x)=-2(x-3)(x-7)$

$=-2(x^2-10x+21)$

$=-2(x-5)^2+8$

따라서 $h(x)$는 $x=5$에서 최댓값 8을 가지므로

$a=5$, $b=8 \quad \therefore ab=40$

043 답 ②

$f(x)=-3x^2+6x+k-1$

$=-3(x-1)^2+k+2$

이므로 $-1\le x\le 2$에서 $y=f(x)$의 그래프는 오른쪽 그림과 같다.

$x=1$에서 최댓값 $k+2$를 가지므로

$k+2=4 \quad \therefore k=2$

따라서 $f(x)=-3(x-1)^2+4$의 최솟값은

$f(-1)=-12+4=-8$

044 답 14

$f(x)=x^2+2x+3=(x+1)^2+2$라 하면 $0\le x\le 2$에서 $y=f(x)$의 그래프는 오른쪽 그림과 같다.

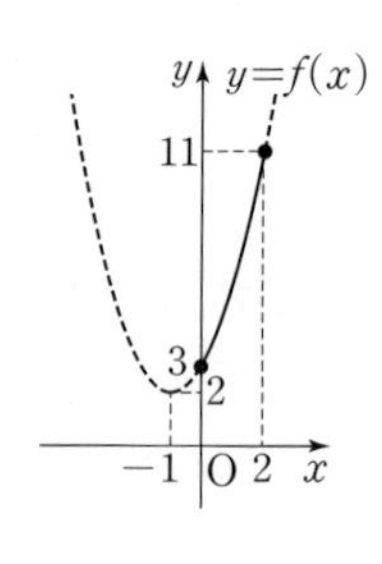

따라서 $x=2$에서 최댓값 11을 갖고, $x=0$에서 최솟값 3을 가지므로 최댓값과 최솟값의 합은

$11+3=14$

045 답 7

$f(x)=-x^2+4x-1=-(x-2)^2+3$이라 하면 $y=f(x)$의 그래프는 오른쪽 그림과 같고, $f(2)=3$이므로 $a<2$

$f(x)$는 $x=-1$에서 최솟값을 가지므로

$f(-1)=-9+3=-6$

$\therefore b=-6$

또 $f(x)$는 $x=a$에서 최댓값 2를 가지므로

$f(a)=2$에서 $-a^2+4a-1=2$

$a^2-4a+3=0$, $(a-1)(a-3)=0 \quad \therefore a=1$ 또는 $a=3$

그런데 $a<2$이므로 $a=1$

$\therefore a-b=7$

046 답 ⑤

$y=x^2-2kx-4=(x-k)^2-k^2-4$

(i) $k<0$일 때

$x=0$에서 최솟값 -4를 가지므로 주어진 조건을 만족시키지 않는다.

(ii) $0 \le k < 4$일 때

$x=k$에서 최솟값 $-k^2-4$를 가지므로

$-k^2-4=-8$, $k^2=4$

$\therefore k=-2$ 또는 $k=2$

그런데 $0 \le k < 4$이므로 $k=2$

(iii) $k \ge 4$에서

$x=4$에서 최솟값 $-8k+12$를 가지므로

$-8k+12=-8 \quad \therefore k=\frac{5}{2}$

그런데 $k \ge 4$이므로 주어진 조건을 만족시키는 k의 값은 없다.

(i), (ii), (iii)에 의하여 $k=2$

047 답 -3

(가)에서 함수 $y=f(x)$의 그래프는 직선 $x=2$에 대하여 대칭이므로 $f(x)=a(x-2)^2+b$라 하자.

(i) $a>0$일 때

(나)에 의하여 $f(5)=21$, $f(2)=-6$

$9a+b=21$, $b=-6 \quad \therefore a=3$, $b=-6$

$\therefore f(x)=3(x-2)^2-6=3x^2-12x+6$

이때 (다)에서 함수 $y=f(x)$의 그래프와 직선 $y=-6x+3$이 접해야 한다.

$3x^2-12x+6=-6x+3$에서 $x^2-2x+1=0$

이 이차방정식의 판별식을 D_1이라 하면

$\frac{D_1}{4}=(-1)^2-1=0$

즉, 함수 $y=f(x)$의 그래프와 직선 $y=-6x+3$은 접한다.

(ii) $a<0$일 때

(나)에서 $f(2)=21$, $f(5)=-6$

$b=21$, $9a+b=-6 \quad \therefore a=-3$, $b=21$

$\therefore f(x)=-3(x-2)^2+21=-3x^2+12x+9$

이때 (다)에서 함수 $y=f(x)$의 그래프와 직선 $y=-6x+3$이 접해야 한다.

$-3x^2+12x+9=-6x+3$에서 $x^2-6x-2=0$

이 이차방정식의 판별식을 D_2라 하면

$\frac{D_2}{4}=(-3)^2-(-2)=11>0$

즉, 함수 $y=f(x)$의 그래프와 직선 $y=-6x+3$은 서로 다른 두 점에서 만난다.

(i), (ii)에 의하여 $f(x)=3x^2-12x+6$이므로

$f(1)=3-12+6=-3$

048 답 9

$x^2+4x=t$로 놓으면 $t=(x+2)^2-4$

$-3 \le x \le 0$에서 $x=0$일 때 최댓값은 0이고, $x=-2$일 때 최솟값은 -4이므로 $-4 \le t \le 0$

이때 주어진 함수는

$y=t^2+2(t+2)-3=(t+1)^2$

따라서 $-4 \le t \le 0$에서 $t=-4$일 때 최댓값은 9이고, $t=-1$일 때 최솟값은 0이므로 구하는 최댓값과 최솟값의 합은

$9+0=9$

049 답 ④

$x^2+2x+3=t$로 놓으면

$t=(x+1)^2+2 \quad \therefore t \ge 2$

이때 주어진 함수는

$y=t^2-2t+5=(t-1)^2+4$

따라서 $t \ge 2$에서 $t=2$일 때 최솟값은 5이다.

050 답 5

$x^2+4x+1=t$로 놓으면

$t=(x+2)^2-3 \quad \therefore t \ge -3$

이때 주어진 함수는

$y=t^2+4(t-1)+k$

$=(t+2)^2+k-8$

따라서 $t \ge -3$에서 $t=-2$일 때 최솟값은 $k-8$이므로

$k-8=-3 \quad \therefore k=5$

051 답 ⑤

$-x^2-y^2+2x-8y+3$

$=-(x^2-2x+1)-(y^2+8y+16)+20$

$=-(x-1)^2-(y+4)^2+20$

이때 x, y가 실수이므로

$-(x-1)^2 \le 0$, $-(y+4)^2 \le 0$

$\therefore -x^2-y^2+2x-8y+3 \le 20$

따라서 구하는 최댓값은 20이다.

052 답 4

$x^2+5y^2+z^2+4xy-4y+2z+9$

$=(x^2+4xy+4y^2)+(y^2-4y+4)+(z^2+2z+1)+4$

$=(x+2y)^2+(y-2)^2+(z+1)^2+4$

이때 x, y, z가 실수이므로

$(x+2y)^2 \ge 0$, $(y-2)^2 \ge 0$, $(z+1)^2 \ge 0$

$\therefore x^2+5y^2+z^2+4xy-4y+2z+9 \ge 4$

따라서 구하는 최솟값은 4이다.

053 답 1

$x-y=3$에서 $x=y+3$이므로 이를 x^2+y^2+2y에 대입하면

$x^2+y^2+2y=(y+3)^2+y^2+2y$

$=2y^2+8y+9$

$=2(y+2)^2+1$

따라서 $y=-2$일 때 최솟값은 1이다.

054 답 ②

$2x+y=8$에서 $y=-2x+8$이므로 이를 xy에 대입하면

$xy=x(-2x+8)=-2x^2+8x$

$=-2(x-2)^2+8$

따라서 $1 \le x \le 4$에서 $x=2$일 때 최댓값은 8이고, $x=4$일 때 최솟값은 0이므로 구하는 최댓값과 최솟값의 합은

$8+0=8$

055 답 $\frac{9}{2}$
점 (a, b)가 직선 $y=x-3$ 위에 있으므로 $b=a-3$
이를 a^2+b^2에 대입하면
$a^2+b^2=a^2+(a-3)^2=2a^2-6a+9$
$=2\left(a-\frac{3}{2}\right)^2+\frac{9}{2}$
따라서 $a=\frac{3}{2}$일 때 최솟값은 $\frac{9}{2}$이다.

056 답 1
$x+y^2=1$에서 $y^2=1-x$
이때 $y^2\ge0$이므로 $1-x\ge0$ $\quad\therefore x\le1$
$y^2=1-x$를 x^2+4y^2에 대입하면
$x^2+4y^2=x^2+4(1-x)=x^2-4x+4=(x-2)^2$
따라서 $x\le1$에서 $x=1$일 때 최솟값은 1이다.

057 답 20
점 A의 좌표를 (a, a^2-6a) $(0<a<3)$라 하면
$\overline{AD}=-a^2+6a$, $\overline{CD}=6-2a$
직사각형 ABCD의 둘레의 길이를 l이라 하면
$l=2\{(-a^2+6a)+(6-2a)\}$
$=-2a^2+8a+12$
$=-2(a-2)^2+20$
따라서 $0<a<3$에서 $a=2$일 때 직사각형 ABCD의 둘레의 길이의 최댓값은 20이다.

058 답 21 m
$h=-5t^2+20t+1=-5(t-2)^2+21$이므로 $t=2$일 때 최댓값은 21이다.
따라서 공이 가장 높은 곳에 도달했을 때의 지면으로부터의 높이는 21 m이다.

059 답 ③
핫도그 한 개의 가격을 $100x$원 올릴 때, 핫도그 한 개의 가격은 $(1000+100x)$원이고, 하루 판매량은 $(200-10x)$개이므로 하루 판매액을 y원이라 하면
$y=(1000+100x)(200-10x)=-1000(x-5)^2+225000$
따라서 $x=5$일 때 하루 판매액이 최대가 되므로 그때의 핫도그 한 개의 가격은
$1000+100\times5=1500$(원)

060 답 ⑤
꽃밭의 가로, 세로의 길이를 각각 x m, y m라 하면
$x+2y=16$ $\quad\therefore x=16-2y$
이때 꽃밭의 넓이는
$xy=(16-2y)\times y=-2y^2+16y=-2(y-4)^2+32$
따라서 $0<y<8$이므로 $y=4$일 때 꽃밭의 넓이의 최댓값은 32 m^{2}이다.

061 답 225
t초 후 $\overline{AP}=\overline{CR}=t$, $\overline{AS}=\overline{CQ}=2t$이므로
$\overline{BP}=\overline{DR}=20-t$
$\overline{BQ}=\overline{DS}=20-2t$
이때 직각삼각형 APS, CRQ의 넓이는 $\frac{1}{2}\times t\times2t=t^2$

또 직각삼각형 BPQ, DRS의 넓이는
$\frac{1}{2}\times(20-t)\times(20-2t)=t^2-30t+200$
이때 사각형 PQRS의 넓이를 S라 하면
$S=20^2-2\{t^2+(t^2-30t+200)\}$
$=-4t^2+60t=-4\left(t-\frac{15}{2}\right)^2+225$
따라서 $0<t\le10$이므로 $t=\frac{15}{2}$일 때 사각형 PQRS의 넓이의 최댓값은 225이다.

062 답 ④
이차함수 $y=-2x^2+ax+3$의 그래프와 x축의 교점의 x좌표가 1, b이므로 1, b는 이차방정식 $-2x^2+ax+3=0$의 두 근이다.
따라서 이차방정식의 근과 계수의 관계에 의하여
$1+b=\frac{a}{2}$, $1\times b=-\frac{3}{2}$ $\quad\therefore a=-1$, $b=-\frac{3}{2}$ $\quad\therefore ab=\frac{3}{2}$

063 답 ㄱ, ㄷ
ㄱ. 이차방정식 $ax^2+bx+c=0$의 판별식을 D_1이라 하면
$D_1=b^2-4ac>0$
ㄴ. -3, 1은 이차방정식 $ax^2+bx+c=0$의 두 근이므로 근과 계수의 관계에 의하여
$-3+1=-\frac{b}{a}$, $-3\times1=\frac{c}{a}$ $\quad\therefore b=2a$, $c=-3a$
$\therefore \frac{bc}{a^2}=\frac{2a\times(-3a)}{a^2}=-6$
ㄷ. 이차방정식 $bx^2+cx+a=0$의 판별식을 D_2라 하면 ㄴ에서
$b=2a$, $c=-3a$이므로
$D_2=c^2-4ab=(-3a)^2-4a\times(2a)=a^2$
이때 $a\neq0$이므로 $a^2>0$ $\quad\therefore D_2>0$
즉, 이차함수 $y=bx^2+cx+a$의 그래프는 x축과 서로 다른 두 점에서 만난다.
따라서 보기 중 옳은 것은 ㄱ, ㄷ이다.

064 답 −21
이차방정식 $2x^2+(2k+1)x+k=-x+k^2$, 즉
$2x^2+2(k+1)x-k^2+k=0$ ⋯⋯ ㉠
의 두 근이 α, β이고, $\alpha+\beta=5$이므로 근과 계수의 관계에 의하여
$-\frac{2(k+1)}{2}=5$ $\quad\therefore k=-6$
이를 ㉠에 대입하여 정리하면 $x^2-5x-21=0$
따라서 이차방정식의 근과 계수의 관계에 의하여
$\alpha\beta=-21$

065 답 1

$x^2-2kx+k+3=2x-k^2$에서 $x^2-2(k+1)x+k^2+k+3=0$
이 이차방정식의 판별식을 D라 하면
$\frac{D}{4}=(k+1)^2-(k^2+k+3)<0$
$k-2<0$ $\quad\therefore k<2$
따라서 자연수 k는 1의 1개이다.

066 답 ⑤

$x^2+2kx+a=2bx-k^2+4k$에서 $x^2+2(k-b)x+k^2-4k+a=0$
이 이차방정식의 판별식을 D라 하면
$\frac{D}{4}=(k-b)^2-(k^2-4k+a)=0$
$-2(b-2)k+b^2-a=0$
이 등식이 k에 대한 항등식이므로
$b-2=0$, $b^2-a=0$ $\quad\therefore a=4$, $b=2$
$\therefore a+b=6$

067 답 1

점 $(1, 0)$을 지나는 직선의 방정식을 $y=m(x-1)$이라 하면
$-x^2+4x-3=m(x-1)$에서 $x^2+(m-4)x-m+3=0$
이 이차방정식의 판별식을 D_1이라 하면
$D_1=(m-4)^2-4(-m+3)=0$
$(m-2)^2=0$ $\quad\therefore m=2$
$\therefore y=2x-2$
$x^2+ax+b=2x-2$에서 $x^2+(a-2)x+b+2=0$
이 이차방정식의 판별식을 D_2라 하면
$D_2=(a-2)^2-4(b+2)=0$
$a^2-4a-4b-4=0$ $\quad\cdots\cdots$ ㉠
한편 점 $(1, 0)$은 이차함수 $y=x^2+ax+b$의 그래프 위의 점이므로
$0=1+a+b$ $\quad\therefore b=-a-1$
이를 ㉠에 대입하여 정리하면 $a^2=0$
따라서 $a=0$, $b=-1$이므로 $a^2+b^2=1$

068 답 −4

$y=-2x^2+4x-5=-2(x-1)^2-3$이므로 $x=1$에서 최댓값 -3을 갖는다.
$y=-x^2-6x+3k=-(x+3)^2+3k+9$이므로 $x=-3$에서 최댓값 $3k+9$를 갖는다.
이때 두 이차함수의 최댓값이 서로 같으므로
$3k+9=-3$ $\quad\therefore k=-4$

069 답 ①

$f(x)=x^2-2x-1=(x-1)^2-2$라 하면
$0\le x\le 4$에서 $y=f(x)$의 그래프는 오른쪽 그림과 같다.

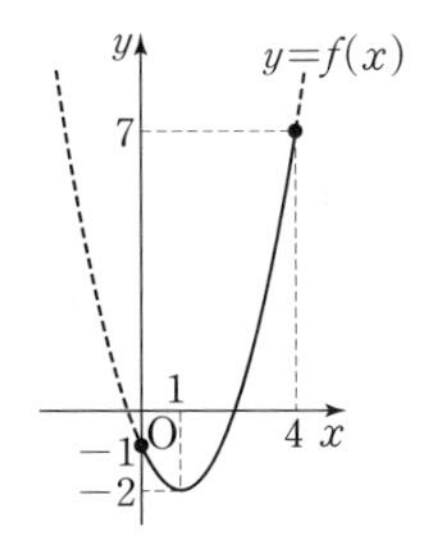

따라서 $x=4$일 때 최댓값은 7이고, $x=1$일 때 최솟값은 -2이므로
$M=7$, $m=-2$ $\quad\therefore Mm=-14$

070 답 ③

$x^2-4x=t$로 놓으면 $t=(x-2)^2-4$
$-2\le x\le 1$에서 $x=-2$일 때 최댓값은 12이고, $x=1$일 때 최솟값은 -3이므로 $-3\le t\le 12$
이때 주어진 함수는 $y=\frac{1}{2}t^2+t+k=\frac{1}{2}(t+1)^2+k-\frac{1}{2}$
따라서 $-3\le t\le 12$에서 $t=-1$일 때 최솟값은 $k-\frac{1}{2}$이므로
$k-\frac{1}{2}=\frac{5}{2}$ $\quad\therefore k=3$

071 답 ③

$x^2+6y^2-4xy-8y+10$
$=(x^2-4xy+4y^2)+2(y^2-4y+4)+2$
$=(x-2y)^2+2(y-2)^2+2$
이때 x, y가 실수이므로 $(x-2y)^2\ge 0$, $(y-2)^2\ge 0$
$\therefore x^2+6y^2-4xy-8y+10\ge 2$
따라서 $x=4$, $y=2$일 때 최솟값은 2이므로
$p=4$, $q=2$, $m=2$ $\quad\therefore p+q+m=8$

072 답 ①

$x+y=4$에서 $y=4-x$
$y\ge 0$이므로 $4-x\ge 0$, $x\le 4$
이때 $x\ge 0$이므로 $0\le x\le 4$
$y=4-x$를 $2x^2-y^2$에 대입하면
$2x^2-y^2=2x^2-(4-x)^2=x^2+8x-16$
$\qquad=(x+4)^2-32$
$0\le x\le 4$에서 $y=f(x)$의 그래프는 오른쪽 그림과 같다.

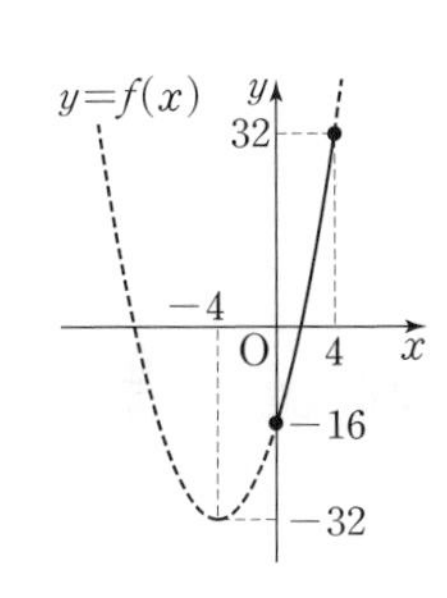

따라서 $x=4$일 때 최댓값은 32이고, $x=0$일 때 최솟값은 -16이므로
$M=32$, $m=-16$
$\therefore M+m=16$

073 답 ③

t초 후 밑면의 넓이는 $(t+4)\pi$이고 높이는 $8-t$이므로 원뿔의 부피를 V라 하면
$V=\frac{1}{3}\times(t+4)\pi\times(8-t)=\frac{\pi}{3}(-t^2+4t+32)$
$\quad=\frac{\pi}{3}\{-(t-2)^2+36\}=-\frac{\pi}{3}(t-2)^2+12\pi$
따라서 $0<t<8$이므로 $t=2$일 때 원뿔의 부피의 최댓값은 12π이다.

074 답 12

$\overline{BF}=a$, $\overline{EB}=b$라 하면 $\triangle ABC\backsim\triangle DFC$이므로
$8:6=(8-a):b$ $\quad\therefore b=-\frac{3}{4}a+6$
이때 직사각형 EBFD의 넓이는
$ab=a\left(-\frac{3}{4}a+6\right)=-\frac{3}{4}a^2+6a=-\frac{3}{4}(a-4)^2+12$
따라서 $0<a<8$이므로 $a=4$일 때 직사각형 EBFD의 넓이의 최댓값은 12이다.

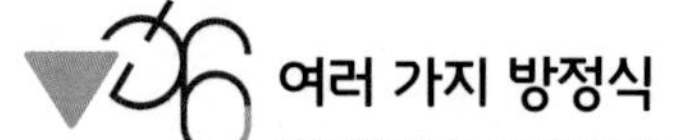

06 여러 가지 방정식

94~111쪽

001 답 ②

$f(x)=x^3-4x^2+8$이라 할 때,
$f(2)=0$이므로 조립제법을 이용하여
$f(x)$를 인수분해하면

2	1	−4	0	8
		2	−4	−8
	1	−2	−4	0

$f(x)=(x-2)(x^2-2x-4)$
즉, 주어진 방정식은
$(x-2)(x^2-2x-4)=0$
$\therefore x=2$ 또는 $x=1\pm\sqrt{5}$
따라서 $\alpha=1+\sqrt{5}$, $\beta=1-\sqrt{5}$이므로
$\alpha-\beta=1+\sqrt{5}-(1-\sqrt{5})=2\sqrt{5}$

002 답 $x=-3$ 또는 $x=-2$ 또는 $x=1$ 또는 $x=2$

$x^2+x=t$로 놓으면 주어진 방정식은
$(t-1)(t-7)+5=0$
$t^2-8t+12=0$, $(t-2)(t-6)=0$
$\therefore t=2$ 또는 $t=6$
(i) $t=2$일 때
$x^2+x=2$에서 $x^2+x-2=0$
$(x+2)(x-1)=0$ $\therefore x=-2$ 또는 $x=1$
(ii) $t=6$일 때
$x^2+x=6$에서 $x^2+x-6=0$
$(x+3)(x-2)=0$ $\therefore x=-3$ 또는 $x=2$
(i), (ii)에 의하여 방정식의 해는
$x=-3$ 또는 $x=-2$ 또는 $x=1$ 또는 $x=2$

003 답 ⑤

$x^2=t$로 놓으면 주어진 방정식은
$t^2-13t+36=0$, $(t-4)(t-9)=0$
$\therefore t=4$ 또는 $t=9$
즉, $x^2=4$ 또는 $x^2=9$이므로
$x=\pm2$ 또는 $x=\pm3$
따라서 방정식의 모든 양의 근의 곱은
$2\times3=6$

004 답 −5

$x\neq0$이므로 양변을 x^2으로 나누면
$x^2+4x-3+\frac{4}{x}+\frac{1}{x^2}=0$
$\left(x^2+\frac{1}{x^2}\right)+4\left(x+\frac{1}{x}\right)-3=0$
$\left(x+\frac{1}{x}\right)^2+4\left(x+\frac{1}{x}\right)-5=0$
$x+\frac{1}{x}=t$로 놓으면
$t^2+4t-5=0$, $(t+5)(t-1)=0$
$\therefore t=-5$ 또는 $t=1$
(i) $t=-5$일 때
$x+\frac{1}{x}=-5$에서 $x^2+5x+1=0$
$\therefore x=\frac{-5\pm\sqrt{21}}{2}$
(ii) $t=1$일 때
$x+\frac{1}{x}=1$에서 $x^2-x+1=0$
$\therefore x=\frac{1\pm\sqrt{3}i}{2}$
(i), (ii)에 의하여 주어진 방정식의 모든 실근의 합은
$\frac{-5-\sqrt{21}}{2}+\frac{-5+\sqrt{21}}{2}=-5$

005 답 −1

주어진 방정식의 한 근이 2이므로 $x=2$를 대입하면
$8+4k+2(k-2)+2=0$
$\therefore k=-1$
이를 주어진 방정식에 대입하면
$x^3-x^2-3x+2=0$
$f(x)=x^3-x^2-3x+2$라 할 때,
$f(2)=0$이므로 조립제법을 이용하여
$f(x)$를 인수분해하면

2	1	−1	−3	2
		2	2	−2
	1	1	−1	0

$f(x)=(x-2)(x^2+x-1)$
즉, 주어진 방정식은
$(x-2)(x^2+x-1)=0$
이때 2가 아닌 나머지 두 근은 이차방정식 $x^2+x-1=0$의 근이므로 이차방정식의 근과 계수의 관계에 의하여 두 근의 합은 -1이다.

006 답 ③

$f(x)=x^3+3x^2+(k+2)x+k$라
할 때, $f(-1)=0$이므로 조립제법
을 이용하여 $f(x)$를 인수분해하면

−1	1	3	k+2	k
		−1	−2	−k
	1	2	k	0

$f(x)=(x+1)(x^2+2x+k)$
즉, 주어진 방정식은
$(x+1)(x^2+2x+k)=0$
이 방정식이 한 개의 실근과 두 개의 허근을 가지려면 이차방정식 $x^2+2x+k=0$이 허근을 가져야 한다.
이 이차방정식의 판별식을 D라 하면
$\frac{D}{4}=1^2-k<0$ $\therefore k>1$

007 답 ②

삼차방정식의 근과 계수의 관계에 의하여
$\alpha+\beta+\gamma=3$, $\alpha\beta+\beta\gamma+\gamma\alpha=2$, $\alpha\beta\gamma=1$
$\therefore (1+\alpha)(1+\beta)(1+\gamma)$
$=1+(\alpha+\beta+\gamma)+(\alpha\beta+\beta\gamma+\gamma\alpha)+\alpha\beta\gamma$
$=1+3+2+1$
$=7$

008 답 $x^3-8x^2-12x+16=0$

삼차방정식의 근과 계수의 관계에 의하여

$\alpha+\beta+\gamma=4$, $\alpha\beta+\beta\gamma+\gamma\alpha=-3$, $\alpha\beta\gamma=-2$

구하는 삼차방정식의 세 근이 2α, 2β, 2γ이므로

$2\alpha+2\beta+2\gamma=2(\alpha+\beta+\gamma)=2\times4=8$

$2\alpha\times2\beta+2\beta\times2\gamma+2\gamma\times2\alpha=4(\alpha\beta+\beta\gamma+\gamma\alpha)$

$=4\times(-3)=-12$

$2\alpha\times2\beta\times2\gamma=8\alpha\beta\gamma=8\times(-2)=-16$

따라서 구하는 방정식은

$x^3-8x^2-12x+16=0$

009 답 ④

주어진 삼차방정식의 계수가 유리수이므로 한 근이 $\sqrt{2}$이면 $-\sqrt{2}$도 근이다.

나머지 한 근을 α라 하면 삼차방정식의 근과 계수의 관계에 의하여

$\sqrt{2}+(-\sqrt{2})+\alpha=-2$

$\sqrt{2}\times(-\sqrt{2})+(-\sqrt{2})\times\alpha+\alpha\times\sqrt{2}=a$

$\sqrt{2}\times(-\sqrt{2})\times\alpha=-b$

$\therefore\ \alpha=-2,\ a=-2,\ b=-4$

$\therefore\ ab=8$

010 답 ②

$x^3-1=0$에서 $(x-1)(x^2+x+1)=0$

이때 ω는 방정식 $x^2+x+1=0$의 근이므로

$\omega^3=1$, $\omega^2+\omega+1=0$

$\therefore\ \omega^{1010}+\dfrac{1}{\omega^{1010}}=(\omega^3)^{336}\times\omega^2+\dfrac{1}{(\omega^3)^{336}\times\omega^2}$

$=\omega^2+\dfrac{1}{\omega^2}=\dfrac{\omega^4+1}{\omega^2}$

$=\dfrac{\omega+1}{\omega^2}=\dfrac{-\omega^2}{\omega^2}=-1$

011 답 3 cm

처음 정육면체의 한 모서리의 길이를 x cm라 하면

$(x-1)(x-2)(x+3)=12$, $x^3-7x-6=0$

$f(x)=x^3-7x-6$이라 할 때, $f(-1)=0$이므로 조립제법을 이용하여 $f(x)$를 인수분해하면

-1	1	0	-7	-6
		-1	1	6
	1	-1	-6	0

$f(x)=(x+1)(x^2-x-6)$

$=(x+1)(x+2)(x-3)$

즉, 주어진 방정식은

$(x+2)(x+1)(x-3)=0$

$\therefore\ x=-2$ 또는 $x=-1$ 또는 $x=3$

그런데 $x>2$이므로 $x=3$

따라서 처음 정육면체의 한 모서리의 길이는 3 cm이다.

012 답 2

$f(x)=x^4-7x^3+16x^2-14x+4$라 할 때, $f(1)=0$, $f(2)=0$이므로 조립제법을 이용하여 $f(x)$를 인수분해하면

1	1	-7	16	-14	4
		1	-6	10	-4
2	1	-6	10	-4	0
		2	-8	4	
	1	-4	2	0	

$f(x)=(x-1)(x-2)(x^2-4x+2)$

즉, 주어진 방정식은 $(x-1)(x-2)(x^2-4x+2)=0$

$\therefore\ x=1$ 또는 $x=2$ 또는 $x=2\pm\sqrt{2}$

따라서 $\alpha=2+\sqrt{2}$, $\beta=2-\sqrt{2}$이므로

$\alpha\beta=(2+\sqrt{2})(2-\sqrt{2})=4-2=2$

013 답 -4

$f(x)=x^3-2x^2-2x+1$이라 할 때, $f(-1)=0$이므로 조립제법을 이용하여 $f(x)$를 인수분해하면

-1	1	-2	-2	1
		-1	3	-1
	1	-3	1	0

$f(x)=(x+1)(x^2-3x+1)$

즉, 주어진 방정식은 $(x+1)(x^2-3x+1)=0$

$\therefore\ x=-1$ 또는 $x=\dfrac{3\pm\sqrt{5}}{2}$

따라서 $\alpha=-1$, $\beta=\dfrac{3-\sqrt{5}}{2}$, $\gamma=\dfrac{3+\sqrt{5}}{2}$이므로

$\alpha-\beta-\gamma=-1-\dfrac{3-\sqrt{5}}{2}-\dfrac{3+\sqrt{5}}{2}=-4$

014 답 ①

$f(x)=x^4+x^3-x^2-7x-6$이라 할 때, $f(-1)=0$, $f(2)=0$이므로 조립제법을 이용하여 $f(x)$를 인수분해하면

-1	1	1	-1	-7	-6
		-1	0	1	6
2	1	0	-1	-6	0
		2	4	6	
	1	2	3	0	

$f(x)=(x+1)(x-2)(x^2+2x+3)$

즉, 주어진 방정식은 $(x+1)(x-2)(x^2+2x+3)=0$

$\therefore\ x=-1$ 또는 $x=2$ 또는 $x=-1\pm\sqrt{2}i$

따라서 방정식의 모든 실근의 합은 $-1+2=1$

015 답 ②

$f(x)=x^3-3x^2+2x+6$이라 할 때, $f(-1)=0$이므로 조립제법을 이용하여 $f(x)$를 인수분해하면

-1	1	-3	2	6
		-1	4	-6
	1	-4	6	0

$f(x)=(x+1)(x^2-4x+6)$

따라서 주어진 방정식은 $(x+1)(x^2-4x+6)=0$

이때 방정식의 두 허근 α, β는 이차방정식 $x^2-4x+6=0$의 근이므로 이차방정식의 근과 계수의 관계에 의하여

$\alpha+\beta=4$, $\alpha\beta=6$

$\therefore\ \alpha^2+\beta^2=(\alpha+\beta)^2-2\alpha\beta$

$=4^2-2\times6=4$

016 답 ②

$x^2+2x=t$로 놓으면 주어진 방정식은

$t^2-3t=0$, $t(t-3)=0$

$\therefore t=0$ 또는 $t=3$

(i) $t=0$일 때

$x^2+2x=0$에서 $x(x+2)=0$

$\therefore x=-2$ 또는 $x=0$

(ii) $t=3$일 때

$x^2+2x=3$에서 $x^2+2x-3=0$

$(x+3)(x-1)=0$

$\therefore x=-3$ 또는 $x=1$

(i), (ii)에 의하여 $\alpha=1$, $\beta=-3$이므로

$\alpha+\beta=-2$

017 답 ⑤

$(x^2-2x)^2=2x^2-4x+8$에서

$(x^2-2x)^2-2(x^2-2x)-8=0$

$x^2-2x=t$로 놓으면

$t^2-2t-8=0$, $(t+2)(t-4)=0$

$\therefore t=-2$ 또는 $t=4$

(i) $t=-2$일 때

$x^2-2x=-2$에서 $x^2-2x+2=0$

$\therefore x=1\pm i$

(ii) $t=4$일 때

$x^2-2x=4$에서 $x^2-2x-4=0$

$\therefore x=1\pm\sqrt{5}$

(i), (ii)에 의하여 주어진 방정식의 모든 실근의 합은

$(1-\sqrt{5})+(1+\sqrt{5})=2$

018 답 ③

$(x-1)(x-2)(x+3)(x+4)-14=0$에서

$\{(x-1)(x+3)\}\{(x-2)(x+4)\}-14=0$

$(x^2+2x-3)(x^2+2x-8)-14=0$

$x^2+2x=t$로 놓으면

$(t-3)(t-8)-14=0$

$t^2-11t+10=0$, $(t-1)(t-10)=0$

$\therefore t=1$ 또는 $t=10$

(i) $t=1$일 때

$x^2+2x=1$에서 $x^2+2x-1=0$

근과 계수의 관계에 의하여 이차방정식 $x^2+2x-1=0$의 두 근의 곱은 -1이다.

(ii) $t=10$일 때

$x^2+2x=10$에서 $x^2+2x-10=0$

근과 계수의 관계에 의하여 이차방정식 $x^2+2x-10=0$의 두 근의 곱은 -10이다.

(i), (ii)에 의하여 주어진 방정식의 모든 근의 곱은

$-1\times(-10)=10$

019 답 ①

$x^2=t$로 놓으면 주어진 방정식은

$t^2+3t-18=0$, $(t+6)(t-3)=0$

$\therefore t=-6$ 또는 $t=3$

즉, $x^2=-6$ 또는 $x^2=3$이므로

$x=\pm\sqrt{6}i$ 또는 $x=\pm\sqrt{3}$

따라서 방정식의 모든 실근의 곱은

$-\sqrt{3}\times\sqrt{3}=-3$

020 답 ②

$x^2=t$로 놓으면 주어진 방정식은

$t^2-10t+9=0$, $(t-1)(t-9)=0$

$\therefore t=1$ 또는 $t=9$

즉, $x^2=1$ 또는 $x^2=9$이므로

$x=\pm1$ 또는 $x=\pm3$

따라서 $\alpha=-3$, $\beta=-1$, $\gamma=1$, $\delta=3$이므로

$\alpha\beta+\gamma\delta=-3\times(-1)+1\times3=6$

021 답 ③

$x^4-3x^2+1=0$에서 $(x^4-2x^2+1)-x^2=0$

$(x^2-1)^2-x^2=0$, $(x^2+x-1)(x^2-x-1)=0$

$\therefore x=\frac{-1\pm\sqrt{5}}{2}$ 또는 $x=\frac{1\pm\sqrt{5}}{2}$

따라서 주어진 방정식의 모든 양의 근의 합은

$\frac{-1+\sqrt{5}}{2}+\frac{1+\sqrt{5}}{2}=\sqrt{5}$

022 답 ①

$x^4+2x^2+9=0$에서 $(x^4+6x^2+9)-4x^2=0$

$(x^2+3)^2-(2x)^2=0$, $(x^2+2x+3)(x^2-2x+3)=0$

이때 이차방정식 $x^2+2x+3=0$의 두 근을 α, β, 이차방정식 $x^2-2x+3=0$의 두 근을 γ, δ라 하면 이차방정식의 근과 계수의 관계에 의하여

$\alpha+\beta=-2$, $\alpha\beta=3$, $\gamma+\delta=2$, $\gamma\delta=3$

$\therefore \frac{1}{\alpha}+\frac{1}{\beta}+\frac{1}{\gamma}+\frac{1}{\delta}=\frac{\alpha+\beta}{\alpha\beta}+\frac{\gamma+\delta}{\gamma\delta}=\frac{-2}{3}+\frac{2}{3}=0$

023 답 ②

$x\neq0$이므로 양변을 x^2으로 나누면

$x^2+5x+6+\frac{5}{x}+\frac{1}{x^2}=0$

$\left(x^2+\frac{1}{x^2}\right)+5\left(x+\frac{1}{x}\right)+6=0$

$\left(x+\frac{1}{x}\right)^2+5\left(x+\frac{1}{x}\right)+4=0$

$x+\frac{1}{x}=t$로 놓으면 $t^2+5t+4=0$

$(t+4)(t+1)=0$ $\quad\therefore t=-4$ 또는 $t=-1$

(i) $t=-4$일 때

$x+\frac{1}{x}=-4$에서 $x^2+4x+1=0$ $\quad\therefore x=-2\pm\sqrt{3}$

(ii) $t=-1$일 때

$x+\dfrac{1}{x}=-1$에서 $x^2+x+1=0$ $\quad\therefore x=\dfrac{-1\pm\sqrt{3}i}{2}$

(i), (ii)에 의하여 주어진 방정식의 모든 실근의 합은

$(-2-\sqrt{3})+(-2+\sqrt{3})=-4$

024 답 ②

$x\neq 0$이므로 양변을 x^2으로 나누면

$x^2-3x-2-\dfrac{3}{x}+\dfrac{1}{x^2}=0$, $\left(x^2+\dfrac{1}{x^2}\right)-3\left(x+\dfrac{1}{x}\right)-2=0$

$\left(x+\dfrac{1}{x}\right)^2-3\left(x+\dfrac{1}{x}\right)-4=0$

$x+\dfrac{1}{x}=t$로 놓으면 $t^2-3t-4=0$

$(t+1)(t-4)=0$ $\quad\therefore t=-1$ 또는 $t=4$

(i) $t=-1$일 때

$x+\dfrac{1}{x}=-1$에서 $x^2+x+1=0$

이 이차방정식의 판별식을 D_1이라 하면

$D_1=1^2-4\times1\times1=-3<0$

즉, 방정식 $x^2+x+1=0$은 서로 다른 두 허근을 갖는다.

(ii) $t=4$일 때

$x+\dfrac{1}{x}=4$에서 $x^2-4x+1=0$

이 이차방정식의 판별식을 D_2라 하면

$\dfrac{D_2}{4}=(-2)^2-1\times1=3>0$

즉, 방정식 $x^2-4x+1=0$은 서로 다른 두 실근을 갖는다.

(i), (ii)에 의하여 α는 방정식 $x^2-4x+1=0$의 근이므로

$\alpha^2-4\alpha+1=0$

$\alpha\neq0$이므로 양변을 α로 나누면 $\alpha-4+\dfrac{1}{\alpha}=0$ $\quad\therefore \alpha+\dfrac{1}{\alpha}=4$

025 답 ④

주어진 방정식의 한 근이 1이므로 $x=1$을 대입하면

$1+k+3+1=0$ $\quad\therefore k=-5$

이를 주어진 방정식에 대입하면

$x^3-5x^2+3x+1=0$

$f(x)=x^3-5x^2+3x+1$이라 할 때,

$f(1)=0$이므로 조립제법을 이용하여

$f(x)$를 인수분해하면

1	1	−5	3	1
		1	−4	−1
	1	−4	−1	0

$f(x)=(x-1)(x^2-4x-1)$

즉, 주어진 방정식은 $(x-1)(x^2-4x-1)=0$

이때 1이 아닌 나머지 두 근은 이차방정식 $x^2-4x-1=0$의 근이므로 이차방정식의 근과 계수의 관계에 의하여 두 근의 합은 4이다.

026 답 1

주어진 방정식의 두 근이 -2, 3이므로 $x=-2$, $x=3$을 각각 대입하면

$-8+4a-2(2a-b)+6b=0$, $27+9a+3(2a-b)+6b=0$

$\therefore b=1$, $5a+b=-9$ $\quad\therefore a=-2$, $b=1$

이를 주어진 방정식에 대입하면 $x^3-2x^2-5x+6=0$

$f(x)=x^3-2x^2-5x+6$이라 할 때,

$f(-2)=0$, $f(3)=0$이므로 조립제법을 이용하여 $f(x)$를 인수분해하면

−2	1	−2	−5	6
		−2	8	−6
3	1	−4	3	0
		3	−3	
	1	−1	0	

$f(x)=(x+2)(x-3)(x-1)$

즉, 주어진 방정식은

$(x+2)(x-3)(x-1)=0$

따라서 방정식의 나머지 한 근은 1이다.

027 답 ①

주어진 방정식의 두 근이 -1, 2이므로 $x=-1$, $x=2$를 각각 대입하면

$2+a+b-3+a+4=0$, $32-8a+4b+6+a+4=0$

$\therefore 2a+b=-3$, $7a-4b=42$

두 식을 연립하여 풀면 $a=2$, $b=-7$

이를 주어진 방정식에 대입하면 $2x^4-2x^3-7x^2+3x+6=0$

$f(x)=2x^4-2x^3-7x^2+3x+6$이라 할 때, $f(-1)=0$, $f(2)=0$이므로 조립제법을 이용하여 $f(x)$를 인수분해하면

−1	2	−2	−7	3	6
		−2	4	3	−6
2	2	−4	−3	6	0
		4	0	−6	
	2	0	−3	0	

$f(x)=(x+1)(x-2)(2x^2-3)$

즉, 주어진 방정식은 $(x+1)(x-2)(2x^2-3)=0$

따라서 주어진 방정식의 나머지 두 근은 방정식 $2x^2-3=0$의 근이므로 이차방정식의 근과 계수의 관계에 의하여 두 근의 곱은 $-\dfrac{3}{2}$이다.

028 답 ②

주어진 방정식의 한 근이 $\sqrt{3}$이므로 $x=\sqrt{3}$을 대입하면

$9+3a\sqrt{3}+3b+3\sqrt{3}+6=0$, $3(b+5)+3(a+1)\sqrt{3}=0$

이때 a, b가 유리수이므로

$b+5=0$, $a+1=0$ $\quad\therefore a=-1$, $b=-5$

이를 주어진 방정식에 대입하면 $x^4-x^3-5x^2+3x+6=0$

$f(x)=x^4-x^3-5x^2+3x+6$이라 할 때, $f(-1)=0$, $f(2)=0$이므로 조립제법을 이용하여 $f(x)$를 인수분해하면

−1	1	−1	−5	3	6
		−1	2	3	−6
2	1	−2	−3	6	0
		2	0	−6	
	1	0	−3	0	

$f(x)=(x+1)(x-2)(x^2-3)$

$\quad=(x+1)(x-2)(x+\sqrt{3})(x-\sqrt{3})$

즉, 주어진 방정식은

$(x+1)(x-2)(x+\sqrt{3})(x-\sqrt{3})=0$

따라서 유리수인 두 근은 -1, 2이므로 두 근의 곱은

$-1\times2=-2$

029 답 ⑤

주어진 방정식의 한 근이 1이므로 $x=1$을 대입하면

$1+k+2+k^2-4-5=0$

$k^2+k-6=0$, $(k+3)(k-2)=0$

$\therefore k=-3$ 또는 $k=2$

(i) $k=-3$일 때

주어진 방정식에 대입하면 $x^3-x^2+5x-5=0$

$f(x)=x^3-x^2+5x-5$라 할 때, $f(1)=0$이므로 조립제법을 이용하여 $f(x)$를 인수분해하면

$$\begin{array}{c|cccc} 1 & 1 & -1 & 5 & -5 \\ & & 1 & 0 & 5 \\ \hline & 1 & 0 & 5 & \boxed{0} \end{array}$$

$f(x)=(x-1)(x^2+5)$

즉, 주어진 방정식은 $(x-1)(x^2+5)=0$

$\therefore x=1$ 또는 $x=\pm\sqrt{5}i$

따라서 실근 1개와 허근 2개를 가지므로 조건을 만족시키지 않는다.

(ii) $k=2$일 때

주어진 방정식에 대입하면 $x^3+4x^2-5=0$

$g(x)=x^3+4x^2-5$라 할 때, $g(1)=0$이므로 조립제법을 이용하여 $g(x)$를 인수분해하면

$$\begin{array}{c|cccc} 1 & 1 & 4 & 0 & -5 \\ & & 1 & 5 & 5 \\ \hline & 1 & 5 & 5 & \boxed{0} \end{array}$$

$g(x)=(x-1)(x^2+5x+5)$

즉, 주어진 방정식은 $(x-1)(x^2+5x+5)=0$

$\therefore x=1$ 또는 $x=\frac{-5\pm\sqrt{5}}{2}$

따라서 세 실근을 갖는다.

(i), (ii)에 의하여

$k=2$, $\alpha+\beta=\frac{-5-\sqrt{5}}{2}+\frac{-5+\sqrt{5}}{2}=-5$

$\therefore k-\alpha-\beta=k-(\alpha+\beta)=2-(-5)=7$

030 답 ①

$f(x)=x^3-x^2-(k+2)x+2k$라 할 때, $f(2)=0$이므로 조립제법을 이용하여 $f(x)$를 인수분해하면

$$\begin{array}{c|cccc} 2 & 1 & -1 & -k-2 & 2k \\ & & 2 & 2 & -2k \\ \hline & 1 & 1 & -k & \boxed{0} \end{array}$$

$f(x)=(x-2)(x^2+x-k)$

즉, 주어진 방정식은 $(x-2)(x^2+x-k)=0$

이 방정식이 한 개의 실근과 두 개의 허근을 가지려면 이차방정식 $x^2+x-k=0$이 허근을 가져야 한다.

이 이차방정식의 판별식을 D라 하면

$D=1^2-4(-k)<0$, $1+4k<0$ $\quad \therefore k<-\frac{1}{4}$

031 답 ③

$f(x)=x^3-4x^2+(4-k)x+2k$라 할 때, $f(2)=0$이므로 조립제법을 이용하여 $f(x)$를 인수분해하면

$$\begin{array}{c|cccc} 2 & 1 & -4 & 4-k & 2k \\ & & 2 & -4 & -2k \\ \hline & 1 & -2 & -k & \boxed{0} \end{array}$$

$f(x)=(x-2)(x^2-2x-k)$

즉, 주어진 방정식은 $(x-2)(x^2-2x-k)=0$

이 방정식의 근이 모두 실수가 되려면 이차방정식 $x^2-2x-k=0$이 실근을 가져야 한다.

이 이차방정식의 판별식을 D라 하면

$\frac{D}{4}=(-1)^2-(-k)\ge 0$

$1+k\ge 0$ $\quad \therefore k\ge -1$

따라서 실수 k의 최솟값은 -1이다.

032 답 ①

$f(x)=x^3+(k+1)x^2+2kx+k^2$이라 할 때, $f(-k)=0$이므로 조립제법을 이용하여 $f(x)$를 인수분해하면

$$\begin{array}{c|cccc} -k & 1 & k+1 & 2k & k^2 \\ & & -k & -k & -k^2 \\ \hline & 1 & 1 & k & \boxed{0} \end{array}$$

$f(x)=(x+k)(x^2+x+k)$

즉, 주어진 방정식은 $(x+k)(x^2+x+k)=0$

이 방정식이 중근을 가지려면 이차방정식 $x^2+x+k=0$이 중근을 갖거나 $x=-k$를 근으로 가져야 한다.

(i) 방정식 $x^2+x+k=0$이 중근을 가질 때

이 이차방정식의 판별식을 D라 하면

$D=1^2-4k=0$ $\quad \therefore k=\frac{1}{4}$

(ii) 방정식 $x^2+x+k=0$이 $x=-k$를 근으로 가질 때

$k^2-k+k=0$, $k^2=0$ $\quad \therefore k=0$

(i), (ii)에 의하여 모든 실수 k의 값의 합은

$\frac{1}{4}+0=\frac{1}{4}$

033 답 ②

$f(x)=x^3-(k+1)x+k$라 할 때, $f(1)=0$이므로 조립제법을 이용하여 $f(x)$를 인수분해하면

$$\begin{array}{c|cccc} 1 & 1 & 0 & -k-1 & k \\ & & 1 & 1 & -k \\ \hline & 1 & 1 & -k & \boxed{0} \end{array}$$

$f(x)=(x-1)(x^2+x-k)$

즉, 주어진 방정식은

$(x-1)(x^2+x-k)=0$

이 방정식의 서로 다른 실근이 한 개뿐이려면 이차방정식 $x^2+x-k=0$이 허근을 갖거나 $x=1$을 중근으로 가져야 한다.

(i) 방정식 $x^2+x-k=0$이 허근을 가질 때

이 이차방정식의 판별식을 D라 하면

$D=1^2-4(-k)<0$

$1+4k<0$ $\quad \therefore k<-\frac{1}{4}$

(ii) 방정식 $x^2+x-k=0$이 $x=1$을 중근으로 가질 때

$1+1-k=0$ $\quad \therefore k=2$

즉, $x^2+x-2=0$이므로

$(x+2)(x-1)=0$ $\quad \therefore x=-2$ 또는 $x=1$

따라서 서로 다른 실근이 한 개뿐이라는 조건을 만족시키지 않는다.

(i), (ii)에 의하여 $k<-\frac{1}{4}$

따라서 정수 k의 최댓값은 -1이다.

034 답 0

삼차방정식의 근과 계수의 관계에 의하여

$\alpha+\beta+\gamma=7$, $\alpha\beta+\beta\gamma+\gamma\alpha=10$, $\alpha\beta\gamma=-6$

$\therefore (3-\alpha)(3-\beta)(3-\gamma)$

$=3^3-(\alpha+\beta+\gamma)\times3^2+(\alpha\beta+\beta\gamma+\gamma\alpha)\times3-\alpha\beta\gamma$

$=27-7\times9+10\times3-(-6)=0$

035 답 ②

삼차방정식의 근과 계수의 관계에 의하여

$\alpha+\beta+\gamma=-2$, $\alpha\beta+\beta\gamma+\gamma\alpha=3$

$\therefore \alpha^2+\beta^2+\gamma^2=(\alpha+\beta+\gamma)^2-2(\alpha\beta+\beta\gamma+\gamma\alpha)$

$=(-2)^2-2\times3=-2$

036 답 84

삼차방정식의 근과 계수의 관계에 의하여

$\alpha+\beta+\gamma=3$, $\alpha\beta+\beta\gamma+\gamma\alpha=a$, $\alpha\beta\gamma=-8$

$\frac{1}{\alpha}+\frac{1}{\beta}+\frac{1}{\gamma}=\frac{3}{4}$에서 $\frac{\alpha\beta+\beta\gamma+\gamma\alpha}{\alpha\beta\gamma}=\frac{3}{4}$

$\frac{a}{-8}=\frac{3}{4}$ $\quad\therefore a=-6$

$\therefore \alpha^2\beta^2+\beta^2\gamma^2+\gamma^2\alpha^2=(\alpha\beta+\beta\gamma+\gamma\alpha)^2-2\alpha\beta\gamma(\alpha+\beta+\gamma)$

$=(-6)^2-2\times(-8)\times3=84$

037 답 ②

삼차방정식의 근과 계수의 관계에 의하여

$\alpha+\beta+\gamma=0$, $\alpha\beta+\beta\gamma+\gamma\alpha=-6$, $\alpha\beta\gamma=-3$

이때 $\alpha+\beta+\gamma=0$에서

$\beta+\gamma=-\alpha$, $\gamma+\alpha=-\beta$, $\alpha+\beta=-\gamma$

$\therefore \frac{\beta+\gamma}{\alpha^2}+\frac{\gamma+\alpha}{\beta^2}+\frac{\alpha+\beta}{\gamma^2}=\frac{-\alpha}{\alpha^2}+\frac{-\beta}{\beta^2}+\frac{-\gamma}{\gamma^2}$

$=-\frac{1}{\alpha}-\frac{1}{\beta}-\frac{1}{\gamma}$

$=-\frac{\alpha\beta+\beta\gamma+\gamma\alpha}{\alpha\beta\gamma}$

$=-\frac{-6}{-3}=-2$

038 답 ③

이차방정식 $x^2-2x+a=0$의 두 근을 α, β라 하면 이차방정식의 근과 계수의 관계에 의하여

$\alpha+\beta=2$, $\alpha\beta=a$ $\quad\cdots\cdots$ ㉠

이때 α, β가 삼차방정식 $x^3-3x^2+bx+2=0$의 근이므로 나머지 한 근을 γ라 하면 삼차방정식의 근과 계수의 관계에 의하여

$\alpha+\beta+\gamma=3$, $\alpha\beta+\beta\gamma+\gamma\alpha=b$, $\alpha\beta\gamma=-2$ $\quad\cdots\cdots$ ㉡

㉠, ㉡에서

$\alpha+\beta+\gamma=2+\gamma=3$ $\quad\therefore \gamma=1$

$\alpha\beta\gamma=a\gamma=-2$ $\quad\therefore a=-2$

$\alpha\beta+\beta\gamma+\gamma\alpha=\alpha\beta+\gamma(\alpha+\beta)=a+2=b$ $\quad\therefore b=0$

$\therefore a-b=-2$

039 답 ③

주어진 삼차방정식의 세 근을 $\alpha-1$, α, $\alpha+1$이라 하면 삼차방정식의 근과 계수의 관계에 의하여

$(\alpha-1)+\alpha+(\alpha+1)=6$ $\quad\therefore \alpha=2$

따라서 세 근이 1, 2, 3이므로

$1\times2+2\times3+3\times1=a$, $1\times2\times3=-b$

$\therefore a=11$, $b=-6$ $\quad\therefore a+b=5$

040 답 ①

주어진 삼차방정식의 세 근을 α, 2α, $3\alpha\,(\alpha\neq0)$라 하면 삼차방정식의 근과 계수의 관계에 의하여

$\alpha+2\alpha+3\alpha=3$ $\quad\therefore \alpha=\frac{1}{2}$

따라서 세 근이 $\frac{1}{2}$, 1, $\frac{3}{2}$이므로

$\frac{1}{2}\times1+1\times\frac{3}{2}+\frac{3}{2}\times\frac{1}{2}=a$, $\frac{1}{2}\times1\times\frac{3}{2}=-b$

$\therefore a=\frac{11}{4}$, $b=-\frac{3}{4}$

$\therefore a+b=2$

041 답 $x^3-2x^2+x-1=0$

삼차방정식의 근과 계수의 관계에 의하여

$\alpha+\beta+\gamma=1$, $\alpha\beta+\beta\gamma+\gamma\alpha=2$, $\alpha\beta\gamma=1$

구하는 삼차방정식의 세 근이 $\alpha\beta$, $\beta\gamma$, $\gamma\alpha$이므로

$\alpha\beta+\beta\gamma+\gamma\alpha=2$

$\alpha\beta\times\beta\gamma+\beta\gamma\times\gamma\alpha+\gamma\alpha\times\alpha\beta=\alpha\beta\gamma(\alpha+\beta+\gamma)$

$=1\times1=1$

$\alpha\beta\times\beta\gamma\times\gamma\alpha=(\alpha\beta\gamma)^2=1^2=1$

따라서 구하는 방정식은

$x^3-2x^2+x-1=0$

042 답 ①

삼차방정식 $x^3-7x+3=0$에서 근과 계수의 관계에 의하여

$\alpha+\beta+\gamma=0$, $\alpha\beta+\beta\gamma+\gamma\alpha=-7$, $\alpha\beta\gamma=-3$

삼차방정식 $ax^3+bx^2+cx+9=0$에서 근과 계수의 관계에 의하여

$(\alpha+1)+(\beta+1)+(\gamma+1)=-\frac{b}{a}$ $\quad\cdots\cdots$ ㉠

$(\alpha+1)(\beta+1)+(\beta+1)(\gamma+1)+(\gamma+1)(\alpha+1)=\frac{c}{a}$ $\quad\cdots\cdots$ ㉡

$(\alpha+1)(\beta+1)(\gamma+1)=-\frac{9}{a}$ $\quad\cdots\cdots$ ㉢

㉢에서 $\alpha\beta\gamma+(\alpha+\beta+\gamma)+(\alpha\beta+\beta\gamma+\gamma\alpha)+1=-\frac{9}{a}$

$-3+(-7)+1=-\frac{9}{a}$ $\quad\therefore a=1$

㉠에서 $(\alpha+\beta+\gamma)+3=-\frac{b}{a}$

$3=-b$ $\quad\therefore b=-3$

㉡에서 $(\alpha\beta+\beta\gamma+\gamma\alpha)+2(\alpha+\beta+\gamma)+3=\frac{c}{a}$

$-7+3=c$ $\quad\therefore c=-4$

$\therefore a+b+c=-6$

043 답 ④

$f(1)=f(2)=f(3)=4$에서

$f(1)-4=0$, $f(2)-4=0$, $f(3)-4=0$

즉, 방정식 $f(x)-4=0$의 근은 1, 2, 3이다.

$f(x)-4=a(x-1)(x-2)(x-3)$ (a는 상수)라 하면

$f(x)=a(x-1)(x-2)(x-3)+4$

이때 $f(4)=10$이므로

$a\times3\times2\times1+4=10$

$\therefore a=1$

$$\therefore f(x)=(x-1)(x-2)(x-3)+4 = x^3-6x^2+11x-2$$

따라서 방정식 $f(x)=0$, 즉 $x^3-6x^2+11x-2=0$의 모든 근의 합은 삼차방정식의 근과 계수의 관계에 의하여 6이다.

044 답 ④

주어진 삼차방정식의 계수가 유리수이므로 한 근이 $1+\sqrt{2}$이면 $1-\sqrt{2}$도 근이다.

나머지 한 근을 α라 하면 삼차방정식의 근과 계수의 관계에 의하여

$(1+\sqrt{2})+(1-\sqrt{2})+\alpha=a+2$

$(1+\sqrt{2})(1-\sqrt{2})+(1-\sqrt{2})\alpha+\alpha(1+\sqrt{2})=b$

$(1+\sqrt{2})(1-\sqrt{2})\alpha=-4$

$\therefore \alpha=4$, $a=4$, $b=7$

$\therefore a+b=11$

045 답 -2

주어진 삼차방정식의 계수가 실수이므로 한 근이 $1+2i$이면 $1-2i$도 근이다.

나머지 한 근을 α라 하면 삼차방정식의 근과 계수의 관계에 의하여

$(1+2i)(1-2i)\alpha=-10$

$\therefore \alpha=-2$

따라서 구하는 실근은 -2이다.

046 답 ③

주어진 삼차방정식의 계수가 유리수이므로 한 근이 $3+\sqrt{3}$이면 $3-\sqrt{3}$도 근이다.

따라서 세 근이 1, $3+\sqrt{3}$, $3-\sqrt{3}$이므로 삼차방정식의 근과 계수의 관계에 의하여

$1+(3+\sqrt{3})+(3-\sqrt{3})=-a$

$1\times(3+\sqrt{3})+(3+\sqrt{3})\times(3-\sqrt{3})+(3-\sqrt{3})\times1=b$

$1\times(3+\sqrt{3})\times(3-\sqrt{3})=-c$

$\therefore a=-7$, $b=12$, $c=-6$

$\therefore \dfrac{ab}{c}=\dfrac{-7\times12}{-6}=14$

047 답 4

(가)에서 $f(2)=0$이므로 $x=2$는 삼차방정식 $f(x)=0$의 근이다.

삼차방정식 $f(x)=0$의 계수가 실수이고 (나)에서 한 근이 $-4i$이므로 $4i$도 근이다.

삼차방정식 $f(2x)=0$에서

$2x=2$ 또는 $2x=-4i$ 또는 $2x=4i$

$\therefore x=1$ 또는 $x=-2i$ 또는 $x=2i$

따라서 구하는 세 근의 곱은

$1\times(-2i)\times2i=4$

048 답 ②

$x^3+1=0$에서 $(x+1)(x^2-x+1)=0$

이때 ω는 방정식 $x^2-x+1=0$의 근이므로

$\omega^3=-1$, $\omega^2-\omega+1=0$

$$\therefore \omega^{1000}+\frac{1}{\omega^{1000}}=(\omega^3)^{333}\times\omega+\frac{1}{(\omega^3)^{333}\times\omega} =-\omega-\frac{1}{\omega}=-\left(\omega+\frac{1}{\omega}\right) =-\frac{\omega^2+1}{\omega} =-\frac{\omega}{\omega}=-1$$

049 답 ①

$x^3-1=0$에서 $(x-1)(x^2+x+1)=0$

이때 ω는 방정식 $x^2+x+1=0$의 근이므로

$\omega^2+\omega+1=0$

$\omega\neq0$이므로 양변을 ω로 나누면

$\omega+1+\dfrac{1}{\omega}=0$ $\qquad\therefore \omega+\dfrac{1}{\omega}=-1$

$$\therefore \left(\omega+\frac{1}{\omega}\right)^4+\left(\omega+\frac{1}{\omega}\right)^3+\left(\omega+\frac{1}{\omega}\right)^2+\omega+\frac{1}{\omega} =(-1)^4+(-1)^3+(-1)^2+(-1)=0$$

050 답 1

이차방정식 $x^2+x+1=0$의 한 허근이 ω이므로

$\omega^2+\omega+1=0$

양변에 $\omega-1$을 곱하면

$(\omega-1)(\omega^2+\omega+1)=0$, $\omega^3-1=0$ $\qquad\therefore \omega^3=1$

$$\therefore 1+\omega+\omega^2+\omega^3+\cdots+\omega^{120} =(1+\omega+\omega^2)+\omega^3(1+\omega+\omega^2)+\cdots+\omega^{117}(1+\omega+\omega^2)+\omega^{120} =0+0+\cdots+(\omega^3)^{40}=1$$

051 답 ②

$x^3+1=0$에서 $(x+1)(x^2-x+1)=0$

이때 ω는 방정식 $x^2-x+1=0$의 한 허근이므로 $\overline{\omega}$도 이 방정식의 근이다.

따라서 이차방정식의 근과 계수의 관계에 의하여

$\omega+\overline{\omega}=1$, $\omega\overline{\omega}=1$

$$\therefore \frac{1}{\omega-1}+\frac{1}{\overline{\omega}-1}=\frac{\overline{\omega}-1+\omega-1}{(\omega-1)(\overline{\omega}-1)} =\frac{(\omega+\overline{\omega})-2}{\omega\overline{\omega}-(\omega+\overline{\omega})+1} =\frac{1-2}{1-1+1}=-1$$

052 답 ③

$x^3-1=0$에서 $(x-1)(x^2+x+1)=0$

이때 ω는 방정식 $x^2+x+1=0$의 근이므로

$\omega^3=1,\ \omega^2+\omega+1=0$

또 방정식 $x^2+x+1=0$의 한 허근이 ω이므로 $\overline{\omega}$도 이 방정식의 근이다.

따라서 이차방정식의 근과 계수의 관계에 의하여

$\omega+\overline{\omega}=-1,\ \omega\overline{\omega}=1$

ㄱ. $\omega\overline{\omega}=1$

ㄴ. $\omega^2+\omega+1=0$에서 $\omega^2=-\omega-1$

$\omega+\overline{\omega}=-1$에서 $\overline{\omega}=-\omega-1$

$\therefore\ \omega^2=\overline{\omega}$

ㄷ. $\dfrac{1}{\omega+1}+\dfrac{1}{\omega^2+1}+\dfrac{1}{\omega^3+1}=\dfrac{1}{-\omega^2}+\dfrac{1}{-\omega}+\dfrac{1}{1+1}$

$=-\dfrac{1+\omega}{\omega^2}+\dfrac{1}{2}$

$=-\dfrac{-\omega^2}{\omega^2}+\dfrac{1}{2}$

$=1+\dfrac{1}{2}$

$=\dfrac{3}{2}$

따라서 보기 중 옳은 것은 ㄱ, ㄴ이다.

053 답 13

이차방정식 $x^2+x+1=0$의 한 허근이 ω이므로

$\omega^2+\omega+1=0$

양변에 $\omega-1$을 곱하면

$(\omega-1)(\omega^2+\omega+1)=0$

$\omega^3-1=0 \qquad \therefore\ \omega^3=1$

$f(1)=\dfrac{1+\omega}{1+\omega}=1$

$f(2)=\dfrac{1+\omega+\omega^2}{1+\omega^2}=0$

$f(3)=\dfrac{1+\omega+\omega^2+\omega^3}{1+\omega^3}=\dfrac{0+1}{1+1}=\dfrac{1}{2}$

$f(4)=\dfrac{1+\omega+\omega^2+\omega^3+\omega^4}{1+\omega^4}=\dfrac{0+1+\omega}{1+\omega}=f(1)$

$f(5)=\dfrac{1+\omega+\omega^2+\omega^3+\omega^4+\omega^5}{1+\omega^5}=\dfrac{0+1+\omega+\omega^2}{1+\omega^2}=f(2)$

$f(6)=\dfrac{1+\omega+\omega^2+\omega^3+\omega^4+\omega^5+\omega^6}{1+\omega^6}$

$=\dfrac{0+1+\omega+\omega^2+\omega^3}{1+\omega^3}=f(3)$

$\vdots$

이므로

$f(1)=f(4)=f(7)=\cdots=f(22)=f(25)=1$,

$f(2)=f(5)=f(8)=\cdots=f(23)=0$,

$f(3)=f(6)=f(9)=\cdots=f(24)=\dfrac{1}{2}$

$\therefore\ f(1)+f(2)+f(3)+\cdots+f(25)$

$=\left(1+0+\dfrac{1}{2}\right)\times 8+1$

$=13$

054 답 ③

처음 정육면체의 한 모서리의 길이를 x라 하면

$(x-1)(x+2)^2=108$

$x^3+3x^2-112=0$

$f(x)=x^3+3x^2-112$라 할 때, $f(4)=0$이므로 조립제법을 이용하여 $f(x)$를 인수분해하면

4	1	3	0	−112
		4	28	112
	1	7	28	0

$f(x)=(x-4)(x^2+7x+28)$

즉, 주어진 방정식은

$(x-4)(x^2+7x+28)=0$

$\therefore\ x=4$ 또는 $x=\dfrac{-7\pm3\sqrt{7}i}{2}$

그런데 $x>1$이므로 $x=4$

따라서 처음 정육면체의 부피는

$4^3=64$

055 답 ③

직육면체의 세 모서리의 길이를 각각 a cm, b cm, c cm라 하면

$4(a+b+c)=32 \qquad \therefore\ a+b+c=8$

$2(ab+bc+ca)=34 \qquad \therefore\ ab+bc+ca=17$

$abc=10$

이때 a, b, c를 세 근으로 하는 x에 대한 삼차방정식은

$x^3-8x^2+17x-10=0$

$f(x)=x^3-8x^2+17x-10$이라 할 때, $f(1)=0$이므로 조립제법을 이용하여 $f(x)$를 인수분해하면

1	1	−8	17	−10
		1	−7	10
	1	−7	10	0

$f(x)=(x-1)(x^2-7x+10)$

$=(x-1)(x-2)(x-5)$

즉, $(x-1)(x-2)(x-5)=0$이므로

$x=1$ 또는 $x=2$ 또는 $x=5$

따라서 세 모서리의 길이는 1 cm, 2 cm, 5 cm이므로 가장 긴 모서리의 길이와 가장 짧은 모서리의 길이의 차는

$5-1=4$ (cm)

056 답 2

원기둥의 밑면의 반지름의 길이를 x라 하면 원기둥의 높이는 $4-x$이므로

$\dfrac{2}{3}\pi x^3+\pi x^2(4-x)=\dfrac{40}{3}\pi$

$x^3-12x^2+40=0$

$f(x)=x^3-12x^2+40$이라 할 때, $f(2)=0$이므로 조립제법을 이용하여 $f(x)$를 인수분해하면

2	1	−12	0	40
		2	−20	−40
	1	−10	−20	0

$f(x)=(x-2)(x^2-10x-20)$

즉, $(x-2)(x^2-10x-20)=0$이므로

$\therefore\ x=2$ 또는 $x=5\pm3\sqrt{5}$

그런데 $0<x<4$이므로 $x=2$

따라서 구하는 반지름의 길이는 2이다.

057 답 ②

$x-y=1$에서 $y=x-1$ ...... ㉠

이를 $x^2+y^2=25$에 대입하면

$x^2+(x-1)^2=25$, $x^2-x-12=0$

$(x+3)(x-4)=0$

$\therefore x=-3$ 또는 $x=4$

이를 각각 ㉠에 대입하면 주어진 연립방정식의 해는

$x=-3$, $y=-4$ 또는 $x=4$, $y=3$

$\therefore xy=12$

058 답 ④

$2x^2-3xy+y^2=0$에서 $(x-y)(2x-y)=0$

$\therefore y=x$ 또는 $y=2x$

(i) $y=x$를 $5x^2-y^2=9$에 대입하면

$5x^2-x^2=9$, $4x^2=9$ $\quad \therefore x=\pm\frac{3}{2}$

$\therefore x=-\frac{3}{2}$일 때 $y=-\frac{3}{2}$, $x=\frac{3}{2}$일 때 $y=\frac{3}{2}$

(ii) $y=2x$를 $5x^2-y^2=9$에 대입하면

$5x^2-4x^2=9$, $x^2=9$ $\quad \therefore x=\pm 3$

$\therefore x=-3$일 때 $y=-6$, $x=3$일 때 $y=6$

(i), (ii)에 의하여 자연수 x, y는 $x=3$, $y=6$이므로

$x+y=9$

059 답 ④

주어진 연립방정식을 변형하면

$\begin{cases}(x+y)^2-2xy=10\\ x+y-xy=1\end{cases}$

$x+y=u$, $xy=v$로 놓으면

$\begin{cases}u^2-2v=10 & \cdots\cdots ㉠\\ u-v=1 & \cdots\cdots ㉡\end{cases}$

㉡에서 $v=u-1$을 ㉠에 대입하면

$u^2-2(u-1)=10$, $u^2-2u-8=0$

$(u+2)(u-4)=0$

$\therefore u=-2$ 또는 $u=4$

이를 각각 ㉡에 대입하면

$u=-2$, $v=-3$ 또는 $u=4$, $v=3$

(i) $u=-2$, $v=-3$, 즉 $x+y=-2$, $xy=-3$일 때

x, y를 두 근으로 하는 t에 대한 이차방정식은

$t^2+2t-3=0$, $(t+3)(t-1)=0$

$\therefore t=-3$ 또는 $t=1$

$\therefore x=-3$, $y=1$ 또는 $x=1$, $y=-3$

(ii) $u=4$, $v=3$, 즉 $x+y=4$, $xy=3$일 때

x, y를 두 근으로 하는 t에 대한 이차방정식은

$t^2-4t+3=0$, $(t-1)(t-3)=0$

$\therefore t=1$ 또는 $t=3$

$\therefore x=1$, $y=3$ 또는 $x=3$, $y=1$

(i), (ii)에 의하여 $2x+y$의 최댓값은

$2\times 3+1=7$

060 답 ③

$2x-y=a$에서 $y=2x-a$이므로 이를 $x^2+y^2=5$에 대입하면

$x^2+(2x-a)^2=5$, $5x^2-4ax+a^2-5=0$

이 이차방정식의 판별식을 D라 하면

$\frac{D}{4}=(-2a)^2-5(a^2-5)=0$

$-a^2+25=0$, $a^2=25$

$\therefore a=\pm 5$

그런데 $a>0$이므로 $a=5$

061 답 ③

마름모의 두 대각선은 서로 수직이등분하므로 마름모의 두 대각선의 길이를 각각 $2x$, $2y\ (x>y>0)$라 하면

$\begin{cases}x^2+y^2=10^2 & \cdots\cdots ㉠\\ 2x-2y=4 & \cdots\cdots ㉡\end{cases}$

㉡에서 $y=x-2$를 ㉠에 대입하면

$x^2+(x-2)^2=100$, $x^2-2x-48=0$

$(x+6)(x-8)=0$ $\quad \therefore x=-6$ 또는 $x=8$

그런데 $x>0$이므로 $x=8$, $y=6$

따라서 구하는 마름모의 넓이는

$\frac{1}{2}\times 2x\times 2y=2xy=2\times 8\times 6=96$

062 답 ②

[방법 1] $x^2+y^2-4x-2y+5=0$에서

$(x^2-4x+4)+(y^2-2y+1)=0$, $(x-2)^2+(y-1)^2=0$

x, y가 실수이므로

$x-2=0$, $y-1=0$ $\quad \therefore x=2$, $y=1$

$\therefore xy=2$

[방법 2] 방정식의 좌변을 x에 대하여 내림차순으로 정리하면

$x^2-4x+y^2-2y+5=0$ ...... ㉠

x가 실수이므로 이 이차방정식의 판별식을 D라 하면

$\frac{D}{4}=(-2)^2-(y^2-2y+5)\geq 0$

$-y^2+2y-1\geq 0$ $\quad \therefore (y-1)^2\leq 0$

이때 y는 실수이므로

$y-1=0$ $\quad \therefore y=1$

이를 ㉠에 대입하면 $x^2-4x+4=0$

$(x-2)^2=0$ $\quad \therefore x=2$

$\therefore xy=2$

063 답 $2\sqrt{2}$

$x-y=2$에서 $y=x-2$ ...... ㉠

이를 $x^2+4xy+y^2=10$에 대입하면

$x^2+4x(x-2)+(x-2)^2=10$

$x^2-2x-1=0$ $\quad \therefore x=1\pm\sqrt{2}$

이를 각각 ㉠에 대입하면 주어진 연립방정식의 해는

$x=1-\sqrt{2}$, $y=-1-\sqrt{2}$ 또는 $x=1+\sqrt{2}$, $y=-1+\sqrt{2}$

$\therefore |x+y|=2\sqrt{2}$

064 답 -1

$2x+y=1$에서 $y=-2x+1$ ······ ㉠

이를 $x^2+y^2=13$에 대입하면

$x^2+(-2x+1)^2=13$, $5x^2-4x-12=0$

$(5x+6)(x-2)=0$ $\therefore x=-\frac{6}{5}$ 또는 $x=2$

이를 각각 ㉠에 대입하면 주어진 연립방정식의 해는

$x=-\frac{6}{5}$, $y=\frac{17}{5}$ 또는 $x=2$, $y=-3$

따라서 $\alpha=2$, $\beta=-3$이므로 $\alpha+\beta=-1$

065 답 3

$x+2y=5$에서 $x=-2y+5$ ······ ㉠

이를 $2x^2+y^2=19$에 대입하면

$2(-2y+5)^2+y^2=19$, $9y^2-40y+31=0$

$(y-1)(9y-31)=0$ $\therefore y=1$ 또는 $y=\frac{31}{9}$

이를 각각 ㉠에 대입하면 주어진 연립방정식의 해는

$x=3$, $y=1$ 또는 $x=-\frac{17}{9}$, $y=\frac{31}{9}$

그런데 $\alpha\beta>0$이므로 $\alpha=3$, $\beta=1$ $\therefore \alpha\beta=3$

066 답 ④

두 연립방정식의 공통인 해는 연립방정식 $\begin{cases} 2x+y=3 \\ x^2-y^2=-45 \end{cases}$의 해와 같다.

$2x+y=3$에서 $y=-2x+3$ ······ ㉠

이를 $x^2-y^2=-45$에 대입하면

$x^2-(-2x+3)^2=-45$, $x^2-4x-12=0$

$(x+2)(x-6)=0$ $\therefore x=-2$ 또는 $x=6$

이를 각각 ㉠에 대입하면 위의 연립방정식의 해는

$x=-2$, $y=7$ 또는 $x=6$, $y=-9$

(i) $x=-2$, $y=7$을 $ax^2-y^2=-1$, $x+y=b$에 각각 대입하면

$4a-49=-1$, $-2+7=b$ $\therefore a=12$, $b=5$

(ii) $x=6$, $y=-9$를 $ax^2-y^2=-1$, $x+y=b$에 각각 대입하면

$36a-81=-1$, $6-9=b$ $\therefore a=\frac{20}{9}$, $b=-3$

(i), (ii)에 의하여 정수 a, b는 $a=12$, $b=5$이므로 $a+b=17$

067 답 1

(i) $x\geq 2y$일 때, $\begin{cases} 2x+3y-1=x \\ x^2-y=x \end{cases}$

$2x+3y-1=x$에서 $y=-\frac{1}{3}x+\frac{1}{3}$ ······ ㉠

이를 $x^2-y=x$에 대입하면

$x^2-\left(-\frac{1}{3}x+\frac{1}{3}\right)=x$, $3x^2-2x-1=0$

$(3x+1)(x-1)=0$ $\therefore x=-\frac{1}{3}$ 또는 $x=1$

이를 각각 ㉠에 대입하면 위의 연립방정식의 해는

$x=-\frac{1}{3}$, $y=\frac{4}{9}$ 또는 $x=1$, $y=0$

그런데 $x\geq 2y$이므로 $\alpha=1$, $\beta=0$

(ii) $x<2y$일 때, $\begin{cases} 2x+3y-1=2y \\ x^2-y=2y \end{cases}$

$2x+3y-1=2y$에서 $y=-2x+1$ ······ ㉡

이를 $x^2-y=2y$에 대입하면

$x^2-(-2x+1)=2(-2x+1)$

$x^2+6x-3=0$

$\therefore x=-3\pm 2\sqrt{3}$

이를 각각 ㉡에 대입하면 위의 연립방정식의 해는

$x=-3-2\sqrt{3}$, $y=7+4\sqrt{3}$ 또는 $x=-3+2\sqrt{3}$, $y=7-4\sqrt{3}$

그런데 x, y는 유리수이므로 조건을 만족시키는 해가 존재하지 않는다.

(i), (ii)에 의하여 $\alpha=1$, $\beta=0$이므로 $\alpha+\beta=1$

068 답 ①

$x^2+xy-2y^2=0$에서 $(x+2y)(x-y)=0$

$\therefore x=-2y$ 또는 $x=y$

(i) $x=-2y$를 $x^2+y^2=20$에 대입하면

$4y^2+y^2=20$, $y^2=4$ $\therefore y=\pm 2$

$\therefore y=-2$일 때 $x=4$, $y=2$일 때 $x=-4$

(ii) $x=y$를 $x^2+y^2=20$에 대입하면

$y^2+y^2=20$, $y^2=10$ $\therefore y=\pm\sqrt{10}$

$\therefore y=-\sqrt{10}$일 때 $x=-\sqrt{10}$, $y=\sqrt{10}$일 때 $x=\sqrt{10}$

(i), (ii)에 의하여 정수 x, y는 $x=4$, $y=-2$ 또는 $x=-4$, $y=2$이므로 $xy=-8$

069 답 $\begin{cases} x=-2 \\ y=2 \end{cases}$ 또는 $\begin{cases} x=2 \\ y=-2 \end{cases}$ 또는 $\begin{cases} x=-2\sqrt{3} \\ y=-2\sqrt{3} \end{cases}$ 또는 $\begin{cases} x=2\sqrt{3} \\ y=2\sqrt{3} \end{cases}$

$x^2-y^2=0$에서 $(x+y)(x-y)=0$

$\therefore y=-x$ 또는 $y=x$

(i) $y=-x$를 $x^2-xy+y^2=12$에 대입하면

$x^2+x^2+x^2=12$, $x^2=4$ $\therefore x=\pm 2$

$\therefore x=-2$일 때 $y=2$, $x=2$일 때 $y=-2$

(ii) $y=x$를 $x^2-xy+y^2=12$에 대입하면

$x^2-x^2+x^2=12$, $x^2=12$ $\therefore x=\pm 2\sqrt{3}$

$\therefore x=-2\sqrt{3}$일 때 $y=-2\sqrt{3}$, $x=2\sqrt{3}$일 때 $y=2\sqrt{3}$

(i), (ii)에 의하여 구하는 해는

$\begin{cases} x=-2 \\ y=2 \end{cases}$ 또는 $\begin{cases} x=2 \\ y=-2 \end{cases}$ 또는 $\begin{cases} x=-2\sqrt{3} \\ y=-2\sqrt{3} \end{cases}$ 또는 $\begin{cases} x=2\sqrt{3} \\ y=2\sqrt{3} \end{cases}$

070 답 ③

$x^2+3xy-10y^2=0$에서 $(x+5y)(x-2y)=0$

$\therefore x=-5y$ 또는 $x=2y$

이때 x, y가 모두 양수이려면 $x=2y$

이를 $x^2+2xy-y^2=28$에 대입하면

$4y^2+4y^2-y^2=28$, $y^2=4$ $\therefore y=\pm 2$

그런데 x, y는 양수이므로 $x=4$, $y=2$

$\therefore x+y=6$

071 답 ④

주어진 연립방정식을 변형하면

$\begin{cases} xy+(x+y)=11 \\ xy(x+y)=30 \end{cases}$

$x+y=u$, $xy=v$로 놓으면

$\begin{cases} u+v=11 & \cdots\cdots ㉠ \\ uv=30 & \cdots\cdots ㉡ \end{cases}$

㉠에서 $v=-u+11$을 ㉡에 대입하면

$u(-u+11)=30$, $u^2-11u+30=0$

$(u-5)(u-6)=0$ $\quad\therefore u=5$ 또는 $u=6$

이를 각각 ㉠에 대입하면

$u=5$, $v=6$ 또는 $u=6$, $v=5$

(i) $u=5$, $v=6$, 즉 $x+y=5$, $xy=6$일 때

x, y를 두 근으로 하는 t에 대한 이차방정식은

$t^2-5t+6=0$, $(t-2)(t-3)=0$

$\therefore t=2$ 또는 $t=3$

$\therefore x=2$, $y=3$ 또는 $x=3$, $y=2$

(ii) $u=6$, $v=5$, 즉 $x+y=6$, $xy=5$일 때

x, y를 두 근으로 하는 t에 대한 이차방정식은

$t^2-6t+5=0$, $(t-1)(t-5)=0$

$\therefore t=1$ 또는 $t=5$

$\therefore x=1$, $y=5$ 또는 $x=5$, $y=1$

(i), (ii)에 의하여 $x+2y$의 최댓값은

$1+2\times5=11$

072 답 $(-2, 2)$, $(2, -2)$

주어진 연립방정식을 변형하면

$\begin{cases} (x+y)^2-2xy=8 \\ xy=-4 \end{cases}$

$x+y=u$, $xy=v$로 놓으면

$\begin{cases} u^2-2v=8 & \cdots\cdots ㉠ \\ v=-4 & \cdots\cdots ㉡ \end{cases}$

㉡을 ㉠에 대입하면

$u^2+8=8$, $u^2=0$ $\quad\therefore u=0$, $v=-4$

즉, $x+y=0$, $xy=-4$이므로 x, y를 두 근으로 하는 t에 대한 이차방정식은

$t^2-4=0$, $t^2=4$ $\quad\therefore t=\pm2$

$\therefore x=-2$, $y=2$ 또는 $x=2$, $y=-2$

따라서 x, y의 순서쌍 (x, y)는 $(-2, 2)$, $(2, -2)$이다.

073 답 3

$x+y=a$에서 $y=-x+a$이므로 이를 $x^2-2xy=-3$에 대입하면

$x^2-2x(-x+a)=-3$

$3x^2-2ax+3=0$

이 이차방정식의 판별식을 D라 하면

$\frac{D}{4}=(-a)^2-3\times3=0$, $a^2-9=0$

$a^2=9$ $\quad\therefore a=\pm3$

그런데 $a>0$이므로 $a=3$

074 답 ④

$x-y=2a$에서 $y=x-2a$이므로 이를 $2x^2-xy=-a^2-a+1$에 대입하면

$2x^2-x(x-2a)=-a^2-a+1$

$x^2+2ax+a^2+a-1=0$

이 이차방정식의 판별식을 D라 하면

$\frac{D}{4}=a^2-(a^2+a-1)<0$

$-a+1<0$ $\quad\therefore a>1$

따라서 정수 a의 최솟값은 2이다.

075 답 ③

주어진 연립방정식에서 $x+y=3$, $xy=a-3$이므로 x, y를 두 근으로 하는 t에 대한 이차방정식은

$t^2-3t+a-3=0$

이 이차방정식의 판별식을 D라 하면

$D=(-3)^2-4(a-3)\geq0$

$-4a+21\geq0$ $\quad\therefore a\leq\frac{21}{4}$

따라서 상수 a의 최댓값은 $\frac{21}{4}$이다.

076 답 ④

처음 땅의 가로의 길이를 x, 세로의 길이를 y라 하면

$\begin{cases} x^2+y^2=(3\sqrt{5})^2 & \cdots\cdots ㉠ \\ (x-1)(y+1)=xy+2 & \cdots\cdots ㉡ \end{cases}$

㉡에서 $xy+x-y-1=xy+2$

$\therefore y=x-3$

이를 ㉠에 대입하면

$x^2+(x-3)^2=45$, $x^2-3x-18=0$

$(x+3)(x-6)=0$

$\therefore x=-3$ 또는 $x=6$

그런데 $1<x<3\sqrt{5}$이므로

$x=6$, $y=3$

따라서 처음 땅의 넓이는

$6\times3=18$

077 답 ③

두 원의 반지름의 길이를 각각 r_1, r_2라 하면

$\begin{cases} 2\pi r_1+2\pi r_2=12\pi \\ \pi r_1^2+\pi r_2^2=26\pi \end{cases}$, 즉 $\begin{cases} r_1+r_2=6 & \cdots\cdots ㉠ \\ r_1^2+r_2^2=26 & \cdots\cdots ㉡ \end{cases}$

㉠에서 $r_2=-r_1+6$을 ㉡에 대입하면

$r_1^2+(-r_1+6)^2=26$

$r_1^2-6r_1+5=0$

$(r_1-1)(r_1-5)=0$

$\therefore r_1=1$ 또는 $r_1=5$

이를 각각 ㉠에 대입하면

$r_1=1$, $r_2=5$ 또는 $r_1=5$, $r_2=1$

따라서 두 원 중 큰 원의 반지름의 길이는 5이다.

078 답 ②

직각삼각형의 빗변이 아닌 두 변의 길이를 각각 x cm, y cm라 하면

$\begin{cases} x^2+y^2=10^2 \\ \frac{1}{2}xy=24 \end{cases}$, 즉 $\begin{cases} x^2+y^2=100 \\ xy=48 \end{cases}$

이 연립방정식을 변형하면 $\begin{cases} (x+y)^2-2xy=100 \\ xy=48 \end{cases}$

$x+y=u$, $xy=v$로 놓으면 $\begin{cases} u^2-2v=100 & \cdots\cdots \text{㉠} \\ v=48 & \cdots\cdots \text{㉡} \end{cases}$

㉡을 ㉠에 대입하면

$u^2-96=100$, $u^2=196$ $\quad\therefore u=\pm14$

이때 $x+y>0$이므로 $u=14$

따라서 빗변이 아닌 두 변의 길이의 합은 14 cm이다.

079 답 ①

[방법 1] $x^2+y^2+2x+6y+10=0$에서

$(x^2+2x+1)+(y^2+6y+9)=0$, $(x+1)^2+(y+3)^2=0$

x, y는 실수이므로 $x+1=0$, $y+3=0$

$\therefore x=-1$, $y=-3$ $\quad\therefore x+y=-4$

[방법 2] 방정식의 좌변을 x에 대하여 내림차순으로 정리하면

$x^2+2x+y^2+6y+10=0$ $\quad\cdots\cdots$ ㉠

x가 실수이므로 이 이차방정식의 판별식을 D라 하면

$\frac{D}{4}=1^2-(y^2+6y+10)\geq0$

$-y^2-6y-9\geq0$ $\quad\therefore (y+3)^2\leq0$

이때 y는 실수이므로 $y+3=0$ $\quad\therefore y=-3$

이를 ㉠에 대입하면 $x^2+2x+1=0$, $(x+1)^2=0$

$\therefore x=-1$ $\quad\therefore x+y=-4$

080 답 5

$5x^2-4xy+y^2-2x+1=0$에서

$(4x^2-4xy+y^2)+(x^2-2x+1)=0$, $(2x-y)^2+(x-1)^2=0$

x, y가 실수이므로 $2x-y=0$, $x-1=0$

$\therefore x=1$, $y=2$ $\quad\therefore x^2+y^2=1+4=5$

081 답 ④

$xy-x-y-1=0$에서

$x(y-1)-(y-1)-2=0$ $\quad\therefore (x-1)(y-1)=2$

(i) $x-1=-2$, $y-1=-1$일 때, $x=-1$, $y=0$

(ii) $x-1=-1$, $y-1=-2$일 때, $x=0$, $y=-1$

(iii) $x-1=1$, $y-1=2$일 때, $x=2$, $y=3$

(iv) $x-1=2$, $y-1=1$일 때, $x=3$, $y=2$

(i)~(iv)에 의하여 xy의 최댓값은 $2\times3=6$

082 답 3

$x^2-xy+y+3=0$에서 $xy-y-x^2-3=0$

$y(x-1)-(x-1)(x+1)=4$ $\quad\therefore (x-1)(y-x-1)=4$

x, y가 자연수이므로 $x-1\geq0$

(i) $x-1=1$, $y-x-1=4$일 때, $x=2$, $y=7$

(ii) $x-1=2$, $y-x-1=2$일 때, $x=3$, $y=6$

(iii) $x-1=4$, $y-x-1=1$일 때, $x=5$, $y=7$

(i), (ii), (iii)에 의하여 자연수 x, y의 순서쌍 (x, y)는 $(2, 7)$, $(3, 6)$, $(5, 7)$의 3개이다.

083 답 ①

$f(x)=x^3-x^2-4x+4$라 할 때,

$f(1)=0$이므로 조립제법을 이용하여

$f(x)$를 인수분해하면

1	1	−1	−4	4
		1	0	−4
	1	0	−4	0

$f(x)=(x-1)(x^2-4)$

$=(x-1)(x+2)(x-2)$

즉, 주어진 방정식은 $(x+2)(x-1)(x-2)=0$

$\therefore x=-2$ 또는 $x=1$ 또는 $x=2$

따라서 방정식의 모든 양의 근의 합은 $1+2=3$

084 답 $-2+3\sqrt{2}$

$x^2+4x=t$로 놓으면 주어진 방정식은

$(t-21)(t-5)+63=0$, $t^2-26t+168=0$

$(t-12)(t-14)=0$ $\quad\therefore t=12$ 또는 $t=14$

(i) $t=12$일 때

$x^2+4x=12$에서 $x^2+4x-12=0$

$(x+6)(x-2)=0$ $\quad\therefore x=-6$ 또는 $x=2$

(ii) $t=14$일 때

$x^2+4x=14$에서 $x^2+4x-14=0$ $\quad\therefore x=-2\pm3\sqrt{2}$

(i), (ii)에 의하여 방정식의 가장 큰 근은 $-2+3\sqrt{2}$이다.

085 답 ①

$x^4-6x^2+1=0$에서 $(x^4-2x^2+1)-4x^2=0$

$(x^2-1)^2-(2x)^2=0$, $(x^2+2x-1)(x^2-2x-1)=0$

$\therefore x=-1\pm\sqrt{2}$ 또는 $x=1\pm\sqrt{2}$

086 답 ②

$x\neq0$이므로 양변을 x^2으로 나누면

$x^2+5x-4+\frac{5}{x}+\frac{1}{x^2}=0$

$\left(x^2+\frac{1}{x^2}\right)+5\left(x+\frac{1}{x}\right)-4=0$

$\left(x+\frac{1}{x}\right)^2+5\left(x+\frac{1}{x}\right)-6=0$

$x+\frac{1}{x}=t$로 놓으면 $t^2+5t-6=0$

$(t+6)(t-1)=0$ $\quad\therefore t=-6$ 또는 $t=1$

(i) $t=-6$일 때

$x+\frac{1}{x}=-6$에서 $x^2+6x+1=0$ $\quad\therefore x=-3\pm2\sqrt{2}$

(ii) $t=1$일 때

$x+\frac{1}{x}=1$에서 $x^2-x+1=0$ $\quad\therefore x=\frac{1\pm\sqrt{3}i}{2}$

(i), (ii)에 의하여 주어진 방정식의 모든 실근의 합은

$(-3-2\sqrt{2})+(-3+2\sqrt{2})=-6$

087 답 ④

-1, 1이 주어진 방정식의 근이므로 $x=-1$, $x=1$을 각각 대입하면

$1-a-7-1+b=0$, $1+a-7+1+b=0$

$\therefore a-b=-7$, $a+b=5$

두 식을 연립하여 풀면 $a=-1$, $b=6$

이를 주어진 방정식에 대입하면

$x^4-x^3-7x^2+x+6=0$

$f(x)=x^4-x^3-7x^2+x+6$이라 할 때, $f(-1)=0$, $f(1)=0$이므로 조립제법을 이용하여 $f(x)$를 인수분해하면

-1	1	-1	-7	1	6
		-1	2	5	-6
1	1	-2	-5	6	0
		1	-1	-6	
	1	-1	-6	0	

$f(x)=(x+1)(x-1)(x^2-x-6)$

$\quad\;\; =(x+1)(x-1)(x+2)(x-3)$

즉, 주어진 방정식은 $(x+1)(x-1)(x+2)(x-3)=0$

$\therefore x=-2$ 또는 $x=-1$ 또는 $x=1$ 또는 $x=3$

이때 -1, 1이 아닌 나머지 두 근은 -2, 3이므로 $\alpha\beta=-6$

$\therefore \dfrac{\alpha\beta}{ab}=\dfrac{-6}{-1\times 6}=1$

088 답 ④

$f(x)=x^3-2kx^2+(k^2+2)x-2k$ 라 할 때, $f(k)=0$이므로 조립제법을 이용하여 $f(x)$를 인수분해하면

k	1	$-2k$	k^2+2	$-2k$
		k	$-k^2$	$2k$
	1	$-k$	2	0

$f(x)=(x-k)(x^2-kx+2)$

즉, 주어진 방정식은

$(x-k)(x^2-kx+2)=0$

이 방정식이 중근을 가지려면 이차방정식 $x^2-kx+2=0$이 중근을 갖거나 $x=k$를 근으로 가져야 한다.

(i) 방정식 $x^2-kx+2=0$이 중근을 가질 때

이 이차방정식의 판별식을 D라 하면

$D=(-k)^2-4\times1\times2=0$

$k^2-8=0 \qquad k^2=8$

$\therefore k=\pm2\sqrt{2}$

(ii) 방정식 $x^2-kx+2=0$이 $x=k$를 근으로 가질 때

$k^2-k^2+2\neq0$이므로 조건을 만족시키지 않는다.

(i), (ii)에 의하여 양수 k의 값은 $2\sqrt{2}$이다.

089 답 ④

삼차방정식의 근과 계수의 관계에 의하여

$\alpha+\beta+\gamma=-2$, $\alpha\beta+\beta\gamma+\gamma\alpha=-3$, $\alpha\beta\gamma=-1$

$\therefore (\alpha+\beta)(\beta+\gamma)(\gamma+\alpha)$

$=(-2-\gamma)(-2-\alpha)(-2-\beta)$

$=(-2)^3-(\alpha+\beta+\gamma)\times(-2)^2+(\alpha\beta+\beta\gamma+\gamma\alpha)\times(-2)-\alpha\beta\gamma$

$=-8-(-2)\times4+(-3)\times(-2)-(-1)=7$

090 답 24

주어진 삼차방정식의 세 근을 α, 2α, β $(\alpha\neq0)$라 하면 삼차방정식의 근과 계수의 관계에 의하여

$\alpha+2\alpha+\beta=3 \qquad \therefore \beta=3-3\alpha$

즉, 세 근이 α, 2α, $3-3\alpha$이므로

$\alpha\times2\alpha+2\alpha\times(3-3\alpha)+(3-3\alpha)\times\alpha=-10$

$7\alpha^2-9\alpha-10=0$, $(7\alpha+5)(\alpha-2)=0$

$\therefore \alpha=-\dfrac{5}{7}$ 또는 $\alpha=2$

이때 α는 정수이므로 $\alpha=2$

따라서 주어진 삼차방정식의 세 근은 2, 4, -3이므로

$2\times4\times(-3)=-k \qquad \therefore k=24$

091 답 ②

삼차방정식의 근과 계수의 관계에 의하여

$\alpha+\beta+\gamma=2$, $\alpha\beta+\beta\gamma+\gamma\alpha=3$, $\alpha\beta\gamma=1$

구하는 삼차방정식의 세 근이 $\dfrac{1}{\alpha}$, $\dfrac{1}{\beta}$, $\dfrac{1}{\gamma}$이므로

$\dfrac{1}{\alpha}+\dfrac{1}{\beta}+\dfrac{1}{\gamma}=\dfrac{\alpha\beta+\beta\gamma+\gamma\alpha}{\alpha\beta\gamma}=\dfrac{3}{1}=3$

$\dfrac{1}{\alpha\beta}+\dfrac{1}{\beta\gamma}+\dfrac{1}{\gamma\alpha}=\dfrac{\alpha+\beta+\gamma}{\alpha\beta\gamma}=\dfrac{2}{1}=2$

$\dfrac{1}{\alpha\beta\gamma}=\dfrac{1}{1}=1$

따라서 구하는 방정식은 $x^3-3x^2+2x-1=0$

092 답 ②

주어진 삼차방정식의 계수가 실수이므로 한 근이 $-1+\sqrt{3}i$이면 $-1-\sqrt{3}i$도 근이다.

나머지 한 근이 c이므로 삼차방정식의 근과 계수의 관계에 의하여

$(-1+\sqrt{3}i)+(-1-\sqrt{3}i)+c=3$

$(-1+\sqrt{3}i)(-1-\sqrt{3}i)+(-1-\sqrt{3}i)c+c(-1+\sqrt{3}i)=a$

$(-1+\sqrt{3}i)(-1-\sqrt{3}i)c=-b$

$\therefore a=-6$, $b=-20$, $c=5$

$\therefore a+b+c=-21$

093 답 ④

$x^3-1=0$에서 $(x-1)(x^2+x+1)=0$

이때 ω는 방정식 $x^2+x+1=0$의 근이고 $\overline{\omega}$도 근이므로

$\omega^3=1$, $\omega^2+\omega+1=0$

$\overline{\omega}^3=1$, $\overline{\omega}^2+\overline{\omega}+1=0$

또 이차방정식의 근과 계수의 관계에 의하여

$\omega+\overline{\omega}=-1$, $\omega\overline{\omega}=1$

$\therefore \dfrac{\overline{\omega}^2}{1+\omega}+\dfrac{\omega^2}{1+\overline{\omega}}=\dfrac{\overline{\omega}^2}{-\omega^2}+\dfrac{\omega^2}{-\overline{\omega}^2}$

$=-\dfrac{\overline{\omega}^4+\omega^4}{\omega^2\overline{\omega}^2}$

$=-\dfrac{\overline{\omega}+\omega}{(\omega\overline{\omega})^2}$

$=-\dfrac{-1}{1}=1$

094 답 4
상자 밑면의 가로의 길이가 $(20-2x)$ cm, 세로의 길이가 $(10-2x)$ cm이므로
$(20-2x)\times(10-2x)\times x=96$
$x^3-15x^2+50x-24=0$
$f(x)=x^3-15x^2+50x-24$라 할 때, $f(4)=0$이므로 조립제법을 이용하여 $f(x)$를 인수분해하면

4	1	-15	50	-24
		4	-44	24
	1	-11	6	0

$f(x)=(x-4)(x^2-11x+6)$
즉, 주어진 방정식은 $(x-4)(x^2-11x+6)=0$
$\therefore x=4$ 또는 $x=\frac{11\pm\sqrt{97}}{2}$
그런데 x는 자연수이므로 $x=4$

095 답 ③
$3x-y=10$에서 $y=3x-10$ ······ ㉠
이를 $x^2-2y=12$에 대입하면
$x^2-2(3x-10)=12$, $x^2-6x+8=0$
$(x-2)(x-4)=0$ $\therefore x=2$ 또는 $x=4$
이를 각각 ㉠에 대입하면 주어진 연립방정식의 해는
$x=2$, $y=-4$ 또는 $x=4$, $y=2$
따라서 $\alpha=4$, $\beta=2$이므로 $\alpha+\beta=6$

096 답 ④
$2x^2+xy-y^2=0$에서 $(x+y)(2x-y)=0$
$\therefore y=-x$ 또는 $y=2x$
이때 x, y가 모두 음의 정수이려면 $y=2x$
이를 $x^2-2xy+2y^2=5$에 대입하면
$x^2-4x^2+8x^2=5$, $x^2=1$ $\therefore x=\pm1$
x, y는 음의 정수이므로 $x=-1$, $y=-2$
$\therefore x+y=-3$

097 답 ②
주어진 연립방정식을 변형하면
$\begin{cases}(x+y)^2+(x+y)-2xy=2\\(x+y)^2-xy=1\end{cases}$
$x+y=u$, $xy=v$로 놓으면
$\begin{cases}u^2+u-2v=2 & \cdots\cdots ㉠\\u^2-v=1 & \cdots\cdots ㉡\end{cases}$
㉡에서 $v=u^2-1$을 ㉠에 대입하면
$u^2+u-2(u^2-1)=2$, $u^2-u=0$
$u(u-1)=0$ $\therefore u=0$ 또는 $u=1$
이를 각각 ㉠에 대입하면
$u=0$, $v=-1$ 또는 $u=1$, $v=0$
(i) $u=0$, $v=-1$, 즉 $x+y=0$, $xy=-1$일 때
x, y를 두 근으로 하는 t에 대한 이차방정식은
$t^2-1=0$ $\therefore t=\pm1$
$\therefore x=-1$, $y=1$ 또는 $x=1$, $y=-1$
(ii) $u=1$, $v=0$, 즉 $x+y=1$, $xy=0$일 때
x, y를 두 근으로 하는 t에 대한 이차방정식은
$t^2-t=0$, $t(t-1)=0$ $\therefore t=0$ 또는 $t=1$
$\therefore x=0$, $y=1$ 또는 $x=1$, $y=0$
(i), (ii)에 의하여 $x+2y$의 최댓값은
$0+2\times1=2$

098 답 ⑤
$2x+y=a$에서 $y=-2x+a$이므로 이를 $x^2+y^2=4$에 대입하면
$x^2+(-2x+a)^2=4$, $5x^2-4ax+a^2-4=0$
이 이차방정식의 판별식을 D라 하면
$\frac{D}{4}=(-2a)^2-5(a^2-4)=0$
$-a^2+20=0$, $a^2=20$
$\therefore a=\pm2\sqrt{5}$
그런데 $a>0$이므로 $a=2\sqrt{5}$

099 답 ④
직사각형의 가로의 길이를 x cm, 세로의 길이를 y cm라 하면
$\begin{cases}2x+2y=34\\x^2+y^2=13^2\end{cases}$, 즉 $\begin{cases}x+y=17 & \cdots\cdots ㉠\\x^2+y^2=169 & \cdots\cdots ㉡\end{cases}$
㉠에서 $y=-x+17$을 ㉡에 대입하면
$x^2+(-x+17)^2=169$, $x^2-17x+60=0$
$(x-5)(x-12)=0$ $\therefore x=5$ 또는 $x=12$
이를 각각 ㉠에 대입하면
$x=5$, $y=12$ 또는 $x=12$, $y=5$
그런데 $x>y$이므로 $x=12$, $y=5$
따라서 직사각형의 가로의 길이는 12 cm이다.

100 답 ①
방정식의 좌변을 x에 대하여 내림차순으로 정리하면
$x^2-2(y-1)x+2y^2+2=0$ ······ ㉠
x가 실수이므로 이 이차방정식의 판별식을 D라 하면
$\frac{D}{4}=(y-1)^2-(2y^2+2)\geq0$
$-y^2-2y-1\geq0$ $\therefore (y+1)^2\leq0$
이때 y는 실수이므로 $y+1=0$ $\therefore y=-1$
이를 ㉠에 대입하면
$x^2+4x+4=0$, $(x+2)^2=0$ $\therefore x=-2$
$\therefore x+y=-3$

101 답 ⑤
$x^2-xy-2x+2y-3=0$에서
$x(x-y)-2(x-y)-3=0$ $\therefore (x-2)(x-y)=3$
(i) $x-2=-3$, $x-y=-1$일 때, $x=-1$, $y=0$
(ii) $x-2=-1$, $x-y=-3$일 때, $x=1$, $y=4$
(iii) $x-2=1$, $x-y=3$일 때, $x=3$, $y=0$
(iv) $x-2=3$, $x-y=1$일 때, $x=5$, $y=4$
(i)~(iv)에 의하여 xy의 최댓값은 $5\times4=20$

연립일차부등식

114~123쪽

001 답 ①

$3x+2\le x-1$에서 $2x\le -3$ $\quad\therefore x\le -\frac{3}{2}$ …… ㉠

$x+1>2(2x-1)+1$에서 $x+1>4x-2+1$

$-3x>-2$ $\quad\therefore x<\frac{2}{3}$ …… ㉡

㉠, ㉡을 수직선 위에 나타내면 오른쪽 그림과 같으므로 연립부등식의 해는

$x\le -\frac{3}{2}$

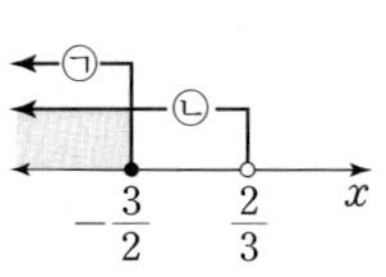

002 답 ③

① $x\le 3$ …… ㉠

$x\ge 3$ …… ㉡

㉠, ㉡을 수직선 위에 나타내면 오른쪽 그림과 같으므로 연립부등식의 해는

$x=3$

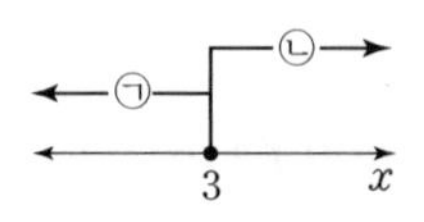

② $15x\le 5x+30$에서 $10x\le 30$ $\quad\therefore x\le 3$ …… ㉠

$x>0$ …… ㉡

㉠, ㉡을 수직선 위에 나타내면 오른쪽 그림과 같으므로 연립부등식의 해는

$0<x\le 3$

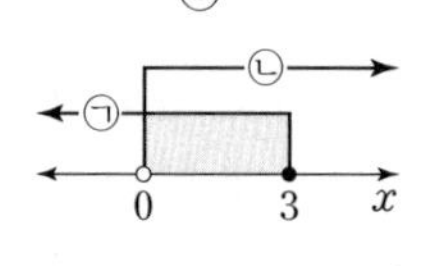

③ $2(x-1)\le 4$에서 $x-1\le 2$ $\quad\therefore x\le 3$ …… ㉠

$x+1>4$에서 $x>3$ …… ㉡

㉠, ㉡을 수직선 위에 나타내면 오른쪽 그림과 같으므로 연립부등식의 해는 없다.

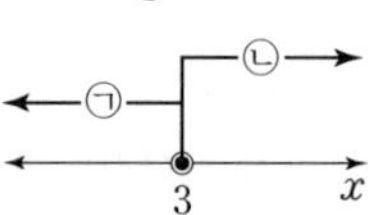

④ $2x+5>5x-7$에서 $-3x>-12$ $\quad\therefore x<4$ …… ㉠

$6-2(x+2)\ge 3x$에서 $6-2x-4\ge 3x$

$-5x\ge -2$ $\quad\therefore x\le \frac{2}{5}$ …… ㉡

㉠, ㉡을 수직선 위에 나타내면 오른쪽 그림과 같으므로 연립부등식의 해는

$x\le \frac{2}{5}$

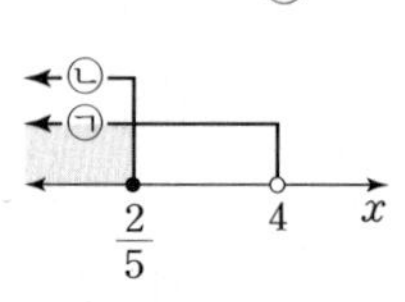

⑤ $\frac{2x+5}{4}+\frac{x-3}{2}>-1$에서 $2x+5+2(x-3)>-4$

$2x+5+2x-6>-4$, $4x>-3$ $\quad\therefore x>-\frac{3}{4}$ …… ㉠

$2x-2\le 10-x$에서 $3x\le 12$ $\quad\therefore x\le 4$ …… ㉡

㉠, ㉡을 수직선 위에 나타내면 오른쪽 그림과 같으므로 연립부등식의 해는

$-\frac{3}{4}<x\le 4$

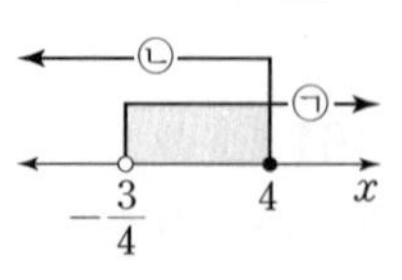

따라서 해가 없는 것은 ③이다.

003 답 12

$2x-30<5x-3$에서 $-3x<27$ $\quad\therefore x>-9$ …… ㉠

$5x-3\le 6(5-x)$에서 $5x-3\le 30-6x$

$11x\le 33$ $\quad\therefore x\le 3$ …… ㉡

㉠, ㉡을 수직선 위에 나타내면 오른쪽 그림과 같으므로 부등식의 해는 $-9<x\le 3$

따라서 정수 x는 -8, -7, -6, …, 3의 12개이다.

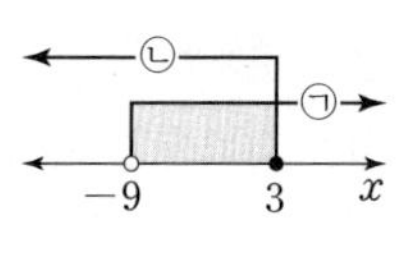

004 답 ③

$2x+5\le 3(x+1)$에서 $2x+5\le 3x+3$ $\quad\therefore x\ge 2$

$4x\le 2x+a+1$에서 $2x\le a+1$ $\quad\therefore x\le \frac{a+1}{2}$

주어진 연립부등식의 해가 $b\le x\le 4$이므로

$\frac{a+1}{2}=4$, $b=2$

따라서 $a=7$, $b=2$이므로 $a-b=5$

005 답 $a>1$

$3x-7\le 5$에서 $3x\le 12$ $\quad\therefore x\le 4$ …… ㉠

$x-3\ge a$에서 $x\ge a+3$ …… ㉡

주어진 연립부등식이 해를 갖지 않으려면 오른쪽 그림에서

$4<a+3$ $\quad\therefore a>1$

006 답 $-4<a\le -1$

$1-x\ge -3$에서 $-x\ge -4$ $\quad\therefore x\le 4$ …… ㉠

$5x+a>2(x-2)$에서 $5x+a>2x-4$

$3x>-a-4$ $\quad\therefore x>-\frac{a+4}{3}$ …… ㉡

주어진 연립부등식을 만족시키는 정수 x가 5개이려면 오른쪽 그림에서

$-1\le -\frac{a+4}{3}<0$, $-3\le -a-4<0$

$1\le -a<4$ $\quad\therefore -4<a\le -1$

007 답 15개

과자를 x개 사면 사탕은 $(20-x)$개 살 수 있으므로

$$\begin{cases} x>20-x \\ 700x+500(20-x)\le 13000 \end{cases}$$

$x>20-x$에서 $2x>20$

$\therefore x>10$ …… ㉠

$700x+500(20-x)\le 13000$에서

$700x+10000-500x\le 13000$, $200x\le 3000$

$\therefore x\le 15$ …… ㉡

㉠, ㉡의 공통부분을 구하면

$10<x\le 15$

따라서 과자는 최대 15개까지 살 수 있다.

008 답 ④

$|2x-3|<7$에서 $-7<2x-3<7$

$-4<2x<10$ $\quad\therefore -2<x<5$

따라서 정수 x는 -1, 0, 1, …, 4의 6개이다.

009 답 ②

$|2x-1|<x+4$에서 $2x-1=0$, 즉 $x=\frac{1}{2}$을 기준으로 구간을 나누면

(i) $x<\frac{1}{2}$일 때

$-(2x-1)<x+4$, $-2x+1<x+4$

$-3x<3$ $\quad \therefore x>-1$

그런데 $x<\frac{1}{2}$이므로 $-1<x<\frac{1}{2}$

(ii) $x\ge\frac{1}{2}$일 때

$2x-1<x+4$ $\quad \therefore x<5$

그런데 $x\ge\frac{1}{2}$이므로 $\frac{1}{2}\le x<5$

(i), (ii)에 의하여 주어진 부등식의 해는 $-1<x<5$

따라서 정수 x의 최솟값은 0이다.

010 답 ①

$|x-2|+|x+2|<6$에서 $x+2=0$, $x-2=0$, 즉 $x=-2$, $x=2$를 기준으로 구간을 나누면

(i) $x<-2$일 때

$-(x-2)-(x+2)<6$, $-2x<6$ $\quad \therefore x>-3$

그런데 $x<-2$이므로 $-3<x<-2$

(ii) $-2\le x<2$일 때

$-(x-2)+(x+2)<6$에서 $0\times x<2$이므로 해는 모든 실수이다.

그런데 $-2\le x<2$이므로 $-2\le x<2$

(iii) $x\ge 2$일 때

$(x-2)+(x+2)<6$, $2x<6$ $\quad \therefore x<3$

그런데 $x\ge 2$이므로 $2\le x<3$

(i), (ii), (iii)에 의하여 주어진 부등식의 해는 $-3<x<3$

따라서 $a=-3$, $b=3$이므로 $ab=-9$

011 답 ⑤

$3(x-1)<2x+3$에서 $3x-3<2x+3$

$\therefore x<6$ $\quad \cdots\cdots$ ㉠

$2+2(x-2)\le 3x+11$에서 $2+2x-4\le 3x+11$

$-x\le 13$ $\quad \therefore x\ge -13$ $\quad \cdots\cdots$ ㉡

㉠, ㉡을 수직선 위에 나타내면 오른쪽 그림과 같으므로 연립부등식의 해는

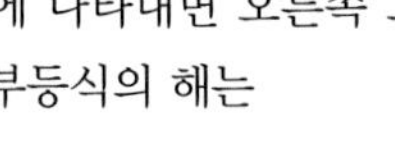

$-13\le x<6$

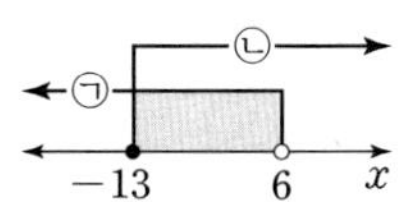

따라서 $a=-13$, $b=6$이므로 $b-a=19$

012 답 ①

$4x-(3x-5)<2x$에서 $4x-3x+5<2x$

$-x<-5$ $\quad \therefore x>5$

$5x+6\ge 7(x-2)$에서 $5x+6\ge 7x-14$

$-2x\ge -20$ $\quad \therefore x\le 10$

따라서 주어진 연립부등식의 해를 수직선 위에 나타내면 ①과 같다.

013 답 -3

$1.5x+1<0.6x-0.8$에서 $15x+10<6x-8$

$9x<-18$ $\quad \therefore x<-2$ $\quad \cdots\cdots$ ㉠

$\frac{x+3}{4}\ge x+\frac{1-2x}{3}$에서 $3(x+3)\ge 12x+4(1-2x)$

$3x+9\ge 12x+4-8x$, $-x\ge -5$

$\therefore x\le 5$ $\quad \cdots\cdots$ ㉡

㉠, ㉡을 수직선 위에 나타내면 오른쪽 그림과 같으므로 연립부등식의 해는

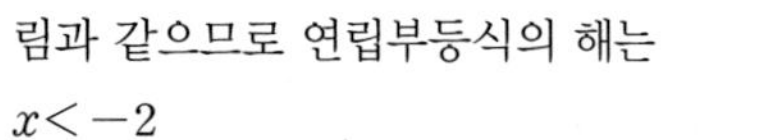

$x<-2$

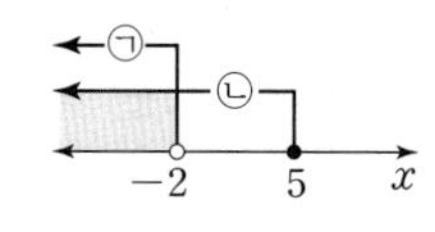

따라서 정수 x의 최댓값은 -3이다.

014 답 ④

① $x\ge -2$ $\quad \cdots\cdots$ ㉠

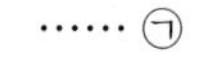

$2x+1\le 3$에서 $2x\le 2$ $\quad \therefore x\le 1$ $\quad \cdots\cdots$ ㉡

㉠, ㉡을 수직선 위에 나타내면 오른쪽 그림과 같으므로 연립부등식의 해는

$-2\le x\le 1$

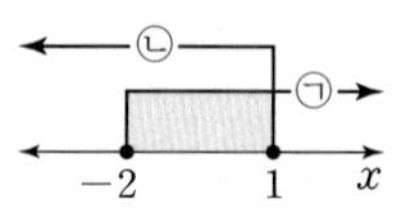

② $1\le x-1$에서 $-x\le -2$

$\therefore x\ge 2$ $\quad \cdots\cdots$ ㉠

$3x<5x-6$에서 $-2x<-6$

$\therefore x>3$ $\quad \cdots\cdots$ ㉡

㉠, ㉡을 수직선 위에 나타내면 오른쪽 그림과 같으므로 연립부등식의 해는

$x>3$

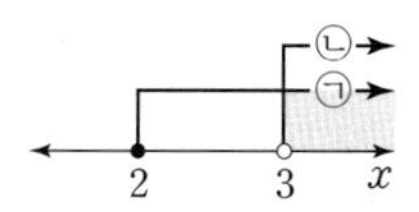

③ $3x-2\ge 2x-3$에서 $x\ge -1$ $\quad \cdots\cdots$ ㉠

$2x+5>3(x-1)$에서 $2x+5>3x-3$

$-x>-8$ $\quad \therefore x<8$ $\quad \cdots\cdots$ ㉡

㉠, ㉡을 수직선 위에 나타내면 오른쪽 그림과 같으므로 연립부등식의 해는

$-1\le x<8$

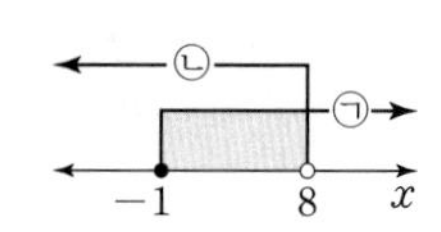

④ $\frac{x+1}{4}-1\ge\frac{x-2}{3}$에서 $3(x+1)-12\ge 4(x-2)$

$3x+3-12\ge 4x-8$, $-x\ge 1$

$\therefore x\le -1$ $\quad \cdots\cdots$ ㉠

$10x-20\ge x+10$에서 $9x\ge 30$

$\therefore x\ge\frac{10}{3}$ $\quad \cdots\cdots$ ㉡

㉠, ㉡을 수직선 위에 나타내면 오른쪽 그림과 같으므로 연립부등식의 해는 없다.

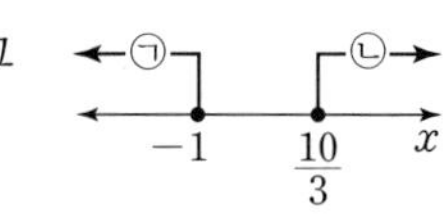

⑤ $4x+10\le -2(x+1)$에서 $4x+10\le -2x-2$

$6x\le -12$ $\quad \therefore x\le -2$ $\quad \cdots\cdots$ ㉠

$0.5x-0.6\ge 0.4x-0.8$에서 $5x-6\ge 4x-8$

$\therefore x\ge -2$ $\quad \cdots\cdots$ ㉡

㉠, ㉡을 수직선 위에 나타내면 오른쪽 그림과 같으므로 연립부등식의 해는

$x=-2$

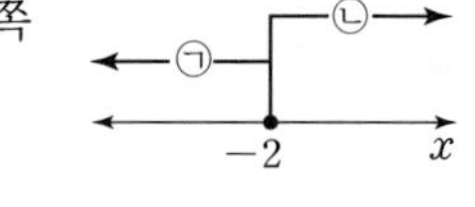

따라서 해가 없는 것은 ④이다.

015 답 해는 없다.

$0.2(x-1)\leq 1$에서 $2(x-1)\leq 10$, $2x-2\leq 10$

$2x\leq 12 \qquad \therefore x\leq 6 \qquad \cdots\cdots$ ㉠

$2x-12>x-4$에서 $x>8 \qquad \cdots\cdots$ ㉡

㉠, ㉡을 수직선 위에 나타내면 오른쪽 그림과 같으므로 연립부등식의 해는 없다.

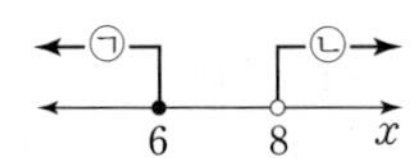

016 답 $x=3$

$\frac{x+1}{4}-\frac{x+2}{5}\geq 0$에서 $5(x+1)-4(x+2)\geq 0$

$5x+5-4x-8\geq 0 \qquad \therefore x\geq 3 \qquad \cdots\cdots$ ㉠

$\frac{5-3x}{2}+x\geq 1$에서 $5-3x+2x\geq 2$

$-x\geq -3 \qquad \therefore x\leq 3 \qquad \cdots\cdots$ ㉡

㉠, ㉡을 수직선 위에 나타내면 오른쪽 그림과 같으므로 연립부등식의 해는

$x=3$

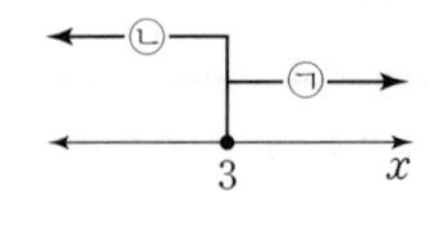

017 답 ㄱ, ㄹ

ㄱ, ㄷ. $a<b$이면 연립부등식의 해는

$a<x<b$

ㄴ, ㄹ. $a>b$이면 연립부등식의 해는 없다.

따라서 보기 중 옳은 것은 ㄱ, ㄹ이다.

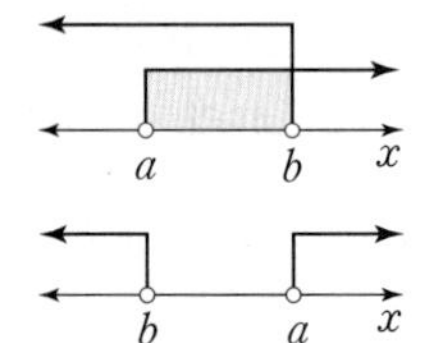

018 답 $2<x\leq 10$

$2(x+1)<4x-2$에서 $2x+2<4x-2$

$-2x<-4 \qquad \therefore x>2 \qquad \cdots\cdots$ ㉠

$4x-2\leq 3(x+2)+2$에서 $4x-2\leq 3x+6+2$

$\therefore x\leq 10 \qquad \cdots\cdots$ ㉡

㉠, ㉡을 수직선 위에 나타내면 오른쪽 그림과 같으므로 부등식의 해는

$2<x\leq 10$

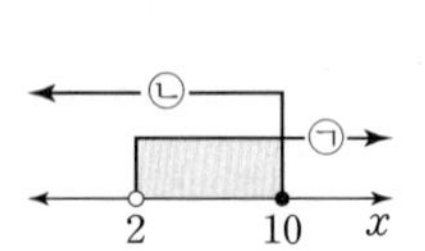

019 답 ②

$0.4x-0.6<-\frac{1}{2}x+0.3$에서 $4x-6<-5x+3$

$9x<9 \qquad \therefore x<1 \qquad \cdots\cdots$ ㉠

$-\frac{1}{2}x+0.3\leq \frac{3}{10}x+1.9$에서 $-5x+3\leq 3x+19$

$-8x\leq 16 \qquad \therefore x\geq -2 \qquad \cdots\cdots$ ㉡

㉠, ㉡을 수직선 위에 나타내면 오른쪽 그림과 같으므로 부등식의 해는

$-2\leq x<1$

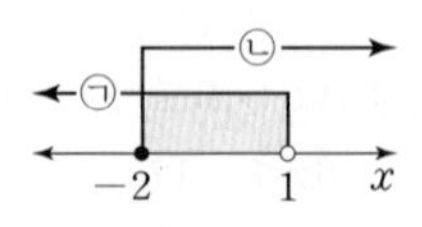

따라서 $a=-2$, $b=1$이므로 $ab=-2$

020 답 -3

$\frac{1+2x}{3}<\frac{3x+5}{4}$에서 $4(1+2x)<3(3x+5)$

$4+8x<9x+15$, $-x<11 \qquad \therefore x>-11 \qquad \cdots\cdots$ ㉠

$\frac{3x+5}{4}\leq \frac{x+1}{2}$에서 $3x+5\leq 2(x+1)$

$3x+5\leq 2x+2 \qquad \therefore x\leq -3 \qquad \cdots\cdots$ ㉡

㉠, ㉡을 수직선 위에 나타내면 오른쪽 그림과 같으므로 부등식의 해는

$-11<x\leq -3$

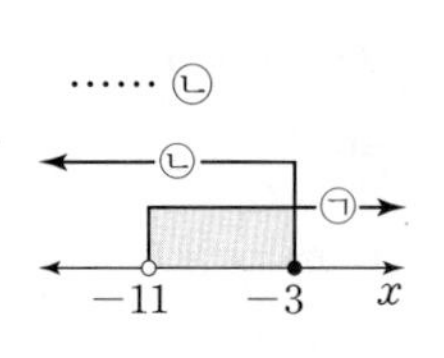

따라서 구하는 x의 최댓값은 -3이다.

021 답 ①

$5x-a\leq 4x$에서 $x\leq a$

$x+1<2x+2$에서 $-x<1 \qquad \therefore x>-1$

주어진 연립부등식의 해가 $b<x\leq 2$이므로

$a=2$, $b=-1 \qquad \therefore ab=-2$

022 답 3

$2x-1\leq 5$에서 $2x\leq 6 \qquad \therefore x\leq 3$

$3x+2a+2>5$에서 $3x>-2a+3 \qquad \therefore x>\frac{-2a+3}{3}$

주어진 그림에서 연립부등식의 해가 $-1<x\leq 3$이므로

$\frac{-2a+3}{3}=-1$, $-2a=-6 \qquad \therefore a=3$

023 답 ②

$2x+b\geq x-1+a$에서 $x\geq a-b-1$

$3x-a\leq 5+b$에서 $3x\leq a+b+5 \qquad \therefore x\leq \frac{a+b+5}{3}$

주어진 연립부등식의 해가 $x=-4$이므로

$a-b-1=-4$, $\frac{a+b+5}{3}=-4$에서

$a-b=-3$, $a+b=-17$

두 식을 연립하여 풀면 $a=-10$, $b=-7$

$\therefore a-2b=4$

024 답 $-4\leq x<2$

$2x-a<x+a$에서 $x<2a$

$2x-a\leq 3x-b$에서 $x\geq b-a$

주어진 연립부등식의 해가 $-10\leq x<2$이므로

$b-a=-10$, $2a=2 \qquad \therefore a=1$, $b=-9$

즉, 원래의 부등식은 $2x-1<x+1\leq 3x+9$이므로

$2x-1<x+1$에서 $x<2$

$x+1\leq 3x+9$에서 $-2x\leq 8 \qquad \therefore x\geq -4$

따라서 원래의 부등식의 해는 $-4\leq x<2$

025 답 ⑤

$3x-a\leq 2x$에서 $x\leq a$

$2x<bx+2$에서 $(2-b)x<2$

이때 주어진 부등식의 해가 $-1<x\leq 2$이므로

$a=2$이고, $2-b<0$이면서 $\frac{2}{2-b}=-1$이다.

따라서 $a=2$, $b=4$이므로 $a+b=6$

026 답 $a\le\frac{15}{2}$

$3x-2a<-a$에서 $3x<a$ $\quad\therefore x<\frac{a}{3}$ $\quad\cdots\cdots$ ㉠

$-2x+5<0$에서 $-2x<-5$ $\quad\therefore x>\frac{5}{2}$ $\quad\cdots\cdots$ ㉡

주어진 연립부등식이 해를 갖지 않으려면 오른쪽 그림에서

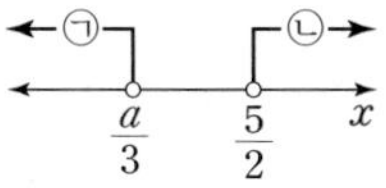

$\frac{a}{3}\le\frac{5}{2}$ $\quad\therefore a\le\frac{15}{2}$

027 답 ⑤

$\frac{3-2x}{2}-a\le0$에서 $3-2x\le2a$

$-2x\le2a-3$ $\quad\therefore x\ge\frac{3-2a}{2}$ $\quad\cdots\cdots$ ㉠

$3x-4>5x-10$에서 $-2x>-6$ $\quad\therefore x<3$ $\quad\cdots\cdots$ ㉡

주어진 연립부등식이 해를 가지려면 오른쪽 그림에서

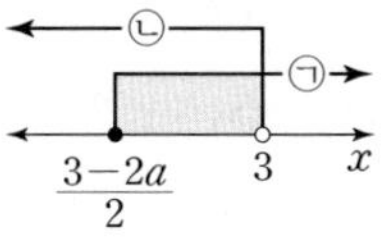

$\frac{3-2a}{2}<3$, $3-2a<6$ $\quad\therefore a>-\frac{3}{2}$

따라서 정수 a의 최솟값은 -1이다.

028 답 $a\le6$

$2x+a-6\le3x-4$에서

$-x\le-a+2$ $\quad\therefore x\ge a-2$ $\quad\cdots\cdots$ ㉠

$3x-4\le12-x$에서 $4x\le16$ $\quad\therefore x\le4$ $\quad\cdots\cdots$ ㉡

주어진 부등식이 해를 가지려면 오른쪽 그림에서

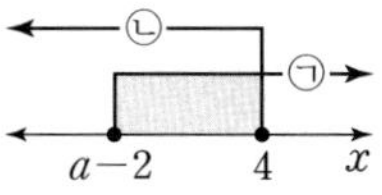

$a-2\le4$ $\quad\therefore a\le6$

029 답 $-5\le a<-3$

$3(2x+5)\ge14(x+1)$에서 $6x+15\ge14x+14$

$-8x\ge-1$ $\quad\therefore x\le\frac{1}{8}$ $\quad\cdots\cdots$ ㉠

$2x-5>a-2$에서 $2x>a+3$ $\quad\therefore x>\frac{a+3}{2}$ $\quad\cdots\cdots$ ㉡

주어진 연립부등식을 만족시키는 정수 x가 1개뿐이려면 오른쪽 그림에서

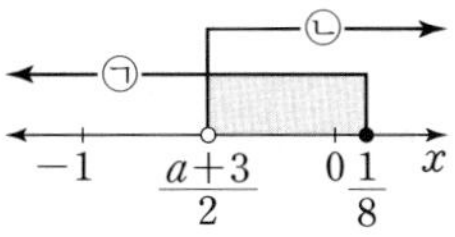

$-1\le\frac{a+3}{2}<0$, $-2\le a+3<0$

$\therefore -5\le a<-3$

030 답 ③

$3x+1<2(3-x)$에서 $3x+1<6-2x$

$5x<5$ $\quad\therefore x<1$ $\quad\cdots\cdots$ ㉠

$x-a\le2x-3$에서 $-x\le a-3$

$\therefore x\ge-a+3$ $\quad\cdots\cdots$ ㉡

주어진 연립부등식을 만족시키는 정수 x가 -1과 0뿐이려면 오른쪽 그림에서

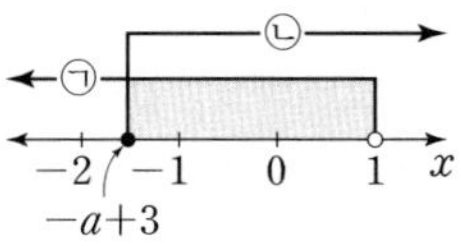

$-2<-a+3\le-1$, $-5<-a\le-4$

$\therefore 4\le a<5$

031 답 ②

$2x-a<\frac{3-x}{3}$에서 $6x-3a<3-x$

$7x<3a+3$ $\quad\therefore x<\frac{3a+3}{7}$ $\quad\cdots\cdots$ ㉠

$\frac{3-x}{3}<\frac{2x+1}{2}$에서 $6-2x<6x+3$

$-8x<-3$ $\quad\therefore x>\frac{3}{8}$ $\quad\cdots\cdots$ ㉡

주어진 부등식을 만족시키는 정수 x가 3개이려면 오른쪽 그림에서

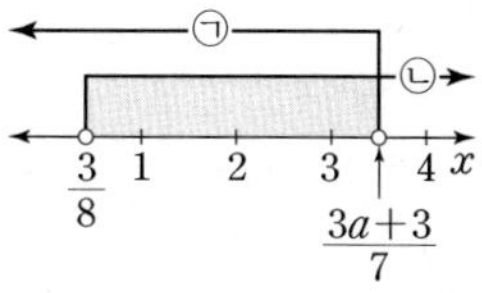

$3<\frac{3a+3}{7}\le4$, $21<3a+3\le28$

$\therefore 6<a\le\frac{25}{3}$

따라서 정수 x는 7, 8이므로 구하는 합은 $7+8=15$

032 답 $1\le x\le7$

색연필을 x자루 사면 연필은 $(13-x)$자루 살 수 있으므로

$4100\le500x+300(13-x)\le5300$

$4100\le200x+3900\le5300$, $200\le200x\le1400$

$\therefore 1\le x\le7$

033 답 $9<x<18$

세 변의 길이는 각각 x cm, x cm, $(36-2x)$ cm이다.

(i) 가장 긴 변의 길이가 x cm일 때

$36-2x\le x$에서 $-3x\le-36$ $\quad\therefore x\ge12$ $\quad\cdots\cdots$ ㉠

또 $x<x+(36-2x)$이어야 하므로

$2x<36$ $\quad\therefore x<18$ $\quad\cdots\cdots$ ㉡

㉠, ㉡에서 $12\le x<18$

(ii) 가장 긴 변의 길이가 $(36-2x)$ cm일 때

$x\le36-2x$에서 $3x\le36$ $\quad\therefore x\le12$ $\quad\cdots\cdots$ ㉢

또 $36-2x<x+x$이어야 하므로

$-4x<-36$ $\quad\therefore x>9$ $\quad\cdots\cdots$ ㉣

㉢, ㉣에서 $9<x\le12$

(i), (ii)에 의하여 삼각형을 만들 수 있는 x의 값의 범위는

$9<x<18$

034 답 110 g

식품 A의 섭취량을 x g이라 하면 식품 B의 섭취량은 $(300-x)$ g이므로

$$\begin{cases}\frac{150}{100}x+\frac{200}{100}(300-x)\ge500 & \cdots\cdots ㉠\\ \frac{23}{100}x+\frac{13}{100}(300-x)\ge50 & \cdots\cdots ㉡\end{cases}$$

㉠에서 $15x+20(300-x)\ge5000$, $15x+6000-20x\ge5000$

$-5x\ge-1000$ $\quad\therefore x\le200$

㉡에서 $23x+13(300-x)\ge5000$, $23x+3900-13x\ge5000$

$10x\ge1100$ $\quad\therefore x\ge110$

즉, 연립부등식의 해는 $110\le x\le200$

따라서 식품 A의 최소 섭취량은 110 g이다.

035 답 125

5 %의 소금물 200 g에 들어 있는 소금의 양은

$200\times\frac{5}{100}=10\,(\text{g})$

더 넣어야 하는 소금의 양을 x g이라 하면

$\frac{20}{100}\times(200+x)\le 10+x\le\frac{24}{100}\times(200+x)$

$\frac{20}{100}\times(200+x)\le 10+x$에서

$200+x\le 50+5x,\ -4x\le -150\qquad\therefore\ x\ge\frac{75}{2}$

$10+x\le\frac{24}{100}\times(200+x)$에서

$1000+100x\le 4800+24x,\ 76x\le 3800\qquad\therefore\ x\le 50$

즉, 부등식의 해는 $\frac{75}{2}\le x\le 50$

따라서 $a=\frac{75}{2},\ b=50$이므로 $2a+b=125$

036 답 ③

의자의 개수를 x라 하면 학생은 $(3x+15)$명이므로

$5(x-2)+1\le 3x+15\le 5(x-2)+5$에서

$5x-9\le 3x+15\le 5x-5$

$5x-9\le 3x+15$에서 $2x\le 24\qquad\therefore\ x\le 12$

$3x+15\le 5x-5$에서 $-2x\le -20\qquad\therefore\ x\ge 10$

즉, 부등식의 해는 $10\le x\le 12$

따라서 의자의 최대 개수는 12이다.

037 답 ④

$|3x+1|<8$에서 $-8<3x+1<8$

$-9<3x<7\qquad\therefore\ -3<x<\frac{7}{3}$

따라서 정수 x는 $-2,\ -1,\ 0,\ 1,\ 2$의 5개이다.

038 답 5

$|2x+a|\ge 7$에서 $2x+a\le -7$ 또는 $2x+a\ge 7$

$\therefore\ x\le\frac{-7-a}{2}$ 또는 $x\ge\frac{7-a}{2}$

주어진 부등식의 해가 $x\le -5$ 또는 $x\ge b$이므로

$\frac{-7-a}{2}=-5,\ \frac{7-a}{2}=b\qquad\therefore\ a=3,\ b=2$

$\therefore\ a+b=5$

039 답 ⑤

$1<|x-2|$에서 $x-2<-1$ 또는 $x-2>1$

$\therefore\ x<1$ 또는 $x>3$ ...... ㉠

$|x-2|\le 3$에서 $-3\le x-2\le 3$

$\therefore\ -1\le x\le 5$ ...... ㉡

㉠, ㉡을 수직선 위에 나타내면 오른쪽 그림과 같으므로 부등식의 해는

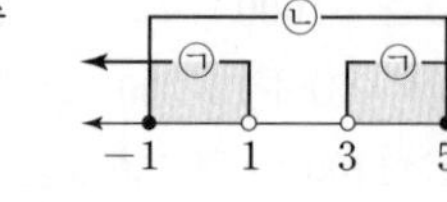

$-1\le x<1$ 또는 $3<x\le 5$

따라서 정수 x는 $-1,\ 0,\ 4,\ 5$이므로 구하는 합은

$-1+0+4+5=8$

040 답 3

$b<0$이면 $|ax-1|<b$의 해가 존재하지 않으므로 $b>0$

이때 $ab<0$이므로 $a<0$

$|ax-1|<b$에서 $-b<ax-1<b,\ -b+1<ax<b+1$

$\therefore\ \frac{b+1}{a}<x<\frac{-b+1}{a}\ (\because\ a<0)$

주어진 부등식의 해가 $-5<x<3$이므로

$\frac{b+1}{a}=-5,\ \frac{-b+1}{a}=3$

$\therefore\ 5a+b=-1,\ 3a+b=1$

두 식을 연립하여 풀면 $a=-1,\ b=4\qquad\therefore\ a+b=3$

041 답 ①

$|x-1|<4x-1$에서 $x-1=0$, 즉 $x=1$을 기준으로 구간을 나누면

(i) $x<1$일 때

$-(x-1)<4x-1,\ -x+1<4x-1$

$-5x<-2\qquad\therefore\ x>\frac{2}{5}$

그런데 $x<1$이므로 $\frac{2}{5}<x<1$

(ii) $x\ge 1$일 때

$x-1<4x-1,\ -3x<0\qquad\therefore\ x>0$

그런데 $x\ge 1$이므로 $x\ge 1$

(i), (ii)에 의하여 주어진 부등식의 해는 $x>\frac{2}{5}$

따라서 정수 x의 최솟값은 1이다.

042 답 ③

$2|x-2|+2x\ge 7$에서 $x-2=0$, 즉 $x=2$를 기준으로 구간을 나누면

(i) $x<2$일 때

$-2(x-2)+2x\ge 7$에서 $0\times x\ge 3$이므로 해는 없다.

(ii) $x\ge 2$일 때

$2(x-2)+2x\ge 7,\ 4x\ge 11\qquad\therefore\ x\ge\frac{11}{4}$

그런데 $x\ge 2$이므로 $x\ge\frac{11}{4}$

(i), (ii)에 의하여 주어진 부등식의 해는 $x\ge\frac{11}{4}$

$\therefore\ a=\frac{11}{4}$

043 답 ②

$|4-x|\le 6-x$에서 $4-x=0$, 즉 $x=4$를 기준으로 구간을 나누면

(i) $x<4$일 때

$4-x\le 6-x$에서 $0\times x\le 2$이므로 해는 모든 실수이다.

그런데 $x<4$이므로 $x<4$

(ii) $x\ge 4$일 때

$-(4-x)\le 6-x,\ x-4\le 6-x$

$2x\le 10\qquad\therefore\ x\le 5$

그런데 $x\ge 4$이므로 $4\le x\le 5$

(i), (ii)에 의하여 주어진 부등식의 해는 $x\le 5$

따라서 자연수 x는 $1,\ 2,\ 3,\ 4,\ 5$의 5개이다.

044 답 ②

$|x+1|\geq 2|x-1|$에서 $x+1=0$, $x-1=0$, 즉 $x=-1$, $x=1$을 기준으로 구간을 나누면

(i) $x<-1$일 때

$-(x+1)\geq -2(x-1)$, $-x-1\geq -2x+2$

$\therefore x\geq 3$

그런데 $x<-1$이므로 해는 없다.

(ii) $-1\leq x<1$일 때

$x+1\geq -2(x-1)$, $x+1\geq -2x+2$

$3x\geq 1$ $\quad\therefore x\geq \frac{1}{3}$

그런데 $-1\leq x<1$이므로 $\frac{1}{3}\leq x<1$

(iii) $x\geq 1$일 때

$x+1\geq 2(x-1)$, $x+1\geq 2x-2$

$-x\geq -3$ $\quad\therefore x\leq 3$

그런데 $x\geq 1$이므로 $1\leq x\leq 3$

(i), (ii), (iii)에 의하여 주어진 부등식의 해는 $\frac{1}{3}\leq x\leq 3$

$\therefore a=\frac{1}{3}$

045 답 ③

$|x-3|+2|x+1|\geq 5$에서 $x+1=0$, $x-3=0$, 즉 $x=-1$, $x=3$을 기준으로 구간을 나누면

(i) $x<-1$일 때

$-(x-3)-2(x+1)\geq 5$, $-x+3-2x-2\geq 5$

$-3x\geq 4$ $\quad\therefore x\leq -\frac{4}{3}$

그런데 $x<-1$이므로 $x\leq -\frac{4}{3}$

(ii) $-1\leq x<3$일 때

$-(x-3)+2(x+1)\geq 5$, $-x+3+2x+2\geq 5$ $\quad\therefore x\geq 0$

그런데 $-1\leq x<3$이므로 $0\leq x<3$

(iii) $x\geq 3$일 때

$x-3+2(x+1)\geq 5$, $x-3+2x+2\geq 5$

$3x\geq 6$ $\quad\therefore x\geq 2$

그런데 $x\geq 3$이므로 $x\geq 3$

(i), (ii), (iii)에 의하여 주어진 부등식의 해는 $x\leq -\frac{4}{3}$ 또는 $x\geq 0$

046 답 ④

$\sqrt{x^2-2x+1}=\sqrt{(x-1)^2}=|x-1|$이므로 주어진 부등식은

$|x-2|+|x-1|<4$

$x-1=0$, $x-2=0$, 즉 $x=1$, $x=2$를 기준으로 구간을 나누면

(i) $x<1$일 때

$-(x-2)-(x-1)<4$, $-x+2-x+1<4$

$-2x<1$ $\quad\therefore x>-\frac{1}{2}$

그런데 $x<1$이므로 $-\frac{1}{2}<x<1$

(ii) $1\leq x<2$일 때

$-(x-2)+(x-1)<4$에서 $0\times x<3$이므로 해는 모든 실수이다.

그런데 $1\leq x<2$이므로 $1\leq x<2$

(iii) $x\geq 2$일 때

$(x-2)+(x-1)<4$, $2x<7$ $\quad\therefore x<\frac{7}{2}$

그런데 $x\geq 2$이므로 $2\leq x<\frac{7}{2}$

(i), (ii), (iii)에 의하여 주어진 부등식의 해는 $-\frac{1}{2}<x<\frac{7}{2}$

따라서 정수 x는 0, 1, 2, 3의 4개이다.

047 답 ①

$3x-6\leq 4-x$에서 $4x\leq 10$ $\quad\therefore x\leq \frac{5}{2}$

$3x+1>2x-3$에서 $x>-4$

즉, 주어진 연립부등식의 해는 $-4<x\leq \frac{5}{2}$

따라서 $a=-4$, $b=\frac{5}{2}$이므로 $a+b=-\frac{3}{2}$

048 답 ④

$3(2x-1)\leq 4x+1$에서 $6x-3\leq 4x+1$

$2x\leq 4$ $\quad\therefore x\leq 2$

$1-0.2x\leq x+2.2$에서 $10-2x\leq 10x+22$

$-12x\leq 12$ $\quad\therefore x\geq -1$

즉, 주어진 연립부등식의 해는 $-1\leq x\leq 2$

따라서 정수 x는 -1, 0, 1, 2이므로 구하는 합은

$-1+0+1+2=2$

049 답 $x=-6$

$5x-2\geq 4x-8$에서 $x\geq -6$

$\frac{x-2}{3}\leq \frac{x}{4}-\frac{7}{6}$에서 $4(x-2)\leq 3x-14$

$4x-8\leq 3x-14$ $\quad\therefore x\leq -6$

따라서 주어진 연립부등식의 해는 $x=-6$

050 답 해는 없다.

$x+3<5x-1$에서 $-4x<-4$ $\quad\therefore x>1$

$5x-1<4x-3$에서 $x<-2$

따라서 주어진 부등식의 해는 없다.

051 답 ④

$0.2x-1<0.4x+\frac{3}{5}$에서 $2x-10<4x+6$

$-2x<16$ $\quad\therefore x>-8$

$0.4x+\frac{3}{5}<2+0.2x$에서 $4x+6<20+2x$

$2x<14$ $\quad\therefore x<7$

즉, 주어진 부등식의 해는 $-8<x<7$

따라서 정수 x는 -7, -6, -5, $\cdots$, 6의 14개이다.

052 답 -18

$-3x-7<2$에서 $-3x<9$ $\quad\therefore x>-3$

$4x+2(x-3)<a$에서 $6x<a+6$ $\quad\therefore x<\frac{a+6}{6}$

주어진 그림에서 연립부등식의 해가 $b<x<2$이므로

$b=-3$, $\frac{a+6}{6}=2$

따라서 $a=6$, $b=-3$이므로 $ab=-18$

053 답 ④

$3-5x\le x+a$에서 $-6x\le a-3$ $\quad\therefore x\ge\frac{3-a}{6}$

$3x+1\ge 4x+3$에서 $-x\ge 2$ $\quad\therefore x\le -2$

주어진 연립부등식의 해가 $x=b$이므로

$b=-2$, $\frac{3-a}{6}=-2$

따라서 $a=15$, $b=-2$이므로 $a+b=13$

054 답 -1

$x+2\le 2x-a$에서 $-x\le -a-2$

$\therefore x\ge a+2$ $\quad\cdots\cdots$ ㉠

$3x-2\le 5-4x$에서 $7x\le 7$

$\therefore x\le 1$ $\quad\cdots\cdots$ ㉡

주어진 연립부등식이 해를 가지려면 오른쪽 그림에서

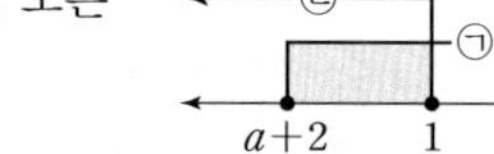

$a+2\le 1$ $\quad\therefore a\le -1$

따라서 상수 a의 최댓값은 -1이다.

055 답 ⑤

$0.5x-2<0.1x-\frac{2}{5}$에서 $5x-20<x-4$

$4x<16$ $\quad\therefore x<4$ 

$3x+4\ge 2x+2a$에서 $x\ge 2a-4$ $\quad\cdots\cdots$ ㉡

주어진 연립부등식이 해를 갖지 않으려면 오른쪽 그림에서

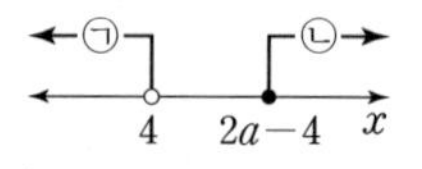

$2a-4\ge 4$ $\quad\therefore a\ge 4$

056 답 -1

$3x-2<x+4$에서 $2x<6$ $\quad\therefore x<3$ $\quad\cdots\cdots$ ㉠

$2x-1\ge x+a$에서 $x\ge a+1$ 

주어진 연립부등식을 만족시키는 정수 x가 3개이려면 오른쪽 그림에서

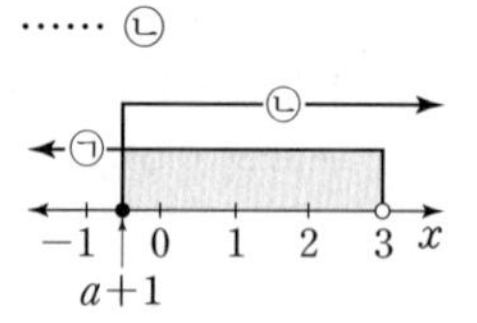

$-1<a+1\le 0$ $\quad\therefore -2<a\le -1$

따라서 정수 a의 값은 -1이다.

057 답 35

연속하는 세 홀수를 $x-2$, x, $x+2$라 하면

$93<(x-2)+x+(x+2)<102$

$93<3x<102$ $\quad\therefore 31<x<34$

이때 x는 홀수이므로 $x=33$

따라서 연속하는 세 홀수는 31, 33, 35이므로 가장 큰 수는 35이다.

058 답 ①

상자의 개수를 x라 하면 사과는 $(12x+5)$개이므로

$15(x-3)+1\le 12x+5\le 15(x-3)+15$

$15(x-3)+1\le 12x+5$에서 $3x\le 49$

$\therefore x\le\frac{49}{3}$

$12x+5\le 15(x-3)+15$에서 $-3x\le -35$

$\therefore x\ge\frac{35}{3}$

즉, 부등식의 해는 $\frac{35}{3}\le x\le\frac{49}{3}$

따라서 상자의 개수가 될 수 있는 것은 12, 13, 14, 15, 16이다.

059 답 ②

$|x-a|\ge 2$에서 $x-a\le -2$ 또는 $x-a\ge 2$

$\therefore x\le a-2$ 또는 $x\ge a+2$

주어진 부등식의 해가 $x\le b$ 또는 $x\ge 3$이므로

$a-2=b$, $a+2=3$ $\quad\therefore a=1$, $b=-1$

$\therefore ab=-1$

060 답 ③

$|5-x|\le 9-x$에서 $5-x=0$, 즉 $x=5$를 기준으로 구간을 나누면

(i) $x<5$일 때

$5-x\le 9-x$에서 $0\times x\le 4$이므로 해는 모든 실수이다.

그런데 $x<5$이므로 $x<5$

(ii) $x\ge 5$일 때

$-(5-x)\le 9-x$에서 $-5+x\le 9-x$

$2x\le 14$ $\quad\therefore x\le 7$

그런데 $x\ge 5$이므로 $5\le x\le 7$

(i), (ii)에 의하여 주어진 부등식의 해는 $x\le 7$

따라서 정수 x의 최댓값은 7이다.

061 답 ③

$|x|+|x+4|<5$에서 $x+4=0$, $x=0$, 즉 $x=-4$, $x=0$을 기준으로 구간을 나누면

(i) $x<-4$일 때

$-x-(x+4)<5$, $-2x<9$ $\quad\therefore x>-\frac{9}{2}$

그런데 $x<-4$이므로 $-\frac{9}{2}<x<-4$

(ii) $-4\le x<0$일 때

$-x+(x+4)<5$에서 $0\times x<1$이므로 해는 모든 실수이다.

그런데 $-4\le x<0$이므로 $-4\le x<0$

(iii) $x\ge 0$일 때

$x+(x+4)<5$, $2x<1$ $\quad\therefore x<\frac{1}{2}$

그런데 $x\ge 0$이므로 $0\le x<\frac{1}{2}$

(i), (ii), (iii)에 의하여 주어진 부등식의 해는 $-\frac{9}{2}<x<\frac{1}{2}$

따라서 $a=-\frac{9}{2}$, $b=\frac{1}{2}$이므로 $a+b=-4$

이차부등식

126~143쪽

001 답 $-1<x<2$

부등식 $f(x)>g(x)$의 해는 $y=f(x)$의 그래프가 직선 $y=g(x)$보다 위쪽에 있는 부분의 x의 값의 범위이므로

$-1<x<2$

002 답 ①

$x^2-3x-3\geq 1$에서 $x^2-3x-4\geq 0$

$(x+1)(x-4)\geq 0$ $\quad\therefore x\leq -1$ 또는 $x\geq 4$

따라서 $\alpha=-1$, $\beta=4$이므로

$\alpha-\beta=-5$

003 답 ①

이차부등식 $ax^2-2x+b>0$의 해가 $x<-2$ 또는 $x>4$이므로

$a>0$

해가 $x<-2$ 또는 $x>4$이고 x^2의 계수가 1인 이차부등식은

$(x+2)(x-4)>0$ $\quad\therefore x^2-2x-8>0$

양변에 a를 곱하면 $ax^2-2ax-8a>0$ ($\because a>0$)

이 부등식이 $ax^2-2x+b>0$과 같으므로

$-2a=-2$, $-8a=b$ $\quad\therefore a=1$, $b=-8$

$\therefore ab=-8$

004 답 $-1<x<0$

이차부등식 $f(x)<0$의 해가 $1<x<3$이므로

$f(x)=a(x-1)(x-3)$ $(a>0)$이라 하면

$f(2x+3)=a(2x+3-1)(2x+3-3)=4ax(x+1)$

따라서 부등식 $f(2x+3)<0$, 즉 $4ax(x+1)<0$에서

$x(x+1)<0$ ($\because a>0$) $\quad\therefore -1<x<0$

다른 풀이 $f(x)<0$의 해가 $1<x<3$이므로 $f(2x+3)<0$의 해는

$1<2x+3<3$, $-2<2x<0$

$\therefore -1<x<0$

005 답 3

$x^2-k^2\leq 0$에서 $(x+k)(x-k)\leq 0$

$\therefore -k\leq x\leq k$

주어진 이차부등식을 만족시키는 정수 x가 7개이려면 오른쪽 그림에서

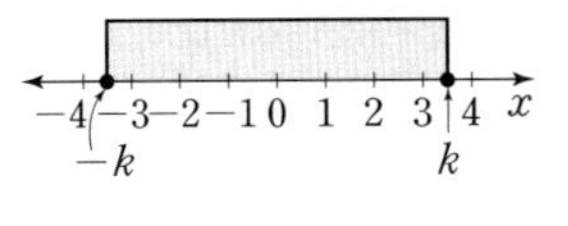

$3\leq k<4$

따라서 자연수 k의 값은 3이다.

006 답 2

이차부등식 $2x^2+4x+a\leq 0$의 해가 오직 한 개이므로 이차방정식 $2x^2+4x+a=0$의 판별식을 D라 하면

$\frac{D}{4}=2^2-2a=0$, $-2a=-4$ $\quad\therefore a=2$

007 답 ③

(i) $a>0$일 때

이차함수 $y=ax^2-2ax-6$의 그래프는 아래로 볼록하므로 주어진 이차부등식은 항상 해를 갖는다.

(ii) $a<0$일 때

주어진 이차부등식이 해를 가지려면 이차방정식 $ax^2-2ax-6=0$이 서로 다른 두 실근을 가져야 하므로 판별식을 D라 하면

$\frac{D}{4}=a^2+6a>0$

$a(a+6)>0$ $\quad\therefore a<-6$ 또는 $a>0$

그런데 $a<0$이므로 $a<-6$

(i), (ii)에 의하여 실수 a의 값의 범위는

$a>0$ 또는 $a<-6$

008 답 ①

이차부등식 $ax^2+6x+a-8<0$이 모든 실수 x에 대하여 성립하려면 $a<0$

이차방정식 $ax^2+6x+a-8=0$의 판별식을 D라 하면

$\frac{D}{4}=3^2-a(a-8)<0$

$a^2-8a-9>0$

$(a+1)(a-9)>0$

$\therefore a<-1$ 또는 $a>9$

그런데 $a<0$이므로 $a<-1$

따라서 정수 a의 최댓값은 -2이다.

009 답 $-6\leq k\leq -2$

이차부등식 $x^2-2(k+2)x-4(k+2)<0$이 해를 갖지 않으려면 모든 실수 x에 대하여 $x^2-2(k+2)x-4(k+2)\geq 0$이 성립해야 한다.

즉, 이차방정식 $x^2-2(k+2)x-4(k+2)=0$의 판별식을 D라 하면

$\frac{D}{4}=(k+2)^2+4(k+2)\leq 0$

$k^2+8k+12\leq 0$, $(k+6)(k+2)\leq 0$

$\therefore -6\leq k\leq -2$

010 답 $a<-2$ 또는 $a>1$

$f(x)=x^2-4x+a^2+a+2$라 하면

$f(x)=(x-2)^2+a^2+a-2$

$0\leq x\leq 4$에서 $f(x)>0$이어야 하므로 $y=f(x)$의 그래프가 오른쪽 그림과 같아야 한다.

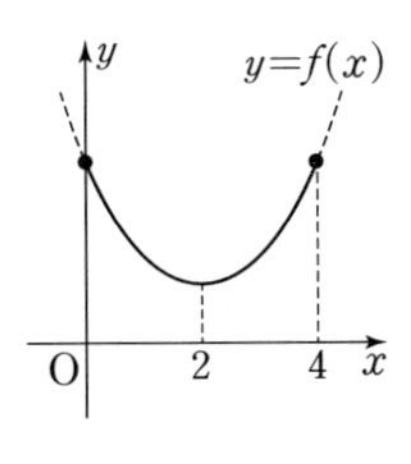

$0\leq x\leq 4$에서 $f(x)$는 $x=2$일 때 최소이므로

$f(2)>0$에서

$a^2+a-2>0$, $(a+2)(a-1)>0$

$\therefore a<-2$ 또는 $a>1$

011 답 ④

이차함수 $y=x^2-ax+7$의 그래프가 직선 $y=2x-2$보다 위쪽에 있는 부분의 x의 값의 범위는

$x^2-ax+7>2x-2$, 즉 $x^2-(a+2)x+9>0$ …… ㉠

의 해와 같다.

해가 $x<3$ 또는 $x>b$이고 x^2의 계수가 1인 이차부등식은

$(x-3)(x-b)>0$ $\quad\therefore x^2-(3+b)x+3b>0$ …… ㉡

㉠과 ㉡이 일치해야 하므로

$a+2=3+b$, $9=3b$ $\quad\therefore a=4$, $b=3$

$\therefore a+b=7$

012 답 $0<a<8$

이차함수 $y=2x^2+4x-1$의 그래프가 직선 $y=ax-3$보다 항상 위쪽에 있으려면 모든 실수 x에 대하여 $2x^2+4x-1>ax-3$, 즉 $2x^2+(4-a)x+2>0$이 성립해야 한다.

이차방정식 $2x^2+(4-a)x+2=0$의 판별식을 D라 하면

$D=(4-a)^2-16<0$

$a^2-8a<0$, $a(a-8)<0$ $\quad\therefore 0<a<8$

013 답 ②

둘레의 길이가 20인 직사각형의 가로의 길이를 x라 하면 세로의 길이는 $10-x$이므로 넓이가 24 이상이려면

$x(10-x)\geq 24$, $x^2-10x+24\leq 0$

$(x-4)(x-6)\leq 0$ $\quad\therefore 4\leq x\leq 6$

따라서 직사각형의 가로의 길이의 최솟값은 4이다.

014 답 $x\leq\frac{3}{2}$ 또는 $x\geq\frac{7}{2}$

부등식 $f(x)\geq g(x)$의 해는 $y=f(x)$의 그래프가 $y=g(x)$의 그래프보다 위쪽에 있거나 만나는 부분의 x의 값의 범위이므로

$x\leq\frac{3}{2}$ 또는 $x\geq\frac{7}{2}$

015 답 ⑤

$ax^2+(b-m)x+c-n<0$에서 $ax^2+bx+c<mx+n$

부등식 $ax^2+bx+c<mx+n$의 해는 이차함수 $y=ax^2+bx+c$의 그래프가 직선 $y=mx+n$보다 아래쪽에 있는 부분의 x의 값의 범위이므로

$x<-\frac{3}{2}$ 또는 $x>\frac{5}{2}$

016 답 $-3<x<-2$ 또는 $1<x<2$

$f(x)g(x)>0$에서

$f(x)>0$, $g(x)>0$ 또는 $f(x)<0$, $g(x)<0$

(i) $f(x)>0$, $g(x)>0$을 만족시키는 x의 값의 범위는

$-3<x<-2$

(ii) $f(x)<0$, $g(x)<0$을 만족시키는 x의 값의 범위는

$1<x<2$

(i), (ii)에 의하여 주어진 부등식의 해는

$-3<x<-2$ 또는 $1<x<2$

017 답 ①

$x^2+3x-13>x+2$에서 $x^2+2x-15>0$

$(x+5)(x-3)>0$ $\quad\therefore x<-5$ 또는 $x>3$

따라서 $\alpha=-5$, $\beta=3$이므로

$\alpha-\beta=-8$

018 답 ③

$x^2+2x-2\leq 1$에서 $x^2+2x-3\leq 0$

$(x+3)(x-1)\leq 0$ $\quad\therefore -3\leq x\leq 1$

따라서 정수 x는 -3, -2, -1, 0, 1이므로 구하는 합은

$-3+(-2)+(-1)+0+1=-5$

019 답 ④

① $-x^2+10x-25\geq 0$에서 $x^2-10x+25\leq 0$

그런데 $x^2-10x+25=(x-5)^2\geq 0$이므로 부등식 $-x^2+10x-25\geq 0$의 해는

$x=5$

② $-x^2+x+12<0$에서 $x^2-x-12>0$

$(x+3)(x-4)>0$

$\therefore x<-3$ 또는 $x>4$

③ 이차방정식 $x^2-4x+2=0$의 해는 $x=2\pm\sqrt{2}$이므로 부등식 $x^2-4x+2\leq 0$의 해는

$2-\sqrt{2}\leq x\leq 2+\sqrt{2}$

④ $x^2-2x+3=(x-1)^2+2\geq 2$이므로 부등식 $x^2-2x+3<0$의 해는 없다.

⑤ $2x^2-3x+2=2\left(x-\frac{3}{4}\right)^2+\frac{7}{8}\geq\frac{7}{8}$이므로 부등식 $2x^2-3x+2\geq 0$의 해는 모든 실수이다.

따라서 이차부등식 중 해가 없는 것은 ④이다.

020 답 $x\neq-4$인 모든 실수

$3(x^2+4)>2x^2-8x-4$에서

$x^2+8x+16>0$, $(x+4)^2>0$

따라서 주어진 부등식의 해는 $x\neq-4$인 모든 실수이다.

021 답 ①

$x^2-5|x|-6<0$에서 $x=0$을 기준으로 구간을 나누면

(i) $x<0$일 때

$x^2+5x-6<0$, $(x+6)(x-1)<0$

$\therefore -6<x<1$

그런데 $x<0$이므로 $-6<x<0$

(ii) $x\geq 0$일 때

$x^2-5x-6<0$, $(x+1)(x-6)<0$

$\therefore -1<x<6$

그런데 $x\geq 0$이므로 $0\leq x<6$

(i), (ii)에 의하여 주어진 부등식의 해는 $-6<x<6$

따라서 $\alpha=-6$, $\beta=6$이므로

$\alpha+2\beta=6$

022 답 7

$x^2-3x-4\le|x+1|$에서 $x+1=0$, 즉 $x=-1$을 기준으로 구간을 나누면

(i) $x<-1$일 때

$x^2-3x-4\le-(x+1)$, $x^2-2x-3\le0$

$(x+1)(x-3)\le0$　　$\therefore -1\le x\le3$

그런데 $x<-1$이므로 해는 없다.

(ii) $x\ge-1$일 때

$x^2-3x-4\le x+1$, $x^2-4x-5\le0$

$(x+1)(x-5)\le0$　　$\therefore -1\le x\le5$

그런데 $x\ge-1$이므로 $-1\le x\le5$

(i), (ii)에 의하여 주어진 부등식의 해는 $-1\le x\le5$

따라서 정수 x는 -1, 0, 1, $\cdots$, 5의 7개이다.

023 답 -4

이차부등식 $ax^2+3x+b>0$의 해가 $-\frac{1}{2}<x<2$이므로 $a<0$

해가 $-\frac{1}{2}<x<2$이고 x^2의 계수가 1인 이차부등식은

$\left(x+\frac{1}{2}\right)(x-2)<0$　　$\therefore x^2-\frac{3}{2}x-1<0$

양변에 a를 곱하면 $ax^2-\frac{3}{2}ax-a>0$ ($\because a<0$)

이 부등식이 $ax^2+3x+b>0$과 같으므로

$-\frac{3}{2}a=3$, $-a=b$　　$\therefore a=-2$, $b=2$

$\therefore ab=-4$

024 답 ①

해가 $-8<x<b$이고 x^2의 계수가 1인 이차부등식은

$(x+8)(x-b)<0$　　$\therefore x^2+(8-b)x-8b<0$

이 부등식이 $x^2+6x+a<0$과 같으므로

$8-b=6$, $-8b=a$　　$\therefore a=-16$, $b=2$

$\therefore a+b=-14$

025 답 2

해가 $x=1$이고 x^2의 계수가 1인 이차부등식은

$(x-1)^2\le0$　　$\therefore x^2-2x+1\le0$

이 부등식이 $x^2+ax+b\le0$과 같으므로

$a=-2$, $b=1$

이를 $ax^2+bx+1\ge0$에 대입하면 $-2x^2+x+1\ge0$

$2x^2-x-1\le0$, $(2x+1)(x-1)\le0$　　$\therefore -\frac{1}{2}\le x\le1$

따라서 정수 x는 0, 1의 2개이다.

026 답 $-\frac{1}{4}<x<\frac{1}{3}$

이차부등식 $ax^2+bx+c<0$의 해가 $x<-3$ 또는 $x>4$이므로 $a<0$

해가 $x<-3$ 또는 $x>4$이고 x^2의 계수가 1인 이차부등식은

$(x+3)(x-4)>0$　　$\therefore x^2-x-12>0$

양변에 a를 곱하면 $ax^2-ax-12a<0$ ($\because a<0$)

이 부등식이 $ax^2+bx+c<0$과 같으므로

$b=-a$, $c=-12a$

이를 $cx^2+ax-b<0$에 대입하면 $-12ax^2+ax+a<0$

양변을 $-a$로 나누면 $12x^2-x-1<0$ ($\because a<0$)

$(4x+1)(3x-1)<0$　　$\therefore -\frac{1}{4}<x<\frac{1}{3}$

027 답 $x\le0$ 또는 $x\ge\frac{3}{2}$

이차부등식 $f(x)>0$의 해가 $-1<x<2$이므로

$f(x)=a(x+1)(x-2)$ $(a<0)$라 하면

$f(2x-1)=a(2x-1+1)(2x-1-2)$

$=2ax(2x-3)$

따라서 부등식 $f(2x-1)\le0$, 즉 $2ax(2x-3)\le0$에서

$x(2x-3)\ge0$ ($\because a<0$)　　$\therefore x\le0$ 또는 $x\ge\frac{3}{2}$

028 답 ③

이차부등식 $f(x)\le0$의 해가 $-5\le x\le-3$이므로

$f(x)=a(x+3)(x+5)$ $(a>0)$라 하면

$f(10-2x)=a(10-2x+3)(10-2x+5)$

$=a(2x-13)(2x-15)$

부등식 $f(10-2x)>0$, 즉 $a(2x-13)(2x-15)>0$에서

$(2x-13)(2x-15)>0$ ($\because a>0$)

$\therefore x<\frac{13}{2}$ 또는 $x>\frac{15}{2}$

따라서 부등식 $f(10-2x)>0$의 해가 아닌 것은 ③이다.

029 답 ③

주어진 이차함수 $y=f(x)$의 그래프가 x축과 두 점 $(-1, 0)$, $(2, 0)$에서 만나고 위로 볼록하므로

$f(x)=a(x+1)(x-2)$ $(a<0)$라 하면

$f\left(\frac{x+k}{2}\right)=a\left(\frac{x+k}{2}+1\right)\left(\frac{x+k}{2}-2\right)$

$=\frac{a}{4}(x+k+2)(x+k-4)$

따라서 부등식 $f\left(\frac{x+k}{2}\right)\ge0$, 즉 $\frac{a}{4}(x+k+2)(x+k-4)\ge0$에서

$(x+k+2)(x+k-4)\le0$ ($\because a<0$)

$\therefore -k-2\le x\le-k+4$

이때 부등식 $f\left(\frac{x+k}{2}\right)\ge0$의 해가 $-3\le x\le3$이므로

$-k-2=-3$, $-k+4=3$　　$\therefore k=1$

030 답 ④

$x^2-k<0$에서 $(x+\sqrt{k})(x-\sqrt{k})<0$

$\therefore -\sqrt{k}<x<\sqrt{k}$

주어진 이차부등식을 만족시키는 정수 x가 5개이려면 오른쪽 그림에서

$2<\sqrt{k}\le3$　　$\therefore 4<k\le9$

따라서 자연수 k의 최댓값은 9, 최솟값은 5이므로

$M=9$, $m=5$　　$\therefore M+m=14$

031 답 ①

$x^2-(k+1)x+k\le0$에서 $(x-1)(x-k)\le0$

(i) $k<1$일 때

$(x-1)(x-k)\le0$에서 $k\le x\le1$

이 이차부등식을 만족시키는 정수 x가 6개이려면 오른쪽 그림에서 $-5<k\le-4$

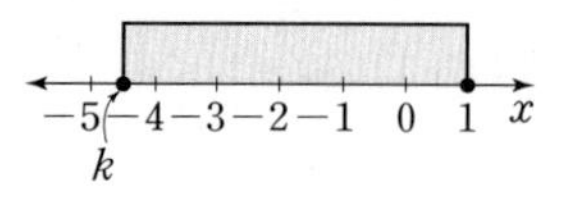

즉, 정수 k는 -4이다.

(ii) $k=1$일 때

$(x-1)(x-k)\le0$에서 $(x-1)^2\le0$

이 이차부등식을 만족시키는 정수 x는 1뿐이므로 주어진 조건을 만족시키지 않는다.

(iii) $k>1$일 때

$(x-1)(x-k)\le0$에서 $1\le x\le k$

이 이차부등식을 만족시키는 정수 x가 6개이려면 오른쪽 그림에서 $6\le k<7$

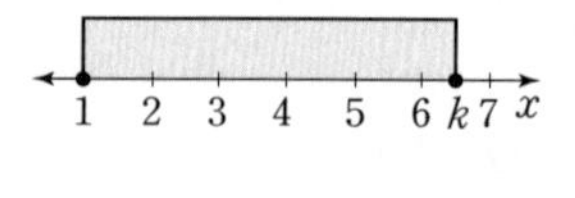

즉, 정수 k는 6이다.

(i), (ii), (iii)에 의하여 정수 k는 -4, 6이므로 구하는 합은

$-4+6=2$

032 답 ⑤

이차부등식 $2x^2-(k+3)x+2k\le0$의 해가 오직 한 개이므로 이차방정식 $2x^2-(k+3)x+2k=0$의 판별식을 D라 하면

$D=(k+3)^2-16k=0$

$k^2-10k+9=0$, $(k-1)(k-9)=0$

$\therefore k=1$ 또는 $k=9$

따라서 모든 실수 k의 값의 합은 $1+9=10$

033 답 ①

이차부등식 $(k+1)x^2+2(k+1)x-2\ge0$의 해가 오직 한 개이므로

$k+1<0 \qquad \therefore k<-1$

또 이차방정식 $(k+1)x^2+2(k+1)x-2=0$의 판별식을 D라 하면

$\frac{D}{4}=(k+1)^2+2(k+1)=0$

$k^2+4k+3=0$, $(k+3)(k+1)=0$

$\therefore k=-3$ 또는 $k=-1$

그런데 $k<-1$이므로 $k=-3$

034 답 ②

이차부등식 $(2-a)x^2+2(a-2)x+3>0$을 만족시키지 않는 x의 값이 오직 한 개이면 이차부등식 $(2-a)x^2+2(a-2)x+3\le0$의 해가 오직 한 개이어야 하므로

$2-a>0 \qquad \therefore a<2$

또 이차방정식 $(2-a)x^2+2(a-2)x+3=0$의 판별식을 D라 하면

$\frac{D}{4}=(a-2)^2-3(2-a)=0$

$a^2-a-2=0$, $(a+1)(a-2)=0$

$\therefore a=-1$ 또는 $a=2$

그런데 $a<2$이므로 $a=-1$

035 답 ③

(i) $a>0$일 때

이차함수 $y=ax^2+2ax-4$의 그래프는 아래로 볼록하므로 주어진 이차부등식은 항상 해를 갖는다.

(ii) $a<0$일 때

주어진 이차부등식이 해를 가지려면 이차방정식 $ax^2+2ax-4=0$이 서로 다른 두 실근을 가져야 하므로 이 이차방정식의 판별식을 D라 하면

$\frac{D}{4}=a^2+4a>0$

$a(a+4)>0 \qquad \therefore a<-4$ 또는 $a>0$

그런데 $a<0$이므로 $a<-4$

(i), (ii)에 의하여 실수 a의 값의 범위는 $a>0$ 또는 $a<-4$

036 답 ③

이차부등식 $3x^2-2x-a<0$이 해를 가지려면 이차방정식 $3x^2-2x-a=0$이 서로 다른 두 실근을 가져야 하므로 이 이차방정식의 판별식을 D라 하면

$\frac{D}{4}=1-3\times(-a)>0$

$3a+1>0 \qquad \therefore a>-\frac{1}{3}$

따라서 정수 a의 최솟값은 0이다.

037 답 ④

(i) $a>0$일 때

주어진 이차부등식이 해를 가지려면 이차방정식 $ax^2+2(a-1)x+6(a-1)=0$이 실근을 가져야 하므로 이 이차방정식의 판별식을 D라 하면

$\frac{D}{4}=(a-1)^2-6a(a-1)\ge0$

$5a^2-4a-1\le0$, $(5a+1)(a-1)\le0$

$\therefore -\frac{1}{5}\le a\le1$

그런데 $a>0$이므로 $0<a\le1$

(ii) $a<0$일 때

이차함수 $y=ax^2+2(a-1)x+6(a-1)$의 그래프는 위로 볼록하므로 주어진 이차부등식은 항상 해를 갖는다.

(i), (ii)에 의하여 실수 a의 값의 범위는

$a<0$ 또는 $0<a\le1$

038 답 ②

이차부등식 $ax^2-4x+a-3\le0$이 모든 실수 x에 대하여 성립하려면 $a<0$

이차방정식 $ax^2-4x+a-3=0$의 판별식을 D라 하면

$\frac{D}{4}=(-2)^2-a(a-3)\le0$

$a^2-3a-4\ge0$, $(a+1)(a-4)\ge0$

$\therefore a\le-1$ 또는 $a\ge4$

그런데 $a<0$이므로 $a\le-1$

따라서 실수 a의 최댓값은 -1이다.

039 답 $-4<a<-1$

이차부등식 $x^2+2(a+2)x-a>0$이 모든 실수 x에 대하여 성립해야 하므로 이차방정식 $x^2+2(a+2)x-a=0$의 판별식을 D라 하면

$\frac{D}{4}=(a+2)^2+a<0$

$a^2+5a+4<0$, $(a+4)(a+1)<0$

$\therefore -4<a<-1$

040 답 1

부등식 $(a-1)x^2+2(a-1)x+4a+2>0$에서

(i) $a=1$일 때

$0\times x^2+0\times x+6>0$이므로 주어진 부등식이 x의 값에 관계없이 항상 성립한다.

(ii) $a\neq1$일 때

주어진 부등식이 x의 값에 관계없이 항상 성립하려면 이차함수 $y=(a-1)x^2+2(a-1)x+4a+2$의 그래프가 아래로 볼록해야 하므로

$a-1>0$에서 $a>1$ ...... ㉠

또 이차방정식 $(a-1)x^2+2(a-1)x+4a+2=0$의 판별식을 D라 하면

$\frac{D}{4}=(a-1)^2-(a-1)(4a+2)<0$

$-3a^2+3<0$, $(a+1)(a-1)>0$

$\therefore a<-1$ 또는 $a>1$ ...... ㉡

㉠, ㉡에서 $a>1$

(i), (ii)에 의하여 실수 a의 값의 범위는 $a\geq1$

따라서 실수 a의 최솟값은 1이다.

041 답 ①

이차부등식 $x^2-4(a+2)x-a-2<0$이 해를 갖지 않으려면 모든 실수 x에 대하여 $x^2-4(a+2)x-a-2\geq0$이 성립해야 한다.

이차방정식 $x^2-4(a+2)x-a-2=0$의 판별식을 D라 하면

$\frac{D}{4}=4(a+2)^2-(-a-2)\leq0$

$4a^2+17a+18\leq0$, $(4a+9)(a+2)\leq0$

$\therefore -\frac{9}{4}\leq a\leq-2$

따라서 정수 a의 값은 -2이다.

042 답 ④

$ax^2-2x>-ax+2$에서 $ax^2+(a-2)x-2>0$

이 이차부등식이 해를 갖지 않으려면 모든 실수 x에 대하여 $ax^2+(a-2)x-2\leq0$이 성립해야 하므로 $a<0$이어야 한다.

또 이차방정식 $ax^2+(a-2)x-2=0$의 판별식을 D라 하면

$D=(a-2)^2+8a\leq0$

$a^2+4a+4\leq0$, $(a+2)^2\leq0$

$\therefore a=-2$

따라서 실수 a의 값은 -2이다.

043 답 ④

이차부등식 $ax^2+2(a+2)x+2a+1<0$이 해를 갖지 않으려면 모든 실수 x에 대하여 이차부등식 $ax^2+2(a+2)x+2a+1\geq0$이 성립해야 하므로 $a>0$이어야 한다.

또 이차방정식 $ax^2+2(a+2)x+2a+1=0$의 판별식을 D라 하면

$\frac{D}{4}=(a+2)^2-a(2a+1)\leq0$

$-a^2+3a+4\leq0$, $a^2-3a-4\geq0$

$(a+1)(a-4)\geq0$ $\therefore a\leq-1$ 또는 $a\geq4$

그런데 $a>0$이므로 $a\geq4$

044 답 $k\leq-2$

$f(x)=x^2-6x+5-2k$라 하면

$f(x)=(x-3)^2-2k-4$

$1\leq x\leq3$에서 $f(x)\geq0$이어야 하므로 $y=f(x)$의 그래프가 오른쪽 그림과 같아야 한다.

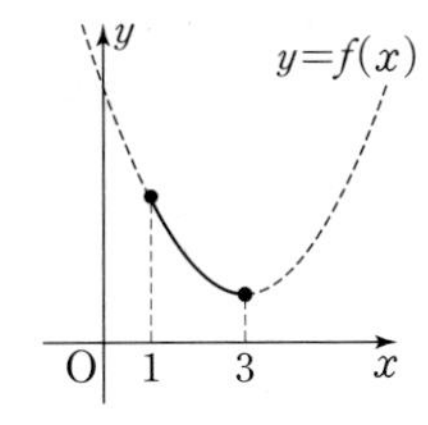

$1\leq x\leq3$에서 $f(x)$는 $x=3$일 때 최소이므로

$f(3)\geq0$에서

$-2k-4\geq0$, $2k\leq-4$

$\therefore k\leq-2$

045 답 ④

$f(x)=2x^2+4x+a^2+3a-20$이라 하면

$f(x)=2(x+1)^2+a^2+3a-22$

$-2\leq x\leq2$에서 $f(x)<0$이어야 하므로 $y=f(x)$의 그래프가 오른쪽 그림과 같아야 한다.

$-2\leq x\leq2$에서 $f(x)$는 $x=2$일 때 최대이므로 $f(2)<0$에서

$18+a^2+3a-22<0$

$a^2+3a-4<0$

$(a+4)(a-1)<0$

$\therefore -4<a<1$

따라서 정수 a의 최댓값은 0이다.

046 답 ②

이차함수 $y=x^2+ax-3$의 그래프가 직선 $y=x-11$보다 위쪽에 있는 부분의 x의 값의 범위는

$x^2+ax-3>x-11$, 즉 $x^2+(a-1)x+8>0$ ...... ㉠

의 해와 같다.

해가 $x<2$ 또는 $x>b$이고 x^2의 계수가 1인 이차부등식은

$(x-2)(x-b)>0$

$\therefore x^2-(b+2)x+2b>0$ ...... ㉡

㉠과 ㉡이 일치해야 하므로

$a-1=-b-2$, $8=2b$

$\therefore a=-5$, $b=4$

$\therefore b-a=9$

047 답 ②

이차함수 $y=x^2-x+4$의 그래프가 직선 $y=2x+14$보다 아래쪽에 있는 부분의 x의 값의 범위는 $x^2-x+4<2x+14$의 해이므로

$x^2-3x-10<0$, $(x+2)(x-5)<0$

$\therefore -2<x<5$

따라서 정수 x는 -1, 0, 1, $\cdots$, 4의 6개이다.

048 답 11

이차함수 $y=x^2-ax-2$의 그래프가 직선 $y=b$보다 아래쪽에 있는 부분의 x의 값의 범위는

$x^2-ax-2<b$, 즉 $x^2-ax-b-2<0$ …… ㉠

의 해와 같다.

해가 $1<x<4$이고 x^2의 계수가 1인 이차부등식은

$(x-1)(x-4)<0$ $\quad\therefore x^2-5x+4<0$ …… ㉡

㉠과 ㉡이 일치해야 하므로

$a=5$, $-b-2=4$ $\quad\therefore a=5$, $b=-6$

$\therefore a-b=11$

049 답 5

이차함수 $y=2x^2-3x-3$의 그래프가 이차함수 $y=x^2+ax+b$의 그래프보다 위쪽에 있는 부분의 x의 값의 범위는

$2x^2-3x-3>x^2+ax+b$, 즉 $x^2-(3+a)x-3-b>0$ …… ㉠

의 해와 같다.

해가 $x<-1$ 또는 $x>2$이고 x^2의 계수가 1인 이차부등식은

$(x+1)(x-2)>0$

$\therefore x^2-x-2>0$ …… ㉡

㉠과 ㉡이 일치해야 하므로

$3+a=1$, $-3-b=-2$ $\quad\therefore a=-2$, $b=-1$

$\therefore a^2+b^2=(-2)^2+(-1)^2=5$

050 답 ①

이차함수 $y=x^2+(k+2)x+2$의 그래프가 직선 $y=x+1$보다 항상 위쪽에 있으려면 모든 실수 x에 대하여

$x^2+(k+2)x+2>x+1$, 즉 $x^2+(k+1)x+1>0$이 성립해야 한다.

이차방정식 $x^2+(k+1)x+1=0$의 판별식을 D라 하면

$D=(k+1)^2-4<0$, $k^2+2k-3<0$

$(k+3)(k-1)<0$ $\quad\therefore -3<k<1$

따라서 $a=-3$, $b=1$이므로

$a+b=-2$

051 답 $-4<k<0$

이차함수 $y=x^2+kx-k$의 그래프가 x축과 만나지 않으려면 이차함수의 그래프가 x축보다 항상 위쪽에 있어야 하므로 모든 실수 x에 대하여 $x^2+kx-k>0$이 성립해야 한다.

이차방정식 $x^2+kx-k=0$의 판별식을 D라 하면

$D=k^2+4k<0$, $k(k+4)<0$

$\therefore -4<k<0$

052 답 7

이차함수 $y=-x^2+(k+1)x-5$의 그래프가 직선 $y=x-1$보다 항상 아래쪽에 있으려면 모든 실수 x에 대하여

$-x^2+(k+1)x-5<x-1$, 즉 $x^2-kx+4>0$이 성립해야 한다.

이차방정식 $x^2-kx+4=0$의 판별식을 D라 하면

$D=k^2-16<0$, $(k+4)(k-4)<0$ $\quad\therefore -4<k<4$

따라서 정수 k는 -3, -2, -1, $\cdots$, 3의 7개이다.

053 답 ②

함수 $y=ax^2-6x+6$의 그래프가 이차함수 $y=-3x^2+2ax-2$의 그래프보다 항상 위쪽에 있으려면 모든 실수 x에 대하여

$ax^2-6x+6>-3x^2+2ax-2$, 즉 $(a+3)x^2-2(a+3)x+8>0$

이 성립해야 한다.

(i) $a=-3$일 때

$0\times x^2-0\times x+8>0$이므로 모든 실수 x에 대하여 부등식이 성립한다.

(ii) $a>-3$일 때

이차방정식 $(a+3)x^2-2(a+3)x+8=0$의 판별식을 D라 하면

$\frac{D}{4}=(a+3)^2-8(a+3)<0$, $a^2-2a-15<0$

$(a+3)(a-5)<0$ $\quad\therefore -3<a<5$

(i), (ii)에 의하여 실수 a의 값의 범위는 $-3\le a<5$

따라서 실수 a의 최솟값은 -3이다.

054 답 ④

직사각형의 가로의 길이를 x라 하면 세로의 길이는 $22-x$이다.

이 직사각형의 넓이가 96 이상이려면

$x(22-x)\ge 96$, $x^2-22x+96\le 0$

$(x-6)(x-16)\le 0$ $\quad\therefore 6\le x\le 16$

따라서 직사각형의 가로의 길이의 최댓값과 최솟값의 차는

$16-6=10$

055 답 $\frac{2}{5}\le t\le 1$

공의 높이가 지면으로부터 3 m 이상이려면

$-5t^2+7t+1\ge 3$, $5t^2-7t+2\le 0$

$(t-1)(5t-2)\le 0$ $\quad\therefore \frac{2}{5}\le t\le 1$

056 답 80

사용료를 올리기 전의 한 달 사용료를 A원, 회원 수를 B명이라 하면 x % 올린 사용료는 $A\left(1+\frac{x}{100}\right)$원, $0.5x$ % 줄어든 회원 수는 $B\left(1-\frac{x}{200}\right)$명이므로

$A\left(1+\frac{x}{100}\right)\times B\left(1-\frac{x}{200}\right)\ge AB\left(1+\frac{8}{100}\right)$

$\left(1+\frac{x}{100}\right)\left(1-\frac{x}{200}\right)\ge 1+\frac{8}{100}$

$(100+x)(200-x)\ge 21600$, $x^2-100x+1600\le 0$

$(x-20)(x-80)\le 0$ $\quad\therefore 20\le x\le 80$

따라서 x의 최댓값은 80이다.

057 답 ②

$3x^2-8x-16<0$에서 $(3x+4)(x-4)<0$

$\therefore -\frac{4}{3}<x<4$ ...... ㉠

$x^2+x-6\le 0$에서 $(x+3)(x-2)\le 0$

$\therefore -3\le x\le 2$ ...... ㉡

㉠, ㉡의 공통부분을 구하면

$-\frac{4}{3}<x\le 2$

058 답 5

$x^2-4x>0$에서 $x(x-4)>0$

$\therefore x<0$ 또는 $x>4$ ...... ㉠

$x^2+(1-a)x-a<0$에서

$(x-a)(x+1)<0$ ...... ㉡

㉠과 ㉡의 해의 공통부분이 $-1<x<0$이려면 오른쪽 그림에서

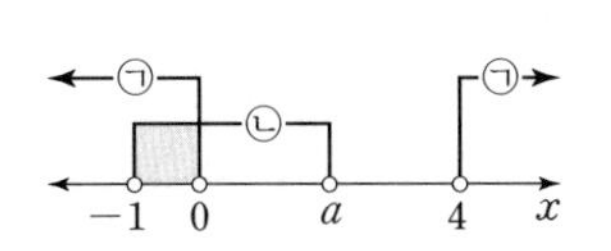

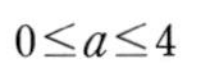

$0\le a\le 4$

따라서 정수 a는 0, 1, 2, 3, 4의 5개이다.

059 답 $2<a\le 3$

$x^2-4x-5\le 0$에서 $(x+1)(x-5)\le 0$

$\therefore -1\le x\le 5$ ...... ㉠

$x^2+(3-a)x-3a<0$에서

$(x-a)(x+3)<0$ ...... ㉡

㉠, ㉡을 동시에 만족시키는 정수 x가 4개이려면 오른쪽 그림에서

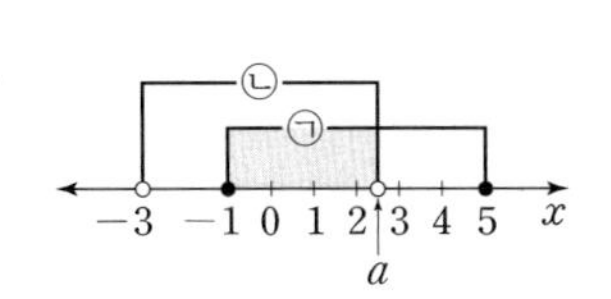

$2<a\le 3$

060 답 ②

변의 길이는 양수이므로

$x-2>0$ $\therefore x>2$ ...... ㉠

세 변 중 가장 긴 변의 길이는 $x+2$이므로

$x+2<x+(x-2)$ $\therefore x>4$ ...... ㉡

이 삼각형이 둔각삼각형이 되려면

$(x+2)^2>x^2+(x-2)^2$

$x^2+4x+4>x^2+x^2-4x+4$

$x^2-8x<0$, $x(x-8)<0$ $\therefore 0<x<8$ ...... ㉢

㉠, ㉡, ㉢의 공통부분을 구하면 $4<x<8$

따라서 자연수 x는 5, 6, 7의 3개이다.

061 답 ①

이차방정식 $x^2+(a-2)x-3a-2=0$이 허근을 가지므로 판별식을 D라 하면

$D=(a-2)^2-4(-3a-2)<0$

$a^2+8a+12<0$, $(a+6)(a+2)<0$

$\therefore -6<a<-2$

따라서 정수 a는 -5, -4, -3의 3개이다.

062 답 ③

이차방정식 $x^2-2kx+2k+3=0$의 판별식을 D, 두 실근을 α, β라 하면 두 근이 모두 양수이므로

(i) $\frac{D}{4}=k^2-(2k+3)\ge 0$, $k^2-2k-3\ge 0$

$(k+1)(k-3)\ge 0$ $\therefore k\le -1$ 또는 $k\ge 3$

(ii) $\alpha+\beta=2k>0$에서 $k>0$

(iii) $\alpha\beta=2k+3>0$에서 $k>-\frac{3}{2}$

(i), (ii), (iii)에 의하여 실수 k의 값의 범위는 $k\ge 3$

063 답 ①

$f(x)=x^2-2kx+9$라 할 때

(i) 이차방정식 $f(x)=0$의 판별식을 D라 하면

$\frac{D}{4}=k^2-9\ge 0$

$(k+3)(k-3)\ge 0$ $\therefore k\le -3$ 또는 $k\ge 3$

(ii) $f(2)>0$이므로 $4-4k+9>0$

$4k<13$ $\therefore k<\frac{13}{4}$

(iii) 이차함수 $y=f(x)$의 그래프의 축의 방정식이 $x=k$이므로

$k<2$

(i), (ii), (iii)에 의하여 실수 k의 값의 범위는 $k\le -3$

따라서 실수 k의 최댓값은 -3이다.

064 답 ①

$x^2+6x-7\le 0$에서 $(x+7)(x-1)\le 0$

$\therefore -7\le x\le 1$ ...... ㉠

$x^2+3x-10>0$에서 $(x+5)(x-2)>0$

$\therefore x<-5$ 또는 $x>2$ ...... ㉡

㉠, ㉡의 공통부분을 구하면 $-7\le x<-5$

따라서 $\alpha=-7$, $\beta=-5$이므로 $\alpha-\beta=-2$

065 답 ③

$3(x-2)\le 5x-2$에서 $3x-6\le 5x-2$, $-2x\le 4$

$\therefore x\ge -2$ ...... ㉠

$4x^2-7x-15<0$에서 $(4x+5)(x-3)<0$

$\therefore -\frac{5}{4}<x<3$ ...... ㉡

㉠, ㉡의 공통부분을 구하면 $-\frac{5}{4}<x<3$

따라서 정수 x는 -1, 0, 1, 2의 4개이다.

066 답 ③

$5x\le 2x^2+2$에서 $2x^2-5x+2\ge 0$

$(2x-1)(x-2)\ge 0$ $\therefore x\le\frac{1}{2}$ 또는 $x\ge 2$ ...... ㉠

$2x^2+2<2x+6$에서 $x^2-x-2<0$

$(x+1)(x-2)<0$ $\therefore -1<x<2$ ...... ㉡

㉠, ㉡의 공통부분을 구하면 $-1<x\le\frac{1}{2}$

067 답 ②

$2x^2+3x-14<0$에서 $(2x+7)(x-2)<0$

$\therefore -\frac{7}{2}<x<2$ …… ㉠

$x^2-2x<3$에서 $x^2-2x-3<0$

$(x+1)(x-3)<0$

$\therefore -1<x<3$ …… ㉡

㉠, ㉡의 공통부분을 구하면 $-1<x<2$

해가 $-1<x<2$이고 x^2의 계수가 1인 이차부등식은

$(x+1)(x-2)<0$ $\therefore x^2-x-2<0$

이 부등식이 $x^2+ax+b<0$과 같으므로

$a=-1$, $b=-2$

$\therefore a+b=-3$

068 답 ①

$|x^2+x-1|<5$에서 $-5<x^2+x-1<5$

$-5<x^2+x-1$에서 $x^2+x+4>0$

그런데 $x^2+x+4=\left(x+\frac{1}{2}\right)^2+\frac{15}{4}\geq\frac{15}{4}$이므로 부등식의 해는 모든 실수이다. …… ㉠

$x^2+x-1<5$에서 $x^2+x-6<0$

$(x+3)(x-2)<0$

$\therefore -3<x<2$ …… ㉡

㉠, ㉡의 공통부분을 구하면 $-3<x<2$

따라서 $\alpha=-3$, $\beta=2$이므로

$\alpha\beta=-6$

069 답 ①

$x^2-2x-15<0$에서 $(x+3)(x-5)<0$

$\therefore -3<x<5$ …… ㉠

$x^2-3|x|-4<0$에서

(i) $x<0$일 때

$x^2+3x-4<0$, $(x+4)(x-1)<0$

$\therefore -4<x<1$

그런데 $x<0$이므로 $-4<x<0$

(ii) $x\geq0$일 때

$x^2-3x-4<0$, $(x+1)(x-4)<0$

$\therefore -1<x<4$

그런데 $x\geq0$이므로 $0\leq x<4$

(i), (ii)에 의하여 $x^2-3|x|-4<0$의 해는

$-4<x<4$ …… ㉡

㉠, ㉡의 공통부분을 구하면 $-3<x<4$

따라서 정수 x는 $-2, -1, 0, \cdots, 3$이므로 구하는 합은

$-2+(-1)+0+\cdots+3=3$

다른 풀이 $x^2-3|x|-4<0$에서

$|x|^2-3|x|-4<0$, $(|x|+1)(|x|-4)<0$

$\therefore -1<|x|<4$

그런데 $|x|\geq0$이므로 $0\leq|x|<4$

즉, $|x|<4$에서 $-4<x<4$

070 답 ④

$x^2-4x+3\geq0$에서 $(x-1)(x-3)\geq0$

$\therefore x\leq1$ 또는 $x\geq3$ …… ㉠

$(x-4)(x-a)\leq0$ …… ㉡

㉠과 ㉡의 해의 공통부분이 $3\leq x\leq4$이려면 오른쪽 그림에서

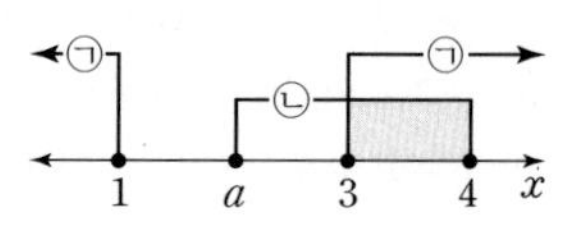

$1<a\leq3$

따라서 상수 a의 최댓값은 3이다.

071 답 ③

주어진 연립부등식의 해가 $-2<x\leq0$ 또는 $2\leq x<3$이려면 오른쪽 그림과 같아야 한다.

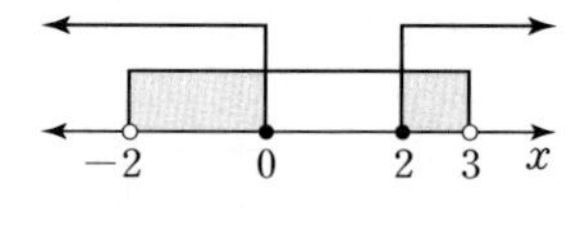

$x^2-x-a<0$의 해는 $-2<x<3$이고 x^2의 계수가 1인 이차부등식이므로

$(x+2)(x-3)<0$, $x^2-x-6<0$ $\therefore a=6$

$x^2-2x+b\geq0$의 해는 $x\leq0$ 또는 $x\geq2$이고 x^2의 계수가 1인 이차부등식이므로

$x(x-2)\geq0$, $x^2-2x\geq0$ $\therefore b=0$

$\therefore a-b=6$

072 답 $-4\leq a\leq3$

$x^2-x-20\geq0$에서 $(x+4)(x-5)\geq0$

$\therefore x\leq-4$ 또는 $x\geq5$ …… ㉠

$x^2-2(a+1)x+a^2+2a<0$에서 $(x-a)(x-a-2)<0$

$\therefore a<x<a+2$ …… ㉡

㉠, ㉡의 공통부분이 없으려면 오른쪽 그림에서

$a\geq-4$, $a+2\leq5$

$\therefore -4\leq a\leq3$

073 답 4

$a<b<c$이므로

$(x-a)(x-b)>0$에서 $x<a$ 또는 $x>b$ …… ㉠

$(x-b)(x-c)>0$에서 $x<b$ 또는 $x>c$ …… ㉡

㉠, ㉡의 공통부분을 구하면 $x<a$ 또는 $x>c$이므로

$a=-3$, $c=4$

즉, 이차부등식 $x^2+ax-c<0$은 $x^2-3x-4<0$이므로

$(x+1)(x-4)<0$ $\therefore -1<x<4$

따라서 정수 x는 0, 1, 2, 3의 4개이다.

074 답 $3\leq a<4$

$x^2-6x\leq0$에서 $x(x-6)\leq0$ $\therefore 0\leq x\leq6$ …… ㉠

$x^2-(a+1)x+a\leq0$에서 $(x-a)(x-1)\leq0$ …… ㉡

㉠, ㉡을 동시에 만족시키는 정수 x가 3개이려면 오른쪽 그림에서

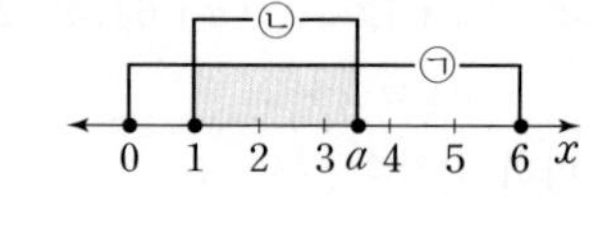

$3\leq a<4$

075 답 ①

$x^2-3x+2>0$에서 $(x-1)(x-2)>0$

$\therefore x<1$ 또는 $x>2$ …… ㉠

$x^2-(a+2)x+2a<0$에서 $(x-a)(x-2)<0$ …… ㉡

㉠, ㉡을 동시에 만족시키는 정수 x의 값이 -1과 0뿐이려면 오른쪽 그림에서 $-2\le a<-1$

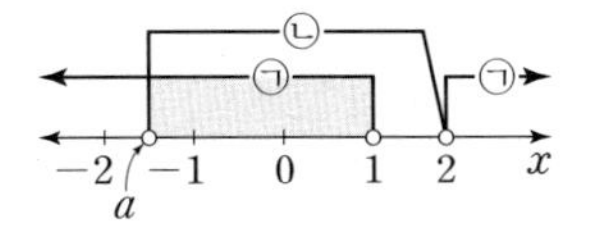

076 답 1

$x-a\le1$에서 $x\le a+1$ …… ㉠

$x^2-2x\le3$에서 $x^2-2x-3\le0$

$(x+1)(x-3)\le0$ $\quad\therefore -1\le x\le3$ …… ㉡

㉠, ㉡을 동시에 만족시키는 모든 정수 x의 값의 합이 2가 되려면 오른쪽 그림에서

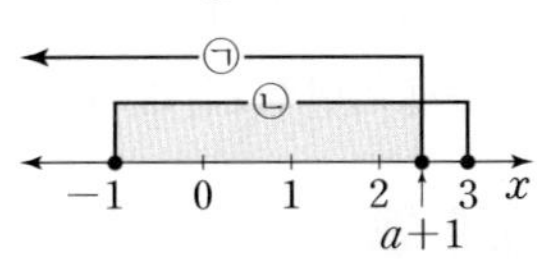

$2\le a+1<3$ $\quad\therefore 1\le a<2$

따라서 정수 a의 값은 1이다.

077 답 ⑤

$x^2-5x+6>0$에서 $(x-2)(x-3)>0$

$\therefore x<2$ 또는 $x>3$ …… ㉠

$x^2-(a+4)x+4a<0$에서 $(x-a)(x-4)<0$

(i) $a<4$일 때

$(x-a)(x-4)<0$에서 $a<x<4$ …… ㉡

㉠, ㉡을 동시에 만족시키는 정수 x가 오직 한 개뿐이려면 오른쪽 그림에서 $0\le a<1$

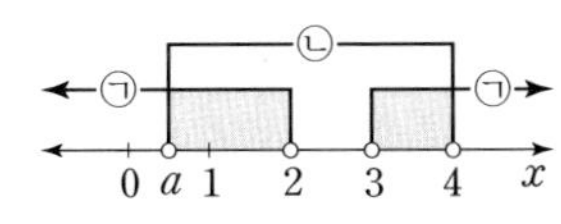

(ii) $a>4$일 때

$(x-a)(x-4)<0$에서 $4<x<a$ …… ㉢

㉠, ㉢을 동시에 만족시키는 정수 x가 오직 한 개뿐이려면 오른쪽 그림에서 $5<a\le6$

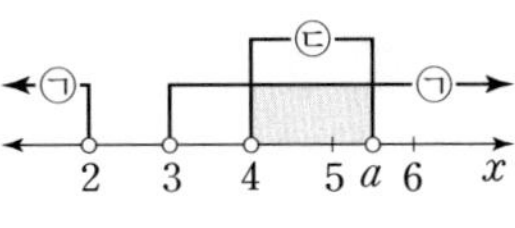

(i), (ii)에 의하여 $0\le a<1$ 또는 $5<a\le6$

따라서 상수 a의 최댓값은 6이다.

078 답 ⑤

변의 길이는 양수이므로 $x-3>0$ $\quad\therefore x>3$ …… ㉠

세 변 중 가장 긴 변의 길이는 $x+3$이므로

$x+3<x+(x-3)$ $\quad\therefore x>6$ …… ㉡

이 삼각형이 예각삼각형이 되려면

$(x+3)^2<x^2+(x-3)^2$, $x^2+6x+9<x^2+x^2-6x+9$

$x^2-12x>0$, $x(x-12)>0$ $\quad\therefore x<0$ 또는 $x>12$ …… ㉢

㉠, ㉡, ㉢의 공통부분을 구하면 $x>12$

따라서 자연수 x의 최솟값은 13이다.

079 답 $1\le x\le2$

보행자 통로의 넓이는

$(2x+30)(2x+20)-30\times20=4x^2+100x$ (m^2)

이 통로의 넓이가 $104\ \mathrm{m}^2$ 이상 $216\ \mathrm{m}^2$ 이하이므로

$104\le4x^2+100x\le216$ $\quad\therefore 26\le x^2+25x\le54$

$26\le x^2+25x$에서 $x^2+25x-26\ge0$

$(x+26)(x-1)\ge0$ $\quad\therefore x\le-26$ 또는 $x\ge1$

그런데 $x>0$이므로 $x\ge1$ …… ㉠

$x^2+25x\le54$에서 $x^2+25x-54\le0$

$(x+27)(x-2)\le0$ $\quad\therefore -27\le x\le2$

그런데 $x>0$이므로 $0<x\le2$ …… ㉡

㉠, ㉡의 공통부분을 구하면 $1\le x\le2$

080 답 $3\le x\le4$ 또는 $6\le x\le7$

직사각형의 가로의 길이가 x이므로 세로의 길이는 $10-x$이다.

이때 이 직사각형의 넓이가 21 이상 24 이하이므로

$21\le x(10-x)\le24$ $\quad\therefore 21\le -x^2+10x\le24$

$21\le -x^2+10x$에서 $x^2-10x+21\le0$

$(x-3)(x-7)\le0$ $\quad\therefore 3\le x\le7$ …… ㉠

$-x^2+10x\le24$에서 $x^2-10x+24\ge0$

$(x-4)(x-6)\ge0$ $\quad\therefore x\le4$ 또는 $x\ge6$ …… ㉡

㉠, ㉡의 공통부분을 구하면

$3\le x\le4$ 또는 $6\le x\le7$

081 답 ④

이차방정식 $x^2+4ax+3a^2+25=0$의 판별식을 D라 하면

$\frac{D}{4}=(2a)^2-(3a^2+25)\ge0$, $a^2-25\ge0$

$(a+5)(a-5)\ge0$ $\quad\therefore a\le-5$ 또는 $a\ge5$

082 답 ④

이차방정식 $x^2+ax-a+3=0$의 판별식을 D_1이라 하면

$D_1=a^2-4(-a+3)>0$, $a^2+4a-12>0$

$(a+6)(a-2)>0$ $\quad\therefore a<-6$ 또는 $a>2$ …… ㉠

이차방정식 $x^2+(a+2)x+2a+1=0$의 판별식을 D_2라 하면

$D_2=(a+2)^2-4(2a+1)<0$

$a^2-4a<0$, $a(a-4)<0$ $\quad\therefore 0<a<4$ …… ㉡

㉠, ㉡의 공통부분을 구하면 $2<a<4$

따라서 정수 a의 값은 3이다.

083 답 ③

이차방정식 $x^2-ax+a=0$의 판별식을 D_1이라 하면

$D_1=(-a)^2-4a\ge0$, $a^2-4a\ge0$

$a(a-4)\ge0$ $\quad\therefore a\le0$ 또는 $a\ge4$ …… ㉠

이차방정식 $x^2-2x-a^2+5=0$의 판별식을 D_2라 하면

$\frac{D_2}{4}=(-1)^2-(-a^2+5)\ge0$, $a^2-4\ge0$

$(a+2)(a-2)\ge0$ $\quad\therefore a\le-2$ 또는 $a\ge2$ …… ㉡

㉠, ㉡에 의하여 두 이차방정식 중 적어도 하나가 실근을 가지려면

$a\le0$ 또는 $a\ge2$

따라서 정수 a의 값이 아닌 것은 ③이다.

084 답 ⑤

이차방정식 $x^2+2(k+1)x-k+5=0$의 판별식을 D, 두 실근을 α, β라 하면 두 근이 모두 음수이므로

(i) $\frac{D}{4}=(k+1)^2-(-k+5)\geq 0$

$k^2+3k-4\geq 0$, $(k+4)(k-1)\geq 0$

$\therefore k\leq -4$ 또는 $k\geq 1$

(ii) $\alpha+\beta=-2(k+1)<0$

$\therefore k>-1$

(iii) $\alpha\beta=-k+5>0$ $\quad\therefore k<5$

(i), (ii), (iii)에 의하여 실수 k의 값의 범위는

$1\leq k<5$

따라서 자연수 k는 1, 2, 3, 4이므로 구하는 합은

$1+2+3+4=10$

085 답 $k<-1$ 또는 $0<k<1$

이차방정식 $x^2-k(k+1)x+k-1=0$의 두 실근을 α, β라 하면 두 근의 부호가 서로 다르므로

$\alpha\beta=k-1<0$

$\therefore k<1$ …… ㉠

또 음의 근의 절댓값이 양의 근보다 작으므로

$\alpha+\beta=k(k+1)>0$

$\therefore k<-1$ 또는 $k>0$ …… ㉡

㉠, ㉡에 의하여 실수 k의 값의 범위는

$k<-1$ 또는 $0<k<1$

086 답 ②

$f(x)=x^2-2kx+4$라 할 때

(i) 이차방정식 $f(x)=0$의 판별식을 D라 하면

$\frac{D}{4}=k^2-4\geq 0$

$(k+2)(k-2)\geq 0$ $\quad\therefore k\leq -2$ 또는 $k\geq 2$

(ii) $f(1)>0$이므로

$1-2k+4>0$, $2k<5$ $\quad\therefore k<\frac{5}{2}$

(iii) 이차함수 $y=f(x)$의 그래프의 축의 방정식이 $x=k$이므로

$k>1$

(i), (ii), (iii)에 의하여 실수 k의 값의 범위는

$2\leq k<\frac{5}{2}$

따라서 실수 k의 최솟값은 2이다.

087 답 ①

$f(x)=x^2-5x+2k^2$이라 하면 $f(1)<0$이어야 하므로

$1-5+2k^2<0$

$(k+\sqrt{2})(k-\sqrt{2})<0$ $\quad\therefore -\sqrt{2}<k<\sqrt{2}$

따라서 $\alpha=-\sqrt{2}$, $\beta=\sqrt{2}$이므로

$\alpha\beta=-2$

088 답 ③

$x^2-3x+2=0$에서 $(x-1)(x-2)=0$

$\therefore x=1$ 또는 $x=2$

이차방정식 $ax^2+ax+2a-18=0$의 한 근만이 1과 2 사이에 있어야 하므로 $f(x)=ax^2+ax+2a-18$이라 하면 이차함수 $y=f(x)$의 그래프는 다음 그림과 같아야 한다.

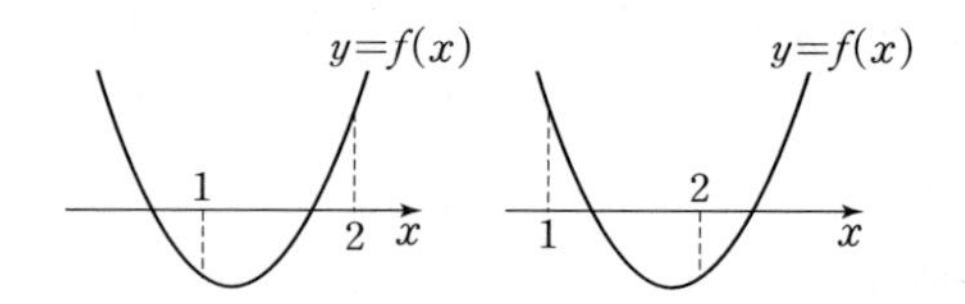

즉, $f(1)f(2)<0$이어야 하므로

$(4a-18)(8a-18)<0$ $\quad\therefore \frac{9}{4}<a<\frac{9}{2}$

따라서 자연수 a는 3, 4이므로 구하는 합은 $3+4=7$

089 답 ④

$f(x)=x^2-2kx+k+2$라 하면 이차방정식 $f(x)=0$의 서로 다른 두 근이 모두 0과 3 사이에 있으므로

(i) 이차방정식 $f(x)=0$의 판별식을 D라 하면

$\frac{D}{4}=k^2-(k+2)>0$

$k^2-k-2>0$, $(k+1)(k-2)>0$

$\therefore k<-1$ 또는 $k>2$

(ii) $f(0)>0$이므로 $k+2>0$ $\quad\therefore k>-2$

(iii) $f(3)>0$이므로 $9-6k+k+2>0$

$5k<11$ $\quad\therefore k<\frac{11}{5}$

(iv) 이차함수 $y=f(x)$의 그래프의 축의 방정식이 $x=k$이므로

$0<k<3$

(i)~(iv)에 의하여 실수 k의 값의 범위는 $2<k<\frac{11}{5}$

090 답 ③

부등식 $f(x)<0<g(x)$의 해는 $y=f(x)$의 그래프가 x축보다 아래쪽에 있고, $y=g(x)$의 그래프가 x축보다 위쪽에 있는 부분의 x의 값의 범위이므로

$-2<x<2$

091 답 ④

ㄱ. $3x^2-x+1=3\left(x-\frac{1}{6}\right)^2+\frac{11}{12}\geq\frac{11}{12}$이므로 부등식

$3x^2-x+1\geq 0$의 해는 모든 실수이다.

ㄴ. $2x^2-5x+6=2\left(x-\frac{5}{4}\right)^2+\frac{23}{8}\geq\frac{23}{8}$이므로 부등식

$2x^2-5x+6<0$의 해는 없다.

ㄷ. $-x^2+8x-16\geq 0$에서 $x^2-8x+16\leq 0$

이때 $x^2-8x+16=(x-4)^2\geq 0$이므로 부등식 $x^2-8x+16\leq 0$의 해는 $x=4$

ㄹ. $12x-9>4x^2$에서 $4x^2-12x+9<0$

이때 $4x^2-12x+9=(2x-3)^2\geq 0$이므로 부등식

$4x^2-12x+9<0$의 해는 없다.

따라서 보기의 이차부등식 중 해가 없는 것은 ㄴ, ㄹ이다.

092 답 $x<-3$ 또는 $x>5$

$x^2-2x-3>3|x-1|$에서 $x-1=0$, 즉 $x=1$을 기준으로 구간을 나누면

(i) $x<1$일 때

$x^2-2x-3>-3(x-1)$, $x^2+x-6>0$

$(x+3)(x-2)>0$ $\quad\therefore x<-3$ 또는 $x>2$

그런데 $x<1$이므로 $x<-3$

(ii) $x\ge1$일 때

$x^2-2x-3>3(x-1)$, $x^2-5x>0$

$x(x-5)>0$ $\quad\therefore x<0$ 또는 $x>5$

그런데 $x\ge1$이므로 $x>5$

(i), (ii)에 의하여 주어진 부등식의 해는

$x<-3$ 또는 $x>5$

093 답 ②

해가 $x\le-1$ 또는 $x\ge3$이고 x^2의 계수가 1인 이차부등식은

$(x+1)(x-3)\ge0$ $\quad\therefore x^2-2x-3\ge0$

이 부등식이 $x^2+2ax-b\ge0$과 같으므로

$2a=-2$, $-b=-3$ $\quad\therefore a=-1$, $b=3$

$\therefore a+b=2$

094 답 $x<-2$ 또는 $x>0$

이차부등식 $f(x)<0$의 해가 $x<-3$ 또는 $x>1$이므로

$f(x)=a(x+3)(x-1)$ $(a<0)$이라 하면

$f(2x+1)=a(2x+1+3)(2x+1-1)$

$=4ax(x+2)$

$f(1)=0$이므로 $f(2x+1)<f(1)$에서

$4ax(x+2)<0$, $x(x+2)>0$ ($\because a<0$)

$\therefore x<-2$ 또는 $x>0$

095 답 ①

$x^2\le2k$에서 $x^2-2k\le0$, $(x+\sqrt{2k})(x-\sqrt{2k})\le0$

$\therefore -\sqrt{2k}\le x\le\sqrt{2k}$

주어진 이차부등식을 만족시키는 정수 x가 3개이므로 오른쪽 그림에서

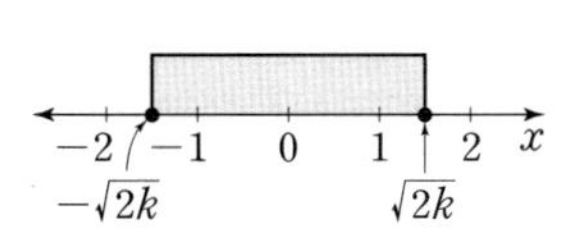

$1\le\sqrt{2k}<2$, $1\le2k<4$

$\therefore \frac{1}{2}\le k<2$

따라서 자연수 k의 값은 1이다.

096 답 2

이차부등식 $(k-1)x^2+2(k-1)x+1\le0$의 해가 오직 한 개이므로

$k-1>0$ $\quad\therefore k>1$

또 이차방정식 $(k-1)x^2+2(k-1)x+1=0$의 판별식을 D라 하면

$\frac{D}{4}=(k-1)^2-(k-1)=0$

$k^2-3k+2=0$, $(k-1)(k-2)=0$

$\therefore k=1$ 또는 $k=2$

그런데 $k>1$이므로 $k=2$

097 답 ⑤

(i) $k>0$일 때

이차함수 $y=kx^2-6x+k-8$의 그래프는 아래로 볼록하므로 주어진 이차부등식은 항상 해를 갖는다.

(ii) $k<0$일 때

주어진 이차부등식이 해를 가지려면 이차방정식 $kx^2-6x+k-8=0$이 서로 다른 두 실근을 가져야 하므로 이 이차방정식의 판별식을 D라 하면

$\frac{D}{4}=(-3)^2-k(k-8)>0$

$k^2-8k-9<0$, $(k+1)(k-9)<0$

$\therefore -1<k<9$

그런데 $k<0$이므로 $-1<k<0$

(i), (ii)에 의하여 실수 k의 값의 범위는 $-1<k<0$ 또는 $k>0$

098 답 $-3<k<-1$

이차방정식 $x^2-2(k+1)x-2k-2=0$의 판별식을 D라 하면

$\frac{D}{4}=(k+1)^2+2k+2<0$, $k^2+4k+3<0$

$(k+3)(k+1)<0$ $\quad\therefore -3<k<-1$

099 답 ⑤

이차부등식 $x^2-2ax+9a<0$의 해가 존재하지 않으려면 모든 실수 x에 대하여 $x^2-2ax+9a\ge0$이 성립해야 한다.

이차방정식 $x^2-2ax+9a=0$의 판별식을 D라 하면

$\frac{D}{4}=a^2-9a\le0$, $a(a-9)\le0$ $\quad\therefore 0\le a\le9$

따라서 정수 a는 0, 1, 2, ⋯, 9의 10개이다.

100 답 ⑤

$x^2-4x<2x^2+a^2-3a$에서 $x^2+4x+a^2-3a>0$

$f(x)=x^2+4x+a^2-3a$라 하면

$f(x)=(x+2)^2+a^2-3a-4$

$-4\le x\le1$에서 $f(x)$는 $x=-2$일 때 최소이므로 $f(x)>0$이려면 $f(-2)>0$이어야 한다.

$a^2-3a-4>0$, $(a+1)(a-4)>0$

$\therefore a<-1$ 또는 $a>4$

따라서 자연수 a의 최솟값은 5이다.

101 답 -5

이차함수 $y=x^2-4x-5$의 그래프에서 직선 $y=a$보다 아래쪽에 있는 부분의 x의 값의 범위는

$x^2-4x-5<a$, 즉 $x^2-4x-a-5<0$ $\quad$ …… ㉠

의 해와 같다.

해가 $b<x<4$이고 x^2의 계수가 1인 이차부등식은

$(x-b)(x-4)<0$ $\quad\therefore x^2-(b+4)x+4b<0$ $\quad$ …… ㉡

㉠과 ㉡이 일치해야 하므로

$-4=-(b+4)$, $-a-5=4b$ $\quad\therefore a=-5$, $b=0$

$\therefore a+b=-5$

102 답 ②

두 이차함수의 그래프가 서로 만나지 않으려면 이차함수 $y=x^2-6x+4$의 그래프가 이차함수 $y=-x^2+2kx+2$의 그래프보다 항상 위쪽에 있어야 하므로 모든 실수 x에 대하여 $x^2-6x+4>-x^2+2kx+2$, 즉 $x^2-(k+3)x+1>0$이 성립해야 한다.

이차방정식 $x^2-(k+3)x+1=0$의 판별식을 D라 하면

$D=(k+3)^2-4<0$, $k^2+6k+5<0$

$(k+5)(k+1)<0$ $\quad\therefore -5<k<-1$

따라서 정수 k의 최솟값은 -4이다.

103 답 4

가격을 x천 원씩 올리면 양말 한 켤레의 가격은 $(3+x)$천 원, 하루 판매량은 $(50-5x)$켤레가 된다.

이때 하루 판매액이 21만 원 이상이려면

$(3+x)(50-5x)\geq 210$, $-5x^2+35x-60\geq 0$

$x^2-7x+12\leq 0$, $(x-3)(x-4)\leq 0$ $\quad\therefore 3\leq x\leq 4$

따라서 x의 최댓값은 4이다.

104 답 ①

$x^2+3x+1\leq 2x^2-2x-5$에서

$x^2-5x-6\geq 0$, $(x+1)(x-6)\geq 0$

$\therefore x\leq -1$ 또는 $x\geq 6$ $\quad\cdots\cdots$ ㉠

$2x^2-2x-5\leq 3x-2$에서

$2x^2-5x-3\leq 0$, $(2x+1)(x-3)\leq 0$

$\therefore -\frac{1}{2}\leq x\leq 3$ $\quad\cdots\cdots$ ㉡

따라서 ㉠, ㉡의 공통부분이 없으므로 주어진 부등식의 해는 없다.

105 답 ③

$x^2-2x-15\leq 0$에서 $(x+3)(x-5)\leq 0$

$\therefore -3\leq x\leq 5$ $\quad\cdots\cdots$ ㉠

$x^2-(2+a)x+2a<0$에서

$(x-2)(x-a)<0$ $\quad\cdots\cdots$ ㉡

㉠과 ㉡의 해의 공통부분이 $2<x\leq 5$이려면 오른쪽 그림에서

$a>5$

따라서 정수 a의 최솟값은 6이다.

106 답 ⑤

$(x-2)(x-3)\geq 0$에서 $x\leq 2$ 또는 $x\geq 3$ $\quad\cdots\cdots$ ㉠

$(2x-3)(x-a)\leq 0$에서 $\frac{3}{2}\leq x\leq a$ $\quad\cdots\cdots$ ㉡

㉠, ㉡을 동시에 만족시키는 정수 x가 6개이므로 오른쪽 그림에서

$7\leq a<8$

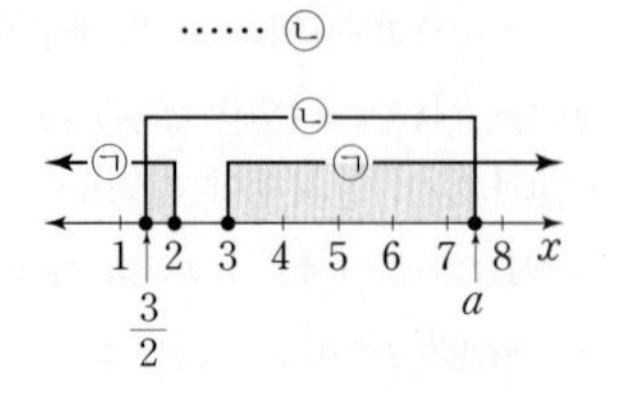

107 답 4

새로 만든 직육면체의 밑면의 가로, 세로의 길이, 높이는 각각 $a-3$, a, $a+4$이므로

$a-3>0$ $\quad\therefore a>3$ $\quad\cdots\cdots$ ㉠

이 직육면체의 부피는 $a(a-3)(a+4)=a^3+a^2-12a$이고 처음 정육면체의 부피는 a^3이므로

$a^3+a^2-12a<a^3$, $a^2-12a<0$

$a(a-12)<0$ $\quad\therefore 0<a<12$ $\quad\cdots\cdots$ ㉡

㉠, ㉡의 공통부분을 구하면 $3<a<12$

따라서 자연수 a의 최솟값은 4이다.

108 답 ④

이차방정식 $x^2+2ax+a+6=0$의 판별식을 D_1이라 하면

$\frac{D_1}{4}=a^2-a-6<0$

$(a+2)(a-3)<0$ $\quad\therefore -2<a<3$ $\quad\cdots\cdots$ ㉠

이차방정식 $x^2-2ax+4=0$의 판별식을 D_2라 하면

$\frac{D_2}{4}=a^2-4\geq 0$

$(a+2)(a-2)\geq 0$ $\quad\therefore a\leq -2$ 또는 $a\geq 2$ $\quad\cdots\cdots$ ㉡

㉠, ㉡의 공통부분을 구하면 $2\leq a<3$

따라서 정수 a의 값은 2이다.

109 답 −2

이차방정식 $x^2+2kx-k+2=0$의 판별식을 D, 두 실근을 α, β라 하면 두 근이 모두 양수이므로

(i) $\frac{D}{4}=k^2-(-k+2)\geq 0$, $k^2+k-2\geq 0$

$(k+2)(k-1)\geq 0$ $\quad\therefore k\leq -2$ 또는 $k\geq 1$

(ii) $\alpha+\beta=-2k>0$ $\quad\therefore k<0$

(iii) $\alpha\beta=-k+2>0$ $\quad\therefore k<2$

(i), (ii), (iii)에 의하여 실수 k의 값의 범위는 $k\leq -2$

따라서 실수 k의 최댓값은 -2이다.

110 답 ①

$f(x)=x^2-6ax+9$라 할 때

(i) 이차방정식 $f(x)=0$의 판별식을 D라 하면

$\frac{D}{4}=(-3a)^2-9\geq 0$, $(a+1)(a-1)\geq 0$

$\therefore a\leq -1$ 또는 $a\geq 1$

(ii) $f(-2)>0$이므로 $4+12a+9>0$

$\therefore a>-\frac{13}{12}$

(iii) 이차함수 $y=f(x)$의 그래프의 축의 방정식이 $x=3a$이므로

$-2<3a$ $\quad\therefore a>-\frac{2}{3}$

(i), (ii), (iii)에 의하여 실수 a의 값의 범위는 $a\geq 1$

따라서 실수 a의 최솟값은 1이다.

001 답 4

$\overline{AB}=5\sqrt{2}$이므로 $\sqrt{(-1-a)^2+\{4-(-1)\}^2}=5\sqrt{2}$

양변을 제곱하면 $(a+1)^2+25=50$

$a^2+2a-24=0$, $(a+6)(a-4)=0$ $\therefore a=-6$ 또는 $a=4$

따라서 양수 a의 값은 4이다.

002 답 ③

$P(a, b)$가 직선 $y=2x+1$ 위의 점이므로

$b=2a+1$ …… ㉠

또 $\overline{AP}=\overline{BP}$에서 $\overline{AP}^2=\overline{BP}^2$이므로

$(a+1)^2+(b-2)^2=(a-2)^2+(b-1)^2$

$a^2+2a+1+b^2-4b+4=a^2-4a+4+b^2-2b+1$

$\therefore 3a-b=0$ …… ㉡

㉠, ㉡을 연립하여 풀면 $a=1$, $b=3$ $\therefore 2a+3b=11$

003 답 ③

$\overline{AB}=\sqrt{(-1-3)^2+(4-2)^2}=\sqrt{20}=2\sqrt{5}$

$\overline{BC}=\sqrt{(5+1)^2+(6-4)^2}=\sqrt{40}=2\sqrt{10}$

$\overline{CA}=\sqrt{(3-5)^2+(2-6)^2}=\sqrt{20}=2\sqrt{5}$

따라서 $\overline{AB}=\overline{CA}$이고 $\overline{BC}^2=\overline{AB}^2+\overline{CA}^2$이므로 삼각형 ABC는 $\angle A=90°$인 직각이등변삼각형이다.

004 답 13

$A(1, -1)$, $B(6, 11)$, $P(a, b)$라 하면

$\sqrt{(a-1)^2+(b+1)^2}+\sqrt{(a-6)^2+(b-11)^2}$

$=\overline{AP}+\overline{BP}$

$\geq\overline{AB}=\sqrt{(6-1)^2+(11+1)^2}=13$

따라서 구하는 최솟값은 13이다.

005 답 ④

$P(a, 0)$이라 하면

$\overline{AP}^2+\overline{BP}^2=(a+2)^2+(-5)^2+(a-4)^2+(-1)^2$

$=2a^2-4a+46=2(a-1)^2+44$

따라서 $a=1$일 때 주어진 식의 최솟값은 44이다.

006 답 풀이 참조

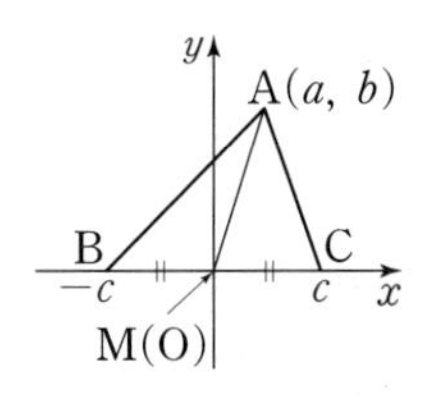

오른쪽 그림과 같이 직선 BC를 x축, 점 M을 지나고 직선 BC에 수직인 직선을 y축으로 하는 좌표평면을 잡으면 점 M은 원점이다.

이때 삼각형 ABC의 세 꼭짓점의 좌표를 각각 $A(a, b)$, $B(-c, 0)$, $C(c, 0)$이라 하면

$\overline{AB}^2+\overline{AC}^2=\{(-c-a)^2+(-b)^2\}+\{(c-a)^2+(-b)^2\}$

$=(a^2+2ac+c^2+b^2)+(a^2-2ac+c^2+b^2)$

$=2a^2+2b^2+2c^2=2(a^2+b^2+c^2)$

또 $\overline{AM}^2=a^2+b^2$, $\overline{BM}^2=c^2$이므로

$\overline{AM}^2+\overline{BM}^2=a^2+b^2+c^2$

$\therefore \overline{AB}^2+\overline{AC}^2=2(\overline{AM}^2+\overline{BM}^2)$

007 답 $(-11, 10)$

$P\left(\frac{3\times(-3)+2\times7}{3+2}, \frac{3\times6+2\times1}{3+2}\right)$

$\therefore P(1, 4)$

$Q\left(\frac{3\times(-3)-2\times7}{3-2}, \frac{3\times6-2\times1}{3-2}\right)$

$\therefore Q(-23, 16)$

따라서 선분 PQ의 중점의 좌표는

$\left(\frac{1-23}{2}, \frac{4+16}{2}\right)$ $\therefore (-11, 10)$

008 답 $\frac{2}{7}<a<\frac{5}{6}$

선분 AB를 $a:(1-a)$로 내분하는 점의 좌표는

$\left(\frac{a\times5+(1-a)\times(-2)}{a+(1-a)}, \frac{a\times(-1)+(1-a)\times5}{a+(1-a)}\right)$

$\therefore (7a-2, 5-6a)$

이 점이 제1사분면 위의 점이므로

$7a-2>0$, $5-6a>0$

$\therefore \frac{2}{7}<a<\frac{5}{6}$

009 답 17

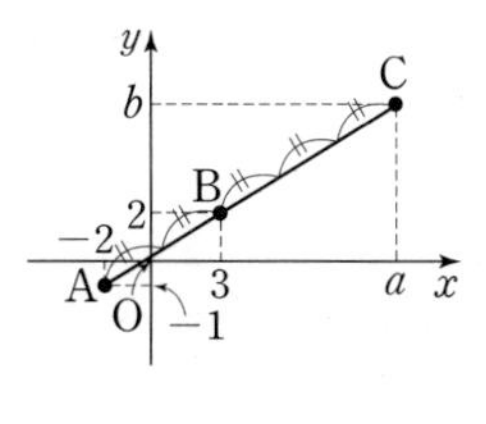

$3\overline{AB}=2\overline{BC}$에서 $\overline{AB}:\overline{BC}=2:3$

$a>0$에서 점 C는 오른쪽 그림과 같이 $\overline{AB}$를 $5:3$으로 외분하는 점이므로

$a=\frac{5\times3-3\times(-2)}{5-3}=\frac{21}{2}$

$b=\frac{5\times2-3\times(-1)}{5-3}=\frac{13}{2}$

$\therefore a+b=17$

다른 풀이 점 B는 $\overline{AC}$를 $2:3$으로 내분하는 점이므로

$\frac{2\times a+3\times(-2)}{2+3}=3$, $\frac{2\times b+3\times(-1)}{2+3}=2$

$\therefore a=\frac{21}{2}$, $b=\frac{13}{2}$ $\therefore a+b=17$

010 답 4

삼각형 ABC의 무게중심의 좌표는

$\left(\frac{-2+a-2b+4}{3}, \frac{3+b+a-1}{3}\right)$

$\therefore \left(\frac{a-2b+2}{3}, \frac{a+b+2}{3}\right)$

이 점이 점 $(-2, 2)$와 일치하므로

$\frac{a-2b+2}{3}=-2$, $\frac{a+b+2}{3}=2$

$a-2b=-8$, $a+b=4$

두 식을 연립하여 풀면 $a=0$, $b=4$

$\therefore b-a=4$

011 답 ⑤

대각선 AC의 중점의 좌표는

$\left(\frac{7+4}{2}, \frac{8-1}{2}\right)$ $\therefore \left(\frac{11}{2}, \frac{7}{2}\right)$ ······ ㉠

D(a, b)라 하면 대각선 BD의 중점의 좌표는

$\left(\frac{a}{2}, \frac{5+b}{2}\right)$ ······ ㉡

㉠, ㉡이 일치하므로

$\frac{11}{2}=\frac{a}{2}, \frac{7}{2}=\frac{5+b}{2}$ $\therefore a=11, b=2$

따라서 점 D의 좌표는 $(11, 2)$이다.

012 답 ②

$\overline{AB}=\sqrt{(-7-5)^2+(-4-1)^2}=13$

$\overline{AC}=\sqrt{(2-5)^2+(5-1)^2}=5$

이때 $\overline{AD}$는 $\angle A$의 이등분선이므로

$\overline{BD}:\overline{CD}=\overline{AB}:\overline{AC}=13:5$

즉, 점 D는 $\overline{BC}$를 $13:5$로 내분하는 점이므로

$D\left(\frac{13\times2+5\times(-7)}{13+5}, \frac{13\times5+5\times(-4)}{13+5}\right)$

$\therefore D\left(-\frac{1}{2}, \frac{5}{2}\right)$

따라서 $a=-\frac{1}{2}, b=\frac{5}{2}$이므로 $a+b=2$

013 답 $y=-2x+\frac{3}{2}$

P(a, b)라 하면 점 P가 직선 $y=-2x+1$ 위의 점이므로

$b=-2a+1$ ······ ㉠

Q(x, y)라 하면 점 Q는 $\overline{AP}$의 중점이므로

$x=\frac{a}{2}, y=\frac{b+2}{2}$

$\therefore a=2x, b=2y-2$

이를 ㉠에 대입하면

$2y-2=-2\times2x+1$ $\therefore y=-2x+\frac{3}{2}$

014 답 ④

$\overline{AB}=5$이므로 $\sqrt{(2-a)^2+(a+2-3)^2}=5$

양변을 제곱하면

$(2-a)^2+(a-1)^2=25, a^2-3a-10=0$

$(a+2)(a-5)=0$ $\therefore a=-2$ 또는 $a=5$

따라서 모든 a의 값의 합은 3이다.

015 답 ⑤

$\overline{AB}=2\overline{CD}$이므로

$\sqrt{(1-a)^2+(a+1)^2}=2\sqrt{2^2+(-1-1)^2}$

양변을 제곱하면

$(1-a)^2+(a+1)^2=32, a^2=15$

$\therefore a=\pm\sqrt{15}$

따라서 양수 a의 값은 $\sqrt{15}$이다.

016 답 ④

$\overline{AB}=4$이므로 $\sqrt{(b+2-a)^2+(b-a-2)^2}=4$

양변을 제곱하면

$(b+2-a)^2+(b-a-2)^2=16$

이때 $b-a=t$로 놓으면 $(t+2)^2+(t-2)^2=16$

$2t^2=8, t^2=4$

$\therefore (b-a)^2=4$

따라서 두 점 $(a, b), (b, a)$ 사이의 거리는

$\sqrt{(b-a)^2+(a-b)^2}=\sqrt{2(b-a)^2}=2\sqrt{2}$

017 답 ⑤

점 P(a, b)가 직선 $y=x+1$ 위의 점이므로

$b=a+1$ ······ ㉠

또 $\overline{AP}=\overline{BP}$에서 $\overline{AP}^2=\overline{BP}^2$이므로

$(a+2)^2+(b-2)^2=(a-3)^2+(b-1)^2$

$a^2+4a+4+b^2-4b+4=a^2-6a+9+b^2-2b+1$

$\therefore 5a-b=1$ ······ ㉡

㉠, ㉡을 연립하여 풀면 $a=\frac{1}{2}, b=\frac{3}{2}$

$\therefore a+b=2$

018 답 $10\sqrt{2}$

P$(a, 0)$이라 하면 $\overline{AP}=\overline{BP}$에서 $\overline{AP}^2=\overline{BP}^2$이므로

$(a-2)^2+(-4)^2=(a-6)^2+(-8)^2$

$8a=80$ $\therefore a=10$ $\therefore$ P$(10, 0)$

Q$(0, b)$라 하면 $\overline{AQ}=\overline{BQ}$에서 $\overline{AQ}^2=\overline{BQ}^2$이므로

$(-2)^2+(b-4)^2=(-6)^2+(b-8)^2$

$8b=80$ $\therefore b=10$ $\therefore$ Q$(0, 10)$

$\therefore \overline{PQ}=\sqrt{(-10)^2+10^2}=10\sqrt{2}$

019 답 ③

점 P(a, b)가 삼각형 ABC의 외심이므로 $\overline{AP}=\overline{BP}=\overline{CP}$

$\overline{AP}=\overline{BP}$에서 $\overline{AP}^2=\overline{BP}^2$이므로

$(a-1)^2+(b-2)^2=a^2+(b+1)^2$

$\therefore a+3b=2$ ······ ㉠

$\overline{BP}=\overline{CP}$에서 $\overline{BP}^2=\overline{CP}^2$이므로

$a^2+(b+1)^2=(a-4)^2+(b-3)^2$

$\therefore a+b=3$ ······ ㉡

㉠, ㉡을 연립하여 풀면 $a=\frac{7}{2}, b=-\frac{1}{2}$

$\therefore a-b=4$

020 답 4

$\overline{AP}=\overline{BP}$에서 $\overline{AP}^2=\overline{BP}^2$이므로

$(a-1)^2+(b-1)^2=(a-3)^2+(b-7)^2$ $\therefore a+3b=14$

이때 $a+3b=14$를 만족시키는 자연수 a, b의 순서쌍은

$(2, 4), (5, 3), (8, 2), (11, 1)$

따라서 구하는 점 P는 4개이다.

021 답 ③

$\overline{AB}=\sqrt{(3-1)^2+(-2)^2}=\sqrt{8}=2\sqrt{2}$

$\overline{BC}=\sqrt{(-1-3)^2+(-2)^2}=\sqrt{20}=2\sqrt{5}$

$\overline{CA}=\sqrt{(1+1)^2+(2+2)^2}=\sqrt{20}=2\sqrt{5}$

따라서 삼각형 ABC는 $\overline{BC}=\overline{CA}$인 이등변삼각형이다.

022 답 ④

삼각형 ABC가 정삼각형이므로 $\overline{AB}=\overline{BC}=\overline{CA}$

$\overline{AB}=\overline{BC}$에서 $\overline{AB}^2=\overline{BC}^2$이므로

$(1+1)^2+(-1-1)^2=(a-1)^2+(b+1)^2$

$\therefore a^2+b^2-2a+2b-6=0$ …… ㉠

또 $\overline{BC}=\overline{CA}$에서 $\overline{BC}^2=\overline{CA}^2$이므로

$(a-1)^2+(b+1)^2=(-1-a)^2+(1-b)^2$

$\therefore a=b$ …… ㉡

㉠, ㉡을 연립하여 풀면

$a=-\sqrt{3}$, $b=-\sqrt{3}$ 또는 $a=\sqrt{3}$, $b=\sqrt{3}$

$\therefore ab=3$

023 답 ⑤

삼각형 ABP가 $\overline{AB}$가 빗변인 직각삼각형이 되려면

$\overline{AB}^2=\overline{AP}^2+\overline{BP}^2$이어야 하므로

$(7-2)^2+(1-5)^2=(p-2)^2+(-5)^2+(p-7)^2+(-1)^2$

$\therefore p^2-9p+19=0$

따라서 이차방정식의 근과 계수의 관계에 의하여 모든 p의 값의 합은 9이다.

024 답 $5\sqrt{2}$

$A(-1, -3)$, $B(4, 2)$, $P(a, b)$라 하면

$\sqrt{(a+1)^2+(b+3)^2}+\sqrt{(a-4)^2+(b-2)^2}$

$=\overline{AP}+\overline{BP}$

$\geq\overline{AB}=\sqrt{(4+1)^2+(2+3)^2}=5\sqrt{2}$

따라서 구하는 최솟값은 $5\sqrt{2}$이다.

025 답 ③

$\sqrt{x^2-2x+1+y^2}+\sqrt{x^2+y^2+4y+4}$

$=\sqrt{(x-1)^2+y^2}+\sqrt{x^2+(y+2)^2}$

$A(1, 0)$, $B(0, -2)$, $P(x, y)$라 하면

$\sqrt{(x-1)^2+y^2}+\sqrt{x^2+(y+2)^2}$

$=\overline{AP}+\overline{BP}$

$\geq\overline{AB}=\sqrt{(-1)^2+(-2)^2}=\sqrt{5}$

따라서 구하는 최솟값은 $\sqrt{5}$이다.

026 답 ②

$P(0, a)$라 하면

$\overline{AP}^2+\overline{BP}^2=2^2+(a-1)^2+(-3)^2+(a+3)^2$

$=2a^2+4a+23=2(a+1)^2+21$

따라서 $a=-1$일 때 주어진 식의 최솟값은 21이다.

027 답 (2, 6)

$P(a, a+4)$라 하면

$\overline{AP}^2+\overline{BP}^2=(a-3)^2+(a-2)^2+(a-2)^2+(a-1)^2$

$=4a^2-16a+18$

$=4(a-2)^2+2$

따라서 $a=2$일 때 주어진 식의 최솟값은 2이므로 점 P의 좌표는 (2, 6)이다.

028 답 ④

$P(a, b)$라 하면

$\overline{AP}^2+\overline{BP}^2+\overline{CP}^2$

$=(a-1)^2+(b-2)^2+(a-2)^2+(b-5)^2+(a-3)^2+(b+1)^2$

$=3a^2-12a+3b^2-12b+44$

$=3(a-2)^2+3(b-2)^2+20$

따라서 $a=2$, $b=2$일 때 주어진 식의 최솟값은 20이다.

029 답 풀이 참조

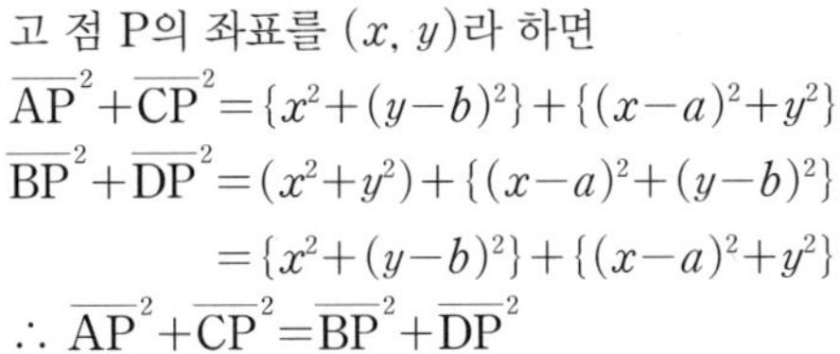

오른쪽 그림과 같이 직선 BC를 x축, 직선 AB를 y축으로 하는 좌표평면을 잡으면 점 B는 원점이다.

따라서 $A(0, b)$, $C(a, 0)$, $D(a, b)$라 하고 점 P의 좌표를 (x, y)라 하면

$\overline{AP}^2+\overline{CP}^2=\{x^2+(y-b)^2\}+\{(x-a)^2+y^2\}$

$\overline{BP}^2+\overline{DP}^2=(x^2+y^2)+\{(x-a)^2+(y-b)^2\}$

$=\{x^2+(y-b)^2\}+\{(x-a)^2+y^2\}$

$\therefore \overline{AP}^2+\overline{CP}^2=\overline{BP}^2+\overline{DP}^2$

030 답 (가) $-2c$ (나) $a^2+b^2+2c^2$

오른쪽 그림과 같이 직선 BC를 x축, 점 D를 지나고 직선 BC에 수직인 직선을 y축으로 하는 좌표평면을 잡으면 점 D는 원점이다.

따라서 $A(a, b)$, $B(-2c, 0)$, $C(c, 0)$이라 하면

$\overline{AB}^2+2\overline{AC}^2=\{(-2c-a)^2+(-b)^2\}+2\{(c-a)^2+(-b)^2\}$

$=3a^2+3b^2+6c^2$

$=3(a^2+b^2+2c^2)$

$\overline{AD}^2+2\overline{CD}^2=\{(-a)^2+(-b)^2\}+2(-c)^2$

$=a^2+b^2+2c^2$

$\therefore \overline{AB}^2+2\overline{AC}^2=3(\overline{AD}^2+2\overline{CD}^2)$

031 답 ④

$P\left(\frac{2\times(-1)+1\times5}{2+1}, \frac{2\times4+1\times1}{2+1}\right)$ $\therefore P(1, 3)$

$Q\left(\frac{2\times(-1)-1\times5}{2-1}, \frac{2\times4-1\times1}{2-1}\right)$ $\therefore Q(-7, 7)$

따라서 선분 PQ의 길이는

$\sqrt{(-7-1)^2+(7-3)^2}=4\sqrt{5}$

032 답 ①

선분 AB를 3 : 1로 외분하는 점의 좌표가 $(-4,\ 5)$이므로

$\frac{3\times(-2)-1\times a}{3-1}=-4,\ \frac{3\times b-1\times(-1)}{3-1}=5$

$-6-a=-8,\ 3b+1=10 \qquad \therefore\ a=2,\ b=3$

$\therefore\ a+b=5$

033 답 9

$B(a,\ b)$라 하면 변 AB의 중점의 좌표가 $(-4,\ 3)$이므로

$\frac{-3+a}{2}=-4,\ \frac{-2+b}{2}=3 \qquad \therefore\ a=-5,\ b=8$

$\therefore\ B(-5,\ 8)$

$C(c,\ d)$라 하면 변 AC의 중점의 좌표가 $(-1,\ 1)$이므로

$\frac{-3+c}{2}=-1,\ \frac{-2+d}{2}=1 \qquad \therefore\ c=1,\ d=4$

$\therefore\ C(1,\ 4)$

변 BC를 3 : 2로 외분하는 점의 좌표는

$\left(\frac{3\times1-2\times(-5)}{3-2},\ \frac{3\times4-2\times8}{3-2}\right) \qquad \therefore\ (13,\ -4)$

따라서 $x=13,\ y=-4$이므로

$x+y=9$

034 답 4

점 $C(a,\ b)$는 선분 AB를 1 : 2로 내분하는 점이므로

$C\left(\frac{1\times3+2\times(-3)}{1+2},\ \frac{1\times5+2\times(-1)}{1+2}\right) \qquad \therefore\ C(-1,\ 1)$

점 $D(c,\ d)$는 선분 AB를 2 : 1로 내분하는 점이므로

$D\left(\frac{2\times3+1\times(-3)}{2+1},\ \frac{2\times5+1\times(-1)}{2+1}\right) \qquad \therefore\ D(1,\ 3)$

따라서 $a=-1,\ b=1,\ c=1,\ d=3$이므로

$cd-ab=3-(-1)=4$

035 답 ③

선분 AB를 $t : (1-t)$로 내분하는 점의 좌표는

$\left(\frac{t\times6+(1-t)\times(-2)}{t+(1-t)},\ \frac{t\times(-2)+(1-t)\times3}{t+(1-t)}\right)$

$\therefore\ (8t-2,\ 3-5t)$

이 점이 제4사분면 위의 점이므로

$8t-2>0,\ 3-5t<0 \qquad \therefore\ t>\frac{3}{5}$

그런데 $t>0,\ 1-t>0$이므로 $0<t<1$

따라서 $\frac{3}{5}<t<1$이므로 $a=\frac{3}{5},\ b=1$

$\therefore\ a+b=\frac{8}{5}$

036 답 ①

선분 AB를 a : 1로 외분하는 점의 좌표는

$\left(\frac{a-5}{a-1},\ \frac{2a+2}{a-1}\right)$

이 점이 직선 $3x+y-1=0$ 위에 있으므로

$\frac{3(a-5)}{a-1}+\frac{2a+2}{a-1}-1=0,\ 5a-13-(a-1)=0$

$4a=12 \qquad \therefore\ a=3$

037 답 ④

선분 AB를 $m : n$으로 내분하는 점의 좌표는

$\left(\frac{6m-3n}{m+n},\ \frac{-m+5n}{m+n}\right)$

이 점이 y축 위에 있으므로

$\frac{6m-3n}{m+n}=0,\ n=2m$

$\therefore\ \frac{n}{m}=2$

038 답 18

$2\overline{AB}=\overline{BC}$에서 $\overline{AB} : \overline{BC}=1 : 2$

$a>0$에서 오른쪽 그림과 같이 점 C는 $\overline{AB}$를 3 : 2로 외분하는 점이므로

$a=\frac{3\times4-2\times(-5)}{3-2}=22$

$b=\frac{3\times2-2\times1}{3-2}=4$

$\therefore\ a-b=18$

다른 풀이 점 B는 $\overline{AC}$를 1 : 2로 내분하는 점이므로

$\frac{1\times a+2\times(-5)}{1+2}=4,\ \frac{1\times b+2\times1}{1+2}=2$

$\therefore\ a=22,\ b=4$

$\therefore\ a-b=18$

039 답 12

$2\overline{AB}=3\overline{BC}$에서 $\overline{AB} : \overline{BC}=3 : 2$

이를 만족시키는 점 C의 x좌표를 a라 하면

(i) 점 C가 $\overline{AB}$ 위에 있을 때

점 C는 오른쪽 그림과 같이 $\overline{AB}$를 1 : 2로 내분하는 점이므로

$a=\frac{1\times6+2\times(-4)}{1+2}=-\frac{2}{3}$

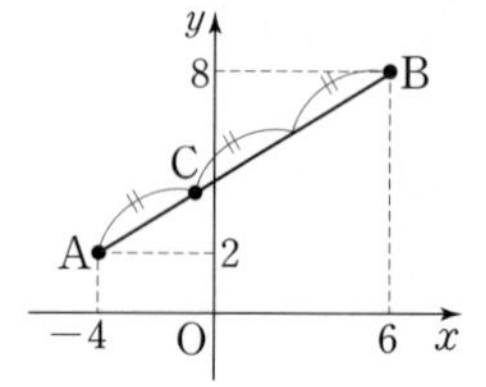

(ii) 점 C가 $\overline{AB}$의 연장선 위에 있을 때

점 C는 오른쪽 그림과 같이 $\overline{AB}$를 5 : 2로 외분하는 점이므로

$a=\frac{5\times6-2\times(-4)}{5-2}=\frac{38}{3}$

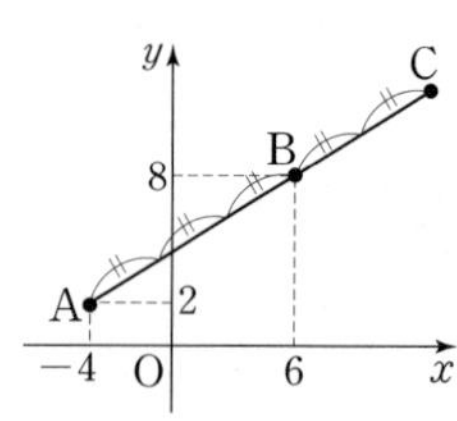

(i), (ii)에 의하여 점 C의 x좌표의 합은

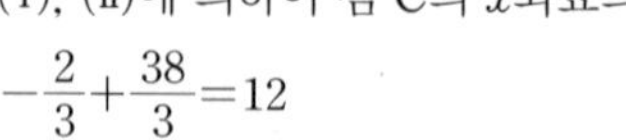

$-\frac{2}{3}+\frac{38}{3}=12$

040 답 ④

$S_1 : S_2=9 : 4$, 즉 $\overline{AP}^2 : \overline{BP}^2=9 : 4$이므로

$\overline{AP} : \overline{BP}=3 : 2$

따라서 점 P는 선분 AB를 3 : 2로 내분하는 점이므로 점 P의 좌표는

$\left(\frac{3\times6+2\times1}{3+2},\ \frac{3\times8+2\times(-2)}{3+2}\right)$

$\therefore\ (4,\ 4)$

041 답 $3\sqrt{5}$

삼각형 OBP의 넓이가 삼각형 OAP의 넓이의 3배이므로

$\overline{AP} : \overline{BP} = 1 : 3$

(i) 점 P가 $\overline{AB}$ 위에 있을 때

점 P는 오른쪽 그림과 같이 $\overline{AB}$를 1 : 3으로 내분하는 점이므로

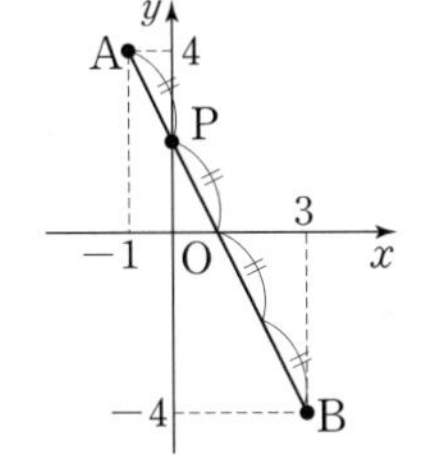

$\left(\frac{1\times3+3\times(-1)}{1+3}, \frac{1\times(-4)+3\times4}{1+3}\right)$

$\therefore (0, 2)$

(ii) 점 P가 $\overline{AB}$의 연장선 위에 있을 때

점 P는 오른쪽 그림과 같이 $\overline{AB}$를 1 : 3으로 외분하는 점이므로

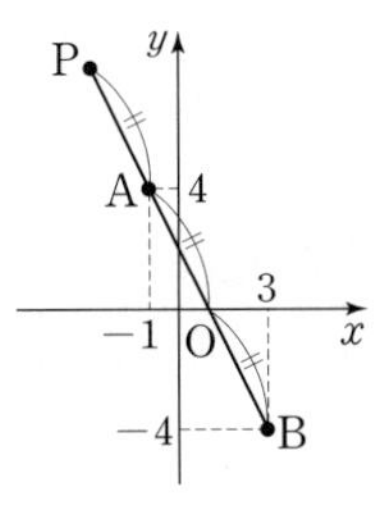

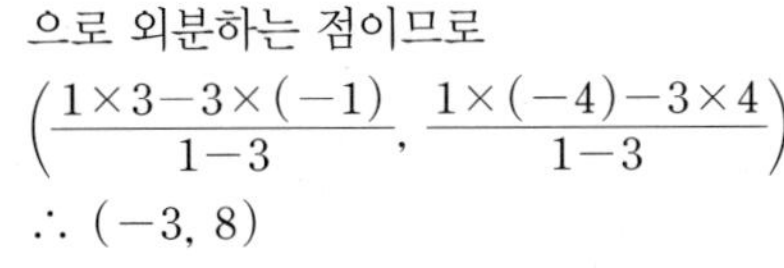

$\left(\frac{1\times3-3\times(-1)}{1-3}, \frac{1\times(-4)-3\times4}{1-3}\right)$

$\therefore (-3, 8)$

따라서 $P_1(0, 2)$, $P_2(-3, 8)$ 또는

$P_1(-3, 8)$, $P_2(0, 2)$이므로 두 점 P_1, P_2 사이의 거리는

$\sqrt{(-3)^2+6^2}=3\sqrt{5}$

042 답 3

삼각형 ABC의 무게중심의 좌표는

$\left(\frac{-3+a-1-2b}{3}, \frac{4+b+1+a}{3}\right)$

$\therefore \left(\frac{a-2b-4}{3}, \frac{a+b+5}{3}\right)$

이 점이 점 $(-3, 3)$과 일치하므로

$\frac{a-2b-4}{3}=-3$, $\frac{a+b+5}{3}=3$

$a-2b=-5$, $a+b=4$

두 식을 연립하여 풀면 $a=1$, $b=3$ $\quad\therefore ab=3$

043 답 (0, 6)

$\overline{AC}$의 중점을 M, 삼각형 ABC의 무게중심을 G라 하면 점 G는 $\overline{BM}$을 2 : 1로 내분하는 점이므로 $B(a, b)$라 하면

$\frac{2\times3+1\times a}{2+1}=2$, $\frac{2\times6+1\times b}{2+1}=6$

$a+6=6$, $12+b=18$ $\quad\therefore a=0$, $b=6$

따라서 점 B의 좌표는 $(0, 6)$이다.

044 답 7

세 점 P, Q, R의 좌표는 각각

$P\left(\frac{-1+7}{2}, \frac{4+2}{2}\right)$ $\quad\therefore P(3, 3)$

$Q\left(\frac{7+3}{2}, \frac{2+6}{2}\right)$ $\quad\therefore Q(5, 4)$

$R\left(\frac{3-1}{2}, \frac{6+4}{2}\right)$ $\quad\therefore R(1, 5)$

따라서 삼각형 PQR의 무게중심의 좌표는

$\left(\frac{3+5+1}{3}, \frac{3+4+5}{3}\right)$ $\quad\therefore (3, 4)$

따라서 $a=3$, $b=4$이므로 $a+b=7$

다른 풀이 삼각형 PQR의 무게중심은 삼각형 ABC의 무게중심과 일치하므로 구하는 무게중심의 좌표는

$\left(\frac{-1+7+3}{3}, \frac{4+2+6}{3}\right)$ $\quad\therefore (3, 4)$

따라서 $a=3$, $b=4$이므로 $a+b=7$

045 답 3

삼각형 ABC의 무게중심의 좌표는

$\left(\frac{1+3-1}{3}, \frac{2+4+3}{3}\right)$ $\quad\therefore (1, 3)$ ...... ㉠

삼각형 DEF의 무게중심의 좌표는

$\left(\frac{a+3+5}{3}, \frac{-1+2+b}{3}\right)$ $\quad\therefore \left(\frac{a+8}{3}, \frac{b+1}{3}\right)$ ...... ㉡

㉠, ㉡이 일치하므로

$\frac{a+8}{3}=1$, $\frac{b+1}{3}=3$ $\quad\therefore a=-5$, $b=8$

$\therefore a+b=3$

046 답 ③

대각선 AC의 중점의 좌표는

$\left(\frac{3+3}{2}, \frac{6-3}{2}\right)$ $\quad\therefore \left(3, \frac{3}{2}\right)$ ...... ㉠

$D(a, b)$라 하면 대각선 BD의 중점의 좌표는

$\left(\frac{-1+a}{2}, \frac{3+b}{2}\right)$ ...... ㉡

㉠, ㉡이 일치하므로

$3=\frac{-1+a}{2}$, $\frac{3}{2}=\frac{3+b}{2}$ $\quad\therefore a=7$, $b=0$

따라서 점 D의 좌표는 $(7, 0)$이다.

047 답 C(−4, 6), D(−2, −1)

$C(a, b)$라 하면 대각선 AC의 중점의 좌표는 $\left(\frac{4+a}{2}, \frac{b}{2}\right)$이므로

$\frac{4+a}{2}=0$, $\frac{b}{2}=3$ $\quad\therefore a=-4$, $b=6$

$\therefore C(-4, 6)$

$D(c, d)$라 하면 대각선 BD의 중점의 좌표는 $\left(\frac{2+c}{2}, \frac{7+d}{2}\right)$이고, 두 대각선 AC와 BD의 중점은 일치하므로

$\frac{2+c}{2}=0$, $\frac{7+d}{2}=3$ $\quad\therefore c=-2$, $d=-1$

$\therefore D(-2, -1)$

048 답 ④

두 대각선 AC와 BD의 중점이 일치하므로 중점의 y좌표는

$\frac{-2+b}{2}=\frac{a+2}{2}$ $\quad\therefore b=a+4$ ...... ㉠

또 $\overline{AB}=\overline{AD}$에서 $\overline{AB}^2=\overline{AD}^2$이므로

$(7-3)^2+(a+2)^2=(1-3)^2+(2+2)^2$

$a^2+4a=0$, $a(a+4)=0$

$\therefore a=-4$ 또는 $a=0$

이를 각각 ㉠에 대입하면

$a=-4$, $b=0$ 또는 $a=0$, $b=4$

$\therefore |a+b|=4$

049 답 ②

주어진 평행사변형의 네 꼭짓점을 A, B, C, D라 하면 두 대각선 AC와 BD의 중점이 일치한다.

(i) A(a, b), C$(-3, -1)$일 때

$\frac{a-3}{2}=\frac{-1+1}{2}$, $\frac{b-1}{2}=\frac{5+3}{2}$ $\quad\therefore a=3, b=9$

(ii) A(a, b), C$(-1, 5)$일 때

$\frac{a-1}{2}=\frac{-3+1}{2}$, $\frac{b+5}{2}=\frac{-1+3}{2}$ $\quad\therefore a=-1, b=-3$

(iii) A(a, b), C$(1, 3)$일 때

$\frac{a+1}{2}=\frac{-3-1}{2}$, $\frac{b+3}{2}=\frac{-1+5}{2}$ $\quad\therefore a=-5, b=1$

(i), (ii), (iii)에 의하여 모든 ab의 값의 합은

$27+3+(-5)=25$

050 답 $\left(-1, \frac{1}{3}\right)$

$\overline{AB}=\sqrt{(2+1)^2+(-1+5)^2}=5$, $\overline{AC}=\sqrt{(-7+1)^2+(3+5)^2}=10$

이때 $\overline{AD}$는 $\angle A$의 이등분선이므로

$\overline{BD}:\overline{CD}=\overline{AB}:\overline{AC}=5:10=1:2$

따라서 점 D는 $\overline{BC}$를 $1:2$로 내분하는 점이므로 점 D의 좌표는

$\left(\frac{1\times(-7)+2\times2}{1+2}, \frac{1\times3+2\times(-1)}{1+2}\right)$ $\quad\therefore \left(-1, \frac{1}{3}\right)$

051 답 ④

$\overline{AB}=\sqrt{(14-2)^2+(8-3)^2}=13$

$\overline{AC}=\sqrt{(-4-2)^2+(-5-3)^2}=10$

이때 $\overline{AD}$는 $\angle A$의 이등분선이므로

$\overline{BD}:\overline{CD}=\overline{AB}:\overline{AC}=13:10$

따라서 $S_1:S_2=\overline{BD}:\overline{CD}=13:10$이므로

$\frac{S_1}{S_2}=\frac{13}{10}$

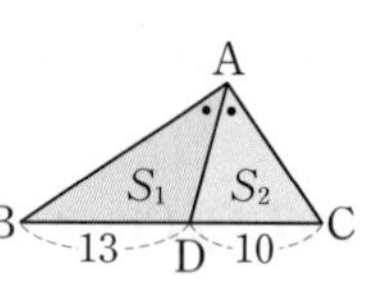

052 답 ⑤

$\overline{AB}=\sqrt{(-3-3)^2+(-8)^2}=10$, $\overline{AC}=\sqrt{(-3)^2+4^2}=5$

이때 $\overline{AD}$는 $\angle A$의 외각의 이등분선이므로

$\overline{BD}:\overline{CD}=\overline{AB}:\overline{AC}=10:5=2:1$

즉, 점 D는 $\overline{BC}$를 $2:1$로 외분하는 점이므로

D$\left(\frac{2\times0-1\times(-3)}{2-1}, \frac{2\times4-1\times(-8)}{2-1}\right)$ $\quad\therefore$ D$(3, 16)$

따라서 $a=3$, $b=16$이므로 $a+b=19$

053 답 ①

P(a, b)라 하면 점 P가 직선 $y=-4x+2$ 위의 점이므로

$b=-4a+2$ $\quad\cdots\cdots$ ㉠

이때 점 Q는 $\overline{OP}$를 $1:2$로 내분하는 점이므로

Q$\left(\frac{1\times a+2\times0}{1+2}, \frac{1\times b+2\times0}{1+2}\right)$ $\quad\therefore$ Q$\left(\frac{a}{3}, \frac{b}{3}\right)$

Q(x, y)라 하면 $x=\frac{a}{3}$, $y=\frac{b}{3}$이므로 $a=3x$, $b=3y$

이를 ㉠에 대입하면 $3y=-4\times3x+2$, $y=-4x+\frac{2}{3}$

따라서 $m=-4$, $n=\frac{2}{3}$이므로 $m+n=-\frac{10}{3}$

054 답 $y=x+1$

두 점 A, B로부터 같은 거리에 있는 점을 P(x, y)라 하면

$\overline{AP}=\overline{BP}$에서 $\overline{AP}^2=\overline{BP}^2$이므로

$(x-1)^2+(y-4)^2=(x-3)^2+(y-2)^2$

$x^2-2x+y^2-8y+17=x^2-6x+y^2-4y+13$

$\therefore y=x+1$

055 답 ③

$\overline{AB}=\overline{BC}$에서 $\overline{AB}^2=\overline{BC}^2$이므로

$(a-1-1)^2+(1-3)^2=(3-a+1)^2+(-3-1)^2$

$a^2-4a+8=a^2-8a+32$, $4a=24$ $\quad\therefore a=6$

056 답 8

$\overline{AB}\le5$에서 $\overline{AB}^2\le5^2$이므로

$(2-a)^2+(a+2-3)^2\le25$, $a^2-3a-10\le0$

$(a+2)(a-5)\le0$ $\quad\therefore -2\le a\le5$

따라서 정수 a는 $-2, -1, 0, 1, 2, 3, 4, 5$의 8개이다.

057 답 $2\sqrt{2}$

P$(a, 0)$이라 하면 $\overline{AP}=\overline{BP}$에서 $\overline{AP}^2=\overline{BP}^2$이므로

$a^2+2^2=(a+4)^2+(-2)^2$, $8a=-16$ $\quad\therefore a=-2$

$\therefore$ P$(-2, 0)$

Q$(0, b)$라 하면 $\overline{AQ}=\overline{BQ}$에서 $\overline{AQ}^2=\overline{BQ}^2$이므로

$(b+2)^2=4^2+(b-2)^2$, $8b=16$ $\quad\therefore b=2$

$\therefore$ Q$(0, 2)$ $\quad\therefore \overline{PQ}=\sqrt{2^2+2^2}=2\sqrt{2}$

058 답 ③

P$(a, a-2)$라 하면 $\overline{AP}=\overline{BP}$에서 $\overline{AP}^2=\overline{BP}^2$이므로

$(a+4)^2+(a-2)^2=(a-6)^2+(a-2+2)^2$

$2a^2+4a+20=2a^2-12a+36$, $16a=16$ $\quad\therefore a=1$

따라서 점 P의 좌표는 $(1, -1)$이다.

059 답 ③

$\overline{AB}=\sqrt{(4-2)^2+(-1-1)^2}=2\sqrt{2}$

$\overline{BC}=\sqrt{(-4)^2+(-3+1)^2}=2\sqrt{5}$

$\overline{CA}=\sqrt{2^2+(1+3)^2}=2\sqrt{5}$

따라서 삼각형 ABC는 $\overline{BC}=\overline{CA}$인 이등변삼각형이다.

060 답 -2

(i) $\overline{AB}=\overline{AC}$에서 $\overline{AB}^2=\overline{AC}^2$이므로

$(-4-1)^2+(5-2)^2=(a-1)^2+(-3-2)^2$

$34=a^2-2a+26$, $a^2-2a-8=0$

$(a+2)(a-4)=0$ $\quad\therefore a=-2$ 또는 $a=4$

(ii) $\overline{BC}^2=\overline{AB}^2+\overline{AC}^2$에서

$(a+4)^2+(-3-5)^2$

$=(-4-1)^2+(5-2)^2+(a-1)^2+(-3-2)^2$

$a^2+8a+80=a^2-2a+60$, $10a=-20$ $\quad\therefore a=-2$

(i), (ii)에 의하여 $a=-2$

061 답 ②

A(1, −2), B(5, 2), P(a, b)라 하면

$\sqrt{(a-1)^2+(b+2)^2}+\sqrt{(a-5)^2+(b-2)^2}$

$=\overline{AP}+\overline{BP}$

$\geq\overline{AB}=\sqrt{(5-1)^2+(2+2)^2}=4\sqrt{2}$

따라서 구하는 최솟값은 $4\sqrt{2}$이다.

062 답 72

두 점 B, C는 x축 위의 점이므로 P(a, 0)($-2\leq a\leq 3$)이라 하면

$\overline{AP}^2+\overline{BP}^2=(a-4)^2+(-3)^2+(a+2)^2$

$=2a^2-4a+29=2(a-1)^2+27$

따라서 $a=-2$일 때 최댓값은 45, $a=1$일 때 최솟값은 27이므로 구하는 합은 $45+27=72$

063 답 (가) $2a$ (나) $\sqrt{3}a$ (다) $2\sqrt{3}a$

점 B($6a$, 0)이라 하면 C($2a$, 0), D($4a$, 0)이고 점 E의 y좌표는 정삼각형 ADE의 높이이므로

$\frac{\sqrt{3}}{2}\times 4a=2\sqrt{3}a$ ∴ E($2a$, $2\sqrt{3}a$)

또 점 F의 y좌표는 정삼각형 DBF의 높이이므로

$\frac{\sqrt{3}}{2}\times 2a=\sqrt{3}a$ ∴ F($5a$, $\sqrt{3}a$)

이때 $\overline{EC}$, $\overline{CF}$, $\overline{FE}$의 길이를 각각 구하면

$\overline{EC}=2\sqrt{3}a$

$\overline{CF}=\sqrt{(5a-2a)^2+(\sqrt{3}a)^2}=2\sqrt{3}a$

$\overline{FE}=\sqrt{(2a-5a)^2+(2\sqrt{3}a-\sqrt{3}a)^2}=2\sqrt{3}a$

∴ $\overline{EC}=\overline{CF}=\overline{FE}=2\sqrt{3}a$

따라서 삼각형 ECF는 정삼각형이다.

064 답 7

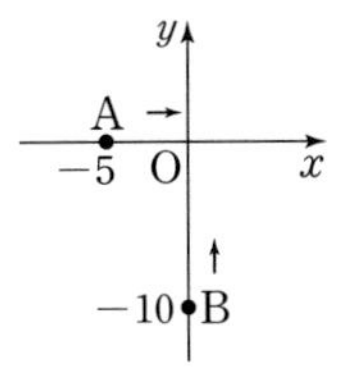

오른쪽 그림과 같이 좌표평면 위에 두 도로를 각각 x축, y축으로, O 지점을 원점으로 잡으면 출발한 지 t시간 후 A의 위치는 ($-5+4t$, 0), B의 위치는 (0, $-10+3t$)이다.

이때 두 사람 사이의 거리는

$\sqrt{(5-4t)^2+(-10+3t)^2}=\sqrt{25t^2-100t+125}$

$=\sqrt{25(t-2)^2+25}$ (km)

두 사람 사이의 거리가 가장 가까워지는 것은 $t=2$일 때, 즉 출발한 지 2시간 후이고 그때의 거리는 5 km이다.

따라서 $a=2$, $d=5$이므로 $a+d=7$

065 답 ⑤

$P\left(\frac{2\times(-5)+3\times 5}{2+3}, \frac{2\times 3+3\times(-2)}{2+3}\right)$ ∴ P(1, 0)

$Q\left(\frac{2\times(-5)-3\times 5}{2-3}, \frac{2\times 3-3\times(-2)}{2-3}\right)$ ∴ Q(25, −12)

따라서 선분 PQ의 중점의 좌표는

$\left(\frac{1+25}{2}, \frac{0+(-12)}{2}\right)$ ∴ (13, −6)

066 답 ①

선분 AB를 $3:b$로 내분하는 점의 좌표는

$\left(\frac{3\times(-12)+b\times 4}{3+b}, \frac{3\times a+b\times(-8)}{3+b}\right)$

∴ $\left(\frac{-36+4b}{3+b}, \frac{3a-8b}{3+b}\right)$

이 점이 점 (−2, 1)과 일치하므로

$\frac{-36+4b}{3+b}=-2$, $\frac{3a-8b}{3+b}=1$

$-36+4b=-2(3+b)$, $3a-8b=3+b$

$b=5$, $a-3b=1$ ∴ $a=16$, $b=5$

∴ $a+b=21$

067 답 ③

선분 AB를 $a:(a+1)$로 외분하는 점의 좌표는

$\left(\frac{a\times(-1)-(a+1)\times 2}{a-(a+1)}, \frac{a\times 4-(a+1)\times 3}{a-(a+1)}\right)$

∴ ($3a+2$, $-a+3$)

이 점이 x축 위의 점이므로

$-a+3=0$ ∴ $a=3$

068 답 4

삼각형 ABP에서 $\overline{AP}\,/\!/\,\overline{DC}$이므로

$\overline{AB}:\overline{AD}=\overline{PB}:\overline{PC}$

이때 $\overline{AB}=\sqrt{(-4-1)^2+(-8-4)^2}=13$,

$\overline{AD}=\overline{AC}=\sqrt{(5-1)^2+(1-4)^2}=5$이므로

$13:5=\overline{PB}:\overline{PC}$

즉, 점 P는 $\overline{BC}$를 13 : 5로 외분하는 점이므로

$P\left(\frac{13\times 5-5\times(-4)}{13-5}, \frac{13\times 1-5\times(-8)}{13-5}\right)$ ∴ $P\left(\frac{85}{8}, \frac{53}{8}\right)$

따라서 $a=\frac{85}{8}$, $b=\frac{53}{8}$이므로 $a-b=4$

069 답 $6+2\sqrt{3}$

삼각형 ABC가 정삼각형이므로 $\overline{AB}=\overline{BC}=\overline{CA}$

$\overline{AB}=\overline{BC}$에서 $\overline{AB}^2=\overline{BC}^2$이므로

$(-2)^2+2^2=a^2+(b-2)^2$

∴ $a^2+b^2-4b-4=0$ …… ㉠

$\overline{BC}=\overline{CA}$에서 $\overline{BC}^2=\overline{CA}^2$이므로

$a^2+(b-2)^2=(2-a)^2+(-b)^2$

∴ $a=b$ …… ㉡

㉠, ㉡을 연립하여 풀면

$a=1+\sqrt{3}$, $b=1+\sqrt{3}$ 또는 $a=1-\sqrt{3}$, $b=1-\sqrt{3}$

이때 점 C는 제1사분면 위의 점이므로

$a=1+\sqrt{3}$, $b=1+\sqrt{3}$

삼각형 ABC의 무게중심의 좌표는

$\left(\frac{2+0+1+\sqrt{3}}{3}, \frac{0+2+1+\sqrt{3}}{3}\right)$ ∴ $\left(\frac{3+\sqrt{3}}{3}, \frac{3+\sqrt{3}}{3}\right)$

즉, $p=\frac{3+\sqrt{3}}{3}$, $q=\frac{3+\sqrt{3}}{3}$이므로

$3(p+q)=3\times\frac{6+2\sqrt{3}}{3}=6+2\sqrt{3}$

070 답 ④

대각선 AC의 중점의 좌표는

$\left(\frac{1+3}{2}, \frac{-1+5}{2}\right)$ $\therefore (2, 2)$ ...... ㉠

대각선 BD의 중점의 좌표는

$\left(\frac{2+a}{2}, \frac{-3+b}{2}\right)$ ...... ㉡

㉠, ㉡이 일치하므로

$2=\frac{2+a}{2}$, $2=\frac{-3+b}{2}$ $\therefore a=2, b=7$

$\therefore ab=14$

071 답 ③

두 대각선 AC와 BD의 중점의 좌표는 일치하므로 중점의 x좌표는

$\frac{a+4}{2}=\frac{1+b}{2}$ $\therefore b=a+3$ ...... ㉠

또 $\overline{AB}=\overline{BC}$에서 $\overline{AB}^2=\overline{BC}^2$이므로

$(1-4)^2+(5-2)^2=(a-1)^2+(2-5)^2$

$a^2-2a-8=0$, $(a+2)(a-4)=0$

$\therefore a=-2$ 또는 $a=4$

그런데 $a=4$이면 점 A와 점 C가 일치하므로

$a=-2$

$a=-2$를 ㉠에 대입하면 $b=1$

$\therefore a+2b=0$

072 답 ①

$\overline{AB}=\sqrt{(0-3)^2+(-3-1)^2}=5$

$\overline{AC}=\sqrt{(-3-3)^2+(-7-1)^2}=10$

이때 $\overline{AD}$는 $\angle A$의 이등분선이므로

$\overline{BD}:\overline{CD}=\overline{AB}:\overline{AC}=5:10=1:2$

즉, 점 D는 $\overline{BC}$를 $1:2$로 내분하는 점이므로

$D\left(\frac{1\times(-3)+2\times0}{1+2}, \frac{1\times(-7)+2\times(-3)}{1+2}\right)$

$\therefore D\left(-1, -\frac{13}{3}\right)$

따라서 $a=-1$, $b=-\frac{13}{3}$이므로

$a+b=-\frac{16}{3}$

073 답 ①

$P(a, b)$라 하면 점 P가 직선 $y=-2x+3$ 위의 점이므로

$b=-2a+3$ ...... ㉠

이때 점 Q는 $\overline{AP}$를 $3:2$로 외분하는 점이므로

$Q\left(\frac{3\times a-2\times(-1)}{3-2}, \frac{3\times b-2\times0}{3-2}\right)$

$\therefore Q(3a+2, 3b)$

$Q(x, y)$라 하면 $x=3a+2$, $y=3b$이므로

$a=\frac{x-2}{3}$, $b=\frac{y}{3}$

이를 ㉠에 대입하면

$\frac{y}{3}=-2\times\frac{x-2}{3}+3$ $\therefore y=-2x+13$

따라서 $m=-2$, $n=13$이므로 $m+n=11$

10 직선의 방정식

160~177쪽

001 답 ③

두 점 $(-1, 3)$, $(5, -1)$을 이은 선분의 중점의 좌표는

$\left(\frac{-1+5}{2}, \frac{3-1}{2}\right)$ $\therefore (2, 1)$

따라서 점 $(2, 1)$을 지나고 기울기가 -1인 직선의 방정식은

$y-1=-(x-2)$ $\therefore y=-x+3$

002 답 ①

두 점 $(3, -2)$, $(1, -1)$을 지나는 직선의 방정식은

$y+2=\frac{-1+2}{1-3}(x-3)$ $\therefore y=-\frac{1}{2}x-\frac{1}{2}$

두 점 $(1, a)$, $\left(b, \frac{1}{2}\right)$이 직선 $y=-\frac{1}{2}x-\frac{1}{2}$ 위의 점이므로

$a=-\frac{1}{2}-\frac{1}{2}$, $\frac{1}{2}=-\frac{1}{2}b-\frac{1}{2}$

따라서 $a=-1$, $b=-2$이므로 $a+b=-3$

003 답 ①

x절편이 3이고 y절편이 -6인 직선의 방정식은

$\frac{x}{3}+\frac{y}{-6}=1$ $\therefore \frac{x}{3}-\frac{y}{6}=1$

이 직선이 점 $(a, -4)$를 지나므로

$\frac{a}{3}-\frac{-4}{6}=1$, $\frac{a}{3}+\frac{2}{3}=1$ $\therefore a=1$

004 답 ④

세 점 A, B, C가 한 직선 위에 있으려면 직선 AB와 직선 AC의 기울기가 같아야 하므로

$\frac{-k+1}{2-1}=\frac{-9+1}{(k-2)-1}$, $-k+1=\frac{-8}{k-3}$

$k^2-4k-5=0$, $(k+1)(k-5)=0$ $\therefore k=-1$ 또는 $k=5$

따라서 모든 k의 값의 합은 $-1+5=4$

005 답 ②

직선 $y=ax+b$가 삼각형 ABC의 넓이를 이등분하려면 선분 BC의 중점을 지나야 한다.

선분 BC의 중점의 좌표는 $\left(\frac{4+2}{2}, \frac{-2-4}{2}\right)$ $\therefore (3, -3)$

두 점 $(2, 2)$, $(3, -3)$을 지나는 직선의 방정식은

$y-2=\frac{-3-2}{3-2}(x-2)$ $\therefore y=-5x+12$

따라서 $a=-5$, $b=12$이므로 $a+b=7$

006 답 ③

$b\neq0$이므로 $ax+by+c=0$에서 $y=-\frac{a}{b}x-\frac{c}{b}$ ...... ㉠

$ab>0$에서 $-\frac{a}{b}<0$이므로 직선 ㉠의 기울기는 음수이다.

또 $bc<0$에서 $-\frac{c}{b}>0$이므로 직선 ㉠의 y절편은 양수이다.

따라서 직선 $ax+by+c=0$의 개형은 오른쪽 그림과 같으므로 제3사분면을 지나지 않는다.

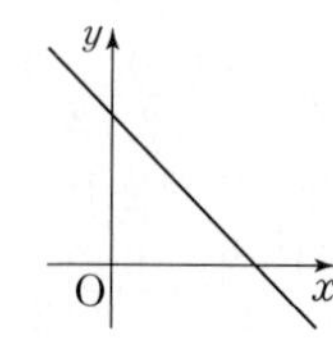

007 답 ④

주어진 식을 k에 대하여 정리하면

$(3x+y+6)+k(x+y-2)=0$

이 식이 k의 값에 관계없이 항상 성립해야 하므로 항등식의 성질에 의하여

$3x+y+6=0$, $x+y-2=0$

두 식을 연립하여 풀면 $x=-4$, $y=6$

따라서 항상 점 $(-4, 6)$을 지나므로 $a=-4$, $b=6$

$\therefore a^2+b^2=(-4)^2+6^2=52$

008 답 ②

$mx-y-5m+4=0$을 m에 대하여 정리하면

$m(x-5)-(y-4)=0$ ⋯⋯ ㉠

이므로 직선 ㉠은 m의 값에 관계없이 항상 점 $(5, 4)$를 지난다.

이때 오른쪽 그림과 같이 직선 ㉠이 직선 $x+y-3=0$과 제1사분면에서 만나도록 움직여 보면

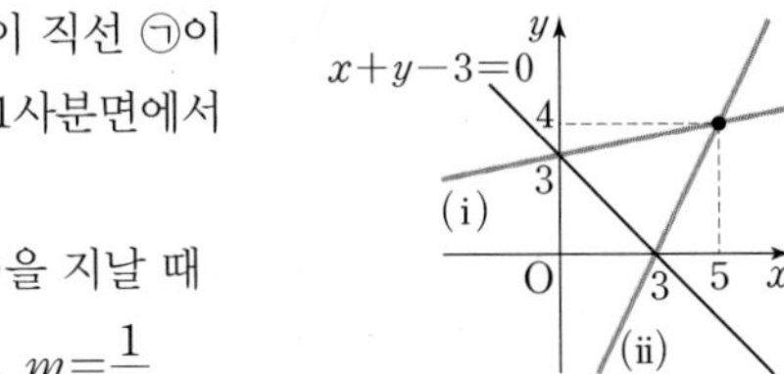

(i) 직선 ㉠이 점 $(0, 3)$을 지날 때

$-5m+1=0 \quad \therefore m=\frac{1}{5}$

(ii) 직선 ㉠이 점 $(3, 0)$을 지날 때

$-2m+4=0 \quad \therefore m=2$

(i), (ii)에 의하여 m의 값의 범위는 $\frac{1}{5}<m<2$

따라서 $\alpha=\frac{1}{5}$, $\beta=2$이므로 $\alpha\beta=\frac{2}{5}$

009 답 ①

두 직선 $x+2y+4=0$, $2x-3y-5=0$의 교점을 지나는 직선의 방정식은

$x+2y+4+k(2x-3y-5)=0$ (단, k는 실수) ⋯⋯ ㉠

직선 ㉠이 점 $(2, 1)$을 지나므로

$8-4k=0 \quad \therefore k=2$

$k=2$를 ㉠에 대입하여 정리하면

$5x-4y-6=0$

따라서 $a=5$, $b=-4$이므로 $a+b=1$

010 답 ⑤

선분 AB를 $3:1$로 내분하는 점의 좌표는

$\left(\frac{3\times(-3)+1\times1}{3+1}, \frac{3\times7+1\times3}{3+1}\right) \quad \therefore (-2, 6)$

점 $(-2, 6)$을 지나고 기울기가 -2인 직선의 방정식은

$y-6=-2(x+2) \quad \therefore y=-2x+2$

따라서 이 직선의 y절편은 2이다.

011 답 ④

구하는 직선의 기울기는 $\tan 60°=\sqrt{3}$

따라서 기울기가 $\sqrt{3}$이고 점 $(2, -\sqrt{3})$을 지나는 직선의 방정식은

$y+\sqrt{3}=\sqrt{3}(x-2) \quad \therefore y=\sqrt{3}x-3\sqrt{3}$

012 답 ⑤

$2x-3y+5=0$에서 $y=\frac{2}{3}x+\frac{5}{3}$

즉, 기울기가 $\frac{2}{3}$이고 점 $(-3, 2)$를 지나는 직선의 방정식은

$y-2=\frac{2}{3}(x+3)$, $y=\frac{2}{3}x+4$

$\therefore 2x-3y+12=0$

따라서 $a=2$, $b=-3$이므로 $a-b=5$

013 답 ①

두 점 $(-3, 5)$, $(1, -3)$을 지나는 직선의 방정식은

$y-5=\frac{-3-5}{1+3}(x+3) \quad \therefore y=-2x-1$

두 점 $(a, 1)$, $(-2, b)$가 직선 $y=-2x-1$ 위의 점이므로

$1=-2a-1$, $b=4-1$

따라서 $a=-1$, $b=3$이므로 $ab=-3$

014 답 $y=2x-8$

선분 AB를 $3:2$로 외분하는 점의 좌표는

$\left(\frac{3\times3-2\times(-1)}{3-2}, \frac{3\times6-2\times2}{3-2}\right) \quad \therefore (11, 14)$

따라서 두 점 $(11, 14)$, $(1, -6)$을 지나는 직선의 방정식은

$y-14=\frac{-6-14}{1-11}(x-11) \quad \therefore y=2x-8$

015 답 ②

삼각형 ABC의 무게중심의 좌표는

$\left(\frac{-3+2+4}{3}, \frac{-2+4+7}{3}\right) \quad \therefore (1, 3)$

두 점 $(1, 3)$, $(-1, 1)$을 지나는 직선의 방정식은

$y-3=\frac{1-3}{-1-1}(x-1) \quad \therefore y=x+2$

따라서 $a=1$, $b=2$이므로 $a+b=3$

016 답 7

$\triangle PAB:\triangle PBC=3:2$이므로 $\overline{PA}:\overline{PC}=3:2$

즉, 점 P는 선분 AC를 $3:2$로 내분하는 점이므로

$P\left(\frac{3\times6+2\times1}{3+2}, \frac{3\times8+2\times3}{3+2}\right) \quad \therefore P(4, 6)$

두 점 B, P를 지나는 직선의 방정식은

$y-4=\frac{6-4}{4-5}(x-5) \quad \therefore y=-2x+14$

따라서 이 직선의 x절편은 7이다.

017 답 ④

x절편이 -2이고 y절편이 -4인 직선의 방정식은

$-\frac{x}{2}-\frac{y}{4}=1$

이 직선이 점 $(4, a)$를 지나므로

$-\frac{4}{2}-\frac{a}{4}=1 \quad \therefore a=-12$

018 답 ③

y절편을 $a\,(a\neq0)$라 하면 x절편은 $2a$이므로 직선의 방정식은

$\frac{x}{2a}+\frac{y}{a}=1$

이 직선이 점 $(4,\ -1)$을 지나므로

$\frac{4}{2a}+\frac{-1}{a}=1,\ \frac{1}{a}=1 \qquad \therefore a=1$

따라서 구하는 직선의 방정식은

$\frac{x}{2}+y=1$

019 답 ⑤

직선 $\frac{x}{a}+\frac{y}{2}=1$의 x절편은 $a\,(a>0)$이고 y절편은 2이므로 직선의 개형은 오른쪽 그림과 같다.

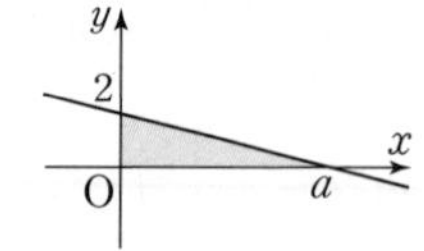

이때 이 직선과 x축 및 y축으로 둘러싸인 부분의 넓이가 8이므로

$\frac{1}{2}\times a\times2=8 \qquad \therefore a=8$

020 답 ③

세 점 A, B, C가 한 직선 위에 있으려면 직선 AC와 직선 BC의 기울기가 같아야 하므로

$\frac{1+k}{2-1}=\frac{1-3}{2-(2k+1)},\ k+1=\frac{2}{2k-1}$

$2k^2+k-3=0,\ (2k+3)(k-1)=0$

$\therefore k=-\frac{3}{2}$ 또는 $k=1$

따라서 모든 k의 값의 합은

$-\frac{3}{2}+1=-\frac{1}{2}$

021 답 ⑤

점 A가 직선 BC 위에 있으려면 직선 AB와 직선 BC의 기울기가 같아야 하므로

$\frac{4-1}{2-1}=\frac{(2k-1)-4}{(k+1)-2},\ 3=\frac{2k-5}{k-1}$

$3k-3=2k-5 \qquad \therefore k=-2$

따라서 $C(-1,\ -5)$이므로 두 점 A, C 사이의 거리는

$\overline{AC}=\sqrt{(-1-1)^2+(-5-1)^2}$

$=2\sqrt{10}$

022 답 ④

서로 다른 세 점 A, B, C가 삼각형을 이루지 않으려면 세 점이 한 직선 위에 있어야 한다.

즉, 직선 AC와 직선 BC의 기울기가 같아야 하므로

$\frac{8+1}{2-k}=\frac{8-(3k-4)}{2+3},\ \frac{9}{2-k}=\frac{-3k+12}{5}$

$k^2-6k-7=0,\ (k+1)(k-7)=0$

$\therefore k=7\ (\because k>0)$

023 답 ③

점 A를 지나는 직선이 삼각형 ABC의 넓이를 이등분하려면 선분 BC의 중점을 지나야 한다. 선분 BC의 중점의 좌표는

$\left(\frac{-1+5}{2},\ \frac{-5-3}{2}\right) \qquad \therefore (2,\ -4)$

따라서 두 점 $(3,\ 3)$, $(2,\ -4)$를 지나는 직선의 방정식은

$y-3=\frac{-4-3}{2-3}(x-3)$

$\therefore y=7x-18$

024 답 ④

직선 $\frac{x}{3}+\frac{y}{6}=1$이 x축과 만나는 점을 A, y축과 만나는 점을 B라 하면 오른쪽 그림에서 직선 $y=mx$가 삼각형 OAB의 넓이를 이등분하므로 이 직선은 선분 AB의 중점을 지나야 한다.

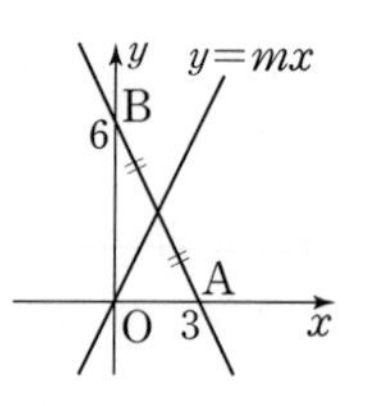

선분 AB의 중점의 좌표는

$\left(\frac{3+0}{2},\ \frac{0+6}{2}\right) \qquad \therefore \left(\frac{3}{2},\ 3\right)$

따라서 직선 $y=mx$가 점 $\left(\frac{3}{2},\ 3\right)$을 지나므로

$3=\frac{3}{2}m \qquad \therefore m=2$

025 답 ④

주어진 마름모의 넓이를 이등분하는 직선은 마름모의 대각선의 교점 $(3,\ 2)$를 지나야 한다.

두 점 $(0,\ -2)$, $(3,\ 2)$를 지나는 직선의 방정식은

$y+2=\frac{2+2}{3}x \qquad \therefore y=\frac{4}{3}x-2$

따라서 이 직선의 x절편은 $\frac{3}{2}$이다.

026 답 -3

직선 $y=mx+n$이 정사각형과 직사각형의 넓이를 동시에 이등분하므로 정사각형의 대각선의 교점과 직사각형의 대각선의 교점을 모두 지나야 한다.

직사각형 OABC의 대각선의 교점의 좌표는

$\left(\frac{-2}{2},\ \frac{6}{2}\right) \qquad \therefore (-1,\ 3)$

정사각형 ODEF의 대각선의 교점의 좌표는

$\left(\frac{4}{2},\ \frac{4}{2}\right) \qquad \therefore (2,\ 2)$

두 점 $(-1,\ 3)$, $(2,\ 2)$를 지나는 직선의 방정식은

$y-3=\frac{2-3}{2+1}(x+1)$

$\therefore y=-\frac{1}{3}x+\frac{8}{3}$

따라서 $m=-\frac{1}{3},\ n=\frac{8}{3}$이므로

$m-n=-3$

027 답 ④

$b\neq0$이므로 $ax+by+c=0$에서 $y=-\frac{a}{b}x-\frac{c}{b}$ ...... ㉠

$\frac{b}{a}<0$에서 $-\frac{a}{b}>0$이므로 직선 ㉠의 기울기는 양수이다.

또 $\frac{c}{b}<0$에서 $-\frac{c}{b}>0$이므로 직선 ㉠의 y절편은 양수이다.

따라서 직선 $ax+by+c=0$의 개형은 오른쪽 그림과 같으므로 제4사분면을 지나지 않는다.

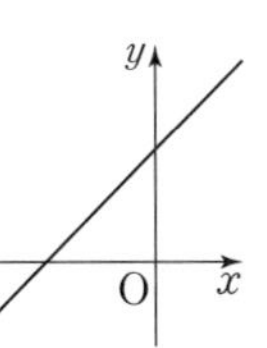

028 답 ②

$ab=0$, $ac<0$에서 $b=0$

$ax+by+c=0$에서 $x=-\frac{c}{a}$

이때 $ac<0$에서 $-\frac{c}{a}>0$

따라서 직선 $ax+by+c=0$은 오른쪽 그림과 같이 y축에 평행하므로 제1, 4사분면을 지난다.

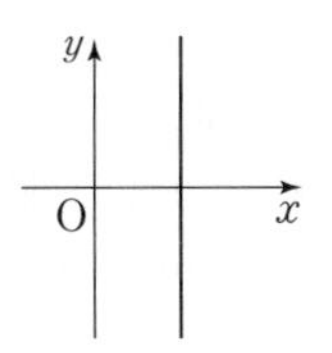

029 답 ④

$b\neq0$이므로 $ax+by+c=0$에서 $y=-\frac{a}{b}x-\frac{c}{b}$ ...... ㉠

$ab>0$에서 $-\frac{a}{b}<0$이므로 직선 ㉠의 기울기는 음수이다.

또 $bc>0$에서 $-\frac{c}{b}<0$이므로 직선 ㉠의 y절편은 음수이다.

따라서 직선 $ax+by+c=0$의 개형은 ④이다.

030 답 ⑤

$a\neq0$, $b\neq0$, $c\neq0$이므로 $ax+by+c=0$에서

$y=-\frac{a}{b}x-\frac{c}{b}$

이 직선의 기울기는 음수, y절편은 양수이므로

$-\frac{a}{b}<0$, $-\frac{c}{b}>0$ $\quad\therefore ab>0$, $bc<0$

즉, $a>0$, $b>0$, $c<0$ 또는 $a<0$, $b<0$, $c>0$이므로

$ac<0$

한편 $cx+ay+b=0$에서 $y=-\frac{c}{a}x-\frac{b}{a}$ ...... ㉠

$ac<0$에서 $-\frac{c}{a}>0$이므로 직선 ㉠의 기울기는 양수이다.

또 $ab>0$에서 $-\frac{b}{a}<0$이므로 직선 ㉠의 y절편은 음수이다.

따라서 직선 $cx+ay+b=0$의 개형은 ⑤이다.

031 답 ③

주어진 식을 k에 대하여 정리하면

$(x-2y-5)+k(4x+y-2)=0$

이 식이 k의 값에 관계없이 항상 성립해야 하므로 항등식의 성질에 의하여

$x-2y-5=0$, $4x+y-2=0$

두 식을 연립하여 풀면 $x=1$, $y=-2$

따라서 P$(1, -2)$이므로 점 P와 원점 사이의 거리는

$\sqrt{1^2+(-2)^2}=\sqrt{5}$

032 답 -9

주어진 식을 k에 대하여 정리하면

$(x-y+a)+k(x+2y+3)=0$

이 식이 k의 값에 관계없이 항상 성립해야 하므로 항등식의 성질에 의하여

$x-y+a=0$, $x+2y+3=0$

이때 점 $(3, b)$는 이 두 직선의 교점이므로

$3-b+a=0$, $3+2b+3=0$

$\therefore a=-6$, $b=-3$ $\quad\therefore a+b=-9$

033 답 $y=3x+8$

주어진 식을 k에 대하여 정리하면

$(x-y+4)+k(x+3y-4)=0$

이 식이 k의 값에 관계없이 항상 성립해야 하므로 항등식의 성질에 의하여

$x-y+4=0$, $x+3y-4=0$

두 식을 연립하여 풀면 $x=-2$, $y=2$

따라서 P$(-2, 2)$이므로 기울기가 3이고 점 P를 지나는 직선의 방정식은

$y-2=3(x+2)$ $\quad\therefore y=3x+8$

034 답 $(4, 1)$

점 (a, b)가 직선 $2x-y=3$ 위에 있으므로

$b=2a-3$

이를 $ax-2by=6$에 대입하면

$ax-2(2a-3)y=6$

이 식을 a에 대하여 정리하면

$(x-4y)a+6y-6=0$

이 식이 a의 값에 관계없이 항상 성립해야 하므로 항등식의 성질에 의하여

$x-4y=0$, $6y-6=0$ $\quad\therefore x=4$, $y=1$

따라서 구하는 점의 좌표는 $(4, 1)$이다.

035 답 $\frac{1}{4}<m<2$

$mx-y-2m+1=0$을 m에 대하여 정리하면

$m(x-2)-(y-1)=0$ ...... ㉠

이므로 직선 ㉠은 m의 값에 관계없이 항상 점 $(2, 1)$을 지난다.

이때 오른쪽 그림과 같이 직선 ㉠이 직선 $3x+2y+6=0$과 제3사분면에서 만나도록 움직여 보면

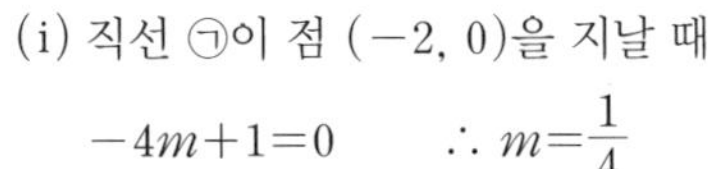

(i) 직선 ㉠이 점 $(-2, 0)$을 지날 때

$-4m+1=0$ $\quad\therefore m=\frac{1}{4}$

(ii) 직선 ㉠이 점 $(0, -3)$을 지날 때

$-2m+4=0$ $\quad\therefore m=2$

(i), (ii)에 의하여 구하는 m의 값의 범위는

$\frac{1}{4}<m<2$

036 답 ④

$kx-y+3k-2=0$을 k에 대하여 정리하면

$k(x+3)-(y+2)=0$ $\cdots\cdots$ ㉠

이므로 직선 ㉠은 k의 값에 관계없이 항상 점 $(-3,\ -2)$를 지난다.

이때 오른쪽 그림과 같이 직선 ㉠이 선분 AB와 한 점에서 만나도록 움직여 보면

(i) 직선 ㉠이 점 $A(1,\ -1)$을 지날 때

$4k-1=0$ $\therefore k=\frac{1}{4}$

(ii) 직선 ㉠이 점 $B(-2,\ 3)$을 지날 때

$k-5=0$ $\therefore k=5$

(i), (ii)에 의하여 k의 값의 범위는

$\frac{1}{4}\le k\le 5$

따라서 정수 k는 1, 2, 3, 4, 5의 5개이다.

037 답 4

$y=kx+2k-2$를 k에 대하여 정리하면

$k(x+2)-(y+2)=0$ $\cdots\cdots$ ㉠

이므로 직선 ㉠은 k의 값에 관계없이 항상 점 $(-2,\ -2)$를 지난다.

이때 오른쪽 그림과 같이 직선 ㉠이 주어진 정사각형과 만나도록 움직여 보면

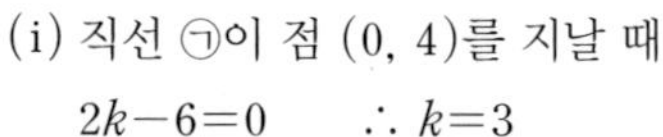

(i) 직선 ㉠이 점 $(0,\ 4)$를 지날 때

$2k-6=0$ $\therefore k=3$

(ii) 직선 ㉠이 점 $(2,\ 2)$를 지날 때

$4k-4=0$ $\therefore k=1$

(i), (ii)에 의하여 k의 값의 범위는

$1\le k\le 3$

따라서 $M=3$, $m=1$이므로

$M+m=4$

038 답 $-3<m<-\frac{1}{2}$

$mx-y-3m+2=0$을 m에 대하여 정리하면

$m(x-3)-(y-2)=0$ $\cdots\cdots$ ㉠

이므로 직선 ㉠은 m의 값에 관계없이 항상 점 $(3,\ 2)$를 지난다.

이때 직선 ㉠이 삼각형 ABC와 만나지 않으려면 직선 ㉠은 오른쪽 그림의 색칠한 부분에 있어야 하므로

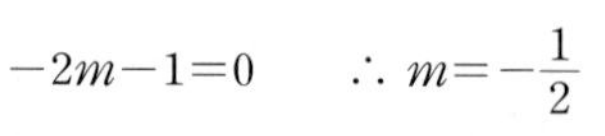

(i) 직선 ㉠이 점 $A(1,\ 3)$을 지날 때

$-2m-1=0$ $\therefore m=-\frac{1}{2}$

(ii) 직선 ㉠이 점 $B(4,\ -1)$을 지날 때

$m+3=0$ $\therefore m=-3$

(i), (ii)에 의하여 구하는 m의 값의 범위는

$-3<m<-\frac{1}{2}$

039 답 ②

두 직선 $3x-2y-2=0$, $x-y+1=0$의 교점을 지나는 직선의 방정식은

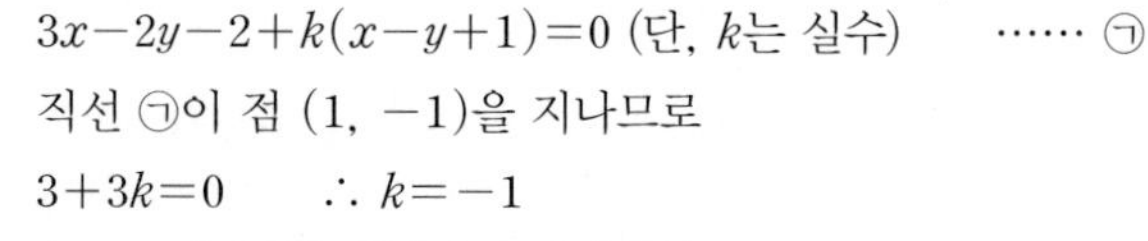

$3x-2y-2+k(x-y+1)=0$ (단, k는 실수) $\cdots\cdots$ ㉠

직선 ㉠이 점 $(1,\ -1)$을 지나므로

$3+3k=0$ $\therefore k=-1$

$k=-1$을 ㉠에 대입하여 정리하면

$2x-y-3=0$

따라서 이 직선의 y절편은 -3이다.

040 답 ⑤

두 직선 $2x-y+4=0$, $x+4y-3=0$의 교점을 지나는 직선의 방정식은

$2x-y+4+k(x+4y-3)=0$ (단, k는 실수) $\cdots\cdots$ ㉠

직선 ㉠이 점 $(3,\ 2)$를 지나므로

$8+8k=0$ $\therefore k=-1$

$k=-1$을 ㉠에 대입하여 정리하면

$x-5y+7=0$

따라서 이 직선 위의 점인 것은 ⑤ $(8,\ 3)$이다.

041 답 ④

직선 $3x-y+3=0$의 x절편은 -1이므로

$A(-1,\ 0)$

직선 $x+y-7=0$의 x절편은 7이므로

$B(7,\ 0)$

이때 점 C를 지나는 직선의 방정식은

$3x-y+3+k(x+y-7)=0$ (단, k는 실수) $\cdots\cdots$ ㉠

직선 ㉠이 삼각형 ABC의 넓이를 이등분하려면 선분 AB의 중점을 지나야 한다.

선분 AB의 중점의 좌표는

$\left(\frac{-1+7}{2},\ \frac{0}{2}\right)$ $\therefore (3,\ 0)$

직선 ㉠이 점 $(3,\ 0)$을 지나므로

$12-4k=0$ $\therefore k=3$

$k=3$을 ㉠에 대입하여 정리하면

$3x+y-9=0$

따라서 $a=3$, $b=1$이므로 $a^2+b^2=3^2+1^2=10$

042 답 ②

직선 $x+3y-2=0$이 직선 $ax-by+3=0$에 수직이므로

$1\times a+3\times(-b)=0$

$\therefore a=3b$ $\cdots\cdots$ ㉠

직선 $x+3y-2=0$이 직선 $x-ay-1=0$에 평행하므로

$\frac{1}{1}=\frac{3}{-a}\ne\frac{-2}{-1}$ $\therefore a=-3$

$a=-3$을 ㉠에 대입하면 $b=-1$

$\therefore a^2+b^2=(-3)^2+(-1)^2=10$

043 답 14

두 점 $A(-1,\ 3)$, $B(3,\ 6)$을 지나는 직선의 기울기는

$\frac{6-3}{3-(-1)}=\frac{3}{4}$이므로 이 직선에 수직인 직선의 기울기는 $-\frac{4}{3}$이다.

한편 선분 AB를 1 : 2로 외분하는 점의 좌표는

$\left(\frac{1\times3-2\times(-1)}{1-2}, \frac{1\times6-2\times3}{1-2}\right)$ $\quad\therefore (-5, 0)$

즉, 기울기가 $-\frac{4}{3}$이고 점 $(-5, 0)$을 지나는 직선의 방정식은

$y=-\frac{4}{3}(x+5)$, $y=-\frac{4}{3}x-\frac{20}{3}$

$\therefore 4x+3y+20=0$

따라서 $a=4$, $b=10$이므로 $a+b=14$

044 답 ②

두 점 $A(2, 1)$, $B(4, -3)$을 지나는 직선의 기울기는

$\frac{-3-1}{4-2}=-2$이므로 선분 AB의 수직이등분선의 기울기는 $\frac{1}{2}$이다.

선분 AB의 중점의 좌표는 $\left(\frac{2+4}{2}, \frac{1-3}{2}\right)$ $\quad\therefore (3, -1)$

즉, 기울기가 $\frac{1}{2}$이고 점 $(3, -1)$을 지나는 직선의 방정식은

$y+1=\frac{1}{2}(x-3)$, $y=\frac{1}{2}x-\frac{5}{2}$

$\therefore x-2y-5=0$

045 답 $\frac{7}{2}$

주어진 세 직선이 삼각형을 이루지 않는 경우는 다음과 같다.

(i) 두 직선 $x+y=0$, $ax+y+2=0$이 평행할 때

$\frac{1}{a}=\frac{1}{1}\neq\frac{0}{2}$ $\quad\therefore a=1$

(ii) 두 직선 $x-2y+3=0$, $ax+y+2=0$이 평행할 때

$\frac{1}{a}=\frac{-2}{1}\neq\frac{3}{2}$ $\quad\therefore a=-\frac{1}{2}$

(iii) 직선 $ax+y+2=0$이 두 직선 $x+y=0$, $x-2y+3=0$의 교점을 지날 때

$x+y=0$, $x-2y+3=0$을 연립하여 풀면

$x=-1$, $y=1$

직선 $ax+y+2=0$이 점 $(-1, 1)$을 지나야 하므로

$-a+1+2=0$ $\quad\therefore a=3$

(i), (ii), (iii)에 의하여 모든 상수 a의 값의 합은

$1+\left(-\frac{1}{2}\right)+3=\frac{7}{2}$

046 답 ③

직선 $3x+4y+2=0$, 즉 $y=-\frac{3}{4}x-\frac{1}{2}$에 수직인 직선의 기울기는

$\frac{4}{3}$이다.

기울기가 $\frac{4}{3}$인 직선의 방정식을 $y=\frac{4}{3}x+k$, 즉 $4x-3y+3k=0$으로 놓으면 점 $(3, 2)$와 이 직선 사이의 거리가 2이므로

$\frac{|4\times3+(-3)\times2+3k|}{\sqrt{4^2+(-3)^2}}=2$, $\frac{|3k+6|}{5}=2$

$|3k+6|=10$, $3k+6=\pm10$

$\therefore k=-\frac{16}{3}$ 또는 $k=\frac{4}{3}$

이때 구하는 y절편은 k이고, 양수이므로 $k=\frac{4}{3}$

047 답 ②

두 직선 $x+2y+3=0$, $x+2y-7=0$이 평행하므로 두 직선 사이의 거리는 직선 $x+2y+3=0$ 위의 한 점 $(-3, 0)$과 직선 $x+2y-7=0$ 사이의 거리와 같다.

$\therefore \frac{|-3-7|}{\sqrt{1^2+2^2}}=2\sqrt{5}$

048 답 ④

$\overline{AB}=\sqrt{(3-1)^2+2^2}=2\sqrt{2}$

직선 AB의 방정식은

$y=\frac{2}{3-1}(x-1)$ $\quad\therefore x-y-1=0$

점 $C(2, 5)$와 직선 AB 사이의 거리는

$\frac{|2-5-1|}{\sqrt{1^2+(-1)^2}}=\frac{4}{\sqrt{2}}=2\sqrt{2}$

따라서 삼각형 ABC의 넓이는

$\frac{1}{2}\times2\sqrt{2}\times2\sqrt{2}=4$

049 답 $x+3y-2=0$ 또는 $3x-y+4=0$

두 직선 $x-2y+3=0$, $2x+y+1=0$이 이루는 각의 이등분선 위의 임의의 점을 $P(x, y)$라 하면 점 P에서 두 직선에 이르는 거리가 같으므로

$\frac{|x-2y+3|}{\sqrt{1^2+(-2)^2}}=\frac{|2x+y+1|}{\sqrt{2^2+1^2}}$

$|x-2y+3|=|2x+y+1|$, $x-2y+3=\pm(2x+y+1)$

$\therefore x+3y-2=0$ 또는 $3x-y+4=0$

050 답 ⑤

직선 $ax-y-1=0$이 직선 $3x+2y-1=0$에 수직이므로

$a\times3+(-1)\times2=0$ $\quad\therefore a=\frac{2}{3}$ …… ㉠

직선 $ax-y-1=0$이 직선 $2x+by+1=0$에 평행하므로

$\frac{a}{2}=\frac{-1}{b}\neq\frac{-1}{1}$ $\quad\therefore ab=-2$ …… ㉡

㉠을 ㉡에 대입하면 $b=-3$

$\therefore 3a-b=3\times\frac{2}{3}-(-3)=5$

051 답 ②

두 직선 $3x+(k+3)y-5=0$, $2x+(k-4)y+1=0$에 대하여 두 직선이 평행하려면

$\frac{3}{2}=\frac{k+3}{k-4}\neq\frac{-5}{1}$

$3(k-4)=2(k+3)$, $k=18$ $\quad\therefore \alpha=18$

또 두 직선이 수직이 되려면

$3\times2+(k+3)(k-4)=0$

$k^2-k-6=0$, $(k+2)(k-3)=0$

$\therefore k=-2$ 또는 $k=3$

그런데 $\beta>0$이므로 $\beta=3$

$\therefore \frac{\alpha}{\beta}=\frac{18}{3}=6$

052 답 ⑤

두 직선 $kx+2y-3=0$, $3x+(k-1)y+1=0$의 교점이 존재하지 않으려면 두 직선이 평행해야 하므로

$\frac{k}{3}=\frac{2}{k-1}\neq\frac{-3}{1}$

$k(k-1)=6$, $(k+2)(k-3)=0$

$\therefore k=-2$ 또는 $k=3$

따라서 모든 상수 k의 값의 합은 $-2+3=1$

053 답 ⑤

직선 $ax-2y+1=0$이 직선 $bx-3y+2=0$에 수직이므로

$ab+(-2)\times(-3)=0$ $\quad\therefore ab=-6$

직선 $ax-2y+1=0$이 직선 $(b+2)x+2y+4=0$에 평행하므로

$\frac{a}{b+2}=\frac{-2}{2}\neq\frac{1}{4}$

$a=-(b+2)$ $\quad\therefore a+b=-2$

$\therefore a^2+b^2=(a+b)^2-2ab=(-2)^2-2\times(-6)=16$

054 답 ④

직선 $x+(a+1)y+2=0$과 직선 $ax+ay+b=0$이 수직이므로

$a+a(a+1)=0$, $a(a+2)=0$ $\quad\therefore a=-2$ 또는 $a=0$

그런데 $a\neq0$이므로 $a=-2$

즉, 두 직선은 $x-y+2=0$, $-2x-2y+b=0$이고, 두 직선의 교점의 좌표가 $(1,\ c)$이므로

$1-c+2=0$, $-2-2c+b=0$ $\quad\therefore b=8,\ c=3$

$\therefore a+b+c=9$

055 답 ③

두 점 A$(1,\ 2)$, B$(4,\ 8)$을 지나는 직선의 기울기는 $\frac{8-2}{4-1}=2$이므로 이 직선에 수직인 직선의 기울기는 $-\frac{1}{2}$이다.

선분 AB를 2 : 1로 내분하는 점의 좌표는

$\left(\frac{2\times4+1\times1}{2+1},\ \frac{2\times8+1\times2}{2+1}\right)$ $\quad\therefore (3,\ 6)$

즉, 기울기가 $-\frac{1}{2}$이고 점 $(3,\ 6)$을 지나는 직선의 방정식은

$y-6=-\frac{1}{2}(x-3)$ $\quad\therefore y=-\frac{1}{2}x+\frac{15}{2}$

따라서 이 직선의 x절편은 15이다.

056 답 ⑤

두 점 $(-2,\ -3)$, $(2,\ 1)$을 지나는 직선의 기울기는

$\frac{1-(-3)}{2-(-2)}=1$

따라서 기울기가 1이고 x절편이 -3, 즉 점 $(-3,\ 0)$을 지나는 직선의 방정식은 $y=x+3$

이 직선이 점 $(2,\ k)$를 지나므로 $k=2+3=5$

057 답 ④

두 직선 $2x+y+5=0$, $x+3y-2=0$의 교점을 지나는 직선의 방정식은 $2x+y+5+k(x+3y-2)=0$ (단, k는 실수)

$\therefore (k+2)x+(3k+1)y-2k+5=0$ $\quad\cdots\cdots$ ㉠

직선 ㉠과 직선 $2x-y+3=0$이 수직이므로

$2\times(k+2)+(-1)\times(3k+1)=0$

$-k+3=0$ $\quad\therefore k=3$

$k=3$을 ㉠에 대입하면 $5x+10y-1=0$

058 답 ③

직선 $2x-y+1=0$, 즉 $y=2x+1$의 기울기가 2이므로 직선 AH의 기울기는 $-\frac{1}{2}$이다.

즉, 기울기가 $-\frac{1}{2}$이고 점 A$(3,\ 2)$를 지나는 직선 AH의 방정식은

$y-2=-\frac{1}{2}(x-3)$ $\quad\therefore x+2y-7=0$

점 H는 두 직선 $2x-y+1=0$, $x+2y-7=0$의 교점이므로 두 식을 연립하여 풀면 $x=1$, $y=3$

따라서 H$(1,\ 3)$이므로 $a=1$, $b=3$

$\therefore a+b=4$

059 답 ③

두 점 A$(-1,\ 2)$, B$(5,\ 4)$를 지나는 직선의 기울기는

$\frac{4-2}{5-(-1)}=\frac{1}{3}$

이므로 선분 AB의 수직이등분선의 기울기는 -3이다.

선분 AB의 중점의 좌표는

$\left(\frac{-1+5}{2},\ \frac{2+4}{2}\right)$ $\quad\therefore (2,\ 3)$

즉, 기울기가 -3이고 점 $(2,\ 3)$을 지나는 직선의 방정식은

$y-3=-3(x-2)$ $\quad\therefore y=-3x+9$

따라서 이 직선이 점 $(a,\ 6)$을 지나므로

$6=-3a+9$ $\quad\therefore a=1$

060 답 ①

직선 $2x+y-4=0$의 x절편은 2, y절편은 4이므로

A$(2,\ 0)$, B$(0,\ 4)$

선분 AB의 중점의 좌표는

$\left(\frac{2+0}{2},\ \frac{0+4}{2}\right)$ $\quad\therefore (1,\ 2)$

직선 $2x+y-4=0$, 즉 $y=-2x+4$의 기울기는 -2이므로 선분 AB의 수직이등분선의 기울기는 $\frac{1}{2}$이다.

따라서 구하는 직선의 방정식은

$y-2=\frac{1}{2}(x-1)$ $\quad\therefore x-2y+3=0$

061 답 ②

직선 AB와 직선 $y=-2x+b$가 수직이므로

$\frac{a-3}{5-1}\times(-2)=-1$, $a-3=2$ $\quad\therefore a=5$

즉, B$(5,\ 5)$이므로 선분 AB의 중점의 좌표는

$\left(\frac{1+5}{2},\ \frac{3+5}{2}\right)$ $\quad\therefore (3,\ 4)$

따라서 직선 $y=-2x+b$는 점 $(3,\ 4)$를 지나므로

$4=-6+b$ $\quad\therefore b=10$ $\quad\therefore a+b=15$

062 답 ③

주어진 세 직선이 삼각형을 이루지 않는 경우는 다음과 같다.

(i) 두 직선 $2x-y=0$, $ax-y+4=0$이 평행할 때

$\frac{2}{a}=\frac{-1}{-1}\neq\frac{0}{4}$ $\therefore a=2$

(ii) 두 직선 $x+y-2=0$, $ax-y+4=0$이 평행할 때

$\frac{1}{a}=\frac{1}{-1}\neq\frac{-2}{4}$ $\therefore a=-1$

(iii) 직선 $ax-y+4=0$이 두 직선 $2x-y=0$, $x+y-2=0$의 교점을 지날 때

$2x-y=0$, $x+y-2=0$을 연립하여 풀면 $x=\frac{2}{3}$, $y=\frac{4}{3}$

직선 $ax-y+4=0$이 점 $\left(\frac{2}{3}, \frac{4}{3}\right)$를 지나야 하므로

$\frac{2}{3}a-\frac{4}{3}+4=0$ $\therefore a=-4$

(i), (ii), (iii)에 의하여 모든 상수 a의 값의 합은

$2+(-1)+(-4)=-3$

063 답 ②

주어진 세 직선에 의하여 생기는 교점이 2개가 되는 경우는 다음과 같다.

(i) 두 직선 $3x+y-6=0$, $ax+2y+1=0$이 평행할 때

$\frac{3}{a}=\frac{1}{2}\neq\frac{-6}{1}$ $\therefore a=6$

(ii) 두 직선 $2x-y-3=0$, $ax+2y+1=0$이 평행할 때

$\frac{2}{a}=\frac{-1}{2}\neq\frac{-3}{1}$ $\therefore a=-4$

(i), (ii)에 의하여 모든 상수 a의 값의 합은 $6+(-4)=2$

064 답 2

세 직선으로 둘러싸인 도형이 직각삼각형이 되려면 세 직선 중 어느 두 직선이 수직이고 나머지 한 직선은 두 직선과 평행하지 않아야 한다.

두 직선 $3x+2y=0$, $x+2y-4=0$은 수직이 아니므로 주어진 세 직선으로 둘러싸인 삼각형이 직각삼각형이 되는 경우는 다음과 같다.

(i) 두 직선 $3x+2y=0$, $ax-y+2=0$이 수직일 때

$3\times a+2\times(-1)=0$ $\therefore a=\frac{2}{3}$

(ii) 두 직선 $x+2y-4=0$, $ax-y+2=0$이 수직일 때

$1\times a+2\times(-1)=0$ $\therefore a=2$

(i), (ii)에 의하여 정수 a의 값은 2이다.

065 답 0

서로 다른 세 직선이 좌표평면을 4개의 영역으로 나누려면 세 직선이 모두 평행해야 한다.

(i) 두 직선 $ax-y-3=0$, $2x+y+5=0$이 평행할 때

$\frac{a}{2}=\frac{-1}{1}\neq\frac{-3}{5}$ $\therefore a=-2$

(ii) 두 직선 $4x+by-5=0$, $2x+y+5=0$이 평행할 때

$\frac{4}{2}=\frac{b}{1}\neq\frac{-5}{5}$ $\therefore b=2$

(i), (ii)에 의하여 $a=-2$, $b=2$이므로 $a+b=0$

066 답 $-\frac{15}{4}$

직선 $3x-4y+17=0$, 즉 $y=\frac{3}{4}x+\frac{17}{4}$에 평행한 직선의 방정식을

$y=\frac{3}{4}x+k$, 즉 $3x-4y+4k=0$으로 놓으면 점 $(-1, -2)$와 이 직선 사이의 거리가 2이므로

$\frac{|3\times(-1)-4\times(-2)+4k|}{\sqrt{3^2+(-4)^2}}=2$, $\frac{|5+4k|}{5}=2$

$|5+4k|=10$, $5+4k=\pm10$ $\therefore k=\frac{5}{4}$ 또는 $k=-\frac{15}{4}$

이때 구하는 y절편은 k이고, 음수이므로 $k=-\frac{15}{4}$

067 답 ⑤

점 $(1, -4)$와 직선 $2x+y-3=0$ 사이의 거리는

$\frac{|2-4-3|}{\sqrt{2^2+1^2}}=\frac{5}{\sqrt{5}}=\sqrt{5}$

068 답 2

점 $(-2, 3)$과 직선 $4x+3y-k=0$ 사이의 거리가 1이므로

$\frac{|4\times(-2)+3\times3-k|}{\sqrt{4^2+3^2}}=1$, $\frac{|1-k|}{5}=1$

$|1-k|=5$, $1-k=\pm5$ $\therefore k=-4$ 또는 $k=6$

따라서 모든 상수 k의 값의 합은 $-4+6=2$

069 답 ④

주어진 식을 k에 대하여 정리하면

$(2x-2y+3)+k(x+2y)=0$

이 식이 k의 값에 관계없이 항상 성립해야 하므로

$2x-2y+3=0$, $x+2y=0$

두 식을 연립하여 풀면

$x=-1$, $y=\frac{1}{2}$ $\therefore \mathrm{P}\left(-1, \frac{1}{2}\right)$

따라서 점 P와 직선 $3x+4y-9=0$ 사이의 거리는

$\frac{\left|3\times(-1)+4\times\frac{1}{2}-9\right|}{\sqrt{3^2+4^2}}=\frac{10}{5}=2$

070 답 ②

$\mathrm{P}(a, 0)$이라 하면 점 P에서 두 직선 $2x-y+3=0$, $x-2y-6=0$에 이르는 거리가 같으므로

$\frac{|2a+3|}{\sqrt{2^2+(-1)^2}}=\frac{|a-6|}{\sqrt{1^2+(-2)^2}}$

$|2a+3|=|a-6|$, $2a+3=\pm(a-6)$

$\therefore a=-9$ 또는 $a=1$

따라서 점 P의 좌표는 $(-9, 0)$ 또는 $(1, 0)$이다.

071 답 ⑤

$f(k)=\frac{|2k+10-2k-4|}{\sqrt{k^2+2^2}}=\frac{6}{\sqrt{k^2+4}}$

따라서 $\sqrt{k^2+4}$가 최소일 때, $f(k)$의 값이 최대이므로 구하는 최댓값은 $f(0)=3$

072 답 $\frac{3\sqrt{5}}{2}$

직선 AC의 기울기는 $\frac{3-6}{9-3}=-\frac{1}{2}$이므로 직선 AC와 수직인 직선 BD의 기울기는 2이다.

또 선분 AC의 중점의 좌표는

$\left(\frac{3+9}{2}, \frac{3+6}{2}\right)$ $\quad\therefore \left(6, \frac{9}{2}\right)$

즉, 직선 BD의 방정식은

$y-\frac{9}{2}=2(x-6)$ $\quad\therefore 4x-2y-15=0$

따라서 원점 O와 직선 BD 사이의 거리는

$\frac{|-15|}{\sqrt{4^2+(-2)^2}}=\frac{3\sqrt{5}}{2}$

073 답 ①

두 직선 $3x+4y+4=0$, $3x+4y-6=0$이 평행하므로 두 직선 사이의 거리는 직선 $3x+4y+4=0$ 위의 한 점 $(0, -1)$과 직선 $3x+4y-6=0$ 사이의 거리와 같다.

$\therefore \frac{|-4-6|}{\sqrt{3^2+4^2}}=2$

074 답 ③

두 직선 $7x+y=0$, $7x+y+a=0$이 평행하므로 두 직선 사이의 거리는 직선 $7x+y=0$ 위의 한 점 $(0, 0)$과 직선 $7x+y+a=0$ 사이의 거리와 같고, 이 거리가 $3\sqrt{2}$이므로

$\frac{|a|}{\sqrt{7^2+1^2}}=3\sqrt{2}$, $\frac{|a|}{5\sqrt{2}}=3\sqrt{2}$

$|a|=30$ $\quad\therefore a=-30$ 또는 $a=30$

그런데 $a>0$이므로 $a=30$

075 답 ④

두 직선 $x+ky+4=0$, $kx+y-2=0$이 평행하므로

$\frac{1}{k}=\frac{k}{1}\neq\frac{4}{-2}$, $k^2=1$ $\quad\therefore k=1$ ($\because k>0$)

즉, 두 직선의 방정식은 $x+y+4=0$, $x+y-2=0$

이때 정사각형 ABCD의 한 변의 길이는 평행한 두 직선 사이의 거리와 같고, 이는 직선 $x+y-2=0$ 위의 한 점 $(2, 0)$과 직선 $x+y+4=0$ 사이의 거리와 같으므로

$\frac{|2+4|}{\sqrt{1^2+1^2}}=\frac{6}{\sqrt{2}}=3\sqrt{2}$

따라서 정사각형 ABCD의 넓이는 $(3\sqrt{2})^2=18$

076 답 8

$\overline{AB}=\sqrt{(3+2)^2+(-1-1)^2}=\sqrt{29}$

직선 AB의 방정식은

$y-1=\frac{-1-1}{3+2}(x+2)$ $\quad\therefore 2x+5y-1=0$

점 C(1, 3)과 직선 AB 사이의 거리는

$\frac{|2+15-1|}{\sqrt{2^2+5^2}}=\frac{16}{\sqrt{29}}=\frac{16\sqrt{29}}{29}$

따라서 삼각형 ABC의 넓이는 $\frac{1}{2}\times\sqrt{29}\times\frac{16\sqrt{29}}{29}=8$

077 답 ③

$\overline{AB}=\sqrt{(-2)^2+2^2}=2\sqrt{2}$

직선 AB의 방정식은

$\frac{x}{2}+\frac{y}{2}=1$ $\quad\therefore x+y-2=0$

점 C(3, a)와 직선 AB 사이의 거리는

$\frac{|3+a-2|}{\sqrt{1^2+1^2}}=\frac{|a+1|}{\sqrt{2}}$

이때 삼각형 ABC의 넓이가 6이므로

$\frac{1}{2}\times2\sqrt{2}\times\frac{|a+1|}{\sqrt{2}}=6$

$|a+1|=6$, $a+1=\pm6$

$\therefore a=-7$ 또는 $a=5$

그런데 $a>0$이므로 $a=5$

078 답 6

직선 OA와 직선 $2x-3y+12=0$은 기울기가 $\frac{2}{3}$로 같으므로 평행하다.

이때 삼각형 OAP에서 $\overline{OA}$를 밑변으로 하면 원점과 직선 $2x-3y+12=0$ 사이의 거리가 높이가 된다.

$\overline{OA}=\sqrt{3^2+2^2}=\sqrt{13}$

원점과 직선 $2x-3y+12=0$ 사이의 거리는

$\frac{|12|}{\sqrt{2^2+(-3)^2}}=\frac{12}{\sqrt{13}}=\frac{12\sqrt{13}}{13}$

따라서 삼각형 OAP의 넓이는

$\frac{1}{2}\times\sqrt{13}\times\frac{12\sqrt{13}}{13}=6$

079 답 7

세 직선의 기울기가 모두 다르고 한 점에서 만나지 않으므로 세 직선으로 둘러싸인 도형은 삼각형이다.

두 직선 $x-2y=0$, $2x+3y-21=0$의 교점을 A라 하고 두 직선의 방정식을 연립하여 풀면

$x=6$, $y=3$ $\quad\therefore$ A(6, 3)

두 직선 $2x+3y-21=0$, $4x-y-7=0$의 교점을 B라 하고 두 직선의 방정식을 연립하여 풀면

$x=3$, $y=5$ $\quad\therefore$ B(3, 5)

두 직선 $x-2y=0$, $4x-y-7=0$의 교점을 C라 하고 두 직선의 방정식을 연립하여 풀면

$x=2$, $y=1$ $\quad\therefore$ C(2, 1)

즉, 삼각형의 세 꼭짓점의 좌표는

A(6, 3), B(3, 5), C(2, 1)

$\therefore \overline{AC}=\sqrt{(-4)^2+(-2)^2}=2\sqrt{5}$

점 B(3, 5)와 직선 $x-2y=0$ 사이의 거리는

$\frac{|3-10|}{\sqrt{1^2+(-2)^2}}=\frac{7}{\sqrt{5}}=\frac{7\sqrt{5}}{5}$

따라서 삼각형 ABC의 넓이는

$\frac{1}{2}\times2\sqrt{5}\times\frac{7\sqrt{5}}{5}=7$

080 답 ①

두 직선 $x+3y+2=0$, $3x+y-2=0$이 이루는 각의 이등분선 위의 임의의 점을 $P(x, y)$라 하면 점 P에서 두 직선에 이르는 거리가 같으므로

$\frac{|x+3y+2|}{\sqrt{1^2+3^2}}=\frac{|3x+y-2|}{\sqrt{3^2+1^2}}$

$|x+3y+2|=|3x+y-2|$

$x+3y+2=\pm(3x+y-2)$

$\therefore x-y-2=0$ 또는 $x+y=0$

따라서 y절편이 음수인 직선의 방정식은 $x-y-2=0$

081 답 ③

$P(x, y)$라 하면 점 P에서 두 직선 $3x+2y+1=0$, $2x-3y-5=0$에 이르는 거리가 같으므로

$\frac{|3x+2y+1|}{\sqrt{3^2+2^2}}=\frac{|2x-3y-5|}{\sqrt{2^2+(-3)^2}}$

$|3x+2y+1|=|2x-3y-5|$

$3x+2y+1=\pm(2x-3y-5)$

$\therefore x+5y+6=0$ 또는 $5x-y-4=0$

082 답 $5x+y-9=0$

삼각형의 내심은 삼각형의 세 내각의 이등분선의 교점이므로 점 B와 삼각형 ABC의 내심을 지나는 직선은 오른쪽 그림과 같이 ∠B의 이등분선과 같다.

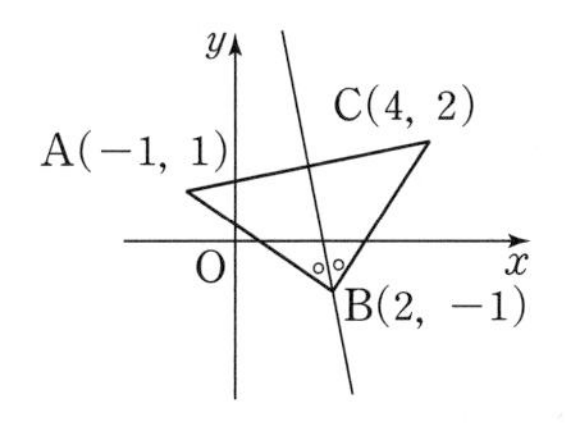

직선 AB의 방정식은

$y-1=\frac{-1-1}{2+1}(x+1)$

$\therefore 2x+3y-1=0$ …… ㉠

직선 BC의 방정식은

$y+1=\frac{2+1}{4-2}(x-2)$

$\therefore 3x-2y-8=0$ …… ㉡

따라서 두 직선 ㉠, ㉡이 이루는 각의 이등분선 위의 임의의 점을 $P(x, y)$라 하면 점 P에서 두 직선에 이르는 거리가 같으므로

$\frac{|2x+3y-1|}{\sqrt{2^2+3^2}}=\frac{|3x-2y-8|}{\sqrt{3^2+(-2)^2}}$

$|2x+3y-1|=|3x-2y-8|$

$2x+3y-1=\pm(3x-2y-8)$

$\therefore x-5y-7=0$ 또는 $5x+y-9=0$

그런데 ∠B의 이등분선의 y절편은 양수이어야 하므로 구하는 직선의 방정식은

$5x+y-9=0$

083 답 1

점 (2, 4)를 지나고 기울기가 3인 직선의 방정식은

$y-4=3(x-2)$ $\therefore y=3x-2$

따라서 $m=3$, $n=-2$이므로

$m+n=1$

084 답 ①

두 점 $(3, -k)$, $(k-3, 0)$을 지나는 직선의 기울기가 2이므로

$\frac{k}{(k-3)-3}=2$, $k=2k-12$

$\therefore k=12$

기울기가 2이고 점 (3, −12)를 지나는 직선의 방정식은

$y+12=2(x-3)$ $\therefore y=2x-18$

따라서 구하는 y절편은 −18이다.

085 답 −1

선분 BC의 중점의 좌표는

$\left(\frac{7+3}{2}, \frac{-1+13}{2}\right)$ $\therefore (5, 6)$

두 점 (1, 4), (5, 6)을 지나는 직선의 방정식은

$y-4=\frac{6-4}{5-1}(x-1)$, $y=\frac{1}{2}x+\frac{7}{2}$

$\therefore x-2y+7=0$

따라서 $a=1$, $b=-2$이므로

$a+b=-1$

086 답 ②

x절편을 $a\,(a\neq0)$라 하면 y절편은 $-a$이므로 직선의 방정식은

$\frac{x}{a}-\frac{y}{a}=1$

이 직선이 점 (−1, 2)를 지나므로

$\frac{-1}{a}-\frac{2}{a}=1$ $\therefore a=-3$

087 답 $y=3x+5$

세 점 A, B, C가 한 직선 위에 있으려면 직선 AB와 직선 AC의 기울기가 같아야 하므로

$\frac{8+1}{k+2}=\frac{(5k+6)+1}{2+2}$, $\frac{9}{k+2}=\frac{5k+7}{4}$

$5k^2+17k-22=0$, $(5k+22)(k-1)=0$

$\therefore k=1\ (\because k>0)$

따라서 직선 l은 기울기가 $\frac{9}{k+2}=3$이고 점 A(−2, −1)을 지나므로 직선 l의 방정식은

$y+1=3(x+2)$ $\therefore y=3x+5$

088 답 ③

직사각형의 넓이를 이등분하는 직선은 직사각형의 대각선의 교점을 지나야 한다.

두 점 (2, 3), (6, 5)를 이은 선분의 중점의 좌표는

$\left(\frac{2+6}{2}, \frac{3+5}{2}\right)$ $\therefore (4, 4)$

두 점 (1, −2), (4, 4)를 지나는 직선의 방정식은

$y+2=\frac{4+2}{4-1}(x-1)$ $\therefore y=2x-4$

따라서 $a=2$, $b=-4$이므로

$a-b=6$

089 답 ⑤

선분 BC의 중점의 좌표는

$\left(\frac{3+5}{2}, \frac{-2+6}{2}\right)$ $\quad \therefore (4, 2)$

두 점 (2, 3), (4, 2)를 지나는 직선의 방정식은

$y-3=\frac{2-3}{4-2}(x-2)$ $\quad \therefore y=-\frac{1}{2}x+4$

이 직선이 점 $(-2, a)$를 지나므로

$a=1+4=5$

090 답 ③

주어진 그림에서 $a\neq0$, $b\neq0$, $c\neq0$이므로 $ax+by+c=0$에서

$y=-\frac{a}{b}x-\frac{c}{b}$

주어진 직선의 기울기는 양수이고 y절편은 음수이므로

$-\frac{a}{b}>0$, $-\frac{c}{b}<0$ $\quad \cdots\cdots$ ㉠

한편 $cx+by+a=0$에서

$y=-\frac{c}{b}x-\frac{a}{b}$ $\quad \cdots\cdots$ ㉡

㉠에 의하여 직선 ㉡의 기울기는 음수이고 y절편은 양수이다.

따라서 직선 $cx+by+a=0$의 개형은 오른쪽 그림과 같으므로 제3사분면을 지나지 않는다.

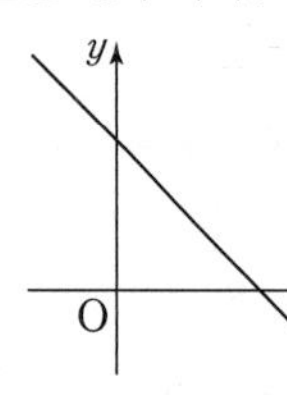

091 답 ⑤

주어진 식을 k에 대하여 정리하면

$(3x-y-5)+k(x+2y-11)=0$

이 식이 k의 값에 관계없이 항상 성립해야 하므로 항등식의 성질에 의하여

$3x-y-5=0$, $x+2y-11=0$

두 식을 연립하여 풀면 $x=3$, $y=4$

따라서 항상 점 (3, 4)를 지나므로 $a=3$, $b=4$

$\therefore a+b=7$

092 답 ②

주어진 식을 k에 대하여 정리하면

$k(x-1)-(y-2)=0$ $\quad \cdots\cdots$ ㉠

이므로 직선 ㉠은 k의 값에 관계없이 항상 점 (1, 2)를 지난다.

이때 오른쪽 그림과 같이 직선 ㉠이 주어진 삼각형과 만나도록 움직여 보면

(i) 직선 ㉠이 점 (5, 0)을 지날 때

$4k+2=0$ $\quad \therefore k=-\frac{1}{2}$

(ii) 직선 ㉠이 점 (3, 6)을 지날 때

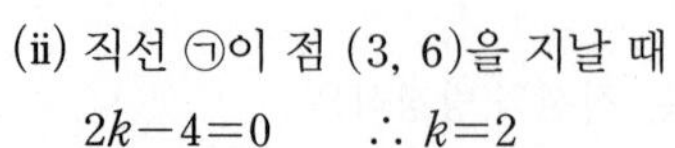

$2k-4=0$ $\quad \therefore k=2$

(i), (ii)에 의하여 k의 값의 범위는 $-\frac{1}{2}\leq k\leq 2$

따라서 $M=2$, $m=-\frac{1}{2}$이므로 $Mm=-1$

093 답 $x-5y+9=0$

두 직선 $3x-4y+1=0$, $2x+y-8=0$의 교점을 지나는 직선의 방정식은

$3x-4y+1+k(2x+y-8)=0$ (단, k는 실수) $\quad \cdots\cdots$ ㉠

직선 ㉠이 점 (1, 2)를 지나므로

$-4-4k=0$ $\quad \therefore k=-1$

$k=-1$을 ㉠에 대입하여 정리하면

$x-5y+9=0$

094 답 ②

두 직선 $(k+3)x+2y-4=0$, $kx-2y+3=0$이 평행하려면

$\frac{k+3}{k}=\frac{2}{-2}\neq\frac{-4}{3}$

$k+3=-k$ $\quad \therefore k=-\frac{3}{2}$

$\therefore \alpha=-\frac{3}{2}$

또 두 직선이 수직이 되려면

$k(k+3)+2\times(-2)=0$

$k^2+3k-4=0$

$(k+4)(k-1)=0$

$\therefore k=-4$ 또는 $k=1$

그런데 $\beta>0$이므로 $\beta=1$

$\therefore \alpha+\beta=-\frac{1}{2}$

095 답 −2

직선 AB의 기울기는

$\frac{a+3}{3-1}=\frac{a+3}{2}$

직선 $4x-ay=1$, 즉 $y=\frac{4}{a}x-\frac{1}{a}$의 기울기는 $\frac{4}{a}$

두 직선이 수직이므로

$\frac{a+3}{2}\times\frac{4}{a}=-1$

$2(a+3)=-a$, $3a=-6$

$\therefore a=-2$

096 답 ①

직선 $2x+y-1=0$, 즉 $y=-2x+1$이 직선 AB와 수직이므로

$-2\times\frac{b-4}{a-1}=-1$

$\therefore a-2b=-7$ $\quad \cdots\cdots$ ㉠

또 직선 $2x+y-1=0$은 선분 AB의 중점 $\left(\frac{a+1}{2}, \frac{b+4}{2}\right)$를 지나므로

$2\times\frac{a+1}{2}+\frac{b+4}{2}-1=0$

$\therefore 2a+b=-4$ $\quad \cdots\cdots$ ㉡

㉠, ㉡을 연립하여 풀면

$a=-3$, $b=2$

$\therefore a-b=-5$

097 답 6

세 직선에 의하여 좌표평면이 6개의 영역으로 나누어지려면 세 직선 중 두 직선만 평행하거나 세 직선이 한 점에서 만나야 한다.

(i) 두 직선 $3x-y-1=0$, $y=mx-3$, 즉 $mx-y-3=0$이 평행할 때

$\frac{3}{m}=\frac{-1}{-1}\neq\frac{-1}{-3}$ $\quad\therefore m=3$

(ii) 두 직선 $x+y-7=0$, $y=mx-3$, 즉 $mx-y-3=0$이 평행할 때

$\frac{1}{m}=\frac{1}{-1}\neq\frac{-7}{-3}$ $\quad\therefore m=-1$

(iii) 직선 $y=mx-3$이 두 직선 $3x-y-1=0$, $x+y-7=0$의 교점을 지날 때

$3x-y-1=0$, $x+y-7=0$을 연립하여 풀면

$x=2$, $y=5$

직선 $y=mx-3$이 점 $(2, 5)$를 지나므로

$5=2m-3$ $\quad\therefore m=4$

(i), (ii), (iii)에 의하여 모든 상수 m의 값의 합은

$3+(-1)+4=6$

098 답 ⑤

점 $(1, 3)$을 지나는 직선의 방정식을

$y-3=m(x-1)$, 즉 $mx-y-m+3=0$ $\quad\cdots\cdots$ ㉠

이라 하면 원점과 직선 ㉠ 사이의 거리가 3이므로

$\frac{|-m+3|}{\sqrt{m^2+(-1)^2}}=3$, $|-m+3|=3\sqrt{m^2+1}$

양변을 제곱하면

$m^2-6m+9=9m^2+9$

$4m^2+3m=0$, $m(4m+3)=0$

$\therefore m=-\frac{3}{4}$ 또는 $m=0$

그런데 직선이 좌표축과 평행하지 않으므로

$m=-\frac{3}{4}$

$m=-\frac{3}{4}$을 ㉠에 대입하여 정리하면

$3x+4y-15=0$

따라서 이 직선의 x절편은 5이다.

099 답 ㄱ, ㄷ

ㄱ. $k=-1$을 $kx-2y-2k+3=0$에 대입하여 정리하면

$x+2y-5=0$

두 직선 $x+2y-5=0$, $2x+4y+3=0$에서

$\frac{1}{2}=\frac{2}{4}\neq\frac{-5}{3}$

따라서 직선 l은 직선 $2x+4y+3=0$에 평행하다.

ㄴ. 점 $(2, 0)$과 직선 l 사이의 거리를 $f(k)$라 하면

$f(k)=\frac{|3|}{\sqrt{k^2+(-2)^2}}=\frac{3}{\sqrt{k^2+4}}$

따라서 $\sqrt{k^2+4}$가 최소일 때, $f(k)$의 값이 최대이므로 구하는 최댓값은 $\frac{3}{2}$이다.

ㄷ. $kx-2y-2k+3=0$을 k에 대하여 정리하면

$k(x-2)-(2y-3)=0$이므로 직선 l은 k의 값에 관계없이 항상 점 $\left(2, \frac{3}{2}\right)$을 지난다.

이때 오른쪽 그림과 같이 직선 l이 직선 $x+3y-3=0$과 제1사분면에서 만나지 않도록 움직여 보면

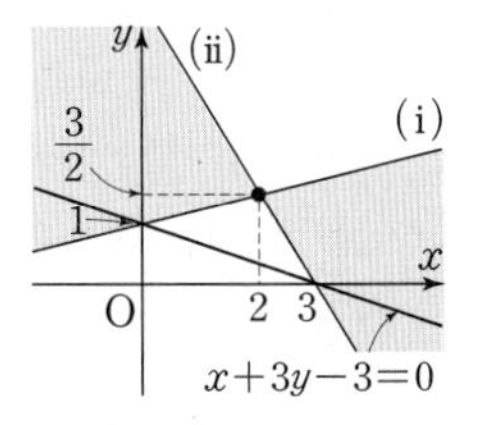

(i) 직선 l이 점 $(0, 1)$을 지날 때

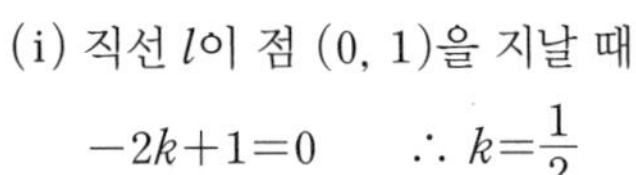

$-2k+1=0$ $\quad\therefore k=\frac{1}{2}$

(ii) 직선 l이 점 $(3, 0)$을 지날 때

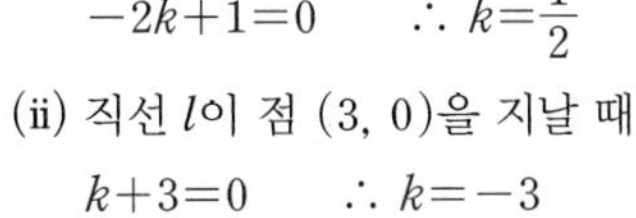

$k+3=0$ $\quad\therefore k=-3$

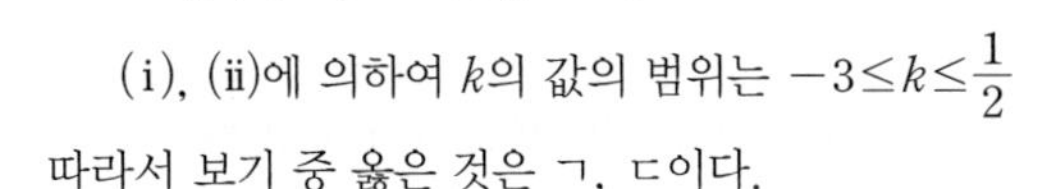

(i), (ii)에 의하여 k의 값의 범위는 $-3\le k\le\frac{1}{2}$

따라서 보기 중 옳은 것은 ㄱ, ㄷ이다.

100 답 ④

두 직선 $kx+y-2=0$, $2x+(2k-3)y+3=0$이 평행하므로

$\frac{k}{2}=\frac{1}{2k-3}\neq\frac{-2}{3}$, $k(2k-3)=2$

$(2k+1)(k-2)=0$ $\quad\therefore k=-\frac{1}{2}$ 또는 $k=2$

그런데 $k>0$이므로 $k=2$

즉, 두 직선의 방정식은 $2x+y-2=0$, $2x+y+3=0$

따라서 두 직선 사이의 거리는 직선 $2x+y-2=0$ 위의 한 점 $(1, 0)$과 직선 $2x+y+3=0$ 사이의 거리와 같으므로

$\frac{|2+3|}{\sqrt{2^2+1^2}}=\frac{5}{\sqrt{5}}=\sqrt{5}$

101 답 ①

직선 $2x+y-12=0$과 직선 $y=x$의 교점의 좌표를 구하면

$2x+x-12=0$ $\quad\therefore x=4$ $\quad\therefore$ A$(4, 4)$

직선 $2x+y-12=0$과 직선 $y=2x$의 교점의 좌표를 구하면

$2x+2x-12=0$ $\quad\therefore x=3$ $\quad\therefore$ B$(3, 6)$

$\therefore \overline{\text{AB}}=\sqrt{(-1)^2+2^2}=\sqrt{5}$

원점 O와 직선 $2x+y-12=0$ 사이의 거리는

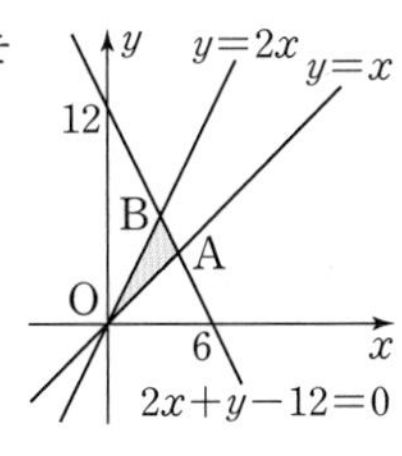

$\frac{|-12|}{\sqrt{2^2+1^2}}=\frac{12}{\sqrt{5}}=\frac{12\sqrt{5}}{5}$

따라서 삼각형 OAB의 넓이는

$\frac{1}{2}\times\sqrt{5}\times\frac{12\sqrt{5}}{5}=6$

102 답 ⑤

점 $(3, a)$에서 두 직선에 이르는 거리가 같으므로

$\frac{|3+2a+1|}{\sqrt{1^2+2^2}}=\frac{|6+a+3|}{\sqrt{2^2+1^2}}$

$|2a+4|=|a+9|$, $2a+4=\pm(a+9)$

$\therefore a=5$ 또는 $a=-\frac{13}{3}$

그런데 a는 정수이므로 $a=5$

11 원의 방정식

180~197쪽

001 답 ⑤

원 $(x+3)^2+(y-5)^2=12$의 중심의 좌표가 $(-3, 5)$이므로 원의 반지름의 길이를 r라 하면 원의 방정식은

$(x+3)^2+(y-5)^2=r^2$

이 원이 점 $(0, -1)$을 지나므로

$3^2+(-1-5)^2=r^2 \qquad \therefore r^2=45$

따라서 구하는 원의 넓이는 $\pi r^2=\pi\times 45=45\pi$

002 답 ③

원의 중심의 좌표를 $(0, a)$, 반지름의 길이를 r라 하면 원의 방정식은

$x^2+(y-a)^2=r^2 \qquad \cdots\cdots$ ㉠

원 ㉠이 점 $(4, 0)$을 지나므로

$4^2+(0-a)^2=r^2$, $a^2+16=r^2 \qquad \cdots\cdots$ ㉡

원 ㉠이 점 $(3, 7)$을 지나므로

$3^2+(7-a)^2=r^2$, $a^2-14a+58=r^2 \qquad \cdots\cdots$ ㉢

㉡, ㉢을 연립하여 풀면 $a=3$, $r^2=25$

따라서 구하는 원의 방정식은 $x^2+(y-3)^2=25$

003 답 $k<-1$ 또는 $k>2$

$x^2+y^2+4kx-2y+4k+9=0$에서

$(x+2k)^2+(y-1)^2=4k^2-4k-8$

이 방정식이 원을 나타내려면

$4k^2-4k-8>0$, $k^2-k-2>0$

$(k+1)(k-2)>0 \qquad \therefore k<-1$ 또는 $k>2$

004 답 ①

원의 방정식을 $x^2+y^2+Ax+By+C=0$으로 놓으면 이 원이 원점 $(0, 0)$을 지나므로 $C=0$

$\therefore x^2+y^2+Ax+By=0 \qquad \cdots\cdots$ ㉠

원 ㉠이 점 $(0, 4)$를 지나므로

$16+4B=0 \qquad \therefore B=-4$

원 ㉠이 점 $(3, -3)$을 지나므로

$9+9+3A-3B=0$, $A-B=-6 \qquad \therefore A=-10$

따라서 구하는 원의 방정식은 $x^2+y^2-10x-4y=0$

005 답 ①

원의 중심의 좌표를 $(a, a+3)$이라 하면 x축에 접하는 원의 방정식은

$(x-a)^2+(y-a-3)^2=(a+3)^2$

이 원이 점 $(1, 2)$를 지나므로

$(1-a)^2+(2-a-3)^2=(a+3)^2$

$a^2-6a-7=0$, $(a+1)(a-7)=0 \qquad \therefore a=-1$ 또는 $a=7$

따라서 두 원의 반지름의 길이는 각각 2, 10이므로 두 원의 넓이의 합은 $\pi\times 2^2+\pi\times 10^2=104\pi$

006 답 ④

점 $(2, 1)$을 지나고 x축과 y축에 동시에 접하므로 원의 중심이 제1사분면 위에 있어야 한다.

원의 반지름의 길이를 r라 하면 원의 중심의 좌표는 (r, r)이므로 원의 방정식은

$(x-r)^2+(y-r)^2=r^2$

이 원이 점 $(2, 1)$을 지나므로

$(2-r)^2+(1-r)^2=r^2$

$r^2-6r+5=0$, $(r-1)(r-5)=0$

$\therefore r=1$ 또는 $r=5$

따라서 두 원의 둘레의 길이의 합은

$2\pi\times 1+2\pi\times 5=12\pi$

007 답 ④

두 원의 교점을 지나는 원의 방정식은

$x^2+y^2-2+k(x^2+y^2-2x+4y+2)=0$ (단, $k\neq -1$) $\qquad \cdots\cdots$ ㉠

원 ㉠이 원점 $(0, 0)$을 지나므로

$-2+2k=0 \qquad \therefore k=1$

$k=1$을 ㉠에 대입하여 정리하면

$x^2+y^2-x+2y=0$

따라서 $a=-1$, $b=2$이므로

$a+b=1$

008 답 ⑤

두 원의 교점을 지나는 직선의 방정식은

$x^2+y^2+x-5y+1-(x^2+y^2-2x-4y-4)=0$

$3x-y+5=0 \qquad \therefore y=3x+5$

따라서 구하는 직선의 기울기는 3이다.

009 답 ①

$\overline{AP}:\overline{BP}=3:2$이므로

$3\overline{BP}=2\overline{AP} \qquad \therefore 9\overline{BP}^2=4\overline{AP}^2$

따라서 $P(x, y)$라 하면 점 P가 나타내는 도형의 방정식은

$9\{(x-2)^2+y^2\}=4\{(x+3)^2+y^2\}$

$\therefore x^2+y^2-12x=0$

010 답 ④

원 $(x+2)^2+(y-3)^2=4$의 중심의 좌표가 $(-2, 3)$이므로 원의 반지름의 길이를 r라 하면 원의 방정식은

$(x+2)^2+(y-3)^2=r^2$

이 원이 점 $(0, 1)$을 지나므로

$2^2+(1-3)^2=r^2$, $r^2=8$

$\therefore r=-2\sqrt{2}$ 또는 $r=2\sqrt{2}$

그런데 $r>0$이므로 $r=2\sqrt{2}$

따라서 구하는 원의 둘레의 길이는

$2\pi\times 2\sqrt{2}=4\sqrt{2}\pi$

011 답 ①

중심의 좌표가 $(-1, 2)$이고 반지름의 길이가 3이므로 원의 방정식은

$(x+1)^2+(y-2)^2=9$

이 원이 점 $(a, 5)$를 지나므로

$(a+1)^2+(5-2)^2=9$

$(a+1)^2=0 \qquad \therefore a=-1$

012 답 ④

선분 AB를 3 : 2로 외분하는 점의 좌표는

$\left(\frac{3\times1-2\times2}{3-2}, \frac{3\times(-2)-2\times(-3)}{3-2}\right) \qquad \therefore (-1, 0)$

즉, 원의 중심의 좌표가 $(-1, 0)$이므로 원의 반지름의 길이를 r라 하면 원의 방정식은

$(x+1)^2+y^2=r^2$

이 원이 점 $A(2, -3)$을 지나므로

$(2+1)^2+(-3)^2=r^2 \qquad \therefore r^2=18$

$\therefore (x+1)^2+y^2=18$

013 답 $x^2+(y-1)^2=2$

$G\left(\frac{1+3-4}{3}, \frac{2+6-5}{3}\right) \qquad \therefore G(0, 1)$

$\therefore \overline{AG}=\sqrt{(-1)^2+(1-2)^2}=\sqrt{2}$

따라서 중심의 좌표가 $(0, 1)$이고 반지름의 길이가 $\sqrt{2}$인 원의 방정식은

$x^2+(y-1)^2=2$

014 답 ④

원의 중심을 C라 하면 점 C는 선분 AB의 중점이므로

$C\left(\frac{5+3}{2}, \frac{-3+1}{2}\right) \qquad \therefore C(4, -1)$

이때 원의 반지름의 길이는

$\overline{AC}=\sqrt{(4-5)^2+(-1+3)^2}=\sqrt{5}$

즉, 원의 방정식은

$(x-4)^2+(y+1)^2=5$

따라서 $a=4$, $b=-1$, $c=5$이므로

$a+b+c=8$

015 답 ②

선분 BC의 중점을 M이라 하면

$M\left(\frac{-1+3}{2}, \frac{3-5}{2}\right) \qquad \therefore M(1, -1)$

원의 중심을 D라 하면 점 D는 선분 AM의 중점이므로

$D\left(\frac{1+1}{2}, \frac{3-1}{2}\right) \qquad \therefore D(1, 1)$

이때 원의 반지름의 길이는

$\overline{AD}=\sqrt{(1-1)^2+(1-3)^2}=2$

따라서 구하는 원의 방정식은

$(x-1)^2+(y-1)^2=4$

016 답 ⑤

원의 중심의 좌표를 $(a, 0)$, 반지름의 길이를 r라 하면 원의 방정식은

$(x-a)^2+y^2=r^2$ …… ㉠

원 ㉠이 점 $(3, 1)$을 지나므로

$(3-a)^2+1=r^2$, $a^2-6a+10=r^2$ …… ㉡

원 ㉠이 점 $(-1, 5)$를 지나므로

$(-1-a)^2+25=r^2$, $a^2+2a+26=r^2$ …… ㉢

㉡, ㉢을 연립하여 풀면 $a=-2$, $r^2=26$

따라서 구하는 원의 방정식은

$(x+2)^2+y^2=26$

017 답 ②

원의 중심의 좌표를 (k, k)라 하면 반지름의 길이가 $\sqrt{2}$인 원의 방정식은

$(x-k)^2+(y-k)^2=2$

이 원이 원점 $(0, 0)$을 지나므로

$k^2+k^2=2$, $k^2=1 \qquad \therefore k=\pm1$

(i) $k=1$일 때, $(x-1)^2+(y-1)^2=2$

(ii) $k=-1$일 때, $(x+1)^2+(y+1)^2=2$

(i), (ii)에 의하여

$a=1$, $b=1$, $c=2$ 또는 $a=-1$, $b=-1$, $c=2$

$\therefore abc=2$

018 답 ③

원의 중심의 좌표를 $(k, 2k-1)$, 반지름의 길이를 r라 하면 원의 방정식은

$(x-k)^2+(y-2k+1)^2=r^2$ …… ㉠

원 ㉠이 점 $(3, 2)$를 지나므로

$(3-k)^2+(3-2k)^2=r^2$ …… ㉡

원 ㉠이 점 $(5, -2)$를 지나므로

$(5-k)^2+(-1-2k)^2=r^2$ …… ㉢

㉡, ㉢에서 $(3-k)^2+(3-2k)^2=(5-k)^2+(-1-2k)^2$

$5k^2-18k+18=5k^2-6k+26$

$-12k=8 \qquad \therefore k=-\frac{2}{3}$

따라서 원의 중심의 좌표는 $\left(-\frac{2}{3}, -\frac{7}{3}\right)$이므로

$a=-\frac{2}{3}$, $b=-\frac{7}{3} \qquad \therefore a+b=-3$

019 답 ③

$x^2+y^2-4x+4ky+5k^2-5k+4=0$에서

$(x-2)^2+(y+2k)^2=-k^2+5k$

이 방정식이 원을 나타내려면

$-k^2+5k>0$, $k^2-5k<0$

$k(k-5)<0 \qquad \therefore 0<k<5$

따라서 정수 k는 1, 2, 3, 4의 4개이다.

020 답 ⑤

주어진 식을 변형하면

① $(x+1)^2+y^2=1$

② $x^2+(y-3)^2=2$

③ $(x-1)^2+(y-1)^2=1$

④ $(x+2)^2+(y+1)^2=4$

⑤ $(x+2)^2+(y+2)^2=0$

따라서 원의 방정식이 아닌 것은 ⑤이다.

021 답 6π

$x^2+y^2-4x+6y+4=0$에서 $(x-2)^2+(y+3)^2=9$

따라서 이 방정식이 나타내는 도형은 중심의 좌표가 $(2,\ -3)$이고 반지름의 길이가 3인 원이므로 구하는 도형의 둘레의 길이는

$2\pi\times 3=6\pi$

022 답 2

$x^2+y^2-6kx+2ky+11k^2-2k-3=0$에서

$(x-3k)^2+(y+k)^2=-k^2+2k+3$

이때 $-k^2+2k+3>0$이어야 하므로

$k^2-2k-3<0,\ (k+1)(k-3)<0 \qquad \therefore -1<k<3$

이때 원의 넓이가 최대이려면 반지름의 길이 $\sqrt{-k^2+2k+3}$이 최대이어야 하므로

$\sqrt{-k^2+2k+3}=\sqrt{-(k-1)^2+4}$

따라서 $-1<k<3$에서 $k=1$일 때 반지름의 길이는 최대이고, 그 때의 반지름의 길이는 2이다.

023 답 $x^2+y^2+x-3y=0$

원의 방정식을 $x^2+y^2+Ax+By+C=0$으로 놓으면 이 원이 원점 $(0,\ 0)$을 지나므로 $C=0$

$\therefore x^2+y^2+Ax+By=0$ …… ㉠

원 ㉠이 점 $(1,\ 2)$를 지나므로

$1+4+A+2B=0,\ A+2B=-5$ …… ㉡

원 ㉠이 점 $(-1,\ 3)$을 지나므로

$1+9-A+3B=0,\ A-3B=10$ …… ㉢

㉡, ㉢을 연립하여 풀면 $A=1,\ B=-3$

따라서 구하는 원의 방정식은

$x^2+y^2+x-3y=0$

024 답 ②

원의 방정식을 $x^2+y^2+Ax+By+C=0$으로 놓으면 이 원이 점 $(0,\ 0)$을 지나므로 $C=0$

$\therefore x^2+y^2+Ax+By=0$ …… ㉠

원 ㉠이 점 $(-2,\ 4)$를 지나므로

$4+16-2A+4B=0,\ A-2B=10$ …… ㉡

원 ㉠이 점 $(2,\ 6)$을 지나므로

$4+36+2A+6B=0,\ A+3B=-20$ …… ㉢

㉡, ㉢을 연립하여 풀면 $A=-2,\ B=-6$

$\therefore x^2+y^2-2x-6y=0$

이 원이 점 $(p,\ 2)$를 지나므로

$p^2+4-2p-12=0,\ p^2-2p-8=0$

$(p+2)(p-4)=0$

$\therefore p=-2$ 또는 $p=4$

그런데 $p>0$이므로 $p=4$

025 답 25π

원의 중심을 $\mathrm{P}(a,\ b)$라 하면

$\overline{\mathrm{PA}}=\overline{\mathrm{PB}}=\overline{\mathrm{PC}}$

$\overline{\mathrm{PA}}=\overline{\mathrm{PB}}$에서 $\overline{\mathrm{PA}}^2=\overline{\mathrm{PB}}^2$이므로

$(a+3)^2+(b-1)^2=(a+2)^2+(b+6)^2$

$\therefore a-7b=15$ …… ㉠

$\overline{\mathrm{PA}}=\overline{\mathrm{PC}}$에서 $\overline{\mathrm{PA}}^2=\overline{\mathrm{PC}}^2$이므로

$(a+3)^2+(b-1)^2=(a-1)^2+(b-3)^2$

$\therefore 2a+b=0$ …… ㉡

㉠, ㉡을 연립하여 풀면 $a=1,\ b=-2$

원의 중심은 $\mathrm{P}(1,\ -2)$이므로 원의 반지름의 길이는

$\overline{\mathrm{PA}}=\sqrt{(1+3)^2+(-2-1)^2}=5$

따라서 구하는 원의 넓이는 $\pi\times 5^2=25\pi$

026 답 ②

$x+3y=0$ …… ㉠

$2x+y=0$ …… ㉡

$x-2y+5=0$ …… ㉢

두 직선 ㉠, ㉡의 교점의 좌표는 $(0,\ 0)$, 두 직선 ㉠, ㉢의 교점의 좌표는 $(-3,\ 1)$, 두 직선 ㉡, ㉢의 교점의 좌표는 $(-1,\ 2)$이다.

외접원의 방정식을 $x^2+y^2+Ax+By+C=0$으로 놓으면 이 원이 점 $(0,\ 0)$을 지나므로 $C=0$

$\therefore x^2+y^2+Ax+By=0$ …… ㉣

원 ㉣이 점 $(-3,\ 1)$을 지나므로

$9+1-3A+B=0,\ 3A-B=10$ …… ㉤

원 ㉣이 점 $(-1,\ 2)$를 지나므로

$1+4-A+2B=0,\ A-2B=5$ …… ㉥

㉤, ㉥을 연립하여 풀면 $A=3,\ B=-1$

따라서 구하는 외접원의 방정식은

$x^2+y^2+3x-y=0$

027 답 ③

원의 중심의 좌표를 $(a,\ -a-1)$이라 하면 y축에 접하는 원의 방정식은

$(x-a)^2+(y+a+1)^2=a^2$

이 원이 점 $(-2,\ 3)$을 지나므로

$(-2-a)^2+(3+a+1)^2=a^2$

$a^2+12a+20=0,\ (a+10)(a+2)=0$

$\therefore a=-10$ 또는 $a=-2$

따라서 두 원의 반지름의 길이의 합은

$|-10|+|-2|=10+2=12$

028 답 π

원의 중심의 좌표를 (a, b)라 하면 y축에 접하는 원의 방정식은

$(x-a)^2+(y-b)^2=a^2$ ...... ㉠

원 ㉠이 점 $(0, 2)$를 지나므로

$a^2+(2-b)^2=a^2$ $\therefore b=2$

원 ㉠이 점 $(1, 3)$을 지나므로

$(1-a)^2+(3-b)^2=a^2$, $-2a+2=0$ $\therefore a=1$

따라서 반지름의 길이는 1이므로 구하는 원의 넓이는 $\pi\times1^2=\pi$

029 답 ④

$x^2+y^2+4kx-4y+9=0$에서

$(x+2k)^2+(y-2)^2=4k^2-5$

원의 중심 $(-2k, 2)$가 제2사분면 위에 있으므로

$-2k<0$ $\therefore k>0$

또 원이 x축에 접하므로 $\sqrt{4k^2-5}=|2|$

양변을 제곱하면 $4k^2-5=4$, $k^2=\frac{9}{4}$

$\therefore k=\frac{3}{2}$ ($\because k>0$)

030 답 ②

$x^2+y^2-4x-2ay-b+2=0$에서

$(x-2)^2+(y-a)^2=a^2+b+2$

이 원이 x축에 접하므로 $\sqrt{a^2+b+2}=|a|$

양변을 제곱하면 $a^2+b+2=a^2$ $\therefore b=-2$

이때 원 $(x-2)^2+(y-a)^2=a^2$이 점 $(2, 6)$을 지나므로

$(2-2)^2+(6-a)^2=a^2$, $-12a+36=0$ $\therefore a=3$

$\therefore ab=-6$

031 답 $4\sqrt{2}$

점 $(-1, 2)$를 지나고 x축과 y축에 동시에 접하므로 원의 중심이 제2사분면 위에 있어야 한다.

원의 반지름의 길이를 r라 하면 원의 중심의 좌표는 $(-r, r)$이므로 원의 방정식은

$(x+r)^2+(y-r)^2=r^2$

이 원이 점 $(-1, 2)$를 지나므로

$(-1+r)^2+(2-r)^2=r^2$, $r^2-6r+5=0$

$(r-1)(r-5)=0$ $\therefore r=1$ 또는 $r=5$

따라서 두 원의 중심의 좌표는 $(-1, 1)$, $(-5, 5)$이므로 중심 사이의 거리는

$\sqrt{(-5+1)^2+(5-1)^2}=4\sqrt{2}$

032 답 ③

원의 중심이 제4사분면 위에 있으므로 원의 반지름의 길이를 r라 하면 원의 중심의 좌표는 $(r, -r)$이다.

이때 원의 중심이 직선 $3x+y-4=0$ 위에 있으므로

$3r-r-4=0$ $\therefore r=2$

따라서 구하는 원의 넓이는 $\pi\times2^2=4\pi$

033 답 ⑤

$x^2+y^2+6x+2ay+6-b=0$에서

$(x+3)^2+(y+a)^2=a^2+b+3$

이 원이 x축과 y축에 동시에 접하므로

$|-3|=|-a|=\sqrt{a^2+b+3}$

$|-3|=|-a|$에서 $a=3$ ($\because a>0$)

$\sqrt{a^2+b+3}=3$에서 양변을 제곱하면

$a^2+b+3=9$, $9+b+3=9$ $\therefore b=-3$

$\therefore a-b=6$

034 답 8π

x축과 y축에 동시에 접하는 원의 중심은 직선 $y=x$ 또는 직선 $y=-x$ 위에 있다.

(i) 원의 중심이 두 직선 $y=2x-3$, $y=x$의 교점일 때

$2x-3=x$에서 $x=3$ $\therefore y=3$

즉, 원의 중심의 좌표는 $(3, 3)$이고, 원의 반지름의 길이는 3이므로 원의 둘레의 길이는 $2\pi\times3=6\pi$

(ii) 원의 중심이 두 직선 $y=2x-3$, $y=-x$의 교점일 때

$2x-3=-x$에서 $x=1$ $\therefore y=-1$

즉, 원의 중심의 좌표는 $(1, -1)$이고, 원의 반지름의 길이는 1이므로 원의 둘레의 길이는 $2\pi\times1=2\pi$

(i), (ii)에 의하여 구하는 두 원의 둘레의 길이의 합은

$6\pi+2\pi=8\pi$

035 답 ③

두 원의 교점을 지나는 원의 방정식은

$x^2+y^2-4x+2y-3+k(x^2+y^2-2y-5)=0$ (단, $k\neq-1$) ...... ㉠

원 ㉠이 점 $(-1, -1)$을 지나므로 $1-k=0$ $\therefore k=1$

$k=1$을 ㉠에 대입하여 정리하면

$x^2+y^2-2x-4=0$ $\therefore (x-1)^2+y^2=5$

따라서 구하는 원의 넓이는 $\pi\times(\sqrt{5})^2=5\pi$

036 답 $x^2+y^2-x+5y-6=0$

두 원의 교점을 지나는 원의 방정식은

$x^2+y^2-2ax-5+k(x^2+y^2-6x+10y-7)=0$ (단, $k\neq-1$) ...... ㉠

원 ㉠이 점 $(0, 1)$을 지나므로 $-4+4k=0$ $\therefore k=1$

원 ㉠이 점 $(1, 1)$을 지나므로

$-2a-3-k=0$ $\therefore a=-2$

$a=-2$, $k=1$을 ㉠에 대입하여 정리하면

$x^2+y^2-x+5y-6=0$

037 답 ③

두 원의 교점을 지나는 직선의 방정식은

$x^2+y^2-4-(x^2+y^2-2x+6y+7)=0$

$\therefore 2x-6y-11=0$

따라서 $a=-6$, $b=-11$이므로 $a-b=5$

038 답 ⑤

두 원의 교점을 지나는 직선의 방정식은

$x^2+y^2+6x-y+4-(x^2+y^2+ax-2y+1)=0$

$(6-a)x+y+3=0 \quad \therefore y=(a-6)x-3$

이 직선의 기울기가 -2이므로

$a-6=-2 \quad \therefore a=4$

039 답 ②

$(x-2)^2+(y+1)^2=13$에서 $x^2+y^2-4x+2y-8=0$

두 원의 교점을 지나는 직선의 방정식은

$x^2+y^2-16-(x^2+y^2-4x+2y-8)=0$

$2x-y-4=0 \quad \therefore y=2x-4$

이 직선의 x절편은 2, y절편은 -4이므로 A(2, 0), B(0, -4)

따라서 삼각형 OAB의 넓이는 $\frac{1}{2}\times2\times4=4$

040 답 ④

두 원 C_1, C_2의 교점을 지나는 직선의 방정식은

$x^2+y^2+6x-4y+9-(x^2+y^2+4x-6y+a)=0$

$\therefore 2x+2y+9-a=0 \quad \cdots\cdots ㉠$

원 C_1의 방정식을 변형하면 $(x+3)^2+(y-2)^2=4$

이때 직선 ㉠이 원 C_1의 넓이를 이등분하려면 원 C_1의 중심 $(-3, 2)$를 지나야 하므로

$-6+4+9-a=0 \quad \therefore a=7$

041 답 ④

$\overline{AP}:\overline{BP}=2:1$이므로 $2\overline{BP}=\overline{AP} \quad \therefore 4\overline{BP}^2=\overline{AP}^2$

P(x, y)라 하면 $4\{(x-2)^2+y^2\}=(x+1)^2+y^2$

$x^2+y^2-6x+5=0 \quad \therefore (x-3)^2+y^2=4$

따라서 점 P가 나타내는 도형은 중심의 좌표가 (3, 0)이고 반지름의 길이가 2인 원이므로 구하는 넓이는

$\pi\times2^2=4\pi$

042 답 ③

P(x, y)라 하면 $(x+1)^2+y^2+(x-3)^2+y^2=26$

$x^2+y^2-2x-8=0 \quad \therefore (x-1)^2+y^2=9$

따라서 점 P가 나타내는 도형은 중심의 좌표가 (1, 0)이고 반지름의 길이가 3인 원이므로 구하는 둘레의 길이는

$2\pi\times3=6\pi$

043 답 $x^2+y^2-y-6=0$

P(a, b)라 하면 $a^2+b^2+4a-6b-12=0 \quad \cdots\cdots ㉠$

이때 선분 AP의 중점을 Q(x, y)라 하면

$x=\frac{a+2}{2}$, $y=\frac{b-2}{2} \quad \therefore a=2x-2,\ b=2y+2 \quad \cdots\cdots ㉡$

㉡을 ㉠에 대입하면 점 Q가 나타내는 도형의 방정식은

$(2x-2)^2+(2y+2)^2+4(2x-2)-6(2y+2)-12=0$

$\therefore x^2+y^2-y-6=0$

044 답 15

$\overline{AP}:\overline{BP}=3:2$이므로 $2\overline{AP}=3\overline{BP}$

$\therefore 4\overline{AP}^2=9\overline{BP}^2$

P(x, y)라 하면

$4\{(x+2)^2+y^2\}=9\{(x-3)^2+y^2\}$

$x^2+y^2-14x+13=0 \quad \therefore (x-7)^2+y^2=36$

따라서 점 P는 중심의 좌표가 (7, 0), 반지름의 길이가 6인 원 위를 움직인다.

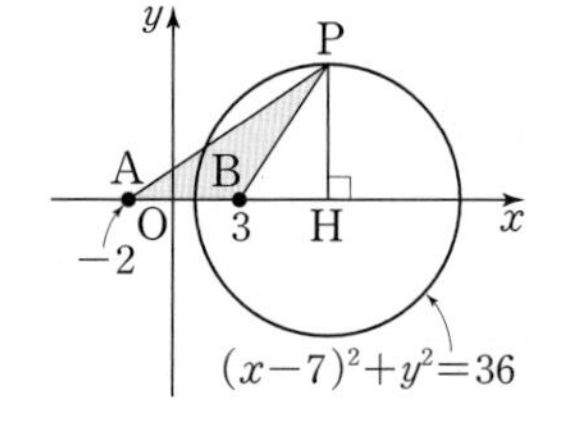

오른쪽 그림과 같이 점 P에서 x축에 내린 수선의 발을 H라 하면 $\overline{AB}=5$이고, $\overline{PH}$의 최댓값은 원의 반지름의 길이인 6이므로 삼각형 ABP의 넓이의 최댓값은

$\frac{1}{2}\times5\times6=15$

045 답 ④

원의 중심 (2, 0)과 직선 $y=x+n$, 즉 $x-y+n=0$ 사이의 거리는

$\frac{|2+n|}{\sqrt{1^2+(-1)^2}}=\frac{|n+2|}{\sqrt{2}}$

원의 반지름의 길이는 $3\sqrt{2}$이므로 원과 직선이 만나지 않으려면

$\frac{|n+2|}{\sqrt{2}}>3\sqrt{2}$, $|n+2|>6$

$n+2<-6$ 또는 $n+2>6$

$\therefore n<-8$ 또는 $n>4$

따라서 구하는 자연수 n의 최솟값은 5이다.

다른 풀이 $y=x+n$을 $(x-2)^2+y^2=18$에 대입하면

$(x-2)^2+(x+n)^2=18$

$\therefore 2x^2+2(n-2)x+n^2-14=0$

이 이차방정식의 판별식을 D라 하면 원과 직선이 만나지 않으므로

$\frac{D}{4}=(n-2)^2-2(n^2-14)<0$

$n^2+4n-32>0$, $(n+8)(n-4)>0$

$\therefore n<-8$ 또는 $n>4$

따라서 구하는 자연수 n의 최솟값은 5이다.

046 답 ③

$x^2+y^2+2x-4y-4=0$에서

$(x+1)^2+(y-2)^2=9$

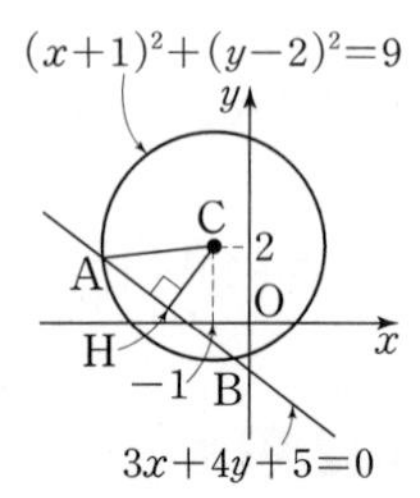

오른쪽 그림과 같이 원의 중심을 C(-1, 2)라 하고, 점 C에서 직선 $3x+4y+5=0$에 내린 수선의 발을 H라 하면

$\overline{CH}=\frac{|-3+8+5|}{\sqrt{3^2+4^2}}=2$

직각삼각형 CAH에서 $\overline{CA}$의 길이는 원의 반지름의 길이와 같으므로

$\overline{AH}=\sqrt{\overline{CA}^2-\overline{CH}^2}=\sqrt{3^2-2^2}=\sqrt{5}$

$\therefore \overline{AB}=2\overline{AH}=2\sqrt{5}$

047 답 $4\sqrt{2}$

점 $P(5, -4)$와 원 $x^2+y^2=9$의 중심 $O(0, 0)$ 사이의 거리는

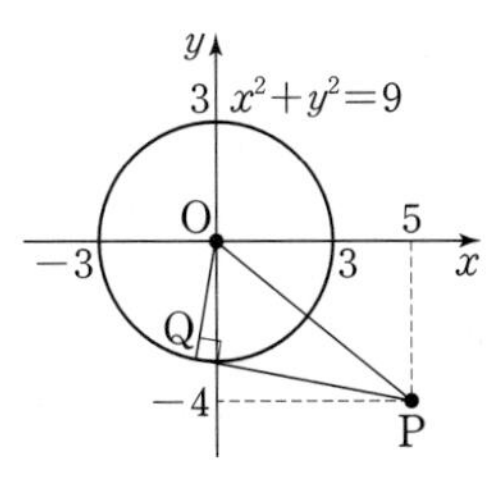

$\overline{OP}=\sqrt{5^2+(-4)^2}=\sqrt{41}$

직각삼각형 OPQ에서

$\overline{PQ}=\sqrt{\overline{OP}^2-\overline{OQ}^2}$

$=\sqrt{(\sqrt{41})^2-3^2}$

$=4\sqrt{2}$

048 답 2

원의 중심 $(3, -1)$과 직선 $4x+3y+1=0$ 사이의 거리는

$\frac{|12-3+1|}{\sqrt{4^2+3^2}}=2$

원의 반지름의 길이는 $\sqrt{2}$이므로

$M=2+\sqrt{2}$, $m=2-\sqrt{2}$

$\therefore Mm=2$

049 답 ⑤

직선 $2x-y+3=0$, 즉 $y=2x+3$에 평행한 직선의 기울기는 2이고 원 $x^2+y^2=9$의 반지름의 길이는 3이므로 접선의 방정식은

$y=2x\pm3\sqrt{2^2+1}$

$\therefore y=2x\pm3\sqrt{5}$

따라서 $m=2$, $n=\pm3\sqrt{5}$이므로

$m^2+n^2=4+45=49$

050 답 ⑤

원 $x^2+y^2=17$ 위의 점 $(4, 1)$에서의 접선의 방정식은

$4x+y=17$

051 답 ②

접점의 좌표를 (x_1, y_1)이라 하면 접선의 방정식은

$x_1x+y_1y=5$

이 직선이 점 $(3, -1)$을 지나므로 $3x_1-y_1=5$

$\therefore y_1=3x_1-5$ ...... ㉠

한편 접점 (x_1, y_1)은 원 $x^2+y^2=5$ 위에 있으므로

$x_1^2+y_1^2=5$ ...... ㉡

㉠을 ㉡에 대입하면

$x_1^2+(3x_1-5)^2=5$, $x_1^2-3x_1+2=0$

$(x_1-1)(x_1-2)=0$ $\therefore x_1=1$ 또는 $x_1=2$

이를 ㉠에 대입하면

$x_1=1$, $y_1=-2$ 또는 $x_1=2$, $y_1=1$

즉, 접선의 방정식은 $x-2y=5$ 또는 $2x+y=5$

$\therefore y=\frac{1}{2}x-\frac{5}{2}$ 또는 $y=-2x+5$

따라서 두 접선의 기울기의 합은

$\frac{1}{2}+(-2)=-\frac{3}{2}$

다른 풀이 점 $(3, -1)$을 지나는 접선의 기울기를 m이라 하면 접선의 방정식은

$y+1=m(x-3)$

$\therefore mx-y-3m-1=0$ ...... ㉠

원의 중심의 좌표가 $(0, 0)$이므로 원과 직선 ㉠이 접하려면

$\frac{|-3m-1|}{\sqrt{m^2+(-1)^2}}=\sqrt{5}$

$|3m+1|=\sqrt{5}\times\sqrt{m^2+1}$

양변을 제곱하면 $(3m+1)^2=5(m^2+1)$

$2m^2+3m-2=0$, $(m+2)(2m-1)=0$

$\therefore m=-2$ 또는 $m=\frac{1}{2}$

따라서 구하는 두 접선의 기울기의 합은

$-2+\frac{1}{2}=-\frac{3}{2}$

052 답 ③

원의 중심 $(1, 2)$와 직선 $x-2y+n=0$ 사이의 거리는

$\frac{|1-4+n|}{\sqrt{1^2+(-2)^2}}=\frac{|n-3|}{\sqrt{5}}$

원의 반지름의 길이가 $\sqrt{5}$이므로 원과 직선이 서로 다른 두 점에서 만나려면

$\frac{|n-3|}{\sqrt{5}}<\sqrt{5}$, $|n-3|<5$

$-5<n-3<5$ $\therefore -2<n<8$

따라서 정수 n은 $-1, 0, 1, \cdots, 7$의 9개이다.

053 답 ②

원의 중심의 좌표는 $(0, 0)$, 반지름의 길이는 2이다.

① 점 $(0, 0)$과 직선 $y=x$, 즉 $x-y=0$ 사이의 거리는
$\frac{|0|}{\sqrt{1^2+(-1)^2}}=0<2$이므로 원과 직선은 서로 다른 두 점에서 만난다.

② 점 $(0, 0)$과 직선 $y=2x-5$, 즉 $2x-y-5=0$ 사이의 거리는
$\frac{|-5|}{\sqrt{2^2+(-1)^2}}=\frac{5}{\sqrt{5}}=\sqrt{5}>2$이므로 원과 직선은 만나지 않는다.

③ 점 $(0, 0)$과 직선 $y=2x+1$, 즉 $2x-y+1=0$ 사이의 거리는
$\frac{|1|}{\sqrt{2^2+(-1)^2}}=\frac{1}{\sqrt{5}}=\frac{\sqrt{5}}{5}<2$이므로 원과 직선은 서로 다른 두 점에서 만난다.

④ 점 $(0, 0)$과 직선 $y=3x+5$, 즉 $3x-y+5=0$ 사이의 거리는
$\frac{|5|}{\sqrt{3^2+(-1)^2}}=\frac{5}{\sqrt{10}}=\frac{\sqrt{10}}{2}<2$이므로 원과 직선은 서로 다른 두 점에서 만난다.

⑤ 점 $(0, 0)$과 직선 $y=4x-1$, 즉 $4x-y-1=0$ 사이의 거리는
$\frac{|-1|}{\sqrt{4^2+(-1)^2}}=\frac{1}{\sqrt{17}}=\frac{\sqrt{17}}{17}<2$이므로 원과 직선은 서로 다른 두 점에서 만난다.

따라서 원 $x^2+y^2=4$와 만나지 않는 직선은 ②이다.

054 답 0

$y=mx+2$를 $x^2+y^2=2$에 대입하면

$x^2+(mx+2)^2=2 \qquad \therefore (m^2+1)x^2+4mx+2=0$

이 이차방정식의 판별식을 D라 하면 원과 직선이 만나므로

$\frac{D}{4}=(2m)^2-2(m^2+1)\ge0$

$2m^2-2\ge0,\ m^2\ge1$

$\therefore m\le-1$ 또는 $m\ge1$

따라서 $\alpha=-1,\ \beta=1$이므로 $\alpha+\beta=0$

055 답 −1

원의 중심 $(2,\ -1)$과 직선 $x+ky-5=0$ 사이의 거리는

$\frac{|2-k-5|}{\sqrt{1^2+k^2}}=\frac{|k+3|}{\sqrt{k^2+1}}$

원의 넓이가 5π이므로 원의 반지름의 길이는 $\sqrt{5}$이고, 원과 직선이 접하려면

$\frac{|k+3|}{\sqrt{k^2+1}}=\sqrt{5},\ |k+3|=\sqrt{5}\sqrt{k^2+1}$

양변을 제곱하면 $(k+3)^2=5(k^2+1)$

$2k^2-3k-2=0,\ (2k+1)(k-2)=0$

$\therefore k=-\frac{1}{2}$ 또는 $k=2$

따라서 모든 실수 k의 값의 곱은

$-\frac{1}{2}\times2=-1$

056 답 ①

원의 중심이 제1사분면 위에 있고 x축과 y축에 동시에 접하므로 원의 반지름의 길이를 r라 하면 원의 중심의 좌표는 $(r,\ r)$이다.

이때 원과 직선 $3x-4y+1=0$이 접하려면

$\frac{|3r-4r+1|}{\sqrt{3^2+(-4)^2}}=r,\ |r-1|=5r$

$r-1=\pm5r \qquad \therefore r=-\frac{1}{4}$ 또는 $r=\frac{1}{6}$

그런데 $r>0$이므로 $r=\frac{1}{6}$

057 답 ⑤

원 $(x-1)^2+(y-3)^2=8$의 중심의 좌표는 $(1,\ 3)$이고 반지름의 길이는 $2\sqrt{2}$이므로 직선 $x-y+n=0$과 만나지 않으려면

$\frac{|1-3+n|}{\sqrt{1^2+(-1)^2}}>2\sqrt{2},\ |n-2|>4$

$n-2<-4$ 또는 $n-2>4 \qquad \therefore n<-2$ 또는 $n>6 \qquad$ …… ㉠

원 $x^2+y^2-8x-6y+7=0$, 즉 $(x-4)^2+(y-3)^2=18$의 중심의 좌표는 $(4,\ 3)$이고 반지름의 길이는 $3\sqrt{2}$이므로 직선 $x-y+n=0$과 서로 다른 두 점에서 만나려면

$\frac{|4-3+n|}{\sqrt{1^2+(-1)^2}}<3\sqrt{2},\ |n+1|<6$

$-6<n+1<6 \qquad \therefore -7<n<5 \qquad$ …… ㉡

㉠, ㉡에 의하여 n의 값의 범위는 $-7<n<-2$

따라서 정수 n의 최솟값은 -6이다.

058 답 ③

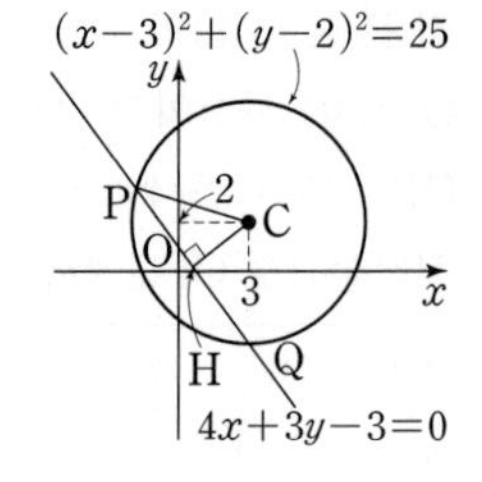

오른쪽 그림과 같이 원의 중심을 $C(3,\ 2)$라 하고, 점 C에서 직선 $4x+3y-3=0$에 내린 수선의 발을 H라 하면

$\overline{CH}=\frac{|12+6-3|}{\sqrt{4^2+3^2}}=3$

직각삼각형 CPH에서 $\overline{CP}$의 길이는 원의 반지름의 길이와 같으므로

$\overline{PH}=\sqrt{\overline{CP}^2-\overline{CH}^2}$

$=\sqrt{5^2-3^2}=4$

$\therefore \overline{PQ}=2\overline{PH}=8$

059 답 $2\sqrt{21}$

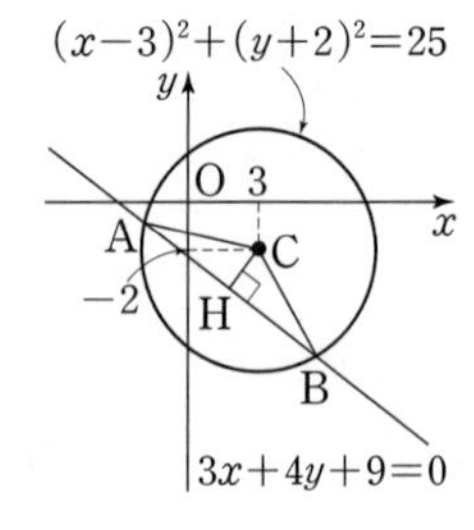

$x^2+y^2-6x+4y-12=0$에서

$(x-3)^2+(y+2)^2=25$

오른쪽 그림과 같이 원의 중심 $C(3,\ -2)$에서 직선 $3x+4y+9=0$에 내린 수선의 발을 H라 하면

$\overline{CH}=\frac{|9-8+9|}{\sqrt{3^2+4^2}}=2$

직각삼각형 CAH에서 $\overline{CA}$의 길이는 원의 반지름의 길이와 같으므로

$\overline{AH}=\sqrt{\overline{CA}^2-\overline{CH}^2}$

$=\sqrt{5^2-2^2}=\sqrt{21}$

$\therefore \overline{AB}=2\overline{AH}=2\sqrt{21}$

따라서 삼각형 ABC의 넓이는

$\frac{1}{2}\times\overline{AB}\times\overline{CH}=\frac{1}{2}\times2\sqrt{21}\times2$

$=2\sqrt{21}$

060 답 ⑤

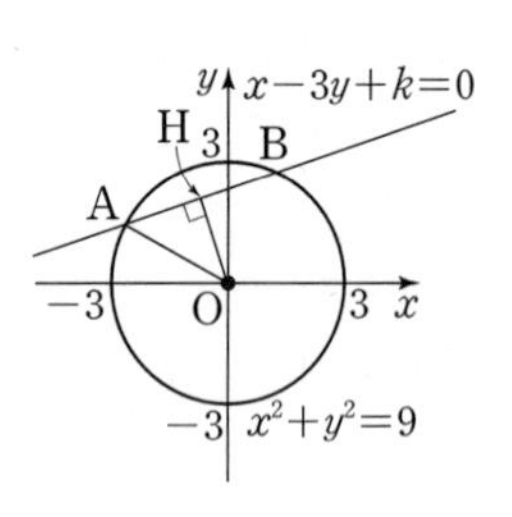

오른쪽 그림과 같이 원 $x^2+y^2=9$와 직선 $x-3y+k=0$이 만나는 두 점을 A, B라 하고 원의 중심 $O(0,\ 0)$에서 직선에 내린 수선의 발을 H라 하면 주어진 원과 직선이 만나서 생기는 현 AB의 길이가 4이므로

$\overline{AH}=\frac{1}{2}\overline{AB}=\frac{1}{2}\times4=2$

직각삼각형 OAH에서

$\overline{OH}=\sqrt{\overline{OA}^2-\overline{AH}^2}$

$=\sqrt{3^2-2^2}=\sqrt{5}$

즉, 점 $O(0,\ 0)$과 직선 $x-3y+k=0$ 사이의 거리가 $\sqrt{5}$이므로

$\frac{|k|}{\sqrt{1^2+(-3)^2}}=\sqrt{5}$

$|k|=5\sqrt{2} \qquad \therefore k=\pm5\sqrt{2}$

그런데 $k>0$이므로 $k=5\sqrt{2}$

061 답 ④

오른쪽 그림과 같이 두 원의 두 교점을 A, B라 하면 두 원의 공통인 현은 $\overline{AB}$이다.

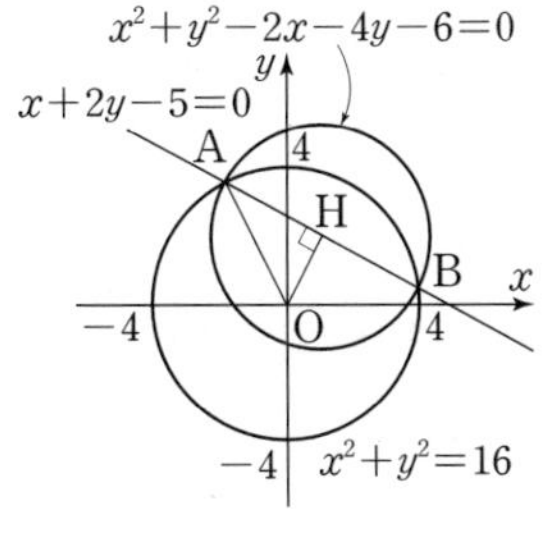

두 원의 교점을 지나는 직선의 방정식은

x^2+y^2-16
$\quad -(x^2+y^2-2x-4y-6)=0$

$\therefore x+2y-5=0$

이때 원 $x^2+y^2=16$의 중심 O에서 직선 $x+2y-5=0$에 내린 수선의 발을 H라 하면

$\overline{OH}=\dfrac{|-5|}{\sqrt{1^2+2^2}}=\sqrt{5}$

직각삼각형 OAH에서

$\overline{AH}=\sqrt{\overline{OA}^2-\overline{OH}^2}$
$\quad =\sqrt{4^2-(\sqrt{5})^2}=\sqrt{11}$

따라서 두 원의 공통인 현의 길이는

$\overline{AB}=2\overline{AH}=2\sqrt{11}$

062 답 $(x-4)^2+(y-3)^2=16$

원의 중심이 제1사분면 위에 있고, y축에 접하므로 원의 방정식을 $(x-a)^2+(y-b)^2=a^2\,(a>0,\ b>0)$이라 하자.

오른쪽 그림과 같이 원과 x축이 만나는 두 점을 A, B라 하고 원의 중심 C$(a,\ b)$에서 x축에 내린 수선의 발을 H라 하면

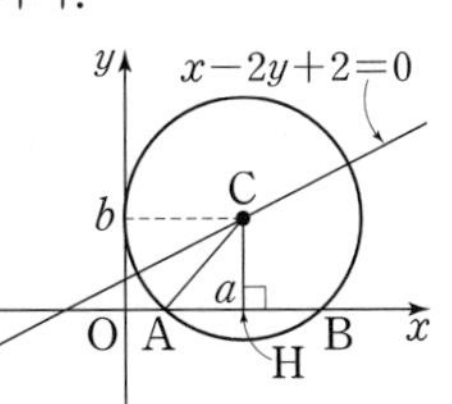

$\overline{AH}=\dfrac{1}{2}\overline{AB}=\dfrac{1}{2}\times 2\sqrt{7}=\sqrt{7}$

직각삼각형 ACH에서

$a^2=b^2+7$ ...... ㉠

한편 점 C$(a,\ b)$가 직선 $x-2y+2=0$ 위에 있으므로

$a-2b+2=0 \qquad \therefore a=2b-2$ ...... ㉡

㉡을 ㉠에 대입하면

$(2b-2)^2=b^2+7,\ 3b^2-8b-3=0$

$(3b+1)(b-3)=0 \qquad \therefore b=3\,(\because b>0)$

$b=3$을 ㉡에 대입하면 $a=4$

따라서 구하는 원의 방정식은

$(x-4)^2+(y-3)^2=16$

063 답 ②

$x^2+y^2+4x-2y=11$에서

$(x+2)^2+(y-1)^2=16$

오른쪽 그림과 같이 원의 중심을 C$(-2,\ 1)$이라 하면

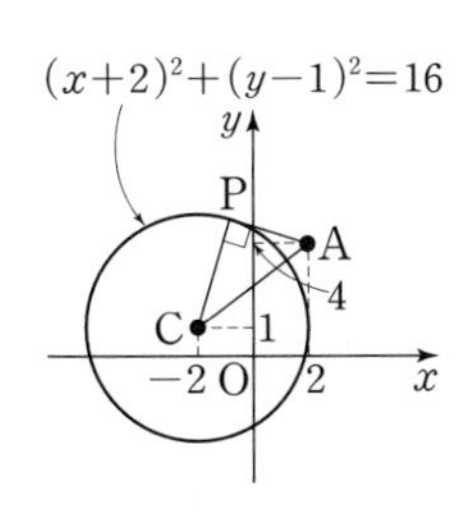

$\overline{AC}=\sqrt{(-4)^2+(-3)^2}=5$

직각삼각형 CAP에서

$\overline{AP}=\sqrt{\overline{AC}^2-\overline{CP}^2}=\sqrt{5^2-4^2}=3$

064 답 ⑤

C$(-1,\ 1)$이므로 $\overline{AC}=\sqrt{(-5)^2+6^2}=\sqrt{61}$

오른쪽 그림의 직각삼각형 APC에서

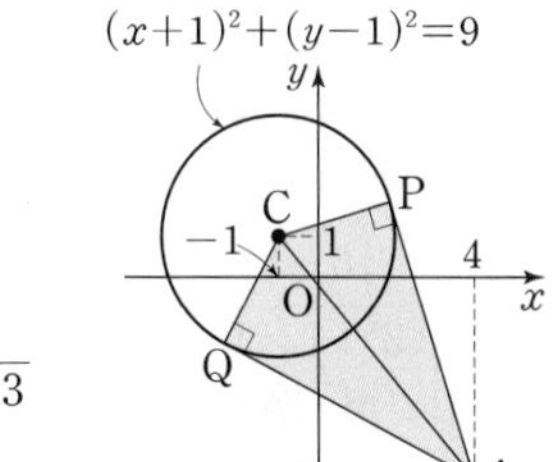

$\overline{AP}=\sqrt{\overline{AC}^2-\overline{CP}^2}$
$\quad =\sqrt{(\sqrt{61})^2-3^2}=2\sqrt{13}$

따라서 사각형 APCQ의 넓이는

$2\triangle APC=2\times\left(\dfrac{1}{2}\times 2\sqrt{13}\times 3\right)=6\sqrt{13}$

065 답 ③

오른쪽 그림과 같이 두 접점을 P, Q, 원의 중심을 C$(2,\ 3)$이라 하면 두 접선이 서로 수직이므로 사각형 APCQ는 정사각형이다.

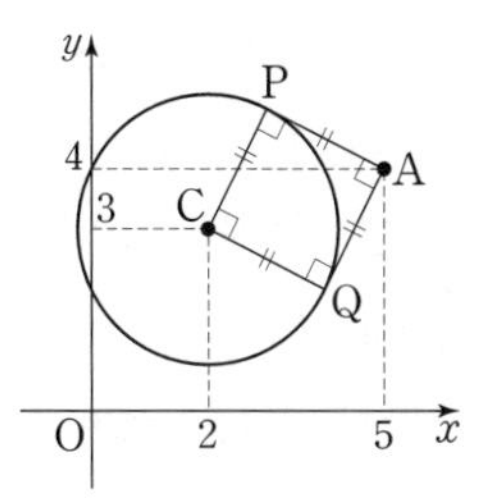

점 A와 원의 중심 C 사이의 거리는

$\overline{AC}=\sqrt{(2-5)^2+(3-4)^2}$
$\quad =\sqrt{10}$ ...... ㉠

또 점 A와 접점 사이의 거리는 원의 반지름의 길이와 같으므로

$\overline{AP}=\overline{AQ}=r$

직각삼각형 CPA에서

$\overline{AC}=\sqrt{\overline{AP}^2+\overline{CP}^2}=\sqrt{r^2+r^2}$
$\quad =\sqrt{2}r\ (\because r>0)$ ...... ㉡

㉠, ㉡에 의하여 $\sqrt{10}=\sqrt{2}r \qquad \therefore r=\sqrt{5}$

066 답 ⑤

원의 중심 $(1,\ -3)$과 직선 $2x+y+11=0$ 사이의 거리는

$\dfrac{|2-3+11|}{\sqrt{2^2+1^2}}=2\sqrt{5}$

원의 반지름의 길이는 $\sqrt{5}$이므로

$M=2\sqrt{5}+\sqrt{5}=3\sqrt{5},\ m=2\sqrt{5}-\sqrt{5}=\sqrt{5} \qquad \therefore Mm=15$

067 답 ④

원의 중심 $(0,\ 0)$과 점 A$(3,\ -4)$ 사이의 거리는

$\sqrt{3^2+(-4)^2}=5$

원의 반지름의 길이는 r이고 $\overline{AP}$의 길이의 최댓값이 7이므로

$5+r=7 \qquad \therefore r=2$

068 답 ③

$x^2+y^2-10y=0$에서 $x^2+(y-5)^2=25$

원의 중심 $(0,\ 5)$와 직선 $3x-4y-15=0$ 사이의 거리는

$\dfrac{|-20-15|}{\sqrt{3^2+(-4)^2}}=7$

원의 반지름의 길이는 5이므로 원 위의 점과 직선 사이의 거리의 최댓값은 $7+5=12$, 최솟값은 $7-5=2$이다.

이때 원 위의 점과 직선 사이의 거리 중 자연수인 것은 2, 3, 4, …, 12의 11개이고 거리가 2, 12일 때만 점이 1개이고 나머지 거리일 때는 점이 2개씩 있으므로 구하는 점의 개수는

$11\times 2-2=20$

069 답 ④

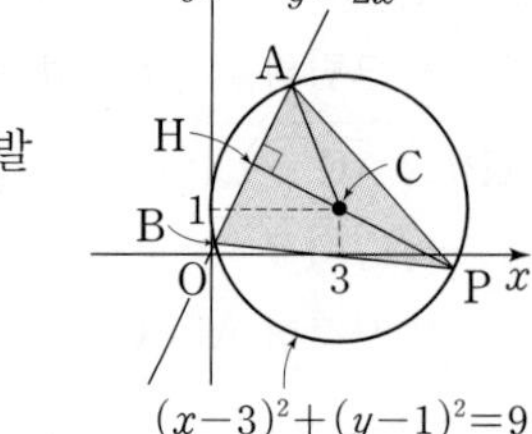

오른쪽 그림과 같이 원의 중심을 C(3, 1)이라 하고, 점 C에서 직선 $y=2x$, 즉 $2x-y=0$에 내린 수선의 발을 H라 하면

$\overline{CH}=\dfrac{|6-1|}{\sqrt{2^2+(-1)^2}}=\sqrt{5}$

직각삼각형 CAH에서

$\overline{AH}=\sqrt{\overline{CA}^2-\overline{CH}^2}=\sqrt{3^2-(\sqrt{5})^2}=2$

$\therefore\ \overline{AB}=2\overline{AH}=4$

삼각형 PAB의 넓이가 최대가 되려면 $\overline{PH}$의 길이가 최대이어야 하고, 이때 $\overline{PH}$는 점 C를 지나므로 $\overline{PH}$의 최댓값은

$\overline{PC}+\overline{CH}=3+\sqrt{5}$

삼각형 PAB의 넓이의 최댓값은

$\dfrac{1}{2}\times4\times(3+\sqrt{5})=6+2\sqrt{5}$

따라서 $a=6$, $b=2$이므로 $a+b=8$

070 답 49

직선 $y=\dfrac{1}{3}x-1$에 수직인 직선의 기울기는 -3이고 원 $x^2+y^2=4$의 반지름의 길이는 2이므로 접선의 방정식은

$y=-3x\pm2\sqrt{(-3)^2+1}$　　$\therefore\ y=-3x\pm2\sqrt{10}$

따라서 $m=-3$, $n=\pm2\sqrt{10}$이므로

$m^2+n^2=9+40=49$

071 답 ②

직선의 기울기를 m이라 하면 원 $x^2+y^2=2$의 반지름의 길이는 $\sqrt{2}$이므로 접선의 방정식은

$y=mx\pm\sqrt{2}\times\sqrt{m^2+1}$　　$\therefore\ y=mx\pm\sqrt{2(m^2+1)}$

이 직선의 y절편이 4이므로 $y=mx+\sqrt{2(m^2+1)}$이고

$\sqrt{2(m^2+1)}=4$

양변을 제곱하면 $2(m^2+1)=16$, $m^2=7$　　$\therefore\ m=\pm\sqrt{7}$

그런데 $m>0$이므로 $m=\sqrt{7}$

따라서 구하는 직선의 방정식은

$y=\sqrt{7}x+\sqrt{2(7+1)}$　　$\therefore\ y=\sqrt{7}x+4$

072 답 ③

기울기가 1인 접선의 방정식을

$y=x+k$, 즉 $x-y+k=0$　　…… ㉠

으로 놓으면 원의 중심 $(1, -2)$와 직선 ㉠ 사이의 거리는

$\dfrac{|1+2+k|}{\sqrt{1^2+(-1)^2}}=\dfrac{|k+3|}{\sqrt{2}}$

원의 반지름의 길이가 $2\sqrt{2}$이므로 원과 직선 ㉠이 접하려면

$\dfrac{|k+3|}{\sqrt{2}}=2\sqrt{2}$, $|k+3|=4$

$k+3=\pm4$　　$\therefore\ k=-7$ 또는 $k=1$

즉, 두 직선 $y=x-7$, $y=x+1$이므로 x절편은 각각 7, -1이다.

따라서 구하는 x절편의 차는 $7-(-1)=8$

073 답 ②

x축의 양의 방향과 이루는 각의 크기가 45°인 직선의 기울기는 $\tan45°=1$이므로 기울기가 1이고 점 A(3, 1)을 지나는 직선의 방정식은

$y-1=x-3$　　$\therefore\ x-y-2=0$

원의 중심 $(3, -1)$과 직선 $x-y-2=0$ 사이의 거리는

$\dfrac{|3+1-2|}{\sqrt{1^2+(-1)^2}}=\sqrt{2}$

따라서 원과 직선이 접하려면 원의 반지름의 길이는 $\sqrt{2}$이어야 하므로 구하는 원의 넓이는

$\pi\times(\sqrt{2})^2=2\pi$

074 답 ④

$x^2+y^2-2x=0$에서 $(x-1)^2+y^2=1$

직선 $x+2y+3=0$, 즉 $y=-\dfrac{1}{2}x-\dfrac{3}{2}$에 수직인 직선의 기울기는 2이므로 기울기가 2인 접선의 방정식을

$y=2x+k$, 즉 $2x-y+k=0$　　…… ㉠

으로 놓으면 원의 중심 $(1, 0)$과 직선 ㉠ 사이의 거리는

$\dfrac{|2+k|}{\sqrt{2^2+(-1)^2}}=\dfrac{|k+2|}{\sqrt{5}}$

원의 반지름의 길이는 1이므로 원과 직선 ㉠이 접하려면

$\dfrac{|k+2|}{\sqrt{5}}=1$, $|k+2|=\sqrt{5}$

$k+2=\pm\sqrt{5}$　　$\therefore\ k=-2\pm\sqrt{5}$

따라서 $A(0, -2-\sqrt{5})$, $B(0, -2+\sqrt{5})$ 또는 $A(0, -2+\sqrt{5})$, $B(0, -2-\sqrt{5})$이므로

$\overline{AB}=|-2+\sqrt{5}-(-2-\sqrt{5})|=2\sqrt{5}$

075 답 ①

원 $x^2+y^2=20$ 위의 점 $(2, -4)$에서의 접선의 방정식은

$2x-4y=20$, $x-2y=10$　　$\therefore\ y=\dfrac{1}{2}x-5$

따라서 $m=\dfrac{1}{2}$, $n=-5$이므로

$4m+n=-3$

076 답 ①

원 $x^2+y^2=10$ 위의 점 (a, b)에서의 접선의 방정식은

$ax+by=10$　　$\therefore\ y=-\dfrac{a}{b}x+\dfrac{10}{b}$

이 직선의 기울기가 3이므로

$-\dfrac{a}{b}=3$　　$\therefore\ a=-3b$　　…… ㉠

한편 점 (a, b)는 원 $x^2+y^2=10$ 위에 있으므로

$a^2+b^2=10$　　…… ㉡

㉠, ㉡을 연립하여 풀면

$a=-3$, $b=1$ 또는 $a=3$, $b=-1$

$\therefore\ ab=-3$

077 답 ②

$x^2+y^2-8x+4y+10=0$에서

$(x-4)^2+(y+2)^2=10$

오른쪽 그림과 같이 원의 중심을 $C(4, -2)$라 하면 직선 CP의 기울기는

$\frac{1+2}{3-4}=-3$

이때 원의 접선은 직선 CP와 수직이므로

원의 접선의 기울기가 $\frac{1}{3}$이다.

따라서 기울기가 $\frac{1}{3}$이고 점 $P(3, 1)$을 지나는 직선의 방정식은

$y-1=\frac{1}{3}(x-3)$ $\quad\therefore y=\frac{1}{3}x$

이 직선이 점 $(a, 2)$를 지나므로

$2=\frac{1}{3}a$ $\quad\therefore a=6$

078 답 ⑤

원 $x^2+y^2=4$ 위의 점 $(\sqrt{3}, 1)$에서의 접선의 방정식은

$\sqrt{3}x+y=4$

$\therefore \sqrt{3}x+y-4=0$ …… ㉠

원의 중심 $(0, a)$와 직선 ㉠ 사이의 거리는

$\frac{|a-4|}{\sqrt{(\sqrt{3})^2+1^2}}=\frac{|a-4|}{2}$

원의 반지름의 길이는 3이므로 원과 직선 ㉠이 접하려면

$\frac{|a-4|}{2}=3$, $|a-4|=6$

$a-4=\pm 6$ $\quad\therefore a=-2$ 또는 $a=10$

그런데 $a>0$이므로 $a=10$

079 답 16

$P(x_1, y_1)$이라 하면 점 P는 원 $x^2+y^2=16$ 위에 있으므로

$x_1^2+y_1^2=16$ $\quad\therefore y_1^2=16-x_1^2$

한편 원 위의 점 P에서의 접선의 방정식은

$x_1x+y_1y=16$, $y=\frac{-x_1x+16}{y_1}$

$\therefore f(x)=\frac{-x_1x+16}{y_1}$

$$\therefore f(-4)f(4)=\frac{4x_1+16}{y_1}\times\frac{-4x_1+16}{y_1}=\frac{(16+4x_1)(16-4x_1)}{y_1^2}=\frac{16^2-16x_1^2}{y_1^2}=\frac{16(16-x_1^2)}{16-x_1^2}=16$$

080 답 ②

접점의 좌표를 (x_1, y_1)이라 하면 접선의 방정식은

$x_1x+y_1y=4$

이 직선이 점 $(4, -2)$를 지나므로

$4x_1-2y_1=4$ $\quad\therefore y_1=2x_1-2$ …… ㉠

한편 접점 (x_1, y_1)은 원 $x^2+y^2=4$ 위에 있으므로

$x_1^2+y_1^2=4$ …… ㉡

㉠을 ㉡에 대입하면

$x_1^2+(2x_1-2)^2=4$, $5x_1^2-8x_1=0$

$x_1(5x_1-8)=0$

$\therefore x_1=0$ 또는 $x_1=\frac{8}{5}$

이를 ㉠에 대입하면

$x_1=0$, $y_1=-2$ 또는 $x_1=\frac{8}{5}$, $y_1=\frac{6}{5}$

즉, 접선의 방정식은

$-2y=4$ 또는 $\frac{8}{5}x+\frac{6}{5}y=4$

$\therefore y+2=0$ 또는 $4x+3y-10=0$

$\therefore a=0$, $b=-5$ 또는 $a=4$, $b=3$

그런데 $a\neq 0$이므로 $a=4$, $b=3$ $\quad\therefore a+b=7$

081 답 ①

점 $(-2, 1)$을 지나는 접선의 기울기를 m이라 하면 접선의 방정식은

$y-1=m(x+2)$ $\quad\therefore mx-y+2m+1=0$ …… ㉠

원의 중심의 좌표가 $(2, -1)$이므로 원과 직선 ㉠이 접하려면

$\frac{|2m+1+2m+1|}{\sqrt{m^2+(-1)^2}}=\sqrt{2}$

$|4m+2|=\sqrt{2}\sqrt{m^2+1}$

양변을 제곱하면

$(4m+2)^2=2(m^2+1)$

$7m^2+8m+1=0$, $(m+1)(7m+1)=0$

$\therefore m=-1$ 또는 $m=-\frac{1}{7}$

이를 ㉠에 대입하면 구하는 접선의 방정식은

$x+y+1=0$ 또는 $x+7y-5=0$

따라서 $a=1$, $b=1$, $c=7$, $d=-5$ 또는 $a=7$, $b=-5$, $c=1$, $d=1$이므로 $abcd=-35$

082 답 ①

원점을 지나는 접선의 기울기를 m이라 하면 접선의 방정식은

$y=mx$ $\quad\therefore mx-y=0$ …… ㉠

$x^2+y^2-2x-6y+8=0$에서

$(x-1)^2+(y-3)^2=2$

원의 중심의 좌표가 $(1, 3)$이므로 원과 직선 ㉠이 접하려면

$\frac{|m-3|}{\sqrt{m^2+(-1)^2}}=\sqrt{2}$

$|m-3|=\sqrt{2}\sqrt{m^2+1}$

양변을 제곱하면

$(m-3)^2=2(m^2+1)$

$m^2+6m-7=0$, $(m+7)(m-1)=0$

$\therefore m=-7$ 또는 $m=1$

따라서 구하는 두 접선의 기울기의 곱은

$-7\times 1=-7$

083 답 ⑤

접점의 좌표를 (x_1, y_1)이라 하면 접선의 방정식은

$x_1x+y_1y=6$

이 직선이 점 $P(0, 6)$을 지나므로

$6y_1=6 \quad \therefore y_1=1$

한편 접점 (x_1, y_1)은 원 $x^2+y^2=6$ 위에 있으므로

$x_1^2+y_1^2=6$

$x_1^2+1^2=6$, $x_1^2=5$

$\therefore x_1=\pm\sqrt{5}$

즉, 점 P에서 원에 그은 접선의 방정식은

$\sqrt{5}x+y=6$ 또는 $\sqrt{5}x-y=-6$

따라서 $A\left(\frac{6\sqrt{5}}{5}, 0\right)$, $B\left(-\frac{6\sqrt{5}}{5}, 0\right)$ 또는 $A\left(-\frac{6\sqrt{5}}{5}, 0\right)$, $B\left(\frac{6\sqrt{5}}{5}, 0\right)$이므로

$\overline{AB}=\frac{6\sqrt{5}}{5}-\left(-\frac{6\sqrt{5}}{5}\right)=\frac{12\sqrt{5}}{5}$

따라서 원점 O에 대하여 삼각형 PAB의 넓이는

$\frac{1}{2}\times\overline{AB}\times\overline{OP}=\frac{1}{2}\times\frac{12\sqrt{5}}{5}\times6$

$=\frac{36\sqrt{5}}{5}$

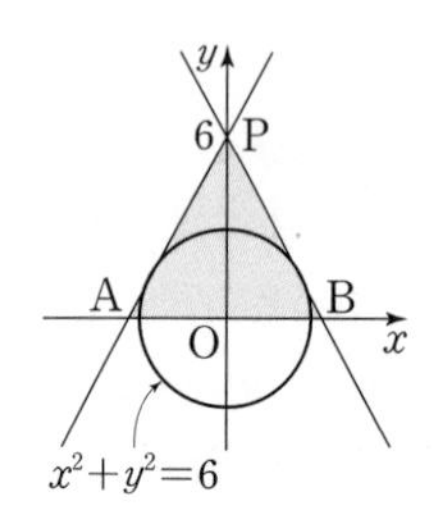

084 답 $(x-2)^2+y^2=20$

직선 $y=-2x+4$가 x축, y축과 만나는 점의 좌표는 각각

$(2, 0)$, $(0, 4)$

중심의 좌표가 $(2, 0)$이므로 원의 반지름의 길이를 r라 하면 원의 방정식은

$(x-2)^2+y^2=r^2$

이 원이 점 $(0, 4)$를 지나므로

$(-2)^2+4^2=r^2 \quad \therefore r^2=20$

따라서 구하는 원의 방정식은

$(x-2)^2+y^2=20$

085 답 $(x+3)^2+(y-1)^2=2$

선분 AB의 중점을 M이라 하면

$M\left(\frac{2-10}{2}, \frac{-4+8}{2}\right)$

$\therefore M(-4, 2)$

선분 AB를 1 : 2로 내분하는 점을 N이라 하면

$N\left(\frac{1\times(-10)+2\times2}{1+2}, \frac{1\times8+2\times(-4)}{1+2}\right)$

$\therefore N(-2, 0)$

이때 원의 중심을 C라 하면 점 C는 선분 MN의 중점이므로

$C\left(\frac{-4-2}{2}, \frac{2}{2}\right) \quad \therefore C(-3, 1)$

또 원의 반지름의 길이는

$\overline{NC}=\sqrt{(-1)^2+1^2}=\sqrt{2}$

따라서 구하는 원의 방정식은

$(x+3)^2+(y-1)^2=2$

086 답 ⑤

원의 중심의 좌표를 $(a, a-2)$, 반지름의 길이를 r라 하면 원의 방정식은

$(x-a)^2+(y-a+2)^2=r^2 \quad \cdots\cdots ㉠$

원 ㉠이 점 $(1, 2)$를 지나므로

$(1-a)^2+(2-a+2)^2=r^2$

$2a^2-10a+17=r^2 \quad \cdots\cdots ㉡$

원 ㉠이 점 $(3, -2)$를 지나므로

$(3-a)^2+(-2-a+2)^2=r^2$

$2a^2-6a+9=r^2 \quad \cdots\cdots ㉢$

㉡, ㉢을 연립하여 풀면

$a=2$, $r^2=5$

따라서 구하는 원의 방정식은 $(x-2)^2+y^2=5$이고 이 원의 반지름의 길이는 $\sqrt{5}$이므로 원의 넓이는

$\pi\times(\sqrt{5})^2=5\pi$

087 답 $-3\le k<-2$ 또는 $0<k\le1$

$x^2+y^2-2ky-2k^2-6k=0$에서

$x^2+(y-k)^2=3k^2+6k$

이 방정식이 반지름의 길이가 3 이하인 원을 나타내려면

$0<\sqrt{3k^2+6k}\le3$

$\therefore 0<3k^2+6k\le9$

$3k^2+6k>0$에서 $k(k+2)>0$

$\therefore k<-2$ 또는 $k>0 \quad \cdots\cdots ㉠$

$3k^2+6k\le9$에서 $k^2+2k-3\le0$

$(k+3)(k-1)\le0$

$\therefore -3\le k\le1 \quad \cdots\cdots ㉡$

㉠, ㉡의 공통부분을 구하면

$-3\le k<-2$ 또는 $0<k\le1$

088 답 ④

원의 방정식을 $x^2+y^2+Ax+By+C=0$으로 놓으면 이 원이 원점 $(0, 0)$을 지나므로

$C=0$

$\therefore x^2+y^2+Ax+By=0 \quad \cdots\cdots ㉠$

원 ㉠이 점 $(0, 4)$를 지나므로

$16+4B=0 \quad \therefore B=-4$

원 ㉠이 점 $(2, 2)$를 지나므로

$4+4+2A+2B=0$

$A+B=-4$

$\therefore A=0$

즉, 구하는 원의 방정식은

$x^2+y^2-4y=0$

$\therefore x^2+(y-2)^2=4$

따라서 구하는 원의 둘레의 길이는

$2\pi\times2=4\pi$

089 답 ③

$x^2+y^2-8x+ky+9=0$에서

$(x-4)^2+\left(y+\frac{k}{2}\right)^2=\frac{k^2}{4}+7$

이 원의 중심 $\left(4, -\frac{k}{2}\right)$가 제4사분면 위에 있으므로

$-\frac{k}{2}<0 \quad \therefore k>0$

또 이 원이 y축에 접하므로

$\sqrt{\frac{k^2}{4}+7}=4$

양변을 제곱하면

$\frac{k^2}{4}+7=16,\ k^2=36 \quad \therefore k=\pm 6$

그런데 $k>0$이므로 $k=6$

090 답 $12\sqrt{2}$

원의 중심의 좌표를 $(a, a+1)$이라 하면 x축에 접하는 원의 방정식은

$(x-a)^2+(y-a-1)^2=(a+1)^2$

이 원이 점 $(5, 3)$을 지나므로

$(5-a)^2+(3-a-1)^2=(a+1)^2$

$a^2-16a+28=0,\ (a-2)(a-14)=0$

$\therefore a=2$ 또는 $a=14$

따라서 두 원의 중심의 좌표는 $(2, 3)$, $(14, 15)$이므로 두 원의 중심 사이의 거리는

$\sqrt{12^2+12^2}=12\sqrt{2}$

091 답 ③

중심의 좌표가 $(3, -3)$이고 x축과 y축에 동시에 접하는 원의 방정식은

$(x-3)^2+(y+3)^2=9$

이 원이 점 $(k, -2)$를 지나므로

$(k-3)^2+(-2+3)^2=9$

$k^2-6k+1=0$

따라서 근과 계수의 관계에 의하여 모든 k의 값의 합은 6이다.

092 답 4

두 원의 교점을 지나는 원의 방정식은

$x^2+y^2-4+k(x^2+y^2+ax-2y-2)=0$ (단, $k\neq-1$) …… ㉠

이 원이 원점을 지나므로

$-4-2k=0 \quad \therefore k=-2$

$k=-2$를 ㉠에 대입하면

$x^2+y^2-4-2(x^2+y^2+ax-2y-2)=0$

$x^2+y^2+2ax-4y=0$

$\therefore (x+a)^2+(y-2)^2=a^2+4$

이 원의 넓이가 20π이므로

$\pi(a^2+4)=20\pi$

$a^2+4=20,\ a^2=16 \quad \therefore a=4\ (\because a>0)$

093 답 ⑤

원 C의 반지름의 길이를 r라 하면 원의 방정식은

$(x-1)^2+(y-3)^2=r^2$

$\therefore x^2+y^2-2x-6y+10-r^2=0$

두 원의 교점을 지나는 직선의 방정식은

$x^2+y^2-2x-6y+10-r^2-(x^2+y^2-10)=0$

$\therefore 2x+6y+r^2-20=0$

이 직선이 원점 $(0, 0)$을 지나므로

$r^2=20 \quad \therefore r=\pm 2\sqrt{5}$

그런데 $r>0$이므로 $r=2\sqrt{5}$

094 답 ④

$\overline{AP}:\overline{BP}=2:1$이므로

$2\overline{BP}=\overline{AP} \quad \therefore 4\overline{BP}^2=\overline{AP}^2$

$P(x, y)$라 하면

$4\{(x-6)^2+(y+1)^2\}=(x-3)^2+(y-2)^2$

$x^2+y^2-14x+4y+45=0$

$\therefore (x-7)^2+(y+2)^2=8$

따라서 점 P가 나타내는 도형은 중심의 좌표가 $(7, -2)$이고 반지름의 길이가 $2\sqrt{2}$인 원이므로 구하는 둘레의 길이는

$2\pi\times 2\sqrt{2}=4\sqrt{2}\pi$

095 답 ⑤

원의 중심 $(1, 3)$과 직선 $y=-3x+k$, 즉 $3x+y-k=0$ 사이의 거리는

$\frac{|3+3-k|}{\sqrt{3^2+1^2}}=\frac{|k-6|}{\sqrt{10}}$

원의 반지름의 길이가 $\sqrt{10}$이므로 원과 직선이 접하려면

$\frac{|k-6|}{\sqrt{10}}=\sqrt{10},\ |k-6|=10$

$k-6=\pm 10 \quad \therefore k=-4$ 또는 $k=16$

따라서 모든 실수 k의 값의 합은

$-4+16=12$

096 답 $k<-\frac{\sqrt{21}}{2}$ 또는 $k>\frac{\sqrt{21}}{2}$

$x^2+y^2+2y-3=0$에서 $x^2+(y+1)^2=4$

원의 중심 $(0, -1)$과 직선 $kx-y+4=0$ 사이의 거리는

$\frac{|1+4|}{\sqrt{k^2+(-1)^2}}=\frac{5}{\sqrt{k^2+1}}$

원의 반지름의 길이가 2이므로 원과 직선이 서로 다른 두 점에서 만나려면

$\frac{5}{\sqrt{k^2+1}}<2,\ \sqrt{k^2+1}>\frac{5}{2}$

양변을 제곱하면

$k^2+1>\frac{25}{4},\ k^2>\frac{21}{4}$

$\therefore k<-\frac{\sqrt{21}}{2}$ 또는 $k>\frac{\sqrt{21}}{2}$

097 답 ③

$x^2+y^2+4x-2y-4=0$에서

$(x+2)^2+(y-1)^2=9$

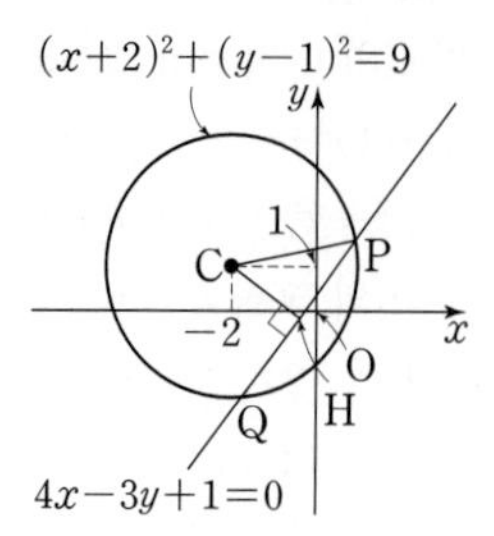

오른쪽 그림과 같이 원의 중심을 C$(-2,\ 1)$이라 하고, 점 C에서 직선 $4x-3y+1=0$에 내린 수선의 발을 H라 하면

$\overline{\mathrm{CH}}=\dfrac{|-8-3+1|}{\sqrt{4^2+(-3)^2}}=2$

직각삼각형 CPH에서

$\overline{\mathrm{PH}}=\sqrt{\overline{\mathrm{CP}}^2-\overline{\mathrm{CH}}^2}=\sqrt{3^2-2^2}=\sqrt{5}$

$\therefore\ \overline{\mathrm{PQ}}=2\overline{\mathrm{PH}}=2\sqrt{5}$

098 답 ⑤

오른쪽 그림과 같이 원의 중심을 C$(2,\ -2)$라 하면

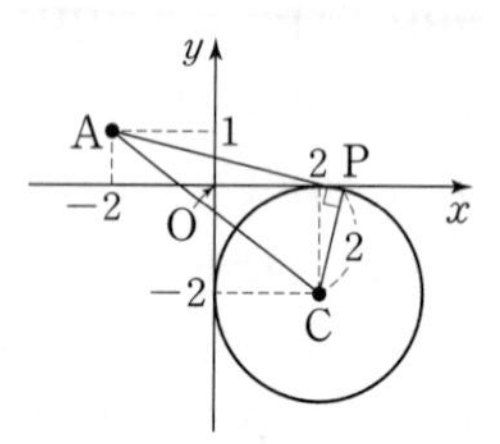

$\overline{\mathrm{AC}}=\sqrt{4^2+(-3)^2}=5$

직각삼각형 CAP에서

$\overline{\mathrm{AP}}=\sqrt{\overline{\mathrm{CA}}^2-\overline{\mathrm{CP}}^2}=\sqrt{5^2-2^2}=\sqrt{21}$

099 답 ③

점 A$(3,\ 4)$를 지나는 직선 중 원점 O와 거리가 최대인 직선은 직선 OA와 수직인 직선이므로 직선 l의 방정식은

$y-4=-\dfrac{3}{4}(x-3)\quad \therefore\ 3x+4y-25=0$

원의 중심 $(5,\ 7)$과 이 직선 사이의 거리는

$\dfrac{|15+28-25|}{\sqrt{3^2+4^2}}=\dfrac{18}{5}$

이때 원의 반지름의 길이는 1이므로 구하는 최솟값은

$\dfrac{18}{5}-1=\dfrac{13}{5}$

100 답 ⑤

$x^2+y^2-2x-4y-11=0$에서

$(x-1)^2+(y-2)^2=16$

원의 중심 $(1,\ 2)$와 점 A$(4,\ -2)$ 사이의 거리는

$\sqrt{3^2+(-4)^2}=5$

원의 반지름의 길이는 4이므로 $\overline{\mathrm{AP}}$의 최댓값은 $5+4=9$, $\overline{\mathrm{AP}}$의 최솟값은 $5-4=1$이다.

따라서 $1\le l\le 9$이므로 l의 값이 될 수 있는 자연수는 $1,\ 2,\ 3,\ \cdots,\ 9$의 9개이다.

101 답 25

주어진 원의 반지름의 길이는 $2\sqrt{5}$이므로 접선의 방정식은

$y=2x\pm 2\sqrt{5}\times\sqrt{2^2+1}\quad \therefore\ y=2x\pm 10$

$y=2x+10$일 때, A$(-5,\ 0)$, B$(0,\ 10)$

$y=2x-10$일 때, A$(5,\ 0)$, B$(0,\ -10)$

$\therefore\ \overline{\mathrm{OA}}=5,\ \overline{\mathrm{OB}}=10$

따라서 삼각형 OAB의 넓이는 $\dfrac{1}{2}\times\overline{\mathrm{OA}}\times\overline{\mathrm{OB}}=\dfrac{1}{2}\times 5\times 10=25$

102 답 $y=3x-9$ 또는 $y=3x+11$

$x^2+y^2-2x-8y+7=0$에서 $(x-1)^2+(y-4)^2=10$

기울기가 3인 접선의 방정식을

$y=3x+k$, 즉 $3x-y+k=0$ $\quad\cdots\cdots$ ㉠

으로 놓으면 원의 중심 $(1,\ 4)$와 직선 ㉠ 사이의 거리는

$\dfrac{|3-4+k|}{\sqrt{3^2+(-1)^2}}=\dfrac{|k-1|}{\sqrt{10}}$

원의 반지름의 길이는 $\sqrt{10}$이므로 원과 직선 ㉠이 접하려면

$\dfrac{|k-1|}{\sqrt{10}}=\sqrt{10},\ |k-1|=10$

$k-1=\pm 10\quad \therefore\ k=-9$ 또는 $k=11$

따라서 구하는 직선의 방정식은

$y=3x-9$ 또는 $y=3x+11$

103 답 7

원의 중심을 C$(-1,\ 2)$라 하면 직선 AC의 기울기는

$\dfrac{2-1}{-1-2}=-\dfrac{1}{3}$

따라서 점 A에서의 접선은 기울기가 3이고 점 A를 지나므로 접선의 방정식은

$y-1=3(x-2)$

$\therefore\ y=3x-5$ $\quad\cdots\cdots$ ㉠

또 직선 BC의 기울기는 $\dfrac{2-5}{-1}=3$

따라서 점 B에서의 접선은 기울기가 $-\dfrac{1}{3}$이고 점 B를 지나므로

접선의 방정식은 $y=-\dfrac{1}{3}x+5$ $\quad\cdots\cdots$ ㉡

㉠, ㉡을 연립하여 풀면 $x=3,\ y=4$

즉, P$(3,\ 4)$이므로 $a=3,\ b=4$

$\therefore\ a+b=7$

104 답 ④

접점의 좌표를 $(x_1,\ y_1)$이라 하면 접선의 방정식은

$x_1x+y_1y=9$

이 직선이 점 $(6,\ 0)$을 지나므로

$6x_1=9\quad \therefore\ x_1=\dfrac{3}{2}$ $\quad\cdots\cdots$ ㉠

한편 접점 $(x_1,\ y_1)$은 원 $x^2+y^2=9$ 위에 있으므로

${x_1}^2+{y_1}^2=9$ $\quad\cdots\cdots$ ㉡

㉠을 ㉡에 대입하면

$\dfrac{9}{4}+{y_1}^2=9,\ {y_1}^2=\dfrac{27}{4}$

$\therefore\ y_1=\pm\dfrac{3\sqrt{3}}{2}$

즉, 구하는 직선의 방정식은

$x+\sqrt{3}y=6$ 또는 $x-\sqrt{3}y=6$

$\therefore\ y=-\dfrac{\sqrt{3}}{3}x+2\sqrt{3}$ 또는 $y=\dfrac{\sqrt{3}}{3}x-2\sqrt{3}$

따라서 $m=-\dfrac{\sqrt{3}}{3},\ n=2\sqrt{3}$ 또는 $m=\dfrac{\sqrt{3}}{3},\ n=-2\sqrt{3}$이므로

$mn=-2$

12 도형의 이동

200~211쪽

001 답 ④

점 (a, b)를 x축의 방향으로 2만큼, y축의 방향으로 -5만큼 평행이동한 점의 좌표는

$(a+2, b-5)$

이 점이 점 $(3, -2)$와 일치하므로

$a+2=3, b-5=-2 \quad \therefore a=1, b=3$

$\therefore a+b=4$

002 답 ④

직선 $y=3x+n-1$을 x축의 방향으로 -1만큼, y축의 방향으로 3만큼 평행이동한 직선의 방정식은

$y-3=3(x+1)+n-1$

$\therefore y=3x+n+5$

이 직선이 직선 $y=3x+9$와 일치하므로

$n+5=9 \quad \therefore n=4$

003 답 ①

원 $(x-3)^2+(y-1)^2=9$를 x축의 방향으로 a만큼, y축의 방향으로 b만큼 평행이동한 원의 방정식은

$(x-a-3)^2+(y-b-1)^2=9$ …… ㉠

한편 $x^2+y^2-4y+c=0$에서

$x^2+(y-2)^2=4-c$ …… ㉡

㉠과 ㉡이 일치하므로

$-a-3=0, -b-1=-2, 9=4-c$

$\therefore a=-3, b=1, c=-5$

$\therefore a+b+c=-7$

다른 풀이 원 $(x-3)^2+(y-1)^2=9$의 중심의 좌표는 $(3, 1)$이다.
원 $x^2+y^2-4y+c=0$, 즉 $x^2+(y-2)^2=4-c$의 중심의 좌표는 $(0, 2)$이다.

따라서 중심 $(3, 1)$이 중심 $(0, 2)$로 옮겨졌으므로

$a=0-3=-3, b=2-1=1$

원은 평행이동하여도 반지름의 길이가 변하지 않으므로

$4-c=9 \quad \therefore c=-5$

$\therefore a+b+c=-7$

004 답 ②

$A(1, -2), B(-1, 2)$이므로

$\overline{AB}=\sqrt{(-1-1)^2+(2+2)^2}=2\sqrt{5}$

005 답 ③

직선 $y=ax+1$을 원점에 대하여 대칭이동한 직선의 방정식은

$-y=-ax+1 \quad \therefore y=ax-1$

이 직선이 점 $(1, 2)$를 지나므로

$2=a-1 \quad \therefore a=3$

006 답 -5

원 $x^2+y^2-2ax+6y+a^2=0$을 직선 $y=x$에 대하여 대칭이동한 원의 방정식은

$y^2+x^2-2ay+6x+a^2=0$

$\therefore (x+3)^2+(y-a)^2=9$

이 원의 중심 $(-3, a)$가 직선 $2x-y+1=0$ 위에 있으므로

$-6-a+1=0 \quad \therefore a=-5$

007 답 -54

포물선 $y=x^2-2$를 x축의 방향으로 3만큼, y축의 방향으로 2만큼 평행이동한 포물선의 방정식은

$y-2=(x-3)^2-2 \quad \therefore y=x^2-6x+9$

이 포물선을 x축에 대하여 대칭이동한 포물선의 방정식은

$-y=x^2-6x+9 \quad \therefore y=-x^2+6x-9$

따라서 $a=6, b=-9$이므로 $ab=-54$

008 답 0

두 점 $(a, 2), (4, b)$를 이은 선분의 중점의 좌표가 $(1, 2)$이므로

$\frac{a+4}{2}=1, \frac{2+b}{2}=2 \quad \therefore a=-2, b=2$

$\therefore a+b=0$

009 답 ①

두 점 $(0, 4), (a, b)$를 이은 선분의 중점의 좌표는

$\left(\frac{a}{2}, \frac{b+4}{2}\right)$

이 점이 직선 $y=-2x-1$ 위에 있으므로

$\frac{b+4}{2}=-2\times\frac{a}{2}-1 \quad \therefore 2a+b=-6$ …… ㉠

또 두 점 $(0, 4), (a, b)$를 지나는 직선과 직선 $y=-2x-1$이 수직이므로

$\frac{b-4}{a}\times(-2)=-1 \quad \therefore a-2b=-8$ …… ㉡

㉠, ㉡을 연립하여 풀면 $a=-4, b=2$

$\therefore ab=-8$

010 답 $3\sqrt{5}$

점 $B(5, 2)$를 x축에 대하여 대칭이동한 점을 B'이라 하면

$B'(5, -2)$

$\therefore \overline{AP}+\overline{BP}=\overline{AP}+\overline{B'P}$

$\geq \overline{AB'}$

$=\sqrt{3^2+(-6)^2}=3\sqrt{5}$

따라서 구하는 최솟값은 $3\sqrt{5}$이다.

011 답 ④

방정식 $f(-x, -y)=0$이 나타내는 도형은 방정식 $f(x, y)=0$이 나타내는 도형을 원점에 대하여 대칭이동한 것이다.

따라서 방정식 $f(-x, -y)=0$이 나타내는 도형은 ④이다.

012 답 (4, −3)

점 P의 좌표를 (a, b)라 하면 점 P를 x축의 방향으로 −3만큼, y축의 방향으로 2만큼 평행이동한 점의 좌표는

$(a-3, b+2)$

이 점이 점 $(1, -1)$과 일치하므로

$a-3=1$, $b+2=-1$ $\quad \therefore a=4, b=-3$

따라서 점 P의 좌표는 $(4, -3)$이다.

013 답 ③

점 $(3, 1)$을 x축의 방향으로 a만큼, y축의 방향으로 4만큼 평행이동한 점의 좌표는

$(3+a, 1+4)$ $\quad \therefore (a+3, 5)$

이 점이 점 $(6, b)$와 일치하므로

$a+3=6$, $5=b$ $\quad \therefore a=3, b=5$ $\quad \therefore ab=15$

014 답 ⑤

점 $(2, k)$가 주어진 평행이동에 의하여 옮겨지는 점의 좌표는

$(2-4, k+3)$ $\quad \therefore (-2, k+3)$

이 점이 직선 $y=-x+6$ 위의 점이므로

$k+3=2+6$ $\quad \therefore k=5$

015 답 (5, −7)

점 $(-1, 2)$를 x축의 방향으로 m만큼, y축의 방향으로 n만큼 평행이동한 점의 좌표가 $(3, -4)$라 하면

$-1+m=3$, $2+n=-4$ $\quad \therefore m=4, n=-6$

따라서 점 $(1, -1)$을 x축의 방향으로 4만큼, y축의 방향으로 −6만큼 평행이동한 점의 좌표는

$(1+4, -1-6)$ $\quad \therefore (5, -7)$

016 답 7

점 A(4, 3)이 주어진 평행이동에 의하여 옮겨지는 점의 좌표는

$B(4+2, 3-2)$ $\quad \therefore B(6, 1)$

따라서 삼각형 OAB의 넓이는

$6\times3-\left(\frac{1}{2}\times4\times3+\frac{1}{2}\times6\times1+\frac{1}{2}\times2\times2\right)$

$=7$

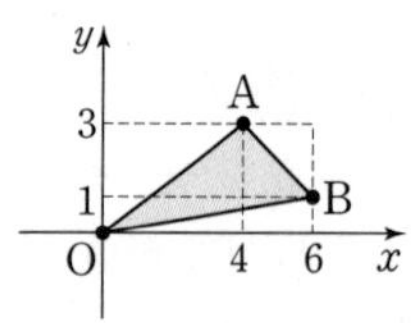

017 답 21

도형을 평행이동하여도 그 모양은 변하지 않으므로 삼각형 O′P′Q′이 정삼각형이면 삼각형 OPQ도 정삼각형이다.

오른쪽 그림의 삼각형 OPQ에서 $\overline{OP}=4$이므로 $\overline{OH}=2$

이때 삼각형 OPQ는 정삼각형이므로

$\overline{QH}=2\sqrt{3}$

$\therefore Q(2, 2\sqrt{3})$

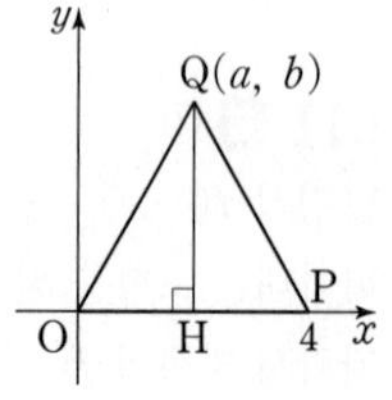

점 Q를 x축의 방향으로 m만큼, y축의 방향으로 n만큼 평행이동한 점이 $Q'(5, 4\sqrt{3})$이므로

$2+m=5$, $2\sqrt{3}+n=4\sqrt{3}$ $\quad \therefore m=3, n=2\sqrt{3}$

$\therefore m^2+n^2=3^2+(2\sqrt{3})^2=21$

018 답 ②

직선 $y=-2x+k$를 x축의 방향으로 2만큼, y축의 방향으로 −3만큼 평행이동한 직선의 방정식은

$y+3=-2(x-2)+k$ $\quad \therefore y=-2x+k+1$

이 직선이 직선 $y=-2x$와 일치하므로

$k+1=0$ $\quad \therefore k=-1$

019 답 ③

직선 $y=2x+1$을 x축의 방향으로 −2만큼, y축의 방향으로 1만큼 평행이동한 직선의 방정식은

$y-1=2(x+2)+1$ $\quad \therefore y=2x+6$

따라서 이 직선의 y절편은 6이다.

020 답 ④

주어진 평행이동은 x축의 방향으로 p만큼, y축의 방향으로 $-p$만큼 평행이동하는 것이므로 직선 $y=4x+2$를 평행이동한 직선의 방정식은

$y+p=4(x-p)+2$ $\quad \therefore y=4x-5p+2$

이 직선이 직선 $y=4x-8$과 일치하므로

$-5p+2=-8$ $\quad \therefore p=2$

021 답 −3

직선 $2x+y-1=0$이 주어진 평행이동에 의하여 옮겨지는 직선의 방정식은

$2(x+1)+(y-4)-1=0$ $\quad \therefore 2x+y-3=0$

따라서 $a=1$, $b=-3$이므로 $ab=-3$

022 답 ②

직선 $y=2x+3$을 x축의 방향으로 1만큼, y축의 방향으로 −2만큼 평행이동한 직선의 방정식은

$y+2=2(x-1)+3$ $\quad \therefore y=2x-1$

이 직선이 주어진 원의 넓이를 이등분하려면 원의 중심 $(m, -3)$을 지나야 하므로

$-3=2m-1$ $\quad \therefore m=-1$

023 답 8

원 $(x-1)^2+(y+b)^2=4$를 x축의 방향으로 a만큼, y축의 방향으로 2만큼 평행이동한 원의 방정식은

$(x-a-1)^2+(y-2+b)^2=4$ $\quad \cdots\cdots$ ㉠

한편 $x^2+y^2+2x+c-1=0$에서

$(x+1)^2+y^2=2-c$ $\quad \cdots\cdots$ ㉡

㉠과 ㉡이 일치하므로

$-a-1=1$, $-2+b=0$, $4=2-c$

$\therefore a=-2, b=2, c=-2$ $\quad \therefore abc=8$

다른 풀이 원 $(x-1)^2+(y+b)^2=4$의 중심의 좌표는 $(1, -b)$이다.
원 $x^2+y^2+2x+c-1=0$, 즉 $(x+1)^2+y^2=2-c$의 중심의 좌표는 $(-1, 0)$이다.
따라서 중심 $(1, -b)$가 중심 $(-1, 0)$으로 옮겨졌으므로
$a=-1-1=-2$, $2=b$
원은 평행이동하여도 반지름의 길이가 변하지 않으므로
$2-c=4 \quad \therefore c=-2$
$\therefore abc=8$

024 답 ⑤

주어진 평행이동은 x축의 방향으로 -1만큼, y축의 방향으로 2만큼 평행이동한 것이므로 포물선 $y=x^2+1$을 평행이동한 포물선의 방정식은
$y-2=(x+1)^2+1 \quad \therefore y=x^2+2x+4$
이 포물선이 점 $(3, p)$를 지나므로
$p=9+6+4=19$

025 답 0

$x^2+y^2-4x-2y-4=0$에서 $(x-2)^2+(y-1)^2=9$
이 원을 x축의 방향으로 a만큼, y축의 방향으로 b만큼 평행이동한 원의 방정식은
$(x-a-2)^2+(y-b-1)^2=9$
이 원의 중심이 원점이고 반지름의 길이가 r이므로
$-a-2=0$, $-b-1=0$, $9=r^2$
$\therefore a=-2$, $b=-1$, $r=3$ ($\because r>0$)
$\therefore a+b+r=0$

다른 풀이 원 $(x-2)^2+(y-1)^2=9$의 중심의 좌표는 $(2, 1)$이므로 이 점이 주어진 평행이동에 의하여 옮겨진 점의 좌표는
$(2+a, 1+b)$
이 점이 원점이므로 $2+a=0$, $1+b=0$
$\therefore a=-2$, $b=-1$
한편 원의 반지름의 길이는 평행이동하여도 변하지 않으므로
$r=3$
$\therefore a+b+r=0$

026 답 ①

점 $(1, 3)$을 x축의 방향으로 m만큼, y축의 방향으로 n만큼 평행이동한 점의 좌표는
$(1+m, 3+n)$
이 점이 점 $(-1, 2)$와 일치하므로
$1+m=-1$, $3+n=2 \quad \therefore m=-2$, $n=-1$
즉, 포물선 $y=x^2+2x-1$을 x축의 방향으로 -2만큼, y축의 방향으로 -1만큼 평행이동한 포물선의 방정식은
$y+1=(x+2)^2+2(x+2)-1$
$y=x^2+6x+6 \quad \therefore y=(x+3)^2-3$
따라서 이 포물선의 꼭짓점의 좌표는 $(-3, -3)$이므로
$a=-3$, $b=-3$
$\therefore a+b=-6$

다른 풀이 포물선 $y=x^2+2x-1$, 즉 $y=(x+1)^2-2$의 꼭짓점의 좌표는 $(-1, -2)$
이 점을 x축의 방향으로 -2만큼, y축의 방향으로 -1만큼 평행이동한 점의 좌표는
$(-1-2, -2-1) \quad \therefore (-3, -3)$
따라서 $a=-3$, $b=-3$이므로 $a+b=-6$

027 답 $\sqrt{26}$

포물선 $y=x^2+4x+5$를 x축의 방향으로 m만큼, y축의 방향으로 n만큼 평행이동한 포물선의 방정식은
$y-n=(x-m)^2+4(x-m)+5$
$\therefore y=x^2+(-2m+4)x+m^2-4m+5+n$
이 포물선과 포물선 $y=x^2+6x+13$이 일치하므로
$-2m+4=6$, $m^2-4m+5+n=13 \quad \therefore m=-1$, $n=3$
원 $x^2+y^2-4y-9=0$, 즉 $x^2+(y-2)^2=13$을 x축의 방향으로 -1만큼, y축의 방향으로 3만큼 평행이동한 원의 방정식은
$(x+1)^2+(y-3-2)^2=13 \quad \therefore (x+1)^2+(y-5)^2=13$
따라서 $C(-1, 5)$이므로 $\overline{OC}=\sqrt{(-1)^2+5^2}=\sqrt{26}$

028 답 ④

원 $(x-1)^2+y^2=10$을 x축의 방향으로 1만큼, y축의 방향으로 n만큼 평행이동한 원의 방정식은
$(x-1-1)^2+(y-n)^2=10 \quad \therefore (x-2)^2+(y-n)^2=10$
이 원이 직선 $y=3x+1$에 접하려면 원의 중심 $(2, n)$과 직선 $3x-y+1=0$ 사이의 거리는 원의 반지름의 길이 $\sqrt{10}$과 같아야 하므로
$\frac{|6-n+1|}{\sqrt{3^2+(-1)^2}}=\sqrt{10}$, $|n-7|=10$
$n-7=\pm 10 \quad \therefore n=-3$ 또는 $n=17$
그런데 $n>0$이므로 $n=17$

029 답 16

원 $x^2+y^2=4$의 중심은 $O(0, 0)$이므로 점 O에서 직선 $3x+4y-6=0$에 내린 수선의 발을 H라 하면
$\overline{OH}=\frac{|-6|}{\sqrt{3^2+4^2}}=\frac{6}{5}$
직각삼각형 OBH에서
$\overline{BH}=\sqrt{2^2-\left(\frac{6}{5}\right)^2}=\frac{8}{5}$
$\therefore \overline{AB}=2\overline{BH}=\frac{16}{5}$

한편 $x^2+y^2-6x-8y+21=0$에서 $(x-3)^2+(y-4)^2=4$
즉, 원 C_2는 원 C_1을 x축의 방향으로 3만큼, y축의 방향으로 4만큼 평행이동한 것이므로
$\overline{AC}=\sqrt{3^2+4^2}=5$
이때 선분 AC는 직선 $3x+4y-6=0$과 수직이므로 구하는 넓이는 직사각형 ABDC의 넓이와 같다.
따라서 구하는 넓이는 $\frac{16}{5}\times 5=16$

030 답 ⑤

$P(3,\ -4),\ Q(4,\ 3)$이므로

$\overline{PQ}=\sqrt{(4-3)^2+(3+4)^2}=5\sqrt{2}$

031 답 ②

점 $(-2,\ 5)$를 원점에 대하여 대칭이동한 점의 좌표는

$(2,\ -5)$

따라서 점 $(2,\ -5)$와 직선 $3x-4y-6=0$ 사이의 거리는

$\frac{|6+20-6|}{\sqrt{3^2+(-4)^2}}=4$

032 답 ①

점 $(a+3,\ 4)$를 직선 $y=x$에 대하여 대칭이동한 점의 좌표는

$(4,\ a+3)$

이 점을 다시 원점에 대하여 대칭이동한 점의 좌표는

$(-4,\ -a-3)$

이 점과 점 $(b,\ -4)$가 일치하므로

$-4=b,\ -a-3=-4 \qquad \therefore a=1,\ b=-4$

$\therefore ab=-4$

033 답 제4사분면

점 $(a,\ b)$를 x축에 대하여 대칭이동한 점의 좌표는

$(a,\ -b)$

이 점이 제3사분면 위에 있으므로

$a<0,\ -b<0 \qquad \therefore a<0,\ b>0$

점 $(a-b,\ ab)$를 y축에 대하여 대칭이동한 점의 좌표는

$(-a+b,\ ab)$

이때 $-a+b>0,\ ab<0$이므로 이 점은 제4사분면 위에 있다.

034 답 8

$B(a,\ -b),\ C(-a,\ b)$이고 삼각형 ABC의 넓이가 6이므로

$\frac{1}{2}\times 2|a|\times 2|b|=6$

$2|ab|=6 \qquad \therefore |ab|=3$

따라서 점 A가 될 수 있는 점은 $(1,\ 3)$, $(-1,\ 3),\ (1,\ -3),\ (-1,\ -3),\ (3,\ 1),\ (-3,\ 1),\ (3,\ -1)$, $(-3,\ -1)$의 8개이다.

035 답 ④

직선 $ax+(2a-1)y+7=0$을 원점에 대하여 대칭이동한 직선의 방정식은

$-ax-(2a-1)y+7=0$

$\therefore ax+(2a-1)y-7=0$

이 직선이 점 $(-1,\ 3)$을 지나므로

$-a+3(2a-1)-7=0$

$-a+6a-3-7=0 \qquad \therefore a=2$

036 답 ④

직선 $x+3y-5=0$을 y축에 대하여 대칭이동한 직선의 방정식은

$-x+3y-5=0$

이 직선을 다시 직선 $y=x$에 대하여 대칭이동한 직선의 방정식은

$-y+3x-5=0$

$\therefore 3x-y-5=0$

037 답 ⑤

직선 $3x-2y+p=0$을 직선 $y=x$에 대하여 대칭이동한 직선의 방정식은

$3y-2x+p=0 \qquad \therefore 2x-3y-p=0$

이 직선이 원 $(x-1)^2+(y+3)^2=13$에 접하려면 원의 중심 $(1,\ -3)$과 직선 $2x-3y-p=0$ 사이의 거리는 원의 반지름의 길이 $\sqrt{13}$과 같아야 하므로

$\frac{|2+9-p|}{\sqrt{2^2+(-3)^2}}=\sqrt{13},\ |p-11|=13$

$p-11=\pm 13 \qquad \therefore p=-2$ 또는 $p=24$

그런데 $p>0$이므로 $p=24$

038 답 2

직선 l: $y=4x+2$를 x축, y축, 원점에 대하여 대칭이동한 직선의 방정식은 각각

m: $y=-4x-2$

n: $y=-4x+2$

o: $y=4x-2$

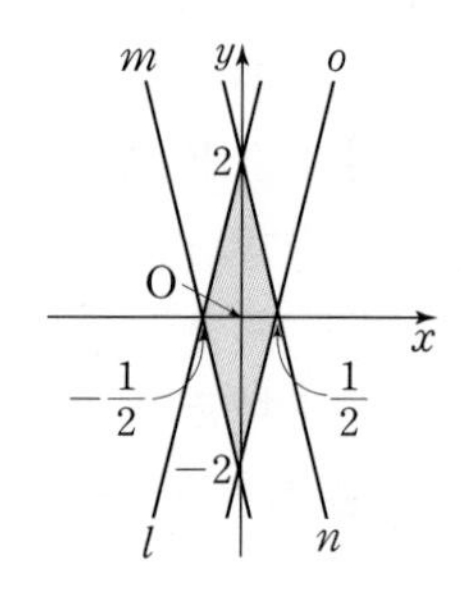

따라서 오른쪽 그림과 같이 네 직선 $l,\ m,\ n,\ o$로 둘러싸인 도형의 넓이는

$\frac{1}{2}\times 1\times 4=2$

039 답 −2

원 $x^2+y^2-2x+2ay-6=0$을 직선 $y=x$에 대하여 대칭이동한 원의 방정식은

$y^2+x^2-2y+2ax-6=0$

$\therefore (x+a)^2+(y-1)^2=a^2+7$

이 원의 중심의 좌표는 $(-a,\ 1)$ …… ㉠

한편 $y=x^2-4x+5$에서 $y=(x-2)^2+1$

이 포물선의 꼭짓점의 좌표는 $(2,\ 1)$ …… ㉡

㉠과 ㉡이 일치하므로

$-a=2 \qquad \therefore a=-2$

040 답 ③

포물선 $y=x^2+3x-2$를 x축에 대하여 대칭이동한 포물선의 방정식은

$-y=x^2+3x-2 \qquad \therefore y=-x^2-3x+2$

이 포물선이 점 $(1,\ a)$를 지나므로

$a=-1-3+2=-2$

041 답 ⑤

포물선 $y=x^2-2x-6$을 원점에 대하여 대칭이동한 포물선의 방정식은

$-y=x^2+2x-6$ $\quad \therefore y=-x^2-2x+6$

이 포물선을 다시 y축에 대하여 대칭이동한 포물선의 방정식은

$y=-x^2+2x+6$ $\quad \therefore y=-(x-1)^2+7$

따라서 이 포물선의 꼭짓점 $(1, 7)$이 직선 $y=4x+a$ 위에 있으므로

$7=4+a$ $\quad \therefore a=3$

042 답 −5

원 $x^2+y^2-2x+4y-4=0$을 직선 $y=x$에 대하여 대칭이동한 원의 방정식은

$y^2+x^2-2y+4x-4=0$ $\quad \therefore (x+2)^2+(y-1)^2=9$

직선 $y=-3x+k$가 이 원의 넓이를 이등분하려면 원의 중심 $(-2, 1)$을 지나야 하므로

$1=6+k$ $\quad \therefore k=-5$

043 답 7

원 $(x-2)^2+(y+1)^2=9$를 x축에 대하여 대칭이동한 원의 방정식은

$(x-2)^2+(-y+1)^2=9$ $\quad \therefore (x-2)^2+(y-1)^2=9$

이 원을 x축의 방향으로 -4만큼, y축의 방향으로 3만큼 평행이동한 원의 방정식은

$(x+4-2)^2+(y-3-1)^2=9$

$\therefore x^2+y^2+4x-8y+11=0$

따라서 $a=4$, $b=-8$, $c=11$이므로

$a+b+c=7$

044 답 ④

점 $(a-2, -a)$를 x축의 방향으로 -1만큼, y축의 방향으로 2만큼 평행이동한 점의 좌표는

$(a-2-1, -a+2)$ $\quad \therefore (a-3, -a+2)$

이 점을 원점에 대하여 대칭이동한 점의 좌표는

$(-a+3, a-2)$

이 점이 직선 $2x-y+4=0$ 위에 있으므로

$2(-a+3)-(a-2)+4=0$, $-3a=-12$ $\quad \therefore a=4$

045 답 −4

직선 $y=2x+1$을 x축에 대하여 대칭이동한 직선의 방정식은

$-y=2x+1$ $\quad \therefore y=-2x-1$

이 직선을 x축의 방향으로 3만큼, y축의 방향으로 a만큼 평행이동한 직선의 방정식은

$y-a=-2(x-3)-1$ $\quad \therefore y=-2x+a+5$

이 직선을 다시 y축에 대하여 대칭이동한 직선의 방정식은

$y=2x+a+5$

이 직선과 직선 $y=2x+1$이 일치하므로

$a+5=1$ $\quad \therefore a=-4$

046 답 $0<r<1$

중심의 좌표가 $(0, -3)$이고 반지름의 길이가 r인 원의 방정식은

$x^2+(y+3)^2=r^2$

이 원을 x축의 방향으로 -1만큼, y축의 방향으로 3만큼 평행이동한 원의 방정식은

$(x+1)^2+y^2=r^2$

이 원을 직선 $y=-x$에 대하여 대칭이동한 원의 방정식은

$(-y+1)^2+(-x)^2=r^2$ $\quad \therefore x^2+(y-1)^2=r^2$

이때 이 원과 직선 $3x+4y+1=0$이 만나지 않으려면 원의 중심 $(0, 1)$과 직선 $3x+4y+1=0$ 사이의 거리는 원의 반지름의 길이 r보다 커야 하므로

$\frac{|4+1|}{\sqrt{3^2+4^2}}>r$, $1>r$ $\quad \therefore 0<r<1$ ($\because r>0$)

047 답 ④

두 점 $(2a-1, -4)$, $(3, b+1)$을 이은 선분의 중점의 좌표가 $(4, -5)$이므로

$\frac{2a-1+3}{2}=4$, $\frac{-4+b+1}{2}=-5$

$\therefore a=3$, $b=-7$ $\quad \therefore a+b=-4$

048 답 1

$x^2+y^2-4x-6y+4=0$에서 $(x-2)^2+(y-3)^2=9$

이 원의 중심의 좌표는 $(2, 3)$

$x^2+y^2+8x+14y+56=0$에서 $(x+4)^2+(y+7)^2=9$

이 원의 중심의 좌표는 $(-4, -7)$

따라서 점 (a, b)는 두 점 $(2, 3)$, $(-4, -7)$을 이은 선분의 중점이므로

$a=\frac{2-4}{2}=-1$, $b=\frac{3-7}{2}=-2$ $\quad \therefore a-b=1$

049 답 −4

포물선 $y=x^2-2x+3=(x-1)^2+2$의 꼭짓점의 좌표는 $(1, 2)$

포물선 $y=-x^2-6x+a=-(x+3)^2+a+9$의 꼭짓점의 좌표는 $(-3, a+9)$

따라서 점 $(b, 4)$는 두 점 $(1, 2)$, $(-3, a+9)$를 이은 선분의 중점이므로

$b=\frac{1-3}{2}=-1$, $4=\frac{2+a+9}{2}$ $\quad \therefore a=-3$

$\therefore a+b=-4$

050 답 ④

직선 $y=2x+3$ 위의 점 (x, y)를 점 $(-2, 4)$에 대하여 대칭이동한 점의 좌표를 (x', y')이라 하면 두 점 (x, y), (x', y')을 이은 선분의 중점의 좌표가 $(-2, 4)$이므로

$\frac{x+x'}{2}=-2$, $\frac{y+y'}{2}=4$ $\quad \therefore x=-x'-4$, $y=-y'+8$

이를 $y=2x+3$에 대입하면

$-y'+8=2(-x'-4)+3$ $\quad \therefore y'=2x'+13$

따라서 구하는 직선의 방정식은 $y=2x+13$

051 답 ①

두 점 $(-3, 1)$, (a, b)를 이은 선분의 중점의 좌표는

$\left(\frac{a-3}{2}, \frac{b+1}{2}\right)$

이 점이 직선 $x-y-2=0$ 위에 있으므로

$\frac{a-3}{2}-\frac{b+1}{2}-2=0$

$\therefore a-b=8$ ...... ㉠

두 점 $(-3, 1)$, (a, b)를 지나는 직선과 직선 $x-y-2=0$, 즉 $y=x-2$가 수직이므로

$\frac{b-1}{a+3}\times 1=-1$

$\therefore a+b=-2$ ...... ㉡

㉠, ㉡을 연립하여 풀면 $a=3$, $b=-5$

$\therefore ab=-15$

052 답 ①

두 점 $(-4, 2)$, $(12, -2)$를 이은 선분의 중점의 좌표는

$\left(\frac{-4+12}{2}, \frac{2-2}{2}\right)$ $\therefore (4, 0)$

이 점이 직선 $y=mx+n$ 위에 있으므로

$0=4m+n$

$\therefore n=-4m$ ...... ㉠

두 점 $(-4, 2)$, $(12, -2)$를 지나는 직선과 직선 $y=mx+n$이 수직이므로

$\frac{-2-2}{12+4}\times m=-1$

$\therefore m=4$ ...... ㉡

㉡을 ㉠에 대입하면 $n=-16$

$\therefore m+n=-12$

053 답 ⑤

$x^2+y^2-2x+6y+9=0$에서

$(x-1)^2+(y+3)^2=1$

이 원의 중심의 좌표는 $(1, -3)$

$x^2+y^2-8x+15=0$에서

$(x-4)^2+y^2=1$

이 원의 중심의 좌표는 $(4, 0)$

두 점 $(1, -3)$, $(4, 0)$을 이은 선분의 중점의 좌표는

$\left(\frac{1+4}{2}, \frac{-3}{2}\right)$ $\therefore \left(\frac{5}{2}, -\frac{3}{2}\right)$

이 점이 직선 $ax+by-1=0$ 위에 있으므로

$\frac{5}{2}a-\frac{3}{2}b-1=0$

$\therefore 5a-3b=2$ ...... ㉠

두 점 $(1, -3)$, $(4, 0)$을 지나는 직선과 직선 $ax+by-1=0$, 즉 $y=-\frac{a}{b}x+\frac{1}{b}$이 수직이므로

$\frac{3}{4-1}\times\left(-\frac{a}{b}\right)=-1$

$\therefore a=b$ ...... ㉡

㉠, ㉡을 연립하여 풀면 $a=1$, $b=1$

$\therefore a+b=2$

054 답 76

원 C_2의 중심의 좌표를 (a, b)라 하면 두 원 C_1, C_2의 중심 $(3, -1)$, (a, b)를 이은 선분의 중점의 좌표는

$\left(\frac{3+a}{2}, \frac{-1+b}{2}\right)$

이 점이 직선 $2x-y+3=0$ 위에 있으므로

$3+a-\frac{-1+b}{2}+3=0$

$\therefore 2a-b=-13$ ...... ㉠

두 점 $(3, -1)$, (a, b)를 지나는 직선과 직선 $2x-y+3=0$, 즉 $y=2x+3$이 수직이므로

$\frac{b+1}{a-3}\times 2=-1$

$\therefore a+2b=1$ ...... ㉡

㉠, ㉡을 연립하여 풀면

$a=-5$, $b=3$

따라서 두 원의 중심 $(3, -1)$, $(-5, 3)$ 사이의 거리는

$\sqrt{(-5-3)^2+(3+1)^2}=4\sqrt{5}$이고, 두 원 C_1, C_2의 반지름의 길이는 각각 1이므로

$M=4\sqrt{5}+2$, $m=4\sqrt{5}-2$

$\therefore Mm=76$

055 답 ②

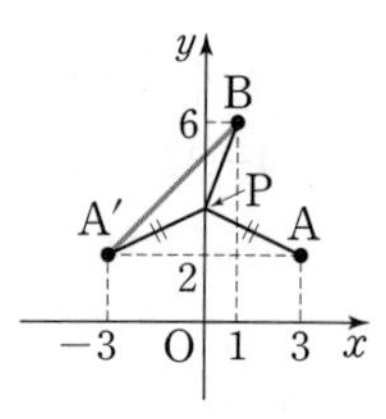

점 $\mathrm{A}(3, 2)$를 y축에 대하여 대칭이동한 점을 $\mathrm{A'}$이라 하면 $\mathrm{A'}(-3, 2)$

$\therefore \overline{\mathrm{AP}}+\overline{\mathrm{BP}}=\overline{\mathrm{A'P}}+\overline{\mathrm{BP}}$

$\geq \overline{\mathrm{A'B}}$

$=\sqrt{4^2+4^2}=4\sqrt{2}$

따라서 구하는 최솟값은 $4\sqrt{2}$이다.

056 답 ④

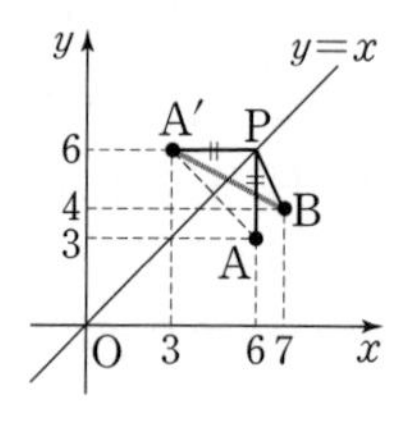

점 $\mathrm{A}(6, 3)$을 직선 $y=x$에 대하여 대칭이동한 점을 $\mathrm{A'}$이라 하면 $\mathrm{A'}(3, 6)$

$\therefore \overline{\mathrm{AP}}+\overline{\mathrm{BP}}=\overline{\mathrm{A'P}}+\overline{\mathrm{BP}}$

$\geq \overline{\mathrm{A'B}}$

$=\sqrt{4^2+(-2)^2}=2\sqrt{5}$

따라서 구하는 최솟값은 $2\sqrt{5}$이다.

057 답 $5\sqrt{2}$

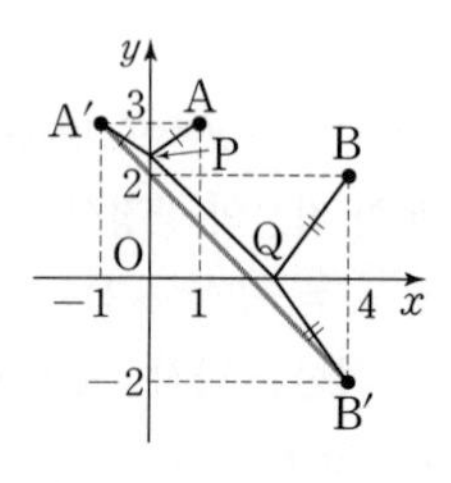

점 A를 y축에 대하여 대칭이동한 점을 $\mathrm{A'}$이라 하면 $\mathrm{A'}(-1, 3)$

점 B를 x축에 대하여 대칭이동한 점을 $\mathrm{B'}$이라 하면 $\mathrm{B'}(4, -2)$

$\therefore \overline{\mathrm{AP}}+\overline{\mathrm{PQ}}+\overline{\mathrm{QB}}=\overline{\mathrm{A'P}}+\overline{\mathrm{PQ}}+\overline{\mathrm{QB'}}$

$\geq \overline{\mathrm{A'B'}}$

$=\sqrt{5^2+(-5)^2}=5\sqrt{2}$

따라서 구하는 최솟값은 $5\sqrt{2}$이다.

058 답 $2\sqrt{10}$

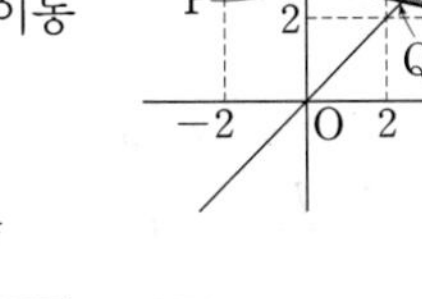

점 A를 y축에 대하여 대칭이동한 점을 A′이라 하면 $A'(-2, 4)$

점 A를 직선 $y=x$에 대하여 대칭이동한 점을 A″이라 하면 $A''(4, 2)$

삼각형 APQ의 둘레의 길이는

$\overline{AP}+\overline{PQ}+\overline{QA}=\overline{A'P}+\overline{PQ}+\overline{QA''}$

$\geq \overline{A'A''}=\sqrt{6^2+(-2)^2}=2\sqrt{10}$

따라서 구하는 최솟값은 $2\sqrt{10}$이다.

059 답 ⑤

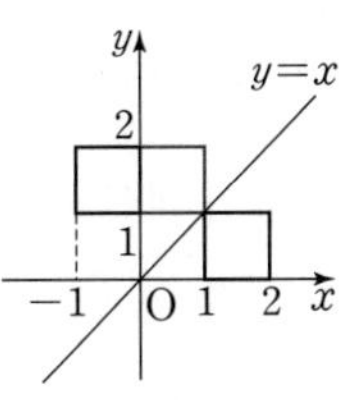

방정식 $f(x, y)=0$이 나타내는 도형을 직선 $y=x$에 대하여 대칭이동하면

$f(y, x)=0$

방정식 $f(y, x)=0$이 나타내는 도형을 y축에 대하여 대칭이동하면

$f(y, -x)=0$

따라서 방정식 $f(y, -x)=0$이 나타내는 도형은 방정식 $f(x, y)=0$이 나타내는 도형을 직선 $y=x$에 대하여 대칭이동한 후 y축에 대하여 대칭이동한 것이므로 구하는 도형은 ⑤이다.

다른 풀이 방정식 $f(x, y)=0$이 나타내는 도형을 x축에 대하여 대칭이동하면 $f(x, -y)=0$

방정식 $f(x, -y)=0$이 나타내는 도형을 직선 $y=x$에 대하여 대칭이동하면 $f(y, -x)=0$

060 답 ③

방정식 $f(x, y)=0$이 나타내는 도형을 y축에 대하여 대칭이동하면

$f(-x, y)=0$

방정식 $f(-x, y)=0$이 나타내는 도형을 y축의 방향으로 -1만큼 평행이동하면

$f(-x, y+1)=0$

따라서 방정식 $f(-x, y+1)=0$이 나타내는 도형은 방정식 $f(x, y)=0$이 나타내는 도형을 y축에 대하여 대칭이동한 후 y축의 방향으로 -1만큼 평행이동한 것이므로 구하는 도형은 ③이다.

061 답 ③

ㄱ. 방정식 $f(x-1, y)=0$이 나타내는 도형은 방정식 $f(x, y)=0$이 나타내는 도형을 x축의 방향으로 1만큼 평행이동한 것이므로 [그림 2]와 같다.

ㄴ. 방정식 $f(-x+1, -y)=0$이 나타내는 도형은 방정식 $f(x, y)=0$이 나타내는 도형을 원점에 대하여 대칭이동한 후 x축의 방향으로 1만큼 평행이동한 것이므로 [그림 2]와 같다.

ㄷ. 방정식 $f(y+1, x)=0$이 나타내는 도형은 방정식 $f(x, y)=0$이 나타내는 도형을 직선 $y=x$에 대하여 대칭이동한 후 y축의 방향으로 -1만큼 평행이동한 것이므로 [그림 2]와 같지 않다.

따라서 [그림 2]와 같은 도형을 나타내는 방정식은 ㄱ, ㄴ이다.

062 답 ④

점 $(1, 3)$이 주어진 평행이동에 의하여 옮겨지는 점의 좌표는

$(1-2, 3+a)$ $\quad\therefore (-1, 3+a)$

이 점이 점 $(b, 5)$와 일치하므로

$-1=b, 3+a=5$ $\quad\therefore a=2, b=-1$

$\therefore a+b=1$

063 답 ③

점 (a, b)를 x축의 방향으로 4만큼, y축의 방향으로 3만큼 평행이동한 점의 좌표는 $(a+4, b+3)$ $\quad\cdots\cdots$ ㉠

점 (c, d)를 x축의 방향으로 -1만큼, y축의 방향으로 -3만큼 평행이동한 점의 좌표는 $(c-1, d-3)$ $\quad\cdots\cdots$ ㉡

㉠과 ㉡이 일치하므로 $a+4=c-1, b+3=d-3$

$\therefore a-c=-5, b-d=-6$

$\therefore a-b-c+d=(a-c)-(b-d)=-5-(-6)=1$

064 답 ③

직선 $y=-2x$를 x축의 방향으로 a만큼 평행이동한 직선의 방정식은

$y=-2(x-a)$ $\quad\therefore 2x+y-2a=0$

이 직선이 원 $(x-3)^2+(y-1)^2=5$와 서로 다른 두 점에서 만나려면 원의 중심 $(3, 1)$과 직선 $2x+y-2a=0$ 사이의 거리가 원의 반지름의 길이인 $\sqrt{5}$보다 작아야 하므로

$\dfrac{|6+1-2a|}{\sqrt{2^2+1^2}}<\sqrt{5}$, $|7-2a|<5$

$-5<7-2a<5$, $-12<-2a<-2$

$\therefore 1<a<6$

따라서 정수 a는 2, 3, 4, 5의 4개이다.

065 답 $(3, -5)$

주어진 평행이동은 x축의 방향으로 2만큼, y축의 방향으로 -3만큼 평행이동하는 것이므로 원 $x^2+y^2-2x+4y+4=0$, 즉 $(x-1)^2+(y+2)^2=1$을 평행이동한 원의 방정식은

$(x-2-1)^2+(y+3+2)^2=1$

$\therefore (x-3)^2+(y+5)^2=1$

따라서 구하는 원의 중심의 좌표는 $(3, -5)$이다.

066 답 $(0, 8)$

$y=x^2+2x+6a$에서 $y=(x+1)^2+6a-1$

이 포물선을 x축의 방향으로 a만큼, y축의 방향으로 3만큼 평행이동한 포물선의 방정식은

$y-3=(x-a+1)^2+6a-1$

$\therefore y=(x-a+1)^2+6a+2$

이 포물선의 꼭짓점의 좌표는 $(a-1, 6a+2)$이고 이 점이 y축 위에 있으므로

$a-1=0$ $\quad\therefore a=1$

따라서 구하는 꼭짓점의 좌표는 $(0, 8)$이다.

067 답 $y=x-2$

$\mathrm{P}(-1,\ -3)$, $\mathrm{Q}(3,\ 1)$이므로 두 점 P, Q를 지나는 직선의 방정식은

$y+3=\frac{1+3}{3+1}(x+1)$

$\therefore\ y=x-2$

068 답 ③

직선 $x+3y-1=0$을 x축에 대하여 대칭이동한 직선의 방정식은

$x-3y-1=0$

이 직선을 다시 직선 $y=x$에 대하여 대칭이동한 직선의 방정식은

$y-3x-1=0 \qquad \therefore\ y=3x+1$

이 직선이 점 $(2,\ p)$를 지나므로

$p=6+1=7$

069 답 ㄱ, ㄹ

ㄱ. 직선 $y=-x$를 원점에 대하여 대칭이동한 직선의 방정식은

$-y=x$

$\therefore\ y=-x$

ㄴ. 포물선 $y=x^2+1$을 원점에 대하여 대칭이동한 포물선의 방정식은

$-y=x^2+1$

$\therefore\ y=-x^2-1$

ㄷ. 원 $x^2+y^2+4x=0$을 원점에 대하여 대칭이동한 원의 방정식은

$x^2+y^2-4x=0$

ㄹ. 도형 $|x+y|=4$를 원점에 대하여 대칭이동한 도형의 방정식은

$|-x-y|=4$

$\therefore\ |x+y|=4$

따라서 처음 도형과 일치하는 것은 ㄱ, ㄹ이다.

070 답 14

포물선 $y=x^2-4x+2$를 x축의 방향으로 1만큼, y축의 방향으로 -9만큼 평행이동한 포물선의 방정식은

$y+9=(x-1)^2-4(x-1)+2$

$\therefore\ y=x^2-6x-2$

이 포물선을 y축에 대하여 대칭이동한 포물선의 방정식은

$y=x^2+6x-2$

이 포물선이 점 $(2,\ a)$를 지나므로

$a=4+12-2=14$

071 답 ③

$\overline{\mathrm{PQ}}$의 중점의 좌표가 $(3,\ -2)$이므로

$\frac{2+b}{2}=3,\ \frac{a-3}{2}=-2$

$\therefore\ a=-1,\ b=4$

따라서 $\mathrm{P}(2,\ -1)$, $\mathrm{Q}(4,\ -3)$이므로

$\overline{\mathrm{PQ}}=\sqrt{2^2+(-2)^2}=2\sqrt{2}$

072 답 ①

원 $(x-1)^2+(y-2)^2=4$의 중심 $(1,\ 2)$를 점 $(-1,\ 5)$에 대하여 대칭이동한 점의 좌표를 $(a,\ b)$라 하면 두 점 $(1,\ 2)$, $(a,\ b)$를 이은 선분의 중점의 좌표가 $(-1,\ 5)$이므로

$\frac{1+a}{2}=-1,\ \frac{2+b}{2}=5 \qquad \therefore\ a=-3,\ b=8$

중심의 좌표가 $(-3,\ 8)$이고 반지름의 길이가 2인 원의 방정식은

$(x+3)^2+(y-8)^2=4$

따라서 이 원 위에 있는 점은 ① $(-3,\ 6)$이다.

073 답 ⑤

두 점 $(-4,\ 2)$, $(b,\ 4)$를 이은 선분의 중점의 좌표는

$\left(\frac{b-4}{2},\ \frac{2+4}{2}\right) \qquad \therefore\ \left(\frac{b-4}{2},\ 3\right)$

이 점이 직선 $y=-3x+a$ 위에 있으므로

$3=-3\times\frac{b-4}{2}+a$

$\therefore\ 2a-3b=-6 \qquad \cdots\cdots$ ㉠

두 점 $(-4,\ 2)$, $(b,\ 4)$를 지나는 직선과 직선 $y=-3x+a$가 수직이므로

$\frac{2}{b+4}\times(-3)=-1$

$\therefore\ b=2 \qquad \cdots\cdots$ ㉡

㉡을 ㉠에 대입하여 정리하면 $a=0$

$\therefore\ a+b=2$

074 답 $4\sqrt{2}$

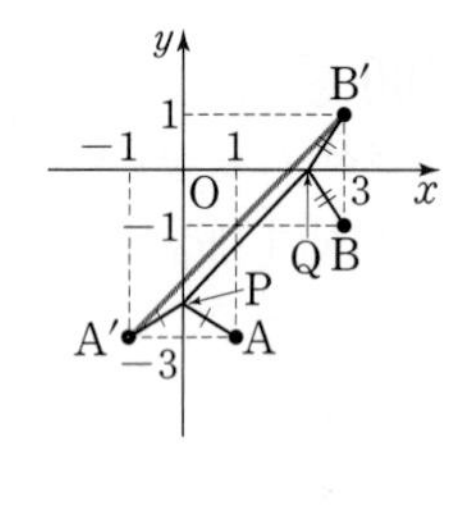

점 A를 y축에 대하여 대칭이동한 점을 A′이라 하면 $\mathrm{A'}(-1,\ -3)$

점 B를 x축에 대하여 대칭이동한 점을 B′이라 하면 $\mathrm{B'}(3,\ 1)$

$\therefore\ \overline{\mathrm{AP}}+\overline{\mathrm{PQ}}+\overline{\mathrm{QB}}=\overline{\mathrm{A'P}}+\overline{\mathrm{PQ}}+\overline{\mathrm{QB'}}$

$\geq\overline{\mathrm{A'B'}}$

$=\sqrt{4^2+4^2}=4\sqrt{2}$

따라서 구하는 최솟값은 $4\sqrt{2}$이다.

075 답 ③

방정식 $f(x,\ y)=0$이 나타내는 도형을 x축의 방향으로 5만큼, y축의 방향으로 1만큼 평행이동한 도형의 방정식은

$f(x-5,\ y-1)=0$

이 도형을 다시 x축에 대하여 대칭이동한 도형의 방정식은

$f(x-5,\ -y-1)=0$

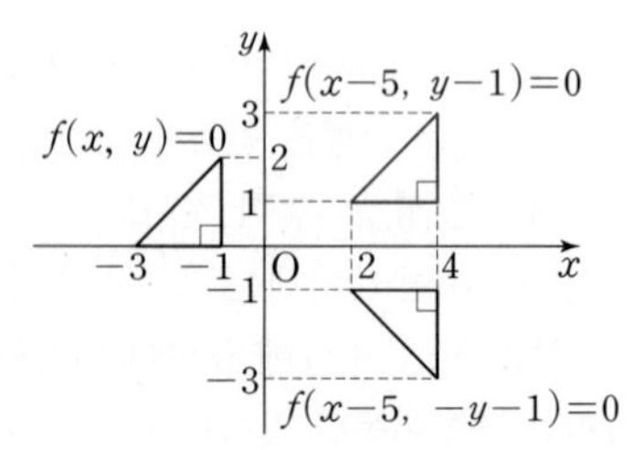

$\therefore\ g(x,\ y)=f(x-5,\ -y-1)$